C0-ANB-182

BIBLIOTECA DI CULTURA

— 471 —

CARMINE CHIODO

POETI CALABRESI TRA OTTO E NOVECENTO

BULZONI

Volume pubblicato con i fondi del 60% della ricerca scientifica.

ISBN 88-7119-509-4

00185 Roma, via dei Liburni, 14

INDICE

INTRODUZIONE

Il volume si compone di quattro studi su poeti calabresi dialettali e non dell'Otto e del Novecento. Alle loro opere in versi si è applicata una analisi totale: stilistica, tematica, sociologica (in taluni casi) per offrire un ritratto dei vari poeti presi in considerazione. Per tal motivo viene anche ricostruita la loro biografia e contemporaneamente anche la loro fortuna critica. Ovviamente sono studiati quei poeti che nello sterminato panorama bruzio otto/novecentesco hanno una loro importanza e validità artistica. Ecco i poeti indagati: il famoso Vincenzo Ammirà (di questi non solo sono individuate le componenti essenziali della sua lirica dialettale ma sono studiate anche le sue tragedie), il catanzarese Giovanni Patàri (scrisse le sue opere usando lo pseudonimo Alfio Bruzio), il noto poeta dialettale (anche lui catanzarese) Michele Pane (con Butera il più grande poeta dialettale calabrese del Novecento), e in ultimo il meno noto ma pur valido Francesco Saverio Riccio. Dell'Ammirà son fissate, inoltre, alcune caratteristiche della sua personalità inquieta, antiborbonica, antitirannica come fa ampiamente fede la tragedia *Valenzia Candiano*. Pur nella poesia in lingua l'Ammirà si mostra poeta della libertà e nemico dei tiranni, e desidera che dalle contrade italiane venga bandita per sempre "l'empia masnada" di gente barbara. Maggiori risultati artistici il poeta catanzarese li raggiunge nella poesia dialettale. Famosa è la *Pippa*: composizione romantica, profondamente dolorosa (pur venata da leggero umorismo), dove il rimpianto del passato, della perduta giovinezza spensierata, è acuto fino allo spasimo stemperato alla fine dell'apocalittica e magistralmente impostata scena della Valle di Giosafat, dove tutto si concluderà per l'eternità. Giovanni Patàri (Catanzaro 14 aprile 1866—13 luglio 1948), narratore, storico, critico, giornalista, presenta una feconda attività di scrittore e poeta che si concreta in numerose pubblicazioni che nel saggio qui presente sono esaminate singolarmente nelle loro tematiche e svolgimenti. L'analisi delle opere parte dal poemetto autobiografico intitolato *La città dei sogni* per poi passare alle composizioni dialettali apparse sul giornale "U Strolacu" e poi su "U Monacheddu": giornale umoristico-satirico scritto interamente dal Patàri che firmava le sue poesie — come già detto — con lo pseudonimo di 'Alfio Bruzio'. I versi gli uscivano facili, spontanei. Non giocava di fantasia. Comunque tutte le sue poesie in vernacolo videro la luce nel volume dal titolo *Tirripitirri — Poesie in vernacolo catanzarese*, stampato dall'editore Guido Mauro. Di questo volume poetico, fedele specchio dei costumi e della vita sociale catanzarese della fine dell'Ottocento, sono esaminati tutti i sonetti e di ognuno si isolano le tematiche e viene anche specificata la fattura del dialetto. Così si osservano scene realistiche, macchiette, tipi particolari, personaggi che rendono vario e nel contempo mosso l'ambiente catanzarese, commentato ora umoristicamente ora bonariamente da "Patra Giuanni": altro pseudonimo del giornalista e letterato Giovanni Patàri. Qui il poeta fotografa la vita catanzarese in tutte le sue diverse manifestazioni, i pregiudizi del popolo, e passa in rassegna le varie classi sociali, facendolo con l'uso di un dialetto vivo e incisivo. Oltre *Tirripitirri*, Alfio Bruzio è autore di un'altra silloge poetica in dialetto catanzarese (apparsa postuma) intitolata *'A lanterna magica* che raccoglie poesie del secondo periodo patariano. Alla fine del 1905 — va osservato — la poesia vernacola del Patàri tacque per lunghi decenni. Il poeta rivolge la sua attenzione alla storia e al paesaggio calabrese con desiderio di farlo conoscere a un pubblico più vasto di quello a cui aveva pre-

sentato alcuni aspetti della vita calabrese attraverso il foglio settimanale "U Monacheddu" redatto in vernacolo catanzarese. Ed ecco che nel 1925 pubblica *Terra di Calabria*, opera dedicata ad Antonino Anile. Dedicherà anche alla sua città l'opera *Catanzaro d'altri tempi*, in cui tesse la storia di Catanzaro appunto dalle origini fino ai primi anni del '900. Innamorato della sua terra, il Patàri le dedica altre pubblicazioni: *Per la Calabria* e *Vinti e sommersi nella letteratura calabrese contemporanea*. Con quest'ultima fa conoscere "cavalieri dell'Arte" poco conosciuti ai tempi suoi e anche nei nostri. Grazie agli studi letterari del Patàri possiamo avere notizie e dati su quegli autori che sciamarono verso Napoli, e qui si imposero subito: Gregorio Musardi, Vincenzo Padula, Francesco Fiorentino, Diego Vitrioli, Domenico Mauro, Vincenzo Julia, Vincenzo Vivaldi, Bonaventura Zumbini e tantissimi altri. Tutto sommato Giovanni Patàri ci ha lasciato alcuni contributi notevoli per lo studio della letteratura calabrese, e i suoi sonetti, ora arguti e mordaci, ora vivaci, dimostrano il suo grande, smisurato amore per la Calabria; e così ancora con le sue altre opere salta fuori la venerazione per i grandi artisti e pensatori che hanno onorato la regione in ogni tempo.
Di diversa tempra è la personalità e la poesia del poeta emigrato in America Michele Pane che occupa un posto a sé nel panorama della poesia dialettale calabrese. Lo differenziano dagli altri poeti i motivi delle sue ispirazioni, che traggono alimento dal piccolo mondo paesano della sua infanzia e della sua prima giovinezza, l'accento nostalgico e romantico dei suoi canti, la loro penetrante comunicativa. Il suo è un posto d'eccezione nella letteratura in dialetto. L'eco facile e vibrante delle sue rime non si riscontra in altri poeti; le rappresentazioni dei fatti e degli avvenimenti hanno particolari che sembrano ritratti con pennello, più che rievocati con la penna. Comunque la fama di Pane è legata alle sue poesie d'amore e a poesie come (molto note) *'A manganatrice*, *'E rose*, *'A zampugna*, *Tora*, *Tumbari* che sono entrate nella memoria e nell'anima dei suoi conterranei che considerano Pane come il loro poeta e che hanno specialmente in *Accuordi e suspiri* il "breviario delle loro ore sentimentali". Poeta anch'egli emigrato è il catanzarese Francesco Saverio Riccio. Egli partì da Girifalco (suo paese d'origine, in provincia

di Catanzaro) come tanti altri, ignoto e solo verso terre lontane in cerca di un avvenire più prosperoso che gli garantisse una vita più umana e più dignitosa. Emigrò giovanissimo quindi in America a far l'artigiano e a tentar la fortuna. Operò in una industriosa cittadina dello Stato di New Jersey, e precisamente a Riverside. Uomo laborioso, intelligente, arguto, sincero, amante del sapere, il Riccio fu sempre attaccato da tenace affetto alla sua terra lontana e alla sua adorata famiglia. Nel 1926 con i tipi del giornale "La Follia" di New York pubblicò il primo libro di poesie dialettali. Gran parte dei suoi lavori consistono in bozzetti, poesie, che trovano posto in autorevoli giornali italiani degli Stati Uniti.

Vari momenti biografici sono presenti nei componimenti in dialetto e in lingua italiana. Dopo quarant'anni di permanenza in America, il Riccio pubblicò il terzo volume di poesie dialettali calabresi: *I caratteri dell'uomo. Libro terzo di poesie in vernacolo calabrese*. Il titolo corrisponde in massima parte ai bozzetti che racchiude. Un libro, questo del Riccio che parla dell'uomo sventurato che per guadagnarsi il pane deve lavorare lontano dalla patria e magari essere trattato come un cane. Come i buoni poeti il Riccio ha guardato la vita sotto i più diversi punti di vista, scettico, sentimentale, umorista. Il Riccio è pure autore di poesie il lingua italiana, poesie — che se anche sono molto spontanee e sentimentali — non hanno un grande valore poetico-letterario. Sarebbe stato meglio se questi sentimenti Francesco Saverio Riccio li avesse espressi nella forma dialettale ove raggiunge migliori risultati. Qui va detto che molte immagini e riflessioni del Riccio dialettale sono da ascrivere alla tradizione della poesia dialettale calabrese dell'Ottocento e del Novecento, e al centro della sua poesia c'è sempre l'uomo Riccio: persona di buon senso. I suoi versi sono la vibrazione della sua anima, che ha amato ed ha sofferto tormenti e debolezze, ricordi e speranze. E allora la sua poesia dialettale è realista, e in essa c'è la più alta idealità dei nobili principi di giustizia sociale. Inoltre il suo verso affilato e rovente sferza i cattivi e gli ipocriti; la suo poesia è chiara, incisiva, penetrante. Certo il Riccio non è un poeta della elevatura di Pane e di Butera ma comunque la sua poesia è testimonianza soprattutto di un uomo che ha conosciuto sofferenze e anche gioie ed ha vissuto con nel cuore la nostalgia e la speranza di poter con i suoi versi e le sue verità, consigli, aiutare i poveri, gli emarginati, gli infelici. La sua poesia contesta la società che spesso e volentieri dimentica la fratellanza e il rispetto umano, amando la guerra e le malversazioni.

Carmine Chiodo

I.

La poesia in lingua italiana e in dialetto di Vincenzo Ammirà

Ji era vecchiu, ma era arditu arditu,
giallu di facci, nigru, 'mpremunatu,
e siccu chi paria, pardeu, nu spitu.

Era gustusu, poi, lu vecchiarrinu
cu tuttu ch'era menzu scartellatu
mentìa difetti puru a lu mbombinu!

Quandu ncuntrava ncuna giuvanotta,
nci nd'icìa tanti chi facìa u s'arrasa:
pe fforza avìa mu jetta na strambotta
o ch'era beja, o brutta, o ch'era grassa;
ch'era accussì, accullì, ch'era ferrigna,
e nciu diciìa pulitu, nta la mpigna! [1]

Egli era vecchio, ma era ardito ardito, / giallo di faccia, nero, irato, / e secco che sembrava, perdio, uno spiedo. / Era gustoso, poi, il vecchietto / con tutto ch'era mezzo curvo / metteva difetti anche al Santo Bambino! / Quando incontrava qualche signorina, / le diceva tante cose per cui lei s'allontanava: / per forza doveva gettare un motto, / o ch'era bella, o brutta, o ch'era grassa; / ch'era così così, ch'era gagliarda, / e glielo diceva chiaramente, con faccia tosta // [2]

Questi versi sono il ritratto di Vincenzo Ammirà [3], nato in Monteleone di Calabria (oggi Vibo Valentia) il 2 dicembre 1821. Suo padre Domenico, di famiglia borghese, era farmacista, la madre, Maria Lo Judice, apparteneva a famiglia operaia. Frequentò la scuola di Raffaele Buccarelli [4], dalla quale uscì rivoluzionario [5] e buon latinista. Non sappiamo se conseguì diplomi; ad ogni modo, intraprese presto la carriera dell'insegnamento privato.

Nel 1847-1848 fu tra i rivoluzionari; ed è notevole, per la risonanza dell'atteggiamento di Pio IX, questo sonetto dell'Ammirà, che porta la data del 20 dicembre 1847, perché denota come anche il poeta di

Monteleone, che potrebbe sembrare poco disposto verso la religione, fosse, al pari degli altri rivoluzionari reggini del 2 settembre 1847, entusiasta del Pontefice della libertà, e vagheggiasse una patria santificata dal Dio della Chiesa Romana:

Salve, messo del cielo, eternamente
Adorarti saprà l'età ventura,
Come adorata sei dalla presente,
Benefica, sublime creatura.

Angelo santo, che dell'uom la mente
Informi a romper la pesante e dura
Servil catena dell'Etruria gente,
Se la polve di Eroi cangiò natura.

O diletto, divin figlio di Piero,
La magica scintilla ha ridestato
Che tutti guida a libero sentiero.

Siegui, ti veglia Iddio; dall'Alpi irato,
Se man tiranna vuol d'Italia impero,
Iddio discende alla difesa armato [6].

Ma triste epilogo ebbe il moto, che trovò in Domenico Romea "l'anima inquieta del martire"; e, di lì a poco, con gli stessi sentimenti del classico e manzoniano cittadino C. M. Presterà [7], l'Ammirà celebrando i martiri di Gerace, fremerà di dolore, di sdegno e di minacciosa speranza:

Sconterà cotanto scempio
Il destino dei tiranni;
O fratelli, il grand'esempio
L'avvenire imiterà;
Cangerassi in rogo il trono,
Strage, morte e non perdono
Ai tiranni arrecherà.
[...]

Il martirio generoso

Che soffriste o prodi, o forti,
Pari all'uomo portentoso
Nuova vità vi darà;
Poserete tra gli eletti
Dal Signore benedetti
Benedetti in ogni età [8].

E l'anno seguente, celebrando il patriota Padre Felice Ant. Del Pezzo, morto "tra i rigori monastici del Convento di Stilo" dopo i fatti del 1848, dirà pomposamente:

Dell'inumano strazio
Fiaccollo il pondo, e della patria l'arte;
Sprezzator dei tiranni
All'immenso gran giorno aperse i vanni [9].

Anche a Monteleone s'era manifestato un tentativo rivoluzionario. I liberali, che facevano capo a Raffaele Buccarelli, disarmata la gendarmeria, avevano allestito un fugace Comitato rivoluzionario che non portò alcun contributo alla lotta, come non ne aveva portato l'anno precedente. Nella lista dei perseguitati politici figuravano tre nomi di monteleonesi tra i quali c'era quello di Vincenzo Ammirà [10], il quale stando nel Corpo di guardia dei "nazionali",

> posto in una casetta a pian terreno [...] Luogo di convegno di vecchi e giovani ridanciani [...] scrisse l'ultima parte della Ceceide [11], cui — in ordine di tempo — seguirono la seconda e la terza [12].

Vincenzò Ammirà ardente rivoluzionario e liberale, quasi per punirsi d'aver riso in maniera tanto sboccata con la *Ceceide* [13], incalzato dalle sciagure della patria scriveva varie poesie patriottiche in cui sferza i falsi liberali o i liberali del '48, che poi erano diventati carbonari nel '50. La sua lode va ai veri rivoluzionari. E anche — come già detto — fu rivoluzionario in quei tempi difficili, benché avesse poco da vivere e molti sbirri (i famosi *feroci*) alle costole. L'Ammirà per le sue poesie politiche fu perseguitato e incarcerato. Difatti veniva visitato frequentemente dalla polizia (e ciò risulta dai processi cui fu sottoposto), che, ciò nonostante, non riuscì mai a sequestrargli alcun documento politico, benché fosse convinta dell'opera antiborbonica dell'Ammirà che varie volte (secondo il racconto della moglie) restava fuori di casa. Durante una di queste solite visite domiciliari della polizia al poeta fu sequestrato il *Decamerone* e la *Cecia*: opere per le quali il 28 aprile 1854 fu "imputato di detenzione di libri proibiti", e trascinato dinnanzi alla "Regia Giustizia" del Circondario di Monteleone che condannò

> D. Vincenzo Ammirà a due mesi di esilio correzionale, alla perdita del libro, e scritto, alla multa di Ducati Venti a prò del Real Tesoro ed alle spese del giudizio a favore dell'Amministrazione del registro [...] [14].

Dopo esser stato arrestato per quei libri, il poeta fu arrestato ancora nel 1858 [15] per sospetti politici. E dopo l'unità d'Italia fu scartato nel concorso per una cattedra — come già sappiamo dal Misasi — nel Liceo Ginnasio di Monteleone a causa dei processi subiti. Così il rivoluzionario del 1848, colui che nel 1860 aveva seguito Garibaldi a Soveria Mannelli, veniva dipinto come uomo corrotto e corruttore: rimase fuori da ogni sorta di professione e di attività viva e militante, insegnò privatamente e dal 1866 al 1868 lavorò quale commesso nel Dazio. Nei versi *Un commesso del dazio consumo* appunto egli rappresenta la propria triste condizione di uomo deluso:

> Ed il caduto giorno ripenso,
> Qual le fatiche, quale il compenso;
> Ed esclamando la pipa allumo,
> Oh maledetto dazio consumo! [16]

Una poesia autobiografica, in cui quell'arguto vecchio, sboccato e sentimentale, si ritrae con un'allegria dove si scorgono le lacrime:

> Pria che gli augel destansi al canto
> Loro festevole della foresta,
> Io sonnolento, spossato, affranto

Dal capezzale levo la testa;
Ed il caduto giorno ripenso [...] [17].

Il povero poeta giunge finalmente alla sua "magione", ove cerca ristoro nella frugale cena e oblio nel vino:

Ahi tutto è vano! brev'è la calma
Mentre qual'incubo sempre presente
Mi siede al fianco, m'invade l'alma
Il mestier duro; o ognor la mente
M'ingombran fusti, metri, valori;
Onde automatico contegno assumo,
Oh maledetto dazio consumo! [18].

Un mestiere che lo mortificava ogni giorno, ponendolo a contatto con esercenti disonesti e villani [19], e quindi in questo componimento sottolinea

> la propria triste condizione di uomo disilluso, simile a qualche altro scrittore che aveva partecipato a Curtatone a Montanara e finì, dopo l'unità emarginatore di pratiche in una prefettura, Carlo Collodi [20].

Una vita, questa dell'Ammirà, di dispiaceri. Difatti egli in una poesia intitolata *A la luna* dice chiaramente di assomigliare alla luna appunto e di aver passato molti guai:

Jeu t'assimigghiu propriu,
Gromula nd'assaggiai,
M'imchiu la brutta 'mbidia
Di tanti e tanti guai [...] [21]

Io ti assomiglio proprio, / Dispiaceri ho provato, / Mi riempì la brutta invidia / Di tanti e tanti guai [...]

Vincenzo Ammirà non ebbe alcuna paura e sopportò tutto con coraggio, e nella stessa poesia si paragona a un marmo:

Ma su comu 'nu marmuru
Non tremu e mai non cangiu,
Sputazza e la miseria
Sumportu ma non ciangiu [22]

Ma sono come un marmo / Non tremo e mai cambio, / Sputi e miseria / Sopporto ma non piango //

Guai e miseria che gli derivavano dai suoi versi mordaci e satirici. E in un altro componimento intitolato *Addio a la citra* (*Addio alla cetra*) [23] lo dice chiaramente:

Non servi mu ti friccichi,
Jiungiti ad autru oggettu,
Causa di li mei triguli,
Ca vogghiu mu rigettu [24]

È inutile che ti pavoneggi, / Fa lega con un altro, / Causa dei miei mali; / Perché io voglio stare in pace //

Dei mali e della fortuna ingrata spesse volte il poeta si ricorda nei suoi versi dialettali:

Venendu a morari dintra la fossa
Ti vogghiu accantu di mia curcata,
E accussì queti saranno st'ossa,
Chi sbattìu tantu fortuna 'ngrata
'Ntra la tempesta cchiù scura e grossa [...] [25]

Venendo a morire nella fossa. / Ti voglio accanto a me coricata, / E così quiete saranno queste ossa, / Che sbatté tanto la fortuna ingrata / Nella tempesta più scura e grossa [...] //

E prima nel medesimo componimento aveva detto:

Oh quantu voti, quando 'ncignaru
Li patimenti, mi cumportasti!

Tu 'ntra lu carciaru penusu, amâru,
Tu pe lu siliu mi secutasti;
Pecchì tingiutu di brutti 'mprasti,
Sula mi fusti fidili e pia,
e cunzigghiera, pippuna mia [26].

Oh quante volte, quando cominciarono / I patimenti, mi hai dato conforto! / Tu nel carcere penoso, amaro, / Tu per l'esilio mi seguisti; / Se tutti gli altri s'allontanarono da me, / Perché tinto di brutti empiastri, / Sola mi sei stata fedele e pietosa, / E consigliera, pippa mia // [27].

Uniche compagne fedeli e affettuose sono state per il poeta la Musa [28] e la pipa. Con la Musa passava i giorni e le notti, e solo in questa maniera — immergendosi nella poesia — Vincenzo Ammirà riusciva a sfuggire alla malinconia, ai pensieri tristi, specie quando cantava d'amore e scriveva i suoi componimenti satirici. La Musa come la pipa, dunque, sono state le sue uniche compagne che non l'abbandonarono — a differenza degli uomini — un solo istante:

Cumpagna mia cara, cumpagna affettusa;
Quand'era figghiolu, tu fusti cotrara,
Cumpagna affettusa, cumpagna mia cara;
Li notti e li jorni passava cu tia,
Cumpagna affettusa, di l'anima mia [29]

Compagna mia cara, compagna affettuosa; / Quand'io ero figliolo, tu eri ragazza, / Compagna affettuosa, compagna mia cara; / Le notti e i giorni passavo con te, / Compagna affettuosa, dell'anima mia //

I suoi avversari e *feroci* non lo mollarono un minuto: lo perseguitarono per tutta la vita, osteggiandolo in mille modi, facendolo vivere povero. A questo liberale e rivoluzionario non rimaneva che la gioia della poesia. Egli morì [30] nella indifferenza più amara dei concittadini. La sua bara venne seguita dai figli e dai pochi vicini. La sua morte passò inosservata e solamente *La Calabria* di Luigi Bruzzano dedicò poche ma affettuose parole per il morto poeta, che onorò con la pubblicazione della poesia dialettale *La pippa* (*La pipa*).

Come uomo fu amante della sua libertà e di quella della sua patria:

> ha bisogno di pane, e lo rifiuta se debba costargli un pò di prudenza nel dire o nel fare, un sorriso in luogo di un lazzo, una stretta di mano invece di una sassata empigrammatica.

Inoltre amò

> [...] la casa la famiglia la onestà dei costumi sino alla gelosia; e un demonietto seduttore lo strappa dalle sue contemplazioni malinconiche e [...] le sprofonda nel letamaio della pornografia. Vuole la libertà della patria, la propugna, gli costa persecuzioni e carcere e miserie, e quando, nel '60, tutti occorrono a Napoli per procacciarsi prebende e impieghi egli, l'esiliato del '54, il reo borbonico del '59, il garibaldino di Soveria Mannelli, giunto presso le scale del palazzo del Governo napoleonico, invece di recarsi dal suo amico Francesco Stocco, ritornava indietro con i suoi bravi documenti in tasca, e poi è anche escluso (e i suoi nemici si serviranno nientemento che del processo borbonico per colpirlo!) della lista degli insegnanti del ribattezzato Liceo Filangieri [31].

Come poeta fu popolarissimo a famoso in tutta la Calabria, specialmente per alcune sue poesie quali: *A pippa* (*La pipa*), *A lagrima* (*La lacrima*), *U lamentu di Cola* (*Il lamento di Cola*), e per alcune altre da tutti ripetute e conosciute [32].

Vincenzo Ammirà ha scritto tragedie, poesie in italiano e in vernacolo. Per quanto riguarda le tragedie anzi, le sue due tragedie, *Lida* e *Valenzia Candiano*, in 5 atti l'una, vennero rappresentate con successo nel teatro Vibonese negli anni 1875 e 1891. Comunque l'ossequio ai classici diventa nelle due tragedie pedissequo nella tessitura dell'argomento, nella impostazione delle scene, nella incapacità di creare situazioni originali. Vittorio Alfieri difatti lo tiranneggia; Sofocle gli impresta situazioni. Nella *Valenzia Candiano* la *Mirra* dell'Alfieri gli suggerisce il personaggio di Carlo Visconti, che si ripeterà nel Narsete della *Lida*, dove si ha — per il corpo insepolto dell'Ipponio — una risonanza non svolta dell'*Antigone* di Sofocle. Ma se l'Ammirà prende dall'Alfieri e dai greci situazioni, non riesce che a cucirle faticosamente [33].

La prima tragedia, *Lida*, fu dal poeta concepita in età giovanile ancor prima che Garibaldi, dopo l'impresa di Sicilia, sbarcasse in Calabria: ma scritta in età matura. La tragedia è una di quelle tante figurazioni drammatiche che piacquero nell'Ottocento ed ebbero un grande valore per il significato loro immediato e contingente. *Lida* difatti è una tragedia alfieriana, antitirannica:

> [...] Il ciel s'allegra
> Quando a salute dalla patria terra
> Trafitto scende al Tartaro un tiranno,

dice Gildoro nell'ultima scena dell'atto quinto [34]. Tiranno è in questa tragedia il saraceno Narsete: stragi, rovine, crudeltà compongono il suo sanguinante diadema: e la nemesi prepara l'ora fatale. Ecco l'argomento della tragedia. In sul cominciare del secolo IX barbare torme di saraceni, flagello dei paesi calabresi, invasero e distrussero fra le tante altre, la città di Monteleone, di cui Ippo, padre di Lida e di Roberto, era signore. Questi fu mutilato d'ambo le mani, ucciso e lasciato in pasto alle fiere. Lida per sottrarsi più che alla morte, non temuta, ad ogni barbaro oltraggio, si rifugia, insieme con altre nobili donzelle, in un tempio dove da Narsete e dalle soldatesche saracene, che portano ovunque la desolazione, vengono trovate. I Saraceni stanno per avventarsi sulle spaventate fanciulle, quando s'avanza, coraggiosa e pronta ad ogni sacrifizio, Lida, che prega il capo di risparmiare non lei ma le sue compagne. Narsete, commosso e vinto, dalla bellezza di Lida, ordina ai suoi soldati di non toccare nessuna di quelle donne e di condurle nel castello tra le altre nobili prigioniere. Il capo saraceno s'innamora di Lida: così il destino prepara il suo ordito. Lida non corrisponde a questo amore in quanto è fidanzata di Gildoro, fatto anch'egli prigioniero da Narsete. Lida, però, per allontanare la mente di Narsete da ogni preoccupazione di difesa del castello, gli si promette in isposa ma per il domani: perché l'alba novella doveva cambiare la situazione venutasi a creare. E così l'alba si affaccia e i Vibonesi, presso il castello avito, fanno strage dei saraceni. Narsete s'accorge dell'inganno e gli resta da fare una sola cosa: tornare alla torre, prendere Lida e cercare di portarla con lui al porto, ove li attendeva una "galera". Così fa il saraceno. Lida, non potendosi svincolare dall'abbraccio del saraceno, afferra il pugnale dello stesso e lo uccide.

La tragedia non manca di forza e di robustezza, che potremmo chiamare alfieriane. Difatti in essa si incontrano vari echi alfieriani:

Lida Oh!... taci...

Nar.
Pria che ragion prevalga! Indugi, o donna?
Mi ti arrendi? Sceglięsti?

Lida Ahi!

Nar. Lida?

Lida Ho scelto! [35].

Oppure:

Gilf. Udisti?

Rob. Udii!... [36].

Ancora:

Rob. [37] Illeso torni, mio Gilfredo?

Gilf. Illeso

Rob. Eseguisti?

Gilf. Eseguii [38].

L'Ammirà, pigliando — come si è visto — spunto da un fatto che si sarebbe svolto intorno al secolo IX per la libertà politica di Monteleone (cittadina distrutta dai Saraceni, di cui era capo un tal Narsete), mirò, come l'Alfieri, a svegliare ancor più nell'animo dei calabresi l'amore verso la patria comune. E qui tutta la vita degli antichi Bruzi è rievocata con straordinaria potenza pittorica. Il poeta, spirito libero, nel cui animo vibra un lievito potente di fierezza, impreca al tiranno Narsete, responsabile di stragi, di rovine, di crudeltà, ed esulta per la morte del Saraceno [39], a cui si oppone con la sua fierezza Lida che non intende sposare colui che gli ha ucciso il padre, il fratello, e tanta sua gente:

Io d'Ippo figlia, del crudel Narsete,
Dell'uccisor del padre mio, che un empio,
Di fe' vario, di legge, e di favella,
Sterminator di queste patrie mura,
Del fratel, dell'amato, esser la sposa?
Barbaro, tua mai non sarò: mi sento
Bruzia nel seno palpitare l'alma:
Resisterò, ti abborrirò mai sempre:
I più atroci tormenti, il rogo stesso
Impavida affrontar saprò ben'io
Ma qual suon!... la canzone!... al veron volo.
(Si ode un preludio di liuto indi la romanza) [40].

Tragedia antitirannica per eccellenza. Questo è il suo carattere fondamentale. La *Lida* termina con la morte del tiranno, e così i Vibonesi tornano ad essere padroni delle loro terre, difese sempre con coraggio e valore. E proprio con questa tragedia il poeta ha voluto anche esaltare la virtù e il valore degli antichi Vibonesi che si batterono da leoni contro i Saraceni, sottraendo loro le contrade da essi occupate e saccheggiate.

I personaggi della tragedia sono ben disegnati e immediatamente balza la loro personalità e carattere. Così Lida che non ha paura del tiranno Narsete e dei suoi soldati, e allorquando Raul racconta la battaglia tra Saraceni e Vibonesi, la donna non si dimentica di essere Bruzia e di dire chiaramente che Vibo è solamente dei Vibonesi e che

[...] verrà mai il tempo,
Né lungi fie, che te [41], l'empia tua razza

Spada vindice mano: e strage e morte
Entro gli Arabi arrechi. Empi predoni,
Vi scaccerà, v'incalzerà, codardi,
Senz'asilo trovar, di terra in terra,
Fin nei pietrosi abominati nidi,
E su l'estrema barbara ruina
Di gioia esulterà!

Lida non sarà mai del tiranno Narsete, e difatti allorquando egli s'avvede che ormai i Vibonesi sono penetrati nel castello e per lui non c'è via di scampo, cerca di portarsi via Lida ma lei non vuol saperne:

Lida
Lasciami!

(Narsete la trattiene, indi cerca trascinarla al mare additandole la galera)

Nar. La galera... ahi!...

(col brando che pendeva al fianco del Saraceno Lida lo ferisce)

Lida Qual delitto!
(velasi il volto con le mani)

Nar.
Tu m'uccidesti... Lida... or lieto io morto
Per la tua mano... fortunato appieno...
Ti amai... fu l'amor mio tenace... eterno
Oltre il viver sarà, tu il giuramento...
Non mai... ma tutto scordo e perdono...
Deh!... se ti cal di un infelice in terra...
Sul mesto ricordar manda un sospiro!...
Lida! caro mio cielo addio! per sempre!...

(si solleva su di un braccio, indi cade e spira) [42].

Ma il cuore di Lida è di Gildoro.

Altro personaggio ben delineato è quello di Gilfredo che si distingue per la sua fedeltà a Ippo e non può trattenere la commozione quando, vestito da saraceno, si porta nel castello ora occupato da Narsete:

> [...] Deh! come forte
> Tumultuante il core urta nel petto
> Al ricalcar queste dilette soglie,
> E in un dì dolenti del Signor già spento...
> Qui non ha guari Ippo regnava: oh lasso!
> Or qui non regna più, più non lo vede
> La sua terra natal!... dorm'ei lontano
> E oscuro lo ricuopre angusto sasso
> Anch'io passai di giovinezza gli anni
> In queste sale... Ahi ricordanze! il pianto
> Frenar non posso!... Cerchisi di Lida,
> Ché inutil torna richiamar l'andato.
> Suon di passi!... chi vien? fors'ella? e s'altri?
> Incauto al certo perderei me stesso
> Non ho un pugnal? combatterò; ma l'opra;
> L'alta missione non compirassi allora.
> Or fra quegli archi vo a celarmi intanto.
> E tu, notte, più denso il vel dispiega [43].

Di tiranni e di amore si parla anche nell'altra tragedia intitolata *Valenzia Candiano* [44]: tragedia dell'amore impedito dal tiranno che è, come dice Alberico alla sua amante,

> Idra spietata, sanguinosa, abietta,
> Ai cui cent'occhi nulla sfugge, e tutto
> Raggiunger sa colle sue cento braccia [45].

Un potere — quello politico — che si basa sulle empie spie: Apostolo Malombra ("gelido serpe" e "creatura iniqua") che controlla le intenzioni dei due amanti e riferisce così ogni loro azione al senatore Attendolo Barbarigo, avido di potere. Il Doge Orseolo, comunque, ha capito tutto e dice chiaramente all'ammiraglio Candiano che suo nemico e artefice di ogni trama contro di lui è il senatore Attendolo Barbarigo:

Fieramente ei ti abborre, e sul tuo capo
Già canuto la scure omai sospende
Con raggiri inutili e trame orrende
Senza mostrarsi autor [46].

Candiano è accusato dal senatore della repubblica veneta di dare in isposa sua figlia Valenzia a un uomo dal "vipereo sguardo", "oscuro straniero",

[...] il qual qui [47] tratto
Venne dal Conte di Virtude, quando
L'alleanza con noi stringer volea
E negata gli fu [48].

La scena si svolge — come già detto — a Venezia al tempo dei Candiano, che diedero 5 dogi alla Repubblica lagunare. L'opera non ha un carattere politico, ma preannuncia, perché composta in età giovanile, quello che fu poi definito il dramma psicologico.

In questa tragedia c'è una fusione del fato psicologico e di quello storico: dal momento che, se la Candiano soggiace alle incoercibili leggi della Repubblica Veneta, cui eran sottoposti anche gli affetti più intimi e più cari, ella si libera con un atto di violenza contro se stessa dal dominio impossibile delle leggi, anticipando il dramma moderno.

Narra la tragedia quanto segue: Valenzia Candiano, figlia del glorioso Ammiraglio Candiano, è l'amante di Alberigo Fossano, straniero al soldo del conte di Virtude (che tentò ma inutilmente di stringere alleanza con la città di S. Marco). I nemici di Candiano, tra cui il senatore Attendolo e Apostolo Malombra, spia — come già sappiamo — della Repubblica e *manus longa* del senatore, saputo di quell'amore fa pervenire al doge una lettera nella quale si accusa Valenzia di nutrire amore per uno straniero.

La scure già pende sulla canuta e gloriosa testa dell'ammiraglio veneziano perché la legge della Repubblica proibisce un matrimonio tra veneziani e stranieri senza il politico consenso del Consiglio dei Dieci. La figlia Valenzia è dura, e il padre cede in cuor suo alla logica indefinibile dell'amore. Ed ecco giungere a Venezia, per stringere alleanza, il milanese Carlo Visconti che, dopo un torneo, s'innamora perdutamente della Candiano. Ma essa lo respinge, e il Visconti su consiglio di Attendolo si rivolge al Consiglio dei Dogi che stabilisce il matrimonio tra i due. Il padre non può non consentire: ma prepara occultamente la fuga dei due amanti (Alberigo e Valenzia). Questi infatti fuggono ma vengono raggiunti. Fossano viene ucciso e Valenzia, fatta prigioniera, viene condotta alla casa paterna su intervento del Visconti che ritorna a chiederle la mano. La donna respinge violentemente ogni profferta e in un eccesso d'ira uccide Attendolo Barbarigo, sua rovina, e quindi si trafigge con un pugnale. Tutto sommato Valenzia ricorda la fierezza di Lida. E il carattere fondamentale della Candiano è proprio questo: la fierezza con la quale difende il suo amore per l'uomo che ama e naturalmente si oppone alla volontà del Consiglio dei Dieci e con coraggio dice a Carlo Visconti:

Célati agli occhi miei, mostro nefando,
T'odio, ti abborro, ti detesto, e sappia,
Il mondo sappia, scellerato figlio,
Di più perverso padre e scellerato,
Che l'empio letto di un Visconti mai
Valenzia non accoglia; e che Alberigo,
Unico, sol dei miei pensier, oggetto
Avrammi a tuo dispetto, e quale pegno
Della mia fede ch'è immutabile, porgo
A lui sicura la mia man.

(Dà la mano ad Alberigo) [49].

Per concludere sulle tragedie è da dire che sia nell'una sia nell'altra le azioni sono rapide e le situazioni psicologiche son ben definite, così pure i caratteri dei personaggi sono ben delineati e coerenti fino all'ultimo. Comunque sentimenti di libertà, di esaltazione dei veri eroi e martiri, tirate e imprecazioni contro tiranni ed oppressori sono presenti pure nella sua poesia in lingua italiana.

L'Ammirà, come tanti poeti calabresi, pone la sua attenzione sull'Italia oppressa dai tiranni e priva quindi di unità politica: per questo motivo sia al Sud sia al Nord molti erano i poeti che reclamavano una patria. Ed ecco che accanto ai nomi del Foscolo, del Manzoni, del Pellico, del Berchet, possiamo accostare quelli di Domenico Mauro, di Vincenzo Padula (coi i suoi canti dialettali) e dell'Ammirà. Anch'essi, secondo una concezione che traspare da tutta l'opera del Manzoni e che fu tanto cara agli storici romantici, sentirono che "la storia non è solo quella dei grandi, ma anche è più quella dei più poveri"[50].

Nella poesia in lingua italiana Vincenzo Ammirà si mostra poeta della libertà e nemico dei tiranni, e desidera che dalle contrade italiane venga bandita per sempre "l'empia masnada" di gente barbara:

E fuor dell'Italia
Nostra contrada
di gente barbara
L'empia masnada
Si bandirà

Come la nebbia
Che solve il vento
Tutti disperdansi
In un momento
Gl'alti oppressor[51].

La poesia si chiude con la preghiera del prigioniero morente al "Signore" perché possa disperdere i tiranni italiani e maledire ogni oppressore:

Qui mi gemo or sono tre anni,
Quanti strazi; Signore,
Sperdi gl'itali tiranni,
Maledici ogni oppressore;
Lancia eterna, orrenda guerra
Ai tiranni della terra[52].

L'amore per la patria l'avvertì fin da giovinetto, e quindi mette alla berlina, gli spioni, e innalza altari ai martiri, e mette alla gogna quel tale Abate, il Cardinale Ruffo, che altrove fu eroico e qui, per il valore dei monteleonesi, fu coniglio. C'è posto anche per i martiri, gli eroi, e varie sue poesie politiche e patriottiche sono ad essi dedicate. Ricordiamo quella dedicata alla memoria del Cappuccino Padre Felice Ant. Del Pezzo:

Rammento ancor tua immagine,
O forte, e generoso, allor che in lido
All'ardente Sicilia
Primo di libertà levossi il grido,
E si armava il tiranno
Disconsolato, e si struggea di affanno.

E tu incitavi intrepido
All'armi i figli della terra brava,
E si copria di cenere,
All'igneo sguardo, al dir, ch'alto suonava,
D'ogni schiavo il sembiante,
E lasciava la pugna palpitante [53].

E in un altro componimento intitolato *Un calabro su cinque tombe* [54] canta le tombe di Michele Bello, Gaetano Ruffo, Domenico Salvadoti, Pietro Mazzoni e Rocco Verducci, fucilati in Gerace il 2 ottobre 1847. L'Ammirà qui si avvicina per la concezione al *Romito del Genisio*. Difatti la poesia politica e civile del poeta di Monteleone non si discosta nei toni e nello stile da quella risorgimentale di un Berchet o di un Mameli. E nella poesia citata prima si leggono parole di fuoco contro gli empi tiranni:

Lupo vile, empio, tiranno
Non degenere degli avi,
Che tra insidie ed inganno
Vi piantaron l'imper;
Re superbo, Re fellone,
L'uragano e l'aquilone
Sperderanno il tuo poter [55].

E non può mancare l'esortazione all'Italia di impugnare le armi per far fuori i tiranni e vendicare così il sangue dei martiri:

Deh ti scuota alla vendetta!
Perché pigra addormentata?
Sorgi Italia, ti affretta
I tuoi figli a vendicar;
Finché inulto fia quel sangue
Sciagurata, il sen di un angue
Non ti senti lacerar [56].

L'Ammirà gareggia col Foscolo e col Berchet a proposito dei profughi di Parga, preso da un altissimo ideale di solidarietà umana nei momenti sacri del comune dolore [57]. E ancora come Leopardi consiglia alla madre di una bambina di educare questa all'amore verso la diletta patria. Colpisce poi con una acuta satira *Lo spione* [58] il 30 marzo del 1849, dopo che Carlo Alberto promulgò la guerra d'indipendenza:

A che mi guati con fiero esame
Ronzando intorno qual fa lo sciame?
E al vipereo maligno sguardo
Il cor mi cerchi, di qual foc'arde?
Oh in fronte leggoti!... fuggi, fellone,
Tu sei spione

Orror m'infonde quel tuo sembiante...
Ma non mi lasci nessuno istante?
Mi conti i gesti, fin le parole,
Mi siegui all'ombra, m'incalzi al sole,
Al tergo, ai fianchi: sgombra, fellone,
Tu sei spione

Maledicendoti volgo i calcagni
E tu l'instancabile pur mi accompagni,
Fuggo, e mi credo d'impaccio tolto,
E ancor beffardo mi ridi in volto?
Erba mortifera, lungi, fellone,
Tu sei spione [59].

Nella poesia politica e patriottica [60] l'Ammirà imita, e a volte in maniera pedissequa, gli scrittori romantici: Rossetti, Mameli, Berchet, Carrer, Prati; si sforza tuttavia di uscire da codesta dipendenza, per esprimere compiutamente se stesso. Ma non ci riesce nelle poesie italiane, che manifestano un aspro tentativo di fusione tra l'elemento romantico e quello classico, di cui è pure impregnato.

Avrebbe potuto, l'Ammirà, se non avesse avuto troppa fiducia nella musa estemporanea e nell'innata facilità di rimare, darci delle belle opere in lingua italiana, solo a condizione di frenare il suo estro, di vigilare il suo comportamento, di eliminare ciò per cui non era portato. A parte ciò, tra le altre sue poesie italiane dobbiamo ricordare *Una morente traviata* [61], *La lacrima*, *I Romiti*. Un brivido di dolore è presente nelle strofe della prima poesia. In questi versi, in cui con naturalezza e semplicità si riflette una vita di miseria, di dolore, l'amarezza è potente e nello stesso tempo comunicativa. Anche ne *La lacrima* serpeggia una nota malinconica, quasi triste, che però non è artificio ma profondo sentimento. Il poeta a questa "messagiera gentile", che tanta parte di cielo in sé racchiude, domanda del di lei artefice, e da quali lidi "Elisi" discende e da chi ebbe quell'"incompreso accento", e le chiede conto della sua forza che sa lenire il dolore, ed infine termina:

Ove hai tu fonte e vita?
Dove la mesta voluttà serena,
Che arcanamente invita
Di sospiri, ed i lai molce ed affrena?
Quanto di bello ascondi,
O lacrima, rispondi!
Chi è mai, se non il core
Che si disvela nel tuo dolce umore? [62].

Nel marzo del 1854, in carcere, scrive la novella romantica *I romiti*. L'argomento è uno dei soliti temi romantici: due innamorati, che, contrastati, tentano di fuggire, sono ferocemente divisi: la fanciulla è gettata in prigione; il giovane viene ucciso da un sicario. E poiché il sorprendente è uno dei motivi specifici del Romanticismo, il poeta apre il suo racconto con la scena di un naufrago, che lotta contro le onde divoratrici:

L'onda ingrossa, vorticosi
Stende i flutti infino al ciel.
Notte truce, orribil notte
Tutto avvolve in fosco vel.

Notte truce! striscia un lampo,
Rompe il buio e passa in mar.
Infelice, aita, aita!...
Egli è presso a naufragar [63].

Leggendo i suoi componimenti italiani si vede che Vincenzo Ammirà per esprimere i sentimenti si serve della voce e della maniera di altri poeti; e questi sono l'Ariosto, il Tasso, il Leopardi e tutti coloro che aveva studiati nella scuola del ''lettore'' Buccarelli, donde il poeta uscì buon latinista, ma in cui non si propugnava, ''neppure alla lontana, un'arte che potesse aspirare a novità'' [64]. A ciò va anche aggiunto il fatto che l'Ammirà non ebbe la possibilità di aggiornare la sua cultura, anche perché trascorse tutta la sua vita senza contatti con l'esterno, in quell'ambiente intellettuale di Monteleone, dove ''l'adorazione dei classici era addirittura statica'' [65]. Appunto il classicismo ''servile'' aduggiò i versi

> in lingua italiana di Ammirà il quale si espresse originalmente quando scrisse in dialetto sia per l'attitudine a cogliere il grottesco e l'iperbole sia per la capacità di rappresentazione sciolta o organica che supera il semplice raccontare o esporre di altri mediocri dialettali [66].

Nei versi in italiano tenta di innalzarsi al livello anche della tradizione ma la sua cultura rivela che il tentativo non è adeguato e, infatti il linguaggio è sforzato e convenzionale. La sua poesia italiana si presenta come pura esercitazione letteraria e ciò è mostrato dai vari echi foscoliani, manzoniani, leopardiani [67] anche se i temi trattati, quelli politici e amorosi, sono sentiti ma per estrinsecarli ha bisogno di questi modelli. Tutto sommato egli appare un mediocre e spesso noioso versificatore. Meglio riesce nella poesia dialettale ove trova se stesso perché nel dialetto appunto, dove il classicismo per ragioni ovvie non estendeva il suo dominio, Vincenzo Ammirà — come altri poeti calabresi (Padula, ad esempio) — riuscirà ad esprimerci con mezzi appropriati il mondo interiore rigurgitante di affetti, sentimenti, passioni; mentre nella poesia italiana — come si è già visto — aveva arrancato faticosamente, si era trovato smarrito, sempre esitante tra il bisogno di prestare attenzione alla voce dell'animo e l'abitudine di rendere ossequio agli autori consacrati dalla tradizione. Chi voglia, quindi, trovare l'anima del poeta deve rivolgersi alle sue *Poesie dialettali*, dove non v'e ombra d'influenze scolastiche, di ossequio all'autorità dei grandi autori, di passività conformistica.

Il suo dialetto [68] è quello che veniva parlato nel rione Carmine di Monteleone. Appunto in questo quartiere, che

> occupa il lato sud della nostra città, che più si conserva il nostro dialetto, tanto ricco di vocaboli greci, antichissimo quanto prezioso e glorioso retaggio della lingua per tanti secoli parlata da questo popolo che fu colonia magno-greca (Ipponion), e la ragione la si trova nel fatto che quel quartiere o rione fu sempre abitato [...] da lavandaie, acquaroli — venditori di acqua potabile [...], trasportatori sempre con gli asini di sabbia [...], vetturini di salmerie, contadini, terrazzieri e basso artigianato, tutta gente che conserva il puro e pretto nostro dialetto, così ricco di vocaboli, e specialmente di aggettivi, e di modi avverbiali [69].

I personaggi che troviamo nella poesia dialettale sono vari e vengono perfettamente presentati nella loro personalità, passioni, situazioni, mediante un dialetto sempre fresco e vivo:

> Su disperatu, su' ntra lu focu,
> Non trovu paci, non haju locu,
> Si mangiu, o 'mbivu echiù m'assuttigghiu,
> Puru si dormu, puru si vigghiu;
> Criditimilu, 'mpilici su,
> Amuri, amuri no 'mpozzu cchiù [70]

> Sono disperato, sono nel fuoco, / Non trovo pace, non ho luogo, / Se mangio, o bevo più mi assottiglio, / Pure se dormo, pure se sto sveglio; / Credetemi, sono infelice, / Amore, amore non ne posso più//

Cola è disperato per amore: è solo ed abbandonato: si dispera, piange, sospira pensando sempre ai momenti quando con la sua donna ragionava d'amore oppure quando lei cantava con voce melodiosa che lo fece innamorare:

Ch'eu restai cottu come a ragù.
Amuri, amuri, no 'mpozzu chiù [71]

Ch'io restai cotto come il ragù. / Amore, amore, non ne posso più //

Personaggio realistico è quello di *Girundulu* (Girondolo) [72] che si dà da fare per procacciare voti a un tal Amabile per farlo diventare deputato:

E tu cu l'anima
L'assicuravi
Subbra a Citoriu
Ca l'assettavi [...] [73]

E tu con l'anima / L'assicuravi. / Sopra a Citorio / Che lo facevi sedere //

Ma questa volta il volpone di Girondolo non riesce nel suo intento, e quindi

[...] addio predici,
Addio viaggi,
Promissi, grazziji,
E cumparaggi [74].

[...] addio prediche, / Addio viaggi, / Promesse, favori, / E comparaggi //

Altro personaggio realistico e nel contempo ben delineato è quello di un forestiere che dapprima portava "casacca e cappellino" [75] e vendeva vino. Ma adesso che è venuto ad abitare a Monteleone

Passja pe la chiazza
Cu pagghietta e cu mazza
A la rijali [76]

Passeggia per la piazza / Con la paglietta e con la mazza / Alla reale //

Per di più con la "scrima liscia" [77], con i guanti e "lu cannolu" [78], sembra un cedriolo (uno stupido). Una descrizione realistica che ci presenta un damerino con le scarpe alla moda e la "giamberga chiusa" [79] di dietro. Egli

[...] va pe li puntuni
Cercandu annamurati,
E a tutti faci occhiati
Lu cazzuni

E jancu comu pici,

L'occhi havi di pertusu,
Lu mussu di pitusu.
O mamma mia!
E 'nzumma vi cunchiudu
Pari nu veru moru,
Si cchiù lu viju moru
Di spaventu [80]

[...] va per gli angoli (del paese) / Cercando innamorate, / E a tutte fa gli occhietti / Lo stupido. / È bianco come pece, / Gli occhi di fuori, / Il muso di puzzola. / O mamma mia / È insomma per concludere / Pare un vero moro, / Se più lo vedo muoio. / Di spavento //

Presente è pure il cacciatore con il suo zaino pieno di cacciaggione [81], e poi l'amante che fa una serenata alla sua bella; ed è in questi componimenti che il poeta riesce sempre fortemente suggestivo:

Vih! comu chiara straluci la luna,
Frunda non movi, non hjata no no,
E appena senti lu mestu acejazzu

D'intra l'arrami ci faci: chio chio.

Vogghiu mu cantu 'na beja canzuni

Pe mia com'è beja cu' paccia mi fa;
Ch'avi tant'anni chi ciangiu e suspiru
ed ja cruda non senti piatà [82].

Vedi! come chiara straluce la luna, / Fronda non si muove, non fiata no no, / E appena senti il mesto uccellaccio / Sui rami che fa: chio chio / Voglio cantare una bella canzone / Per me è bella chi pazzo mi fa; / Che sono tanti anni che piango e sospiro. / E lei crudele non sente pietà. //

Fortemente realistica e scritta in un dialetto facile a capirsi è questa poesia intitolata *L'Orfana*:

Casa non haju, non haju locu
Mu mi riparu, orfana stanca!.
Tutti mi negau l'acqua e lu focu,
Sempri ciangendu sta vita manca;
Quend'era megghiu nommu nescìa,
O appena nata pemmu morìa

Nd'eppi carizzi dintra li fasci
Cu soni e canti jeu m'avanzai,
Mo l'amarizza sulu mi pasci,
Oh chju tempu non torna mai!...
L'unicu beni chi caru avia,
Prestu perdiu, la mamma mia [83]

Casa non ho, non ho luogo / Per ripararmi, orfana stanca! / Tutti mi negano l'acqua e il fuoco, / Sempre piangendo questa vita triste; / Quanto era meglio non esser nata, / O appena nata morire / Ho avuto carezze nelle fasce, / Con suoni e canti mi son cresciuta; / Ora l'amarezza solo mi nutre, / O quel tempo non torna mai!... / L'unico bene che avevo caro, / Presto ho perduto, la mamma mia. //

Della medesima fattura è l'altro componimento dal titolo *L'amanti a la fossa di l'amata* [84] (*L'amante alla fossa dell'amata*) dove un amante piange la morte dell'amata che è ormai "jettata a terra" [85] e "scuri" sono i suoi occhi, e le sue labbra dolci oramai son smunte e gelate. Ora che l'amata è morta son seccate anche le rose, i fiori che un tempo adornavano la sua finestra, e dalla finestra non si affaccia più nessuno:

Ah! duvi jiu lu tempu
Ch'io ti cantai d'amuri?
Pampini, rosi, hijuri
Prestu siccaru, ahimé!
Ed a la tua frinesta
Nujiu affacciatu nc'è [86]

Ah! dove è andato il tempo / Che io ti cantai d'amore? / Foglie, rose, fiori / Presto seccarono, ahimé. / Ed alla tua finestra / Nessuno affacciato c'è //

Nella poesia dialettale Vincenzo Ammirà ha espresso i sentimenti del popolo calabrese. Si veda a tal proposito *La Ninna d'u briganteju* (*La ninna del piccolo brigante*). Al centro del componimento c'è una madre che fa la ninna nanna appunto al suo piccolo:

Veni addormentati
Subbra stu sinu,
La hijocca è mammata,
Tu puricinu
Chi sutt'a l'ali
S'ingrugna e sta,
O briganteju,
La ninna fa [87].

Vieni addormentati / Sopra questo seno, / La chiocciola è tua madre, / Tu pulcino / Che sotto l'ali / Rannicchiato stai, / O piccolo brigante, / La ninna fai. //

Le immagini, i pensieri sono graziosi e dicono tutto l'amore di questa madre per il figlio, a cui viene ricordato di essere orfano e che l'amato padre fu un brigante coraggioso. Una madre orgogliosa e desiderosa che il figlio sia forte come il padre. E si noti come qui l'amore della donna fedele si fa speranza di vendetta:

Crisci: assomigghialu
Ca nci si figghiu,
Nommu si timidu
Comu conigghiu,
Curri a lu varcu,
Non stari cca,
O briganteju,
La ninna fa
Ti vogghiu vidari
cu la scupetta,
Cu lu cervuni,
Cu la giacchetta,
Cu lazzi e 'ncioncioli
'nquantità,
O briganteju
La ninna fa [88]

Cresci: imitalo / Che ci sei figlio, / Non esser pauroso / Come un coniglio, / Corri al varco. / Non stare qua, / O piccolo brigante, / La ninna fai. / Ti voglio vedere / Con la scopetta, / Col cappello a cono, / Con la giubba, / Con lacci e adornamenti / In quantità / O piccolo brigante, / La ninna fai //

Questa stessa madre prima gli aveva detto:

Crisci: sii orfanu,
Lu patri amatu,
Briganti 'ntrepidu,
T'hannu ammazzatu
Facendu focu
Di ccà e di ja,
O briganteju,
La ninna fa [89].

Cresci: sei orfano, / Il padre amato, / Brigante intrepido, / Ti hanno ammazzato / Facendo fuoco / di qua e di là, / O piccolo brigante, / La ninna fai //

A questa poesia si collega l'altra dal titolo *La mamma a lu brigante-ju*[90] (*La mamma al piccolo brigante*)[91]. Anche questo componimento è una sofferta ninna nanna che la vedova di un brigante caduto tra i boschi della Sila canta alla piccola propria creatura. La donna, orgogliosa del coraggio mostrato in vita dal marito, della sua ribellione, si augura che il figlio ne segua l'esempio, altrimenti

Si ti spagni di voscura o sordatu,
Jeu di mo ti jestimu: piccinju
Di vipara mu morį 'ntossicatu.
Oh! oh! oh!
Briganteju, ninna no[92]

Se hai paura di boschi o dei soldati, / Io fin d'ora ti bestemmio: piccolo / Possa morire morso da una vipera / Oh! oh! oh! / Piccolo brigante, ninna no //

Le tematiche che troviamo nei vari componimenti dialettali sono varie e diverse tra di loro, e sono espresse con un dialetto sempre vivo e suggestivo. Ciò vale anche per la poesia in cui si delinea una donna bacchettona di nome *Purdenzia* (*Fulgenzia*)[93]. Il poeta parte dal generale per arrivare al particolare, e rivolgendosi agli uomini dice:

Cioti, a li fimmani
Mai non fidati
Si fannu 'gnocculi,
Si su malati;

Mancu si cianginu,
Comu le viti,
Quandu luntani
Su li mariti [...][94].

Stupidi, delle donne / Non fidatevi mai. / Se fanno le moine, / Se sono malate; / Anche se piangono, / Come le viti, / Quando lontani / Sono i mariti. //

Quindi racconta la storia di Fulgenzia che

Paria 'na monaca
Donna Purdenzia,
E malinconica
Sempri si stava,
Cu riverenzia
Li Santi amava,
Fujia li spassi,
E vrigognusa
Non volìa chiassi,
Si stava chiusa [95].

Sembra una monaca / Donna Fulgenzia, / E malinconica / Sempre stava, / Con reverenza / I Santi amava, / Fuggiva i divertimenti; / E vergognosa / Non voleva rumori, / Si stava sempre in casa //

Una donna — a sentir lei — devota e santa che aveva come amico (ma in realtà amante) Pietronicola. Per di più Fulgenzia davanti all'amico fa la scenata al marito dicendogli che lo ama e senza di lui non può restare un solo istante. Naturalmente su ciò è d'accordo anche l'amico della donna, e il marito così si beve tutto ciò che essi dicono. Fatta la pace tutti e tre vanno a cena. Fulgenzia si mostra premurosa verso Pietronicola ("omu di casa, mastru di scola") [96] e si fanno le moine a vicenda. Altro che donna santa e morigerata dice il poeta. Adesso Fulgenzia è sola e muore di pena. Tutta questa situazione fa riflettere il poeta che prende — e invita anche gli altri — a prendere le distanze da donne di tal fatta:

Ma si cchiù campu d'oji nd'avanti
Non vogghiu cridari mancu a li Santi;
E si su fimmani fazzu li cruci.
Dio mu ti libara di mussi duci,
Di gatti musci, di monacheji,
Di ceri vasci, di madonnijij;
Ca sugnu tutti fatti accussì
E ca ti 'ncornanu pe' 'nu bondi [97]

Ma se campo d'ora in avanti / Non voglio credere neppure ai Santi; / E se son donne mi faccio la croce. / Dio ti liberi dai musi dolci, / Di gatti flosci, di monachelle, / Di visi pallidi, di madonnelle; / Che son tutte fatte così / E che ti incornano per un saluto //

Appare notevole per vivacità e freschezza la scena [98] che rappresenta il marito, la moglie e l'amico:

E lu maritu tappiti spunta,
Mamma, lui cori comu nci junta!
'N'atru mumentu che tu tardavi
Sta sbenturata no la trovavi,
Morìa di pena, dissamuratu,
A tia chi amandu non haju hijatu,
Sugnu la menza, tuttu pe tia,
Non nd'havi 'n'autra simili a mia

E lu maritu l'accarizzava,
Ed 'ja smorfiji s'alluntanava,
Facia cchiù 'ngnocculi ch'avia capiji,
Nd'arrocciulava, ndi dicia miji:
E si votava 'mpacci e l'amicu
Non è lu veru quantu jeu dicu?
Ca! Petrucola nci rispundia,
E lu maritu, ciotu, cridia! [99]

E il marito ecco appare. / Mamma, il cuore come (alla donna) batte! / Un altro momento che tu tardavi / Questa sventurata non la trovavi!, Moriva di pena, disamorato, / A te chiamando non ho più fiato; / Sono ridotta la metà, / tutto a causa tua, / Non c'è nessun'altra simile a me / E il marito l'accarezzava, / E lei facendo smorfie s'allontanava, / Faceva più moine più di quanto avesse capelli, / Ne diceva tante, / E si voltava davanti all'amico / Non è il vero quanto io dico? / Che! Pietronicola rispondeva, / E il marito, stupido, credeva //

Il poeta ridendo lacera il manto farisaico della bigotta che inganna i santi in chiesa con prediche devote e lacrime di finta commozione, come inganna il marito in casa con vezzi e lacrime di finto amore. La poesia è caratterizzata da elementi visivi che ci danno una felice pittura delle tre scene che nella vita di quella donna si alternano, a seconda che essa si trova in chiesa, al cospetto dei santi e — più ancora — dei parrocchiani, in compagnia di "Petrunicola", suo compagno — come già detto — di tresca durante le lunghe e frequenti assenze del marito, o tra l'uno e l'altro, allorché "lu maritu, tappiti spunta" ed essa trova il modo di far restar lì anche l'"amicu di casa".

Alla poesia sulla *Pinzochera al pievano* [100], scritta in italiano, corrisponde la dialettale *Donna Purdenzia*. Esiste però una differenza tra le due. In entrambe il proposito moralizzatore fa "sdrucciolare" il poeta; ma nella poesia dialettale, quando l'Ammirà fa il poeta, vale a dire, rappresenta, allora diventa vivace ed efficace.

La riprensione della donna corrotta, che, invecchiata, fa la santocchia cede subito il posto alla rappresentazione della donna giovane e innamorata, tutta vezzi e intrighi e lacrime d'amore e di finzione: e ne vien fuori qualche cosa di voluttuosamente giocondo [101].

I caratteri dei personaggi sono precisi e disegnati con rapidi tocchi: isterica, civetta la moglie ingannatrice la vediamo muoversi e parlare; il marito sciocco; l'amico falso, di cui ci sembra di udire il tono stesso della voce nel doppio senso di quel monosillabo con vocale allungata "Ca". Le scene si succedono rapide e vere, sì che ci richiamano qualche punto dei vivacissimi *Contes drolatiques* di Balzac, come nella scena del desinare a tre: marito moglie e amico, che si svolge in una serie di particolari molto vivaci:

E spiziandu, biccheriandu
L'occhiu scacciavanu di quandu 'nquandu;
E lu maritu tuttu cuntentu,
Comu chij utri chinu di ventu,
Cuntava cosi tutti d'arrisi,
Chi nci 'mbattinu pe li paisi;
E cu lu pedi sutta a la tavula
Joculiavanu la gattamagula [102]

E centellinando e bevendo, / Di quando in quando strizzavano gli occhi, / Ed il marito tutto contento, / Contava cose da ridere che gli erano capitate nei paesi; / E con il piede sotto la tavola / Giocavano a farsi carezze (Marzano, *op. cit.*, p. 409).

Ma, ritornando dal ricordo della gioventù alla realtà del presente, il poeta scatta:

Vecchia sdentata, dammi ragiuni
[...]
Dio mu ti libara... [103]

Vecchia senza denti, dammi ragione / [...] / Dio ti liberi... //

Non manca la tematica politica — sia pur di una politica paesana — presentata con ironia e satira. A questo ambito appartengono le due poesie intitolate rispettivamente *Lu candidatu Lipari* (*Il candidato Lipari*) e *Secunda Candidatura di Lipari* (*Seconda candidatura di Lipari*) [104]. Specie nella prima le componenti fondamentali sono l'umorismo e l'ironia: il poeta ride e satireggia sugli intrighi della vita elettorale. E difatti si serve dell'ironia, del sarcasmo, della satira, spesso mordace, per fustigare tanti "messeri" della media borghesia e tanti arrivisti.

Ecco Lipari che promette mari e monti, assicurando a tutti benessere e felicità. Espone il suo programma: abolizione del dazio, e per di più debbono essere

Chini di lumi
Stratuni e bbichi [105].

Pieni di lumi / Strade e vicoli. //

Con queste due poesie il poeta ha voluto colpire la politica paesana piazzaiola, e lo fa con tocchi ironici:

Stativi [106] a sentari,
Quant'ju dici
A li soi amici
Tuttu manteni
Viju lu beni
Chi pampinija
E l'acqua currari
Chi ndi ricrija [107]

State a sentire, / Quanto egli dice / Ai suoi amici / Tutto mantiene / Vedo il bene / Che incominca a mostrarsi / E l'acqua corre / Che ci rende felici. //

Non solo componimenti satirici e ironici ha scritto l'Ammirà ma anche grotteschi, berneschi, giocosi, composti per far ridere le allegre "brigate" monteleonesi. Uno dei primi componimenti di tal fatta s'intitola *Lu studenti cipuja* [108] (*Lo studente cipolla*), scritto nel 1838. Dapprima il poeta esalta la cipolla di cui è ghiotto:

Io comu cozzaluti mi li mangiu
Cu favi, cu suriaca e cu li 'nduji [...] [109]

Io come un contadino me le mangio / Con le fave, con le faggioli e con il salame. //

Ora però una cipolla (lo studente) gli fa paura per una donna di nome Lucrezia. Infatti il poeta ha portato via la donna allo studente che vuole naturalmente vendicarsi:

E va cercandu cui vindi pistoli [...] [110]

E va cercando chi venda pistole [...] //

Lo studente è stravolto, non trova pace in quanto è rimaso senza l'amata e giura di uccidere sia essa sia il suo amante:

L'ammazzu 'a tutti dui, non 'nc'è riparu,
E accantu ad ija poi vogghiu moriri [...] [111]

Li ammazzo entrambi, non c'è alcun rimedio, / E accanto a lei poi voglio morire //

Deluso e tormentato s'allontana da tutti e armato va a vivere in una grotta. Qui viene scoperto dai gendarmi che l'arrestano. Cipolla trema e sconfessa di voler uccidere colui che gli ha portato via la sua

Lucrezia. Uno dei gendarmi si impietosisce e cerca di sollevarlo da terra. Il gendarme

> [...] scocca na gridata
> Videndu chiju nasu spaventusu,
> ch'era nu cannatuni e na cannata [112]

> [...] Emette un grido / Vedendo quel naso spaventoso / ch'era un broccone e una brocca //

La storia grottesca poi finisce con lo studente che viene prelevato dalla grotta e portato in una casa, e a mala pena i gendarmi riescono nell'impresa in quanto Cipolla dava calci a tutta forza. Componimento bernesco, faceto, umoristico, che ci richiama l'altro del titolo *Pappijuni chi ciangi la varva* [113]. Qui si racconta la storia di Pappione che piange la sua barba. La delineazione del personaggio è fatta realisticamente e con termini dialettali incisivi:

> L'occhi avia unchiati e russi [...] [114]

> Gli occhi aveva gonfi e rossi [...]

e

> [...] cu la panza allaria votata,
> Accussì si dolia ciangendu forti:
> Fammindi quanto voi, tu sorta 'ngrata,
> Fammindi quanto voi finu a la morti,
> Jeu non ti fici nenti e tu lu sai,
> Pecchì mi mandi sti turmenti e guai?

> [...] con la pancia voltata all'aria, / Così si lamentava piangendo forte: / Fammene quanto vuoi, tu sorte ingrata, / Fammene quanto vuoi fino alla morte, / Io non ti ho fatto nulla e tu lo sai, / Perché mi mandi questi tormenti e guai? //

Adesso che Pappione non ha più la barba ha perduto la voglia di vivere. A quella barba era affezionato e per di più gli nascondeva la sua bruttezza e quindi poteva anche sposarsi. Pappione continua a piangere sui peli della sua barba, e li bacia, poi dopo aver fatto tre singhiozzi s'addormenta. Tutto sommato il poeta ci ha fornito un ritratto gustoso e curioso che doveva destare le risa delle brigate di Monteleone. A Pappione dedica un altro componimento intitolato *Pappijuni cu la varba cresciuta* [115] (*Pappione con la barba cresciuta*) [116]. Ora egli con la barba cresciuta è più bello:

[...] vali 'nu fantu,
Senza varva paria nu' scimijuni,
E mo assimigghia, senza mu lu vantu
A chiju gattu chiamatu mammuni [117]

[...] vale un fante, / Senza barba sembrava uno scimmione, / E adesso rassomiglia, senza vantarlo, / A quel gatto chiamato mammone //

E infine:

[...] a la perzuna beja, longa e china
chiju varvuni daveru nci dici,
Pari 'nu rizzu chi mangia racina [118]

[...] alla persona bella, lunga e piena / Quel barbone davvero si addice, / Sembra un riccio che mangia l'uva. //

Altro componimento grottesco, ricco di immagini movimentate è *L'animaliu d' 'u mariceju* (*L'animale del lago*) [119]. Per questo animale Monteleone è in subbuglio e tutti si armano per ucciderlo:

Armamandi di runghi e di falanghi;
E chi vidisti sciabuli e pistuni
Cacciari quant'avia Muntalaguni [120].

Armiamoci con roncole e palanche, / E che vedesti sciabole e schioppi corti / Togliere quanto ne possedeva Monteleone. //

C'è un fuggi fuggi generale verso la marina. Dappertutto c'è rumore e apprensione per questo animale che

Havi li gargi russi ed arruggiusi,
Cchiù di bonu verru havi li zanni,
Li pedi finca e l'unghi havi pilusi,
Havi la cuda longa setti canni,
Havi la testa quantu nu ruvaci [...]

Ha le fauci rosse ed arrabbiate, / Più di un buono porco per la monta ha le zanne, / I piedi fino alle unghie pelosi, / Ha la coda lunga sette canne, / Ha la testa un tomolo e mezzo. //

Questo animale mostruoso impressiona i monteleonesi, e ognuno dice che l'ha visto e lo dipinge a suo modo:

Non è serpenti, no, esti acejazzu;
N'autru si vota e dici: Nu forisi
Vitti na cosa quantu nu palazzu,
Cu la testa auta e cu li corna tisi,
Na corna mai viduti [...] [121]

Non è serpente, no, è un grande uccello; / Un altro si volta e dice: Un mandriano / Ha visto una cosa quanto un palazzo, / Con la testa alta e con le corna tese, / Corna mai viste. [...]

La realtà viene deformata attraverso le varie definizioni che si danno di questo animale che per un'altra persona è un "cucutrigghiu" (coccodrillo) [122] e per un'altra ancora una "vacca marina" oppure un "nigghiu" [123]. Per un simile animale i marinai, ad esempio,

Tremavanu di stari a menzu mari [124]

Tremavano di stare in mezzo al mare //

Per di più ognuno bestemmiava l'animale

Pe la fami canina ch'assaggiava [125]

Per la fame canina che assaggiava //

Il banditore pubblico incita gli abitanti di Monteleone ad armarsi come quando fecero col Cardinale Ruffo che per suo ordine furono impiccate tante persone oneste. Ed ecco i monteleonesi (che sembrano "diavuli arraggiati" [126]) vanno ad affrontare l'animale per ucciderlo. Le varie azioni sono coordinate dal commissario di polizia; da una parte stanno coloro che sono armati di scopetta, e dall'altra quelli armati di sciabola. Ma tutto poi si rivela inutile: non prendono nulla. Ma

[...] acchiapparu la testa di... gazzu [127]

acchiapparono la testa di... zazzo [128].

Questa poesia si configura come primo tentativo poetico in cui la descrizione paradossale dell'orribile mostro è una rappresentazione viva e naturale sulla bocca del popolo che rivela l'anarchia della sua immaginazione e dei suoi sentimenti. Il poeta qui è spinto dal desiderio di ridere e di far ridere.

Nelle poesie composte dal 1838 al 1846 (le già analizzate *Lu studenti cipuja*, *Pappijuni chi ciangi la varva*, *L'animalu d' 'u mariceju*) si nota spesso lo sforzo del poeta nel costruire la macchina del grottesco, ma, anche spesso, il particolare, che, ingrandito o ridotto all'infinitamente piccolo, forma l'elemento di questo genere tutto visivo di pittura che il Vasari chiamava al femminile "grottesca", è posto al centro della rappresentazione, come quel "naso a cipolla" dello studente, il quale occupa tutto il quadro, o l'oggetto del lamento di Pappione (la sua barba) o l'animale fantastico del lago di Bivona che — come già visto — secondo la descrizione spaventa il popolo,

Havi li gargi russi ed arraggiusi [...]

Ha le fauci rosse e arrabbiate [...]

Questo spettacoloso ingrandimento del piccolo, che in Rabelais o in Swift, con scopi non solo artistici ma anche politici e sociali, produce delle rappresentazioni di un significato universale, qui ha lo scopo della presa in giro; pure qualche poesia del genere, come *La morti di Zazzu* (*La morte di zazzo*): il cagnetto idoleggiato con isterica stoltezza, ha un significato che colpisce una depravazione non solo settecentesca [129], ripresa in maniera così famosa dal Parini, ma anche del tempo del poeta; e tuttavia l'Ammirà non mostra neppure l'ombra del suo proposito, ride e canta:

Cani, ciangiti a trigulu
Di Zazzu la sbentura,
Dintra la sipurtura
Chi ju dormendu sta.
Cani, curriti tutti,
Tutti curriti cca [130]

Cani, piangete e lamentatevi / Di Zazzo la sventura, / Nella sepoltura / Quello dormendo sta. / Cani, correte tutti, / Tutti correte qui //

Dalla morte di un cane a quella di un corvo. A tal proposito ebbe molta popolarità e fama nella Calabria la poesia intitolata *Lu chiantu di Cicciu* (*Il pianto di Ciccio*), della quale citiamo la strofa seguente:

Coluzzu beju, Cola nescisti
Patrita e mammara furu Nicola,
E di li cola la facci avisti,
Di celijari dunavi scola
E di lu veru colinu arrazzu
Non ndi perdisti nuju pitazza [131]

Corvo bello, sei nato corvo, / Tuo padre e tua madre furono corvi, / Ed hai avuto la faccia del corvo, / Sei stato maestro nel gracchiare; / E della vera razza dei corvi / Nulla hai perduto (Marzano) [132]

Ciccio ora è disperato per la morte del corvo (ucciso da un'anima perfida e dura) tanto amato, e tra i pianti Ciccio ricorda quando il corvo era "piccirijeu" (piccolino): era la gioia della casa, e inoltre sapeva ballare e cantare. Cola era una specie di figlio per Ciccio. Questo non ha voluto mai darlo per soldi. Ora cola è morto e Ciccio

Sempri lu chiama
Ciangi, e suspira
Sempri dilira.
Dicendu: misaru
Non torna cchiù [133]

Sempre lo chiama / Piange, e sospira / Sempre egli spasima / Sempre delira: / Dicendo: misero / Non torna più //

Accanto alle tematiche grottesche, satiriche, bernesche, umoristiche [134] ci sono quelle serie in cui il poeta riflette sul destino dell'uomo, sul significato della vita. Ma una cosa è certa dice il poeta in uno dei suoi migliori componimenti dialettali intitolato *A la luna* [135], che nessuno può

[...] lejari
Sta vita duvi spunta,
Sempri moriri e nasciri,
Sempri guai pe subbrajunta! [136]

[...] leggere / Questa vita dove inizia, / Sempre morire e nascere, / E guai per sopraggiunta! //

Ciò è dato sapere all'uomo. La magia della natura la conosce solo la luna, e invano il poeta tenta di sollecitarla per fargliela conoscere. La luna — viene detto nella chiusa del componimento — come

[...] chiju stupidu

Duccu, chi non sa spassi,
Guardi tutti sti triguli
Muta, 'nghielata e passi [137]

[...] quello stupido / Allocco, che non sa divertimenti, / Guardi tutti questi guai, / Muta, gelata e passi //

Questa poesia è tutt'altro che un semplice rifacimento del leopardiano "Canto notturno"; giacché, se da questo prende lo spunto, come già dal Leopardi aveva avuto l'ispirazione per la lirica *A la natura* (di essa parleremo dopo), l'argomento esce rifatto dallo spirito malinconico del poeta, che lo immerge in un umorismo sano, che ci fa vedere un volto che ride lacrimando:

> [...]
> O Luna, mi fai ciangiari
> Standu accussì piatusa.
>
> Pari assulata, pallida
> La mamma di li guai,
> Scanzi lu journu e a l'umidu
> Poi passijandu vai [138]

[...] O luna, mi fai piangere / Stando così pietosa / Sembri abbandonata, pallida / La mamma dei guai, / Non preferisci il giorno e a l'umido / Poi passeggiando vai //

Ma questo interrogare è ben lontano dal tetro succedersi degli interrogativi leopardiani:

> Che fai tu, luna, in ciel? dimmi, che fai
> silenziosa luna?

in cui i monosillabi e i bisillabi aprono dei vuoti incolmabili, che la spezzatura delle domande, posandosi con gli accenti sui due verbi "fai" e "dimmi" e su la dieresi di "silenziosa", anziché annullare questo senso sconfinato del nulla, lo accresce producendo una immobilità cosmica [139].

Invece l'Ammirà mescola la malinconia con la limpidezza, e riesce a ridere senza perdere la pensosa malinconia che lo spinge a cantare:

> 'Na vota si cuntavunu
> Di tia cosi puliti,
> Lu voi sapiri? dissaru

C'amasti tri mariti [...] [140]

Una volta si raccontavano / Di te cose pulite, / Lo vuoi sapere? dissero / Che amasti tre mariti [...] //

In questa poesia Vincenzo Ammirà si fa più intimo, associa la propria vita alla vita della luna, e a questa vuole insegnare a mutar volto e corso, a vincere la propria malinconia:

Jeu t'assimigghiu propriu,
Gromula nd'assaggiai,
M'inchiu la brutta 'mbidia
Di tanti e tanti guai;

Ma su comu 'nu marmaru
non tremu e mai non cangiu,
Sputazza e la miseria
Sumportu ma non ciangiu [141]

Io ti rassomiglio proprio, / Dispiaceri ne ho provati, / Mi riempì la brutta invidia / Di tanti e tanti guai, / Ma sono come un marmo / Non tremo e mai non piango, Sputi e miseria / Sopporto ma non piango //

L'Ammirà dedica alla luna anche una poesia in lingua italiana. Orbene nella canzone *Alla luna* ci sembra di sentire lentamente "Il canto notturno d'un pastore errante dell'Asia" di Leopardi, però con diversa ispirazione:

Ma che ti cale? ond'hai
Strana vaghezza i più deserti lochi.
Sempre cercar?
I sepolcreti, dove tristi e rochi
Suonan gemiti e pianti
Di pii parenti e vedovati amanti? [142]

Comunque tutti i poeti [143] che si sono rivolti alla luna hanno creato dei capolavori, dal Leopardi a Vincenzo Ammirà. I critici, tra cui il già più volte citato e ricordato Galati, hanno visto ne "A la luna" la stessa potenza d'espressione riscontrata nella poesia di Leopardi.

Di notevole significato è la poesia "A la natura", in cui "le note leopardiane si trasformano in un gioco polemico sino al grottesco" [144]. E il tono è dato dalle prime battute:

> Natura, di cca votati
> 'Nu morzu mu parramu,
> Si surda? o a mia rispundari
> Non voi quandu ti chiamu? [145]

Natura, di qua voltati / Per parlare un pò / Sei sorda? o a me rispondere / Non vuoi quando ti chiamo? //

A la natura ci dà la prova che il diciottenne poeta [146], ancora allievo del Buccarelli, leggeva con particolare interesse i *Canti* di Leopardi: dai quali, molto probabilmente, derivò il suo scetticismo, e, certamente quella maniera d'interrogare gli astri o la natura in genere, a cui si riducono le influenze leopardiane sull'Ammirà in campo dialettale. La poesia, letta nella scuola del Buccarelli, suscitò molta simpatia al diciottenne poeta, il quale, per la spontanea freschezza del suo spirito assorbiva in una forma nuova, trasformandola, la visione leopardiana.

Non è senza qualche significato ricordare che se nella scuola del Puoti nessuno avrebbe osato scrivere in dialetto, in quella del Buccarelli [147], che, si sa pure senza vaste risonanze, educò al culto delle lettere classiche e della libertà tanti calabresi, accanto allo studio di Virgilio e di Orazio, si poteva, con tutta indipendenza sbizzarrire lo spirito balzano del giovine Vincenzo Ammirà. Egli fu popolare perché scrisse *La Pippa* (*La Pipa*) [148]: il componimento dialettale suo migliore, e che basterebbe da solo a dargli fama di poeta. Era già vecchio ma non stanco quando compose questa poesia, che, per più giorni — come si racconta — lo tenne taciturno a tal punto da preoccupare la famiglia. Finalmente, perché l'aveva finita nella sua mente, la dettò quasi tutta di getto al figlio Domenico. Il vecchio poeta aveva rivissuto, ricontemplando il suo passato, e attorno all'umile "pippa anticaria", aveva ricamato il tessuto vivo della sua anima. La poesia, con i suoi rapidi trapassi, a volte solo accennando, risveglia immagini, scene, figure, tutta la vita del poeta, che balza varia nella sua interezza. Il primo ricordo della sua lieta vita errabonda è collocato in uno sfondo circonfuso di vita primaverile come la sua giovinezza:

'Ngrirjatu appena, rosi e vijoli
Tuttu lu mundu quandu cumpari
A li baggiani bej figghioli,
Chiji li fimmani fannu impacciari,
Facia lu spicchisi, e crapijoli,
A zichi zachi lu caminari,
'N'arrisi a Tresa, n'occhiata a Rosa,
Chi bella vita, chi bella cosa [149]

Venuto su appena, quando il mondo pare tutto rose e viole / Ai giovinetti timidi e graziosi, / Che le donne rendono impacciati, / Facevo il bellimbusto, e lo scavezzacollo, / Camminavo a zig-zag, / Un sorriso a Teresa, uno sguardo a Rosa, / Che bella vita, che bella cosa! (Marzano) [150].

Qui gli elementi pittorici danno rilievo ai sentimenti prepotenti della giovinezza, che, anche esteriormente, si atteggia secondo l'intimo fremito dell'amore e della spensieratezza.

I quattro ultimi versi sono d'una immediatezza che ci ricorda la freschissima poesia popolare toscana del Quattrocento, traboccante di vita gaudiosa [151]. Ma — prosegue a dire il Galati — la finezza dell'artista sta anche nel particolare: nel quadro primaverile, tra le villane rubiconde, eccolo il poeta, individuato, che fa il bravo e lo zerbinotrionfante, simbolo della giovinezza:

A zichi zachi lu caminari
'N'arrisi a Tresa, n'occhiata a Rosa [...] [152]

Il camminare a zig-zag / Un sorriso a Teresa, uno sguardo a Rosa [...] //

e, infine lo scatto spensierato:

Chi bella vita, chi bella cosa!

In questi ricordi non può mancare la scena dell'incontro degli amanti, di notte, mentre nevica o mentre grandina:

Pannizzijava, ciangia lu ventu,
Cucuja, lampi, acqua, tronava,
E 'ncappottatu mi stava attentu
Comu nu lepru s'ija affacciava:
Paria nu seculu ogni mumentu,
Ogni minutu chi mai passava:
E' 'mpisicchiatu fermu a lu muru,
Sempri fumandu dintra a lu scuru [153].

Cadeva la neve a piccolissimi fiocchi, / Strideva il vento, / Grandine, fulmini, acqua, tuoni, / E avvolto nel mantello, stavo attento / Come una lepre per vedere se lei si affacciasse: / Sembrava un secolo ogni momento, / Ogni minuto mai passava: / E intirizzito fermo al muro; / Sempre fumando nella notte. //

E finalmente, intirizzito, ancora inchiodato al muro e attento come chi attenda una preda, è riscosso:

E doppu tantu friddu assaggiatu,
Sentìa 'nu pissi chi mi chiamava;
Sbattia lu cori, non avìa hiatu,
E mu rispundu non mi fidava:
Mi sentìa propriu comu 'ncantatu,
Poi timidusu mi 'mbicinava;
E pecchi tandu non c'era luna
Fumava forti mu sindi adduna [154].

E dopo tanto freddo assaggiato, / Sentivo un pissi che mi chiamava; / Sbatteva il cuore, non avevo fiato, / E non mi fidavo di rispondere: mi sentivo proprio come incantato; / Poi timido mi avvicinavo; / E perché allora non c'era la luna / Fumavo forte perché essa (la donna) s'accorgesse della mia presenza. //

L'attesa dell'amante è spontanea rappresentazione di stati d'animo, l'ansia (*Sbattia lu cori; non avia hiatu - e mu rispundu non mi fidava*), rapidamente si trasforma in uno stato di felicità fiabesca (la tempesta, l'oscurità, tutto è svanito in questo incantamento!), poi cede alla volontà (*timidusu mi 'mbicinava*), quindi si fa ardita e ingegnosa tornando alla realtà:

E pecchi tandu non c'era luna,
Fumava forti mu sindi adduna [155].

E perché allora non c'era la luna, / Fumavo forte perché lei s'accorgesse della mia presenza //

A questi ricordi ne seguono altri che sono amari e via via il vuoto si fa più profondo e vasto attorno al poeta, cui non resta unica compagna fedele anche nel carcere la pipa. Il ricordo si fa rappresentazione viva, dove lo spunto dantesco suscita una visione tutta originale:

Verzu la sira quandu assulatu
Sentia sonari l'adimaria,
E ogni ricordu di lu passatu
S'apprisentava davanti a mia;
E chistu povaru cori 'ncajatu
S'inchia di tennera malinconia,
E ruppia a chiantu; ma l'asciucavi
Cu lu toi fumu tantu suavi [156]

Verso la sera quando triste / Sentivo suonare l'Avemaria, / E ogni ricordo del passato / Si presentava davanti a me; / E questo povero cuore piagato / Si riempiva di tenera malinconia, / E piangevo; / Me lo asciugavi [157] / col tuo fumo tanto dolce. //

Si noti il termine "'ncajatu-piagato" che ha una efficacia di dolorosa potenza, resa concreta e graduata dai due verbi che seguono, i quali esprimono il crescere della commozione e la commozione che non si incontra più.

Il suo momento magico Vincenzo Ammirà lo ebbe scrivendo "La Pippa", alla quale in grande parte, oltre alla *Ceceide*, il suo nome deve fama e notorietà.

La Pippa è la sua composizione più romantica, più profondamente dolorosa (pur venata da leggero umorismo), dove il rimpianto del passato, della perduta giovinezza spensierata, è acuto fino allo spasimo stemperato alla fine dell'apocalittica e magistralmente impostata scena della valle di Giosafat, dove tutto si concluderà per l'eternità:

Cadi lu suli, cadi la luna,
Li stij cadinu, penza fracassu!
Laceji ciangianu, l'acqua sbajuna,

Li munti juntanu, sassu cu sassu
'Nsemi si pistanu, e ad una, ad una
Li cerzi stimpanu; si fa 'nu massu
Sbampa lu focu, tuttu conzuma
Cu nd'eppi nd'eppi, e cchiù nun si fuma [158]

Cade il sole, cade la luna, / Le stelle cadono, pensa che rumore! / Gli uccelli piangono, l'acqua straripa, / I monti cadono, sasso con sasso / Insieme si combattono, e ad una ad una / Anche le querce cadono; si fa un gran masso, / S'accende il fuoco, tutto consuma / Chi ha avuto, ha avuto, e più non si fuma //

Descrizione del Giudizio universale, la fine del mondo, "dopo di che più non si fuma", e senza bisogno di leggi restrittive. Lo stesso argomento, col titolo *Il Giudizio finale* [159], trattò in lingua italiana, ma quanta differenza con questo in dialetto, e che fa da episodio finale alla canzone *La Pippa*.

La parte finale del componimento ci fa pensare al giudizio universale di Lorenzo Stecchetti. Ma qui c'è altro. Lo Stecchetti vuole schiaffeggiare i vili mestatori di dottrine religiose, ridendo allo spettacolo lascivo d'un giudizio, ch'egli a priori, possiamo dire, ci ha annunziato ridicolo. Lo Stecchetti ride sempre. L'Ammirà non ha preconcetti di distruzione: ci potrà apparire scettico, ma questo scetticismo non ha nessun valore: egli è poeta dell'anima buona, rassegnata al destino, affettuosa a chi gli fu tale. Si sovviene della morte senza timori anzi dice di dormire contento ed invidiato con la sua fidata compagna, finché suona l'ultima ora.

In questa parte finale de *La Pippa* il poeta immagina la distruzione universale. L'immagine delle stelle che cadono ci richiama una potente originale visione del Leopardi nella canzone *All'Italia*:

> Prima divelte, in mar precipitando,
> Spente nell'imo strideran le stelle [...]

Non intendiamo far confronti, qui il potere immaginativo assurge alla sua maggiore potenza. Mentre il "fracasso" di fronte allo "stridere" leopardiano è vano e scialbo.

Nella poesia non leggiamo le solite malinconie romantiche in cui caddero poeti e prosatori quando parlano della giovinezza, ma rappresentazione vera. Sospiri d'amore sincero, lontani dalle usuali lamentazioni consacrate nella rimeria italiana; ispirazione che non ha bisogno del paesaggio ombroso, del luogo incantato dove specchia il bel viso la dolce castellana, né tanto meno inseguimenti fantastici ariostei: tutto questo è lontano dalla poesia dell'Ammirà, il quale era uomo prima che poeta, aveva il sangue della giovinezza nelle vene ed anziché essere un arcade lamentatore e cantore di Nice, non sapeva che ispirarsi al vero.

Immagini colorite e personaggi fortemente realistici sono quelli che troviamo nella poesia del poeta di Monteleone, e sono resi maggiormente realistici dall'uso molto vivo ed espressivo del dialetto:

> Vitti la morti, mamma mia, scantai!
> Chi li jorni metia di 'nu marchisi
> E nci dissi: pecchì non tindi vai [...] [160]

Ho visto la morte, mamma mia, ho avuto paura! / Che i giorni mieteva di un marchese / E le dissi: perché non te ne vai [...] //

In quel "metia = mieteva" c'è implicita la "fauci = falce" che adopera la morte, e con la falce appunto

[...] la botta minau, fici la festa! [161]

[...] la botta menò, e fece la festa! //

L'Ammirà raggiunge la massima spontaneità ed efficacia anche quando descrive i sentimenti più elementari dell'umanità. A tal proposito si veda la poesia (già ricordata) *La Ninna* dove una mamma per far addormentare la propria figlia usa espressioni che dicono tutto il suo affetto ed amore per lei:

Chiudi s'occhi grazzijusi
Di li stiji cchiù lucenti,
Prestu, o sonnu, lenti lenti
Chiudincilli e ad autra va.
Dormi, dormi, o figghia beja.
Fa la ninna cu mammà [162].

Chiudi quest'occhi graziosi / Delle stelle più lucenti, / Subito, o sonno, lentamente lentamente chiudiglieli e ad un'altra bimba vai / Dormi, dormi, figlia mia, / Fai la ninna con mammà. //

Questa figlia per la madre è anche una bellezza (''nzuccarata = dolce'') con le labbra di corallo e naturalmente i capelli sono ''brundi e rizzi'' [163]: è un angelo con le guance rosee.

Il dialetto raggiunge il massimo della espressività quando il poeta lo usa per significare ed esternare sue situazioni personali e sentimentali che sono realistiche, in quanto si legano alla vita medesima del poeta, ricca purtroppo di molte amarezze e delusioni:

Troppu suffristi, o mio povaru cori,
Troppu penasti, o mest'anima mia,
O vita, chi li peni e li dolori
Avisti pe fidata cumpagnia [164]

Troppo soffristi, o mio povero cuore, / Troppo penasti, o mesta mia anima, / O vita, che le pene e i dolori / Avesti per fidata compagnia //

Qui l'espressione dialettale è facile, scorrevole e mette in risalto l'entità del dolore provocato da una donna infedele che il poeta amava di amore sincero e la considerava più cara dei suoi stessi occhi. Con altrettanta naturalezza e con tocchi felici descrive il cuore calabrese che non trova pace, che brucia, che strepita nel petto. È un cuore — questo calabrese — tutto latte e non ha alcun fiele,

E duci e tennaru
Comu 'nu meli [165]

E dolce e tenero / Come un miele //

Per di più questo cuore più delle tortore sente l'amore,

E amandu spasima
Li jorni e l'uri [166]

E amando spasima / I giorni e le ore //

Ma è un cuore che se lo sdegni

Si movi a l'ira,
Diventa vipara,
Cchiù non si tira [167]

Si muove all'ira, / Diventa una vipera, / Più non si tira //

Le descrizioni sentimentali sono espresse — come già osservato prima — con un dialetto facile che può essere compreso anche da chi non è calabrese:

Pecchi mi fuji, mi sprezzi sdegnusa,
Mo la cagiuni tu dimmi pecchì?
Sai quantu t'amu; com'hai cori 'mpettu?
Di scogghiu duru lu criju ca sì.

Fammi 'n'arrisi chi fussi d'amuri,
Dimmi 'na vota ca m'ami e non cchiù,
Di s'occhi, cara, 'n'occhiata piatusa,
E si poi moru cuntentu ndi sù [168]

Perché mi fuggi, mi sprezzi sdegnosa, / Adesso la cagione tu dimmi perché / Sai quanto t'amo; che cuore hai nel petto? / Di scoglio duro, io credo che sei. / Fammi un sorriso d'amore, / Dimmi una volta che m'ami e non più, / Di quest'occhi, cara, uno sguardo pietoso, / E se poi muoio almeno son contento //

Si tratta di versi che appartengono a una serenata fatta da un uomo a una donna che non corrisponde al suo amore.

L'Ammirà si mostra pure un abile descrittore di fenomeni naturali, di situazioni umane e sociali, e bastano pochi versi e un dialetto semplice e spontaneo per salutare, ad esempio, il ritorno della primavera:

[...] E s'indi jiu lu vernu e primavera
S'affaccia cu li pampini e li hijuri,
E a mezzu di l'arrami a schera a schera
L'acejuzzi ragiunanu d'amuri;
Pe li chiani, li munti e la costera
Mirijanu li mandri [...] [169].

[...] E se ne è andato l'inverno e primavera / S'affaccia con le foglie e i fiori, / E sui rami a schiera a schiera / Gli uccellini ragionano d'amore; / Per i piani, i monti e i pendii riposano le mandrie [...]. //

e i pastori accordano la buccina con la cara cetra e la zampogna. Il dialetto di Ammirà è ricco di traslati, di termini che hanno un vario significato a seconda del conceto o situazione che si vuol esprimere o rappresentare:

Ca si l'amicu voi pe tia mu mori,
Apri prima la cascia e poi lu cori [170]

Che se l'amico vuoi che per te muoia, / Apri la cassa (fagli regali, dagli roba) e poi il cuore //

Oppure:

Comu na sspisija tutta facivi
E nta nu creddu jivi e venivi [171]

Tutto facevi (il corvo) come una scintilla, / E in un attimo andavi e venivi //

Nella forma dialettale da lui coltivata con spiccato senso d'arte il verso è portato ad una potenza espressiva mai raggiunta prima dal poeta di Monteleone (mentre nella sua produzione italiana — come si è visto — la forma rimane classicheggiante e di maniera) [172] ed egli riesce ad infondere nelle sue poesie in vernacolo quella parte del suo spirito tormentato che può "qualificarsi poetico" [173]. E a ragione Antonio Piromalli scrive che "il maggiore dei poeti dialettali calabresi dell'Ottocento è Vincenzo Ammirà di Monteleone" [174].

Tutto sommato la sua poesia risente di quel periodo romantico di cui è tutta permeata la vita letteraria calabrese che va dal 1820 al 1870. Questo periodo fu studiato e lumeggiato — come è noto — dal De Sanctis in diverse lezioni tenute nell'Università di Napoli, negli anni 1872-73.

Vincenzo Ammirà, quindi, con la sua poesia realistica si ricollega al Romanticismo che in Calabria, nelle più riuscite espressioni, "rappresenta le prima onda, ancora tumultuosa del Verismo" [175].

Il poeta badava di scrivere i versi che gli uscivano "vivi dall'anima e dal cervello agitati" [176], li rimuginava, li mandava a memoria e poi li dettava al figlio Domenico che provvedeva a trascriverli. E quei versi poi il poeta andava a ripetere nelle farmacie e nei salotti monteleonesi.

Vincenzo Ammirà è stato l'idolo delle allegre brigate, a cui egli , richiesto ed acclamato, recitava quelle sue agili poesie monteleonesi che, se avessero visto la luce, raccolte in volume, quando egli era in vita, gli avrebbero certamente acquistato simpatie e celebrità in tutta Italia.

NOTE

[1] FRANCESCO SARAGÒ, *Ritratto del poeta Vincenzo Ammirà*, in DOMENICO AMMIRÀ, *La Calabria a Vincenzo Ammirà*, Vibo Valentia (Catanzaro), Edizioni Giulio Passafaro, s.a. (ma 1931), p. 183.

[2] Le traduzioni, salva diversa indicazione, sono nostre.

[3] "Pallido, basso, smunto, allampanato, quasi incapace di sopportare l'arco delle spalle, la testa a cono, pesante, che doveva navigare oltre il suo perno di gravità. La faccia era senza barba; qualche pelo sporadico, raro, isolato si faceva vedere qua e là sulle guance smorte. Un tentativo di pizzo alla Murat faceva le spese del resto del mento. Gli occhi li aveva grandi, ma alquanto emergenti fuori dell'orbita. Il suo corpo era un fuso attorno a cui stava aggrappato, [...] la sua breve e affaticata mantellina nocciola, [...] sapeva tutti i morsi del rovaio, e, perché no, forsanco tutte le tempeste dell'anima". Si veda FRANCESCO SPOLETI, *V. Ammirà* (art. dapprima apparso in "Nosside", n. I., an. VI., gen. 1929), poi in DOMENICO AMMIRÀ, *Op. cit.*, p. 203.

[4] Umanista, patriota, rivoluzionario e antiborbonico. Alla sua scuola, attiva a Monteleone fra il 1830 e il '48, si educò l'Ammirà che ebbe come compagni, ad esempio, il filosofo Francesco Fiorentino e Diomede Marvasi, giureconsulto notissimo per la fiera requisitoria in Senato contro il conte Persano dopo la disfatta di Lissa.

L'attività del *lettore* Buccarelli fu intensa e centrale per la cultura e la politica rivoluzionaria locale — dal 1820 al 1840 —. Su di lui v. VITO GUSEPPE GALATI, *La cultura monteleonese nella prima metà del secolo XIX*, in *Vincenzo Ammirà patriota e poeta calabrese*, Firenze, Vallecchi, 1930, p. 18 ss.

[5] Fu un vero ed autentico patriota, perseguitato, esiliato e incarcerato per i suoi principi di libertà, invocata e reclamata nei versi dialettali e italiani: *Pia dei Tolomei*, *Lo spione*, *Il gatto*, *Alla luna*, *Alla memoria del Cappuccino Padre del Pesce*, *Un calabrese su cinque tombe (I martiri di Gerace)*, *Un prigioniero morente*, *A P. C.*, *Il mio amore partito*, *Ad un Deputato al Parlamento del 1848*; tutti scritti che gli costarono il carcere.

[6] V. *A Pio IX*, in V. AMMIRÀ, *Tragedie e poesie*, Vibo Valentia, Edizioni G. Froggio, 1928, p. 369.

[7] La poesia patriottica di C. Massimissa Presterà "Alla memoria degli intrepidi giovani Bello, Ruffo, Mazzoni, Verducci, Salvatore fucilati in Garace-1847" fu stampata sotto l'anonimo "Un Calabrese" nel 1848, ed è riportata per intero in VITTORIO VISSALLI, *Lotta e martirio del popolo calabrese (1847-48)*, Catanzaro, G. Mauro, 1928, pp. 745-747.

[8] V. *Un calabro su cinque tombe*, in VINCENZO AMMIRÀ, *Tregedie e poesie*, cit., pp. 275-277.

[9] *Ibidem*, p. 97.

[10] Su di lui v. i seguenti studi (si tratta in particolar modo di articoli di giornale, oltre a quelli citati nelle varie note): NICOLA MISASI, *Per una conferenza al Filologico*, in "Roma", Napoli, 26 feb. 1895; FRANCESCO MANTELLA PROFUMI, *V. Ammirà e il sentimento*, in "Piccola Brezia", Monteleone, 4 mar. 1897; LUIGI ACCATTATIS, *V. Ammirà*, in *Vocabolario del dialetto calabrese*, vol. III, Castrovillari, Patitucci, 1897, App. III., pp. 190-191; GIUSEPPE FALCONE, *Poeti e rimatori calabri*, vol. II., Napoli, Pesole, 1902 (2ª ed.), pp. 344-396; ANTONIO CIPOLLINI, *Poesia e poeti calabresi*, in

"Rivista d'Italia", Roma, set. 1910; EUGENIO SCALFARI, *Per V. Ammirà*, in "La Difesa", Monteleone, 12 mag. 1912; successivamente: *V. Ammirà*, in "Randello", Monteleone, 6 ag. 1923; sempre di EUGENIO SCALFARI v. *V. Ammirà*, in "Nosside", Polistena, feb. mar. 1926, pp. 17-24; LUIGI ALIQUÒ-LENZI, *V. A.*, in *Gli scrittori calabresi*, Messina, Stab. Tip. Luigi Aliquò, 1913, pp. 13-14; GIUSEPPE VITO GALATI, *Figure meridionali*: *V. Ammirà*, in "La Difesa", Monteleone, 8 apr. 1913; poi: *La cultura calabrese*, in "Il Baretti", Torino, ott. 1925; sempre dello stesso studioso v.: *V. Ammirà*, in *Gli scrittori delle Calabrie*, Firenze, Vallecchi, 1928, pp. 137-139; *V. Ammirà poeta e patriota calabrese*, cit.; *Introduzione storica allo studio della poesia dialettale calabrese*, in "Archivio storico per la Calabria e la Lucania", Roma, an. XX., 1951 (All'Ammirà sono dedicate le pp. 82-86); ANTONIO GALLIPPI, *V. Ammirà* e "La Pippa", in "Nosside", Polistena, a. VII, n. 4, 1928; di questo studioso si veda ancora: *La sagra del dialetto calabrese*, in "Il Mattino", Napoli, 8-9 mag. 1929; *V. Ammirà. Cenni biografici*, in "Nosside", a. VIII, n. 1., 1929; *V. Ammirà antiborbonico e poeta patriottico*, in "Il Mattino", Napoli, 23-24 mag. 1929; *V. Ammirà poeta della gente bruzia*, Radicena, 1929; *Musa bruzia*, in "Arte e natura", Reggio Calabria, ag.-set., 1930; AA.VV., *La Calabria e V. Ammirà*, a cura di DOMENICO AMMIRÀ, cit.; CESARE SINOPOLI, *Un poeta dialettale calabrese*, in "Il Giornale d'Italia", Roma, 25 apr. 1929; BRUNO GIORDANO, *Perché si onora il poeta Ammirà*, in "Il Mattino", Napoli, 18 mag. 1929; SALVATORE MAJOLO, *V. Ammirà*, in "Cronaca di Calabria", 28 ott. 1936; GUIDO CIMINO, *Poeti dialettali Calabresi*, in "Il Ponte", sett-ott. 1950 (un cenno di Ammirà a p. 1099); LUIGI ALIQUÒ — LUIGI ALIQUÒ TAVERNITI, *Ammirà V.*, in *Gli scrittori calabresi, vol. I., Reggio Calabria, ed. Corriere di Reggio, 1955, pp. 61-62; RINA DE BELLA, La poesia dialettale in Calabria*, Firenze, Ed. Giuntine, 1959; FRANCO TIGANI SAVA, *Bibliografia calabrese*, (A-C), Chiaravalle Centrale, Frama Sud, 1980, pp. 73-74; PASQUALE TUSCANO, *V. Ammirà*, in *Letteratura delle regioni d'Italia — Storia e testi — Calabria*, Brescia, La Scuola, 1986, pp. 163-168. Lo Studioso traduce *A la luna* e *L'invocazione alla Musa*. Altri riferimenti all'Ammirà alle pp. 6, 30, 42. Per quanto riguarda la poesia *A la luna* v. la traduzione di DOMENICO ZAPPONE, in "Calabria libri", a. II. n. 5-6, 1983, pp. 60-64. Da segnalare, infine, una ristampa delle *Poesie* di Ammirà, con introduzione di GIUSEPPE ANTONIO CURRÀ, Vibo Valentia, Ed. Settecolori, 1982.

[11] Non ci soffermeremo, nel corso di questo studio, sul poemetto pornografico in quanto è stato già ampiamente e magistralmente studiato dalla critica. V. soprattutto *La Ceceide*, a c. di ANTONIO PIROMALLI e DOMENICO SCAFOGLIO, Napoli, Athena materiali e strumenti, 1975 (a tal proposito V. pure la recensione di GIORGIO BARBERI-SQUAROTTI: *Recuperi della poesia ottocentesca. Ritorna la satira*, in "La Stampa", 9 apr. 1976, p. 12); *Ceceide*, a c. di SHARO GAMBINO, Cosenza, Ed. Mit, 1975; GIUSEPPE VITO GALATI, V. *Ammirà poeta e patriota*, cit., pp. 96-99 (riporta vari giudizi critici espressi sul poemetto); oltre alla *Ceceide* è da ricordare la *Riviggheide*: polimetro in cui si canta la morte di una megera del luogo, di nome Rivigghia. Il componimento s'inizia con la "Mbocazioni a la Musa" (L'invocazione alla musa), che si trova stampata a pp. 112-113 delle *Poesie dialettali* dell'Ammirà, edite — come già detto — nel 1929 a Vibo Valentia. I versi dell'invocazione sono stati trovati dal Galati fra le carte autografe del poeta, ed essi portano la data "giugno 1893". Cfr. VITO GIUSEPPE GALATI, *V. Ammirà*, cit., pp. 93-94.

[12] V. GIUSEPPE VITO GALATI, *Cenni bio-biobliografici*. *Gli anni giovanili*, in

V. *Ammirà poeta*, cit., p. 72. Questo lavoro del Galati è la prima monografia sul poeta di Monteleone. Su quest'opera v. GIUSEPPE CASALINUOVO, *Di V. Ammirà e di altro*, articolo, dapprima apparso su "La Giovine Calabria", Catanzaro, 19 gen. 1930, e poi in DOMENICO AMMIRÀ, *op. cit.*, p. 13 ss. Comunque il Galati è stato un rinnovatore della cultura calabrese, che ha rivalutato, sin dalle sue origini, con molte ricerche condotte direttamente sulle fonti.

13 Su quest'opera si v. ancora NICOLA MISASI, *Per Vincenzo Ammirà*, dapprima in "Roma", 26 feb. 1895, n. 57, e poi ristampato in *Domenico Ammirà*, *op. cit.*, pp. 17-20. Il Misasi fu amico dell'Ammirà: "[...] nei miei anni giovanili fui intimo dell'autore di Cecia il quale non so se ora sia vivo pur dovendo io a lui molte allegrie e spensierate sere. Era un pover'uomo impiegato nel Dazio di consumo con poche lire al mese; e sebbene vecchio, tutte le notti sue ei le spendeva facendo la guardia rannicchiato in un casotto". Il Misasi inoltre ricorda pure che le sventure del poeta "le doveva al suo capolavoro, *Cecia la Tropeana*, perché a lui, latinista profondo, scrittore pregevole di poesie italiane, efficacissimo drammaturgo, *Cecia la Tropeana* non permise che fosse eletto ad una misera cattedra di Liceo [...]". V. NICOLA MISASI, *Per Vincenzo Ammirà*, cit., in DOMENICO AMMIRÀ, *op. cit.*, p. 119.

14 Cfr. VITO GIUSEPPE GALATI, V. *Ammirà poeta*, cit., p. 79.

15 La sua vita fu difficile ed egli era sempre sorvegliato e pedinato dalla polizia desiderosa di soffocare le file della setta politica monteleonese. Perciò venne varie volte arrestato. A tal proposito si veda il sonetto su *Agesilao Milano — A rime date da F.co Ant. Massara. Nelle prigioni di Monteleone*. Basterebbe solamente questo sonetto politico per mandare in galera un uomo per esaltazione di regicidio: "Qual Giunio Bruto, Agesilao Milano / La tanta generosa ira repressa / Nel petto, ove fervea santo, romano, / Ardor di libertà, di patria oppressa, / Stette pensosamente, il volto arcano / Del magnanimo cor, fatal promessa, / Compier desira, ed il tiranno insano / Assalse come fiera leonessa. / Falliva il colpo, di terror s'empìo / Alto la Regia e il barbaro Signore, / Scorgendo in quella man l'ira di Dio; / E scompigliato e triste di pallore; / Un palco addita a lui supplizio rio, / Ara perenne al Calabro che muore". V. VINCENZO AMMIRÀ, *Tragedie* e *poesie*, cit., p. 386.

16 *Ibidem*, p. 261.

17 *Ibidem*.

18 *Ibidem*, p. 263.

19 *Ibidem*, pp. 261-262.

20 ANTONIO PIROMALLI, *La letteratura calabrese*, Cosenza, Pellegrini, 1965, p. 175. Si veda anche dello stesso studioso e di Domenico Scafoglio *La poesia dialettale e la crisi postunitaria*, Firenze, D'anna, 1977.

21 V. *A la luna* (*Alla luna*), in *Poesie dialettali*, cit., p. 101.

22 *Ibidem*.

23 *Ibidem*, pp. 115-118.

24 *Ibidem*, p. 115.

25 *La pippa* (*La pipa*), in *Poesie dialettali*, cit., p. 89.

26 *Ibidem*, p. 88.

27 Questa volta la traduzione è di Marzano. V. GIOVANNI BATTISTA MARZANO, *Dizionario etimologico del dialetto calabrese*, ristampa anastatica dell'edizione di Laureana di Borrello, 1928, Bologna, Arnaldo Forni Editore, 1980, p. 260 (voce *mprasta*).

[28] V. a tal proposito *'Mbocazioni e la Musa* (*Invocazione alla Musa*), in *Poesie dialettali*, cit., pp. 112-113.

[29] *Ibidem*, p. 112.

[30] Il 5 febbraio del 1898.

[31] VITO GIUSEPPE GALATI, *Carattere dell'uomo*, in *V. Ammirà*, cit., p. 9. Per altri dati biografici v. sempre la seconda parte dell'opera del Galati, pp. 68-87.

[32] Vincenzo Ammirà ha scritto varie opere, tra le quali ricordiamo: *Poesie giovanili*, Catanzaro, Giovanni Troyse, 1861 (è la prima raccolta di versi in lingua italiana dell'A. dedicata al patrizio e patriota Francesco Cordopatri). In questo volumetto, mancavano, però, alcune delle poesie patriottiche composte per il '47 e il '48; vi è inclusa quella in memoria di "Padre Felice Ant. Del Pezzo"; e vi sono ancora incluse la maggior parte delle poesie romantiche, fra cui la novella *I Romiti*. Molte poesie dialettali dell'Ammirà furono pubblicate in giornali e riviste, tra le quali segnaliamo: *A la luna* [versi dialettali] nell'"Avvenire Vibonese" del 20 ag. 1882; *'A pippa* (*La pipa*), in "Strenna dell'Avvenire Vibonese", 1886, pp. 6-11; ristampata e tradotta in italiano da ANTONIO CIPOLLINI in "Rivista d'Italia", Roma, set. 1910, pp. 443-450; *La lacrima* [versi italiani], in "Strenna dell'Avvenire Vibonese" del 1887, ristampata poi in "Nosside", 1926, n. 2-3; *Lu candidatu Lipari* [versi dialettali, con la data 20 ottobre 1884], in "La Sentinella", Monteleone, a: I., n. 1., 10 nov. 1889, p. 4. Nel 1928 vedono la luce *Tragedie e poesie*, Vibo Valentia, Edizioni G. Froggio (si tratta di una edizione postuma, a cura del figlio del poeta, Domenico); e il 15 febbraio 1929 sono pubblicate la *Poesie dialettali*, sempre dall'editore Froggio di Vibo Valentia (quest'ultima edizione, poi, è stata ristampata nel 1980, Drapia-Biblioteca Comunale Galluppi). Si attribuiscono al poeta di Monteleone altre opere: quali una traduzione dell'*Eneide* di Virgilio (purtroppo smarrita dagli eredi) e una "farsa manoscritta, che non sarà mai pubblicata per riguardo alle persone, che vi sono prese di mira, e con fine satira sferzate a sangue per talune loro debolezze (...)". Così GIUSEPPE FALCONE, *op. cit.*, p. 396.

[33] Sulle tragedie dell'Ammirà v. ANTONIO GALLIPPI, *V. Ammirà Tragediografo*, in "Nosside", gen. 1929, an. VIII, n. 1.

[34] V. *Lida*, in *Tragedie e poesie*, cit., p. 137.

[35] V. *Lida*, atto IV, scena VII, in *Poesie e tragedie*, cit., p. 125.

[36] Atto V, scena V, p. 132.

[37] Roberto, fratello di Lida.

[38] V. Atto III, scena I (Ruderi fuori del castello), in *Tragedie e poesie*, cit., p. 104. Presente è anche Dante. A tal riguardo v. l'atto II, scena III della tragedia ove vien riportato un intero verso dantesco: "Raul (generale Saraceno) Nutri un amore? / E amore al cor gentile ratto s'apprende...", dice a Narsete innamorato di Lida.

[39] A tal riguardo v. atto V, scena ultima, in *Tragedie e poesie*, cit., p. 137.

[40] *Lida*, atto I, scena V, in *Tragedie e poesie*, cit., pp. 83-84.

[41] È Lida che parla al generale saraceno Raul. V. *Lida*, atto II, scena III, in *Tragedie e poesie*, cit., p. 99.

[42] Atto V, scena X, ed. cit., pp. 135-136.

[43] *Lida*, atto I, scena VIII, p. 86.

[44] I personaggi sono: Valenzia, figlia dell'ammiraglio Candiano; Alberigo Fossano, Senatore della Repubblica; Orseolo, Doge; Carlo Visconti, figlio di Barnabò; Apostolo Malombra, spia della Repubblica; Violante, confidente di Valenzia. La scena si svolge a Venezia nel Secolo XIV.

[45] *Valenzia Candiano*, atto I, scena II, in *Tragedie e poesie*, cit., p. 18.

[46] *Ibidem*, atto I, scena VII, p. 37.

[47] A venezia appunto.

[48] È Orseolo che parla a Candiano. V. *Valenzia Candiano*, atto I, scena VII, ed. cit., p. 37.

[49] *Valenzia Candiano*, atto IV, scena V, in *Tragedie e poesie*, cit., p. 57.

[50] Pensiero questo del De Sanctis, citato da RINA DE BELLA, *La poesia dialettale calabrese*, cit., p. 62.

[51] V. a tal proposito *Un prigioniero morente*, in *Tragedie e poesie*, cit., p. 281.

[52] *Ibidem*, pp. 283-284.

[53] V. *Tragedie e poesie*, cit., p. 207.

[54] *Ibidem*, pp. 274-277. La poesia è stata composta nel 1847.

[55] *Ibidem*, p. 276.

[56] *Ibidem*, p. 277.

[57] V. *L'abbandono di Parga*, in *Tragedie e poesie*, cit., pp. 214-216.

[58] V. *Tragedie e poesie*, cit., pp. 237-238.

[59] *Ibidem*, p. 237.

[60] Altro martire esaltato e ricordato è Agesilao Milano, contrapposto ai tiranni. La poesia su questo martire calabrese fu scritta nel 1858. Cfr. *Tragedie e poesie*, cit., p. 386.

[61] *Ibidem*, pp. 197-202.

[62] *La lacrima*, in *Tragedie e poesie*, cit., p. 181. Questa poesia venne scritta nel giugno del 1885, e pubblicata nel 1887, il poeta vivente, nella Strenne del giornale "L'Avvenire Vibonese", diretto dallo Scalfari.

[63] V. *I Romiti*, in *Tragedie e poesie*, cit., p. 141.

[64] Cfr. VITO GIUSEPPE GALATI, *V. Ammirà. Patriota e poeta calabrese*, cit., p. 21.

[65] *Ibidem*.

[66] V. ANTONIO PIROMALLI, *La Ceceide e la società del suo tempo*, in *V. Ammirà* a c. di ANTONIO PIROMALLI e DOMENICO SCAFOGLIO, cit., p. 5.

[67] "Quando da morbo fero / Tu combattuta e vinta", dice, ad esempio, nella poesia intitolata *In morte di mia figlia*, in *Tragedie e poesie*, cit., p. 265.

[68] Sul dialetto di Catanzaro e del catanzarese v. MARIO LAVECCHIA, *Il dialetto del catanzarese nella poesia popolare e in alcuni poeti d'arte*, Editrice Artigrafiche Abramo, Catanzaro, 1956, pp. 13-41.

[69] GIUSEPPE MONTORO, *Un poeta calabrese: V. Ammirà*, in DOMENICO AMMIRÀ, *La Calabria*, cit., pp. 132-133.

[70] V. *Lamentu di Cola* (*Lamento di Cola*), in *Poesie dialettali*, cit., p. 29.

[71] *Ibidem*, p. 30.

[72] V. *A Girundulu* (*A Girondolo*), in *Poesie dialettali*, cit., pp. 72-76.

[73] *Ibidem*, p. 72.

[74] *Ibidem*.

[75] Casacca = giacca a mezza vita, larga ed a pieghe; *coppulinu* = cuffia.

[76] *Lu pacchianu studenti* (*Il pacchiano studente*), in *Poesie dialettali*, cit., p. 109. Questo componimento è stato composto nel 1840.

[77] "Scriminatura liscia".

[78] In senso traslato: "capelli inannellati" (Marzano).

[79] È la marsina.
[80] *Lu pacchianu studenti*, cit., p. 110.
[81] *Lu cacciaturi* (*Il cacciatore*), in *Poesie dialettali*, cit., p. 42.
[82] *'Na sirinata* (*Una serenata*), in *Poesie dialettali*, cit., p. 45.
[83] *Poesie dialettali*, cit., p. 39.
[84] *Ibidem*, pp. 35-36.
[85] "buttata in terra".
[86] *L'amanti a la fossa di l'amata* (*L'amante alla fossa dell'amata*), cit., p. 35.
[87] *La ninna du briganteju* (*La ninna del piccolo brigante*), in *Poesie dialettali*, cit., p. 68.
[88] *Ibidem*, pp. 69-70.
[89] *Ibidem*, pp. 68-69.
[90] *Ibidem*, p. 84.
[91] *Ibidem*.
[92] *Ibidem*.
[93] V. *Donna Purdenzia* (*Donna Fulgenzia*), in *Poesie dialettali*, cit., pp. 91-98.
[94] *Ibidem*, p. 91.
[95] *Ibidem*, p. 92.
[96] "Uomo di casa, maestro di scuola".
[97] *Donna Purdenzia*, cit., p. 98.
[98] V. MARIO SPANÒ, *Letteratura dialettale calabrese*, Grafiche Sgroi, Reggio Calabria, 1973, p. 83.
[99] *Donna Purdenzia*, cit., p. 95.
[100] V. *Tragedie e poesie*, cit. pp. 336-339.
[101] Si vedano i versi de la *Donna Purdenzia*, cit., p. 95.
[102] *Ibidem*, p. 96.
[103] Versi già citati. V. nota 97. La poesia *Donna Purdenzia* apparve nella Strenna dell'"Avvenire Vibonese" del 1887.
[104] Per il testo v. *Poesie dialettali*, cit., pp. 53-59; 60-67.
[105] *Lu candidatu Lipari* (*Il candidato Lipari*), cit., p. 54.
[106] Lipari.
[107] *Ibidem*, pp. 53-54.
[108] V. *Poesie dialettali*, cit., pp. 7-9. Questo studende è detto così per via del suo naso che rassomiglia ad una cipolla appunto. La poesia venne composta dal poeta all'età di 17 anni.
[109] *Lu studenti cipuja*, cit., p. 7.
[110] *Ibidem*, p. 8.
[111] *Ibidem*, p. 9.
[112] *Ibidem*, p. 10.
[113] *Pappione che piange la barba*. Per il testo v. *Poesie dialettali*, cit., pp. 12-15.
[114] *Ibidem*, p. 13.
[115] *Ibidem*.
[116] *Poesie dialettali*, cit., p. 137.
[117] *Ibidem*.
[118] *Ibidem*.
[119] *Poesie dialettali*, cit., pp. 23-27. *Mariceju* è il "lago della marina di Bivona ora prosciugato". V. nota 1 al componimento citato.

[120] *Poesie dialettali*, cit., p. 23.
[121] *Ibidem*, p. 24.
[122] *Ibidem*.
[123] Una specie di pesce.
[124] *Poesie dialettali*, cit., p. 25.
[125] *Ibidem*.
[126] "Diavoli arrabbiati".
[127] *Poesie dialettali*, cit., p. 28.
[128] È evidente l'allusione oscena.
[129] V. *La morti di Zazzu*, in *Poesie dialettali*, cit., p. 47.
[130] *Poesie dialettali*, cit., pp. 125-134.
[131] *Ibidem*, p. 126.
[132] *Op. cit.*, p. 109 (voce *Cola*).
[133] V. *Poesie dialettali*, cit., p. 134.
[134] Da ricordare tra le poesie scritte per far ridere quella intitolata *Lu mbitu di Micu Nistricò* (*L'invito di Domenico Nistricò*). V. *Poesie dialettali* cit., pp. 16-22. La poesia fu composta il 17 gennaio 1842 e venne letta nella Scuola del "Lettore" Raffaele Buccarelli. Di essa trascriviamo solo questi versi: "Sentiti mu vi cuntu chi mbatti, / Cu Micu Nistricò lu su notaru; / Sentiti, Letturi, ca d'arrisi scatti, / c'a quanti lu cuntai tutti scattaru, / E sugnu pani, casu e suppressati. // Ecco la traduzione: "Sentite adesso vi racconto ciò che mi è capitato / Con Domenico Nistricò (...) / Senti, Lettore (Raffaele Buccarelli) che ti sganasci dal ridere, / Che a quanti lo raccontai tutti scoppiarono dal ridere; / Che io canto cose che nessuno cantò, / E sono pane, cacio e soppressate".
[135] *Alla luna*, in *Poesie dialettali*, cit., pp. 99-104. La poesia apparve per la prima volta nell'"Avvenire Vibonese" del 20 agosto 1882.
[136] *A la luna*, cit., p. 104.
[137] *Ibidem*.
[138] *Ibidem*, p. 99.
[139] V. VITO GIUSEPPE GALATI, *La rivincita della poesia dialettale*, in *V. Ammirà. Patriota e poeta calabrese*, cit., p. 50.
[140] *A la luna*, cit., p. 100.
[141] *Ibidem*, p. 101.
[142] V. *Tragedie e poesie*, cit., p. 330.
[143] Tra i poeti calabresi ricordiamo il catanzarese Francesco Gerace. V. su di lui MARIO LAVECCHIA, *F. Gerace, patetico ed umano*, in *Il dialetto catanzarese*, cit., p. 117 ss.
[144] V. VITO GIUSEPPE GALATI, *Introduzione storica allo studio della poesia dialettale calabrese*, in "Archivio storico per la Calabria e la Lucania", an. XX (1951), cit., p. 84.
[145] *Poesie dialettali*, cit., p. 77.
[146] La poesia fu scritta nel 1839.
[147] Nel tempo dei suoi studi presso il Buccarelli, l'Ammirà compose alcune poesie dialettali, più che umoristiche, tendenti al grottesco: *Lu studenti cipuja*, *Pappijuni chi ciangi la varva*, *Lu mbitu di Micu Nistricò*, *L'animaliu d' 'u mariceju*: tutte già analizzate.
[148] "È un poemetto che nella poesia dialettale forse non ha altro che gli possa stare a paro". Giudizio che si deve a Giuseppe Casalinuovo in un articolo (in realtà a una recensione alla monografia più volte citata del Galati). V. "La Giovine Calabria", Catanzaro, 19 gen. 1930. Lo stesso articolo: *Di V. Ammirà e di altro*, venne poi ristampato

da Domenico Ammirà, in *La Calabria*, cit., p. 14. Ecco ancora su *La pippa* il giudizio di F. Messina: "[...] gioiello del vernacolo calabrese [...] miniatura delicatissima dell'arte poetica contiene un'armonia sinfonica di sentimenti gentili; di odori acri, di umorismo acuto e scherzoso". V. FRANCESCO MESSINA, *La Pippa dell'Ammirà*, in "Emporio Pittoresco — Illustrazione universale", Milano, an. XXVI, n. 1295 del 23-29 giu. 1889, pp. 291-293. Su questa poesia v. ancora: GIUSEPPE FALCONE, *Poeti e rimatori calabri. Notizie ed esempi*. Seconda edizione, vol. II., Napoli, Stabilimento Tip. R. Pesole, 1902, p. 334; *Poeti dialettali dei tempi nostri. Raccolti ed annotati da* AMEDEO TOSTI, Lanciano, G. Carabba Editore, 1925, pp. 283-288.

[149] *Poesie dialettali*, cit., pp. 85-86.

[150] GIOVAN BATTISTA MARZANO, *op. cit.*, p. 400 (voce *Spicchisi*).

[151] VITO GIUSEPPE GALATI, *La rivincita della poesia dialettale*, cit., p. 53.

[152] *Poesie dialettali*, cit., p. 53.

[153] *Ibidem*, p. 86.

[154] *La Pippa*, in *Poesie dialettali*, cit., pp. 86-87.

[155] *Ibidem*, p. 87.

[156] *ibidem*, p. 89.

[157] Naturalmente la pipa che consola il cuore del poeta che si sente triste.

[158] *La pippa*, cit., p. 90.

[159] *Tragedie e poesie*, cit., pp. 188-192.

[160] V. *Poesie dialettali*, cit., p. 138. La poesia si intitola *Pe la morti di L. G.* (*Per la morte di L. G.*), e fu composto nel 1840.

[161] *Ibidem*.

[162] *La ninna*, in *Poesie dialettali*, cit., p. 43.

[163] Biondi e ricci.

[164] *Canzuni* (*Canzone*), in *Poesie dialettali*, cit., p. 41. Il componimento è stato scritto il 15 marzo 1859, nelle prigioni di Monteleone.

[165] *Lu cori calavrisi* (*Il cuore calabrese*), in *Poesie dialettali*, cit., p. 51.

[166] *Ibidem*.

[167] *Ibidem*, p. 52.

[168] *'Na sirinata* (*Una serenata*), *in Poesie dialettali*, cit., p. 45.

[169] *Ritornu di primavera — Frammento*, in *Poesie dialettali*, cit., p. 114.

[170] V. *Lu mbitu di Micu Nistricò*, cit., p. 17.

[171] *Lu chiantu di Cicciu* (*Il pianto di Ciccio*), in *Poesie dialettali*, cit., p. 128.

[172] Ad esempio la poesia intitolata *In morte di Garibaldi* e alla *Regina d'Italia*, "corteggia" Carducci.

[173] V. GUIDO CIMINO, *Poeti dialettali calabresi*, in "Il Ponte", an. VI — n. 9-10, set-ott 1950, p. 1099.

[174] V. ANTONIO PIROMALLI, *La letteratura calabrese*, Napoli, Guida, 1977, p. 175.

[175] *Ibidem*, p. 176.

[176] V. *Al Lettore*, in VINCENZO AMMIRÀ — *Tragedie e poesie*, cit. La nota al lettore, di due pagine, è stasa dal figlio del poeta, Domenico.

II.

L'attività letteraria e poetica di Giovanni Patàri (Alfio Bruzio).

Nacque a Catanzaro il 14 aprile 1866 da Giacomo e da una sorella del filosofo Giuseppe Vincenzo Ciaccio [1], e ivi morì il 19 luglio 1948 [2].

Studiò nel liceo Galluppi della sua città [3], e conseguì la licenza al Filangieri di Monteleone [4]. A Napoli frequentò poi la facoltà di giurisprudenza e fece parte di un gruppo di giovani letterati calabresi, alcuni dei quali come Antonino Anile ebbero meritata rinomanza ed altri come Filippo Greco [5] e Geniale Vocaturo [6] morirono prima di raggiungerla. In quel tempo gli scritti del Patàri apparvero sul "Sebetia", sul "Fortunio", sull'"Avvenire letterario di Milano", su "Lettere ed Arti", sulla "Rassegna Pugliese".

Laureatosi ritornò a Catanzaro, ma preferì la letteratura al diritto ed entrò nel pubblico insegnamento, professore del ginnasio Galluppi [7]. Il tempo che gli restava libero dall'insegnamento lo dedicava all'attività letteraria. Dapprima scrisse su giornali di provincia, poi — come ricordato — sull'"Avvenire letterario" di Milano e su "Lettere ed Arti" di Bologna.

Con passione e fervore svolse l'attività anche di educatore veramente instancabile (scrisse diversi libri scolastici), e nella sua città collaborava nel contempo al settimanale umoristico "'U Strolacu" [8] diretto da Raffaele Cotronei.

Nel 1902-1905 fondava e dirigeva "'U Monacheddu" [9], giornale satirico e burlesco, che ebbe clamoroso successo nel pubblico. Si firmerà quasi sempre col suo noto pseudonimo Alfio Bruzio. Scriveva senza pause: con sagacia, con entusiasmo, con fervore.

Conferenziere, portò la sua parola appassionata di valorizzatore entusiasta al Circolo Calabrese di Napoli, al Circolo di cultura di Catanzaro, nei maggiori centri culturali della regione.

Narratore, storico, critico, la sua feconda attività di scrittore e poeta si concreta in numerose pubblicazioni [10], con le quali ha illustrato e esaltato la Calabria nei suoi uomini migliori, nelle sue incomparabili bellezze, nella gloria del suo passato, nella possibilità di un sempre migliore avvenire.

Alfio Bruzio fu in cordiali rapporti con Guido Mazzoni, Antonino Anile, Giuseppe Chiarini, Aurelio Costanzo, Vincenzo Vivaldi [11].

Scrive Tullio De Luca:

> con uno stile tutto suo egli [il Patàri] fa potentemente rivivere nella mente dei lettori la sua terra vulcanica nell'incanto fascinoso dei suoi paesaggi pittoreschi, nella grandezza dei suoi figli che l'onorarono e l'amarono nella fierezza della sue tradizioni civili. E la prova sensibile di questo profondo amore per la sua terra, è il fatto che la materia trattata dal Patàri non è localizzata o inscritta solamente a fatti e luoghi di qualche importanza storica ed artistica ma si diffonde su quelle cose che molti superficiali collezionisti di memorie regionali ritengono erroneamente roba trascurabile e priva di qualsiasi interesse. Così il Patàri che ha visitato in ogni senso la Calabria con affetto di figlio devoto, come s'indugia sulla piazza memorabile, o nel Santuario di Paola, dove crebbe l'illuminata adolescenza del grande Taumaturgo o nel tragico castello di Pizzo, o nel Pagano tempio di Era Lacinia, o nella terra di Campanella, con non minore interesse s'intrattiene a parlare di poetici luoghi sparsi, di piccole borgate, di paesaggi e di visioni che più squisitamente esprimono il colore locale (...) [12].

Nelle sue opere si colgono anche momenti autobiografici. È il caso del canto secondo del poemetto intitolato *La città dei sogni* [13]: il poeta ricorda con nostalgia la sua vita da studente a Napoli, "la casetta bianca e solitaria" del Vico Paradiso [14], in cui egli viveva con altri amici anch'essi poeti "ne l'anima e nel core". Non studiavano i codici e le pandette ma qualche poeta antico.

> Ché tra i moderni allor com'oggi pare
> Nessuno vale un fico [15].

Vengono ricordati i suoi amici che vissero come lui da studente-amante dell'arte a Napoli: Geniale Vocaturo ("l'artista del Bello"); Filippo Greco (l'anima della lieta brigata) con la sua voce calda, appassionata; Antonino Anile, Antonio Julia, Gianni Solimena, Francesco

Maradea[16] col suo cappello "moscio", sempre bislacco e strano, il Marchese sognatore di miraggi; ebbro di visioni romantiche di fate bionde e strani paesaggi. Con questi compagni di tanto in tanto il Patàri andava all'Università ma più spesso al *Caffé de Angelis*, che si trovava allora in via Toledo, di fronte alla chiesa di S. Niccolò al largo della Carità. Ora, però, quel *Caffé* è deserto, al banco il padrone sta solo e "scorato". A quel *Caffé* quegli amici calabresi parlano di letteratura, di politica, di arte, di personaggi famosi del tempo:

Francesco Crispi si mette a la pari
Di Gilli e di Farfoglio,
Speculanti di pubblici denari
Ed abili all'imbroglio!...

Cos'era Longhi? Un grande ciarlatano
Un rospo velenoso (...)
Gianturco?... Un giovincello alquanto strano
E molto ambizioso!...[17].

Quel *Caffé* era pure frequentato dai maestri di questi giovani e ardenti repubblicani calabresi: Luigi Palmer, fisico e geologo; Francesco Pépere, avellinese, patriota e maestro; autore della nota opera: *Il materialismo nella Storia del Diritto*; Giovanni Bovio e Luigi Zuppetta: morirono entrambi in piena povertà, sebbene fossero stati Deputati al Parlamento, per votazione libera del popolo, per parecchie legislature. Il Zuppetta[18] era molto affezionato ai suoi studenti calabresi, come gli era cara la Calabria e Andrea Cefaly[19]. Il vecchio maestro vorrebbe avere ora il pittore di Cortale per spiegargli

(...) le brutture
Dei moderni Caini,
Che falsarono con ibride congiure
De la Patria i destini[20].

Il Patàri non può mai dimenticare la città di Napoli:

> la nostalgia di Napoli è sempre viva e forte in quanti, in questa magnifica metropoli del Mezzogiorno d'Italia, vissero, studiarono, amarono [21].

E a questa nostalgia si lega il ricordo di Vincenzo Valente, il più popolare "musico" della canzone. Il Valente fu calabrese, e nacque nel febbraio 1855 in Corigliano Calabro (morì a Napoli l'otto settembre 1921), e da giovane poi si trasferì appunto a Napoli [22], e di questa città Alfio Bruzio esalta le canzoni d'amore appassionate che il popolino allora adorava; e il pensiero del poeta corre ora che è lontano da Napoli a Piedigrotta ("l'orgia del buonumore"). Ma purtroppo il poeta doveva lasciare Napoli per far ritorno a Catanzaro, e qui

> m'aspettavano (...) crassa ignoranza,
> Invidia e ipocrisia (...) [23].

Nella parte finale del poemetto dice amaramente di non essere stato apprezzato come poeta nella sua Catanzaro: i suoi versi erano stati criticati da Rusoca,

> Un aquilotto... figlio d'un'oca [24].

Comunque questa sfuriata contro la città natale gli fu dettata dal torto che gli venne fatto dall'Amministrazione municipale di quel tempo (1893) per favorire un voluto grande uomo,

> che qui bollo facendo una metatesi delle sillabe del suo cognome Rusoca [25].

Per un tal motivo prega la locomotiva che lo porterà a Catanzaro, di non correre tanto:

> Il mio paese è la città dei morti,
> Lo penso, e rompo in pianto...
>
> Oh! quante volte fui per far ritorno,

Pensoso sui miei passi,
Oh! quante volte, laggiù, dissi: Un giorno
Se a Napoli tornassi (...) [26].

La città non è però quella di un tempo (quando il Patàri studiava): ora la stanno deturpando

E me la stanno tutta allineando
Con metro e col compasso (...)
Oh, meglio, meglio come prima ell'era
— A le volte mi dico —
Napoli brutta, lurida, ciarliera,
D'un tempo non antico... [27].

Dalla Villa di Stagno a Marechiaro tutto è mutato: tant'è che il poeta si sente perso se non venisse soccorso dal suo amico Giovanni Colizza [28], che gli spiega cose e uomini della città:

— *Venite che vi mostro,*
I letterati, qui, napoletani.
I grandi dell'inchiostro...

I pennajuoli?... un poco per ciascuno
L'ho conosciuti tutti,
Dal piccioletto a ritondetto Arcuno [29]
Al magno Colautti [30]

Gente cui scalda l'alma un'ideale,
Come al mite Guarino,
E gente miserabile e venale
Da tredici a Carlino...

Eccola, qui, la *magica lanterna* [31],
La tromba suoni adesso...
Signori, entrate, qui, l'Arte si eterna
A tre soldi l'ingresso...

Magro ed ossuto e vestito di nero
Eternamente ei passa...

Un guardiano par di cimitero...
Requiem e messa bassa...

Pure è un poeta molto popolare,
Molto amato e discusso,
Immenso è il cuore suo siccome il mare...
È Ferdinando Russo [32].

E quel signore con la caramella
Egli è del tuo paese
Ah corpo d'una bomba? Ah questa è bella,
E dunque un calabrese?!...

Scrittore di novelle e romanziere
Da le rustiche frasi...
Ora il suo nome mi torna al pensiero:
È Nicola Misasi... [33].

Seguono poi la Serao, l'autrice di *Paese di Cuccagna* (romanzo), Luigi Conforti, autore del poemetto *Pompei*, il poeta e giornalista Mario Giobbe, noto per aver tradotto in versi martelliani non pochi versi del poeta francese Edmondo Rostand; poi Salvatore Di Giacomo, e in ultimo Michele Ricciardi, brillante giornalista napoletano [34].

Nel poemetto non mancano le punte satiriche. Infatti si scaglia contro

(...) quattro o cinque egregi decadenti
Illustri simbolisti;
Piscialetti del giorno, cavadenti
Che credonsi anticristi (...) [35].

A parte ciò, nel poemetto troviamo considerazioni su Napoli, sulla sua gente, che racchiudono precisi momenti autobiografici, politici e letterari. Il primo personaggio che s'incontra è Padre Rocco, ritratto

ne la sua nicchia
... di San Martino [36].

Napoli è adesso una città assai diversa da quella dei tempi del monaco che chiede al poeta notizie appunto su di essa:

(...) fureggia sempre a San Carlino
Totonno Cammarano [37]?
Si vende sempre a quattro calli il vino
Di Somma e di Ottajano? [38].

E il carmelitano chiede ancora:

(...) vive il grande Nasone [39]
Che Dio sempre conservi?
Ed il popolo l'è sempre minchione,
Omnes Domini servi? [40].

Finito il dialogo con il frate impaurito delle cose che succedono a Napoli, il poeta, dopo aver parlato con frate Rocco, si sente stanco e cerca di trovare ristoro in una osteria, e qui pensa alla sua bella. Ma ormai tutto è finito. Nella fredda stanza dell'osteria giunge pure un forte "vecchierello" con la giacca di velluto e il cappello alla "calabrese"; questo vecchio è ormai dimenticato dai suoi amici. E qui si apre una polemica:

Ad amare la patria non c'è
E poi si muor di fame...
Tu questo l'ignorava, o buon Trabucco [41]
Ne l'eroico costume...
Quando tra i primi, duce Garibaldi,
De l'invitta coorte,
Lassù di Capua presso gli ardui spaldi
Sorridon alla morte...
Tu ci parla di Pilade Bronzetti [42]
De l'eroica legione
Che alla palle nemiche i forti petti
Dava a Castelmorrone,

Tu ci ripeta al Duce dell'impero,
Quel che dicesti un giorno:

Deh tu mi lascia, è meglio prigioniero,
Ma rendimi 'l mio corno... [43]
Il corno da cui tragga un'armonia
Gentile e commovente
Così che accorra per la Patria mia
A pugnare qui gente! [44].

A queste parole il poeta e un suo amico, Pasquale Guarino [45], pubblicista e romanziere, fanno un brindisi a questo vecchio eroe che viene contrapposto ai vigliacchi che "l'Italia nova / Già resero un bordello",

Un bordello di ladri in guanti gialli,
Di birbe e ciurmadori,
Che scialacquano in femmine e cavalli,
Del popolo i sudori...

Mentre chi dette per la Patria il sangue
E forse fece male,
Ne la miseria pitoccando langue
O muore all'ospedale! [46].

Era ancora studente in giurisprudenza all'Università di Napoli, e già — come detto — il Patàri cominciava a mandare le sue composizioni [47] dialettali al giornale "'U Strolacu", e prima della pubblicazione de *'U Monacheddu* [48], il poeta aveva scritto qualche sonetto in vernacolo sul "Corriere calabrese" nel 1883, quando aveva sedici anni, pubblicò quello che gli valse — e fu il primo — subito una larga popolarità. Comincia il sonetto *Primu ppe mu 'ncarisciunu i sigarri* (*Prima che aumentino di costo i sigari*). E lo scrisse perché allora era stato portato il prezzo dei sigari da otto a dieci centesimi. A proposito di ciò il poeta osserva:

> Figuratevi che capolavoro potrebbe uscire dalla mia penna oggi che i sigari di ultima qualità costano sessantacinque centesimi! *O tempora* [49].

Dopo, sullo "Strolacu", quando egli era studente universitario a

Napoli (1888-1892), compose altri sonetti. Collaborò pure, dal momento in cui cessarono le pubblicazioni de "'U Monacheddu", ad altri periodici satirici e dialettali di Catanzaro; al "Cucuveni" e a "La Pulce" [50]. Solo la raccolta de "La Pulce" — va osservato — si trova nella Biblioteca Municipale di Catanzaro. E così nel volume, edito a Catanzaro dall'editore Guido Mauro, nel 1926, il Patàri raccoglie quasi tutti i versi che videro la luce su "'U Monacheddu", e quelli pubblicati su "La Pulce", mentre qualche poesia e per la forma e per la sostanza è stata ripudiata. Comunque il periodo più intenso della produzione dialettale del Patàri va dal febbraio 1902 al settembre 1905. In quei tre anni, egli scrisse quasi interamente da solo "'U Monacheddu" [51], che ebbe in Michele Servello un formidabile caricaturista.

Sin dal primo numero il giornale andò a ruba: titolo quindi molto azzeccato. Così si spiega la larga rapida diffusione del piccolo giornale. Larga diffusione dovuta anche al merito di chi lo scriveva, e ogni domenica "'U Monacheddu" era atteso da ogni famiglia, e in Catanzaro se ne vendevano da due a tre mila copie. Diffusione, questa, enorme se si pensi che la città nel primo ventennio del Novecento non contava che quarantamila abitanti, dei quali un terzo forestieri. Richieste del giornale arrivavano al Patàri anche dal Giappone e dall'Australia. Il dono più gradito che allora si poteva fare a un catanzarese lontano, era l'invio di una copia de "'U Monacheddu".

Morto il giornale,

> pur oggi a significare fatti da non prendere sul serio, il nostro popolo, quasi a proverbio, esclama filosofando: "Così è Minacheddu" [52].

Il Patàri più che alle sue numerose pubblicazioni in lingua italiana, deve la sua popolarità in Catanzaro e fuori a questo giornale satirico e umoristico.
Di collaboratori, per redigere il settimanale, non ne aveva quasi mai. I quattro monaci ("Patra Giuanni", "Fra Galdino", "'U novizzu", "'U Picozzu") [53], che dalla grata del convento osservavano tutto, uomini e donne, vecchi cadenti e fanciulle floride, e poi scrivevano la cronaca in versi della settimana, erano uno solo: il fondatore, direttore e redattore del giornale.

Nei tre anni di vita "'U Monacheddu" pubblicò circa trecento sonetti: una ricchissima galleria di ritratti, dove troviamo fissate persone di tutte le condizioni sociali e di tutti i mestieri. Nessuno riesce a sfuggire a quell'occhio impertinente del frate, nessuno può salvarsi dal suo cordone che fustiga spietatamente "sine accetione personarum", come si suol dire nel linguaggio canonico del convento di "Patra Giuanni".

I versi de "'U Monacheddu" sono carichi di un umorismo talmente mordace che gli si sarebbe dato mille volte dell'insolente. Senonché

> tutti i catanzaresi, anche coloro che venivano presi di mira, dal linguaggio ridanciano e tagliente dovevano riconoscere che *'U Monacheddu* era ispirato da un demonietto a cui non si poteva fare a meno di prestare attenzione e di rispondere, dopo tutto, con un bel grazie! [54].

I sonetti che apparivano sul settimanale non portavano la firma del poeta. Giovanni Patàri si presentava sotto false generalità e non sapeva di commettere un reato, perché, aveva studiato legge per essere professore.

Pungeva, frustava a sangue, e *'U Deputatau 'nquacchiu* attribuiva a "Patra Giuanni" e non a "Fra Galdino" il sonetto provocatore. E ancora Errico Mastracchi [55] era chiamato *alias Scugnizzu* da "Fra Galdino" e non da "Patra Giuanni"; la sartina, offesa dalla poesia de "'U Novizzu" ricorreva al convento del giornale "'U Monacheddu" e cercava protezione a "u picozzu" contro le malefatte di quel maldicente signore che pretendeva di mettere il naso nei fatti altrui e di parlarne con la stessa competenza dei propri. E in sostanza, quei quattro monaci che scrivevano settimanalmente la cronaca popolare sul giornale "'U Monacheddu" erano monaci di malaffare, dalla voce squillante e tonante, viziosi di donne come di tabacco, cui le furie del popolino davano tutti gli epiteti, ed erano poi uno solo: Giovanni Patàri.

Eccolo quindi in una casa. È Natale: ci pare di vedere una comitiva di parenti e di amici accanto ad una famiglia intenta a giocare a tombola. Seguiamo i numeri sulle cartelle, si sta infatti giocando a tombola:

... *Vinti*... [56] — Grida chiù forta, cà non sentu,
E tu, Delina, non chiacchiariara...
— Antipaticu, figghju!... Statti attentu...
— *Quarantasetta* [57] 'u mortu dintra mara...
— Aspettàti, aspettàti, nu momentu...
— A 'sta facendu, a tumbula, a cummara
— *Diciassetta* [58] 'A disgrazia! On m'adocchiara
— Signa, signa! /... *Quaranta*... On si cuntenta [59].

Non solo la tombola ma anche la camera dove si gioca a *Sette e mezzo*. Si entra:

Bon giocu a sti signori tutti quanti!...
— Duna, fà prestu, on tanti cirimoni...
— A mia dui carti, e dunamili boni...
— Nu sordu e restu!... Petru, passa avanti [60].

Il Professor Patàri quando usciva dal liceo "Galluppi", passava in tipografia a scrivere "currenti calami" la nota mondana o il sonetto in vernacolo, o soffermarsi in visite ad amici, pur se umili operai, od in un sinedrio di farmacia o nell'aula di conferenze, oratore e lettore della sua "Lanterna magica" in cui passavano i tipi eroicomici della Catanzaro d'altri tempi.

Le poesie pubblicate su "'U Monacheddu" venivano scritte quasi

tutte nella tipografia, dove si pubblicava il giornale. Le scrivevo su di un tavolino male in gambe [è il Patàri che parla], e mentre i tipografi lavoravano e ciarlavano, nello stesso tempo tra loro. Il *soggetto* [61] mi veniva dato da popolane e da popolani, che, nei pressi della tipografia, cianciavano e talvolta altercavano tra loro; e da qualche graziosa sartina e studentessa che batteva in quel momento la via, e da qualche ciarlatano che avevo notato in qualche piazza, mentre mi recavo da casa o dal liceo al mio settimanale lavoro... giornalistico e politico [62].

I versi gli uscivano facili, spontanei. Non giocava di fantasia. Non impazziva il Patàri a trovare le rime. Non aveva a correggere gran che.

Antonino Anile epresse su queste poesie un giudizio positivo e l'allora giovane editore catanzarese Guido Mauro tolse dall'oblio questa giovanile produzione dialettale del Patàri. Nacque così un volume di poesia in vernacolo: Giovanni Patàri (Alfio Bruzio) — *Tirripitirri — Poesie in vernacolo catanzarese*.

Il poeta si augura per lui e l'audace editore un buon successo e che il libro possa incontrare (come l'incontrò) i favori dei concittadini e dei conterranei lontani,

> i quali nobilmente e tenacemente lavorano ed oltre Atlantico tengono alto il nome di terra nostra forti sempre nella passione nostalgica per questa Calabria bella e sventurata [63].

Il titolo di *Tirripitirri* [64] fu voluto così dal Patàri, perché il libro venne pubblicato e messo in vendita la domenica delle Palme. Lo stesso

> giorno al Circolo di cultura di Catanzaro, Giovanni Patàri, (...) lesse applauditissimo i migliori canti di questa magnifica raccolta [65]

Il volume ebbe una rapida diffusione, fu ampiamente discusso dalla stampa e valse al poeta il plauso di letterati e poeti notissimi. Giulio Mazzoni, allora professore dell'Università di Firenze affermò tra l'altro:

> Mi sembra che la poesia calabrese abbia da queste pagine tale incremento da fare onore all'artista ingegnoso e vivace, e da mostrare altresì quanta forza espressiva abbia il dialetto, sia per l'arguzia, sia per la rappresentazione [66].

La prima sezione di *Tirripitirri* s'intitola *De i magazzeni a li palazzi*: case abitate da poveri, braccianti, operai, per lo più umili e basse (*magazzeni* significa appunto ciò) che son diverse da quelle abitate dagli aristocratici (*Palazzi*) [67]. In queste poesie — come scrive il Patàri — c'è

> la vita del popolo catanzarese che ho cercato di fotografare in questa serie di sonetti. Dall'umile casa dell'operaio al palazzo superbo del ricco, sono fermati, come meglio ho saputo e potuto, le superstizioni, gli usi, i costumi, le virtù, i vizi, le passioni dei miei concittadini [68].

Ed è veramente abile Alfio Bruzio nel descrivere la psicologia ad esempio delle persone che hanno mutato stato sociale e quindi modo di comportarsi. *I dinari* [69], i soldi, fanno cambiare la vita. Il poeta — "Monacheddu" registra nel suo diario anche ciò. La villa di Catanzaro o la grata del convento si prestano come un osservatorio perfetto di questi tipi. Ecco in giro nella villetta la figlia e il padre (Don Vitaliano): la figlia di Don Vitaliano è ben vestita, sfoggia uno splendido abbigliamento: ottime e lucenti scarpine, veste naturalmente di seta. Il padre è fiero ed evita di posare il suo sguardo su persone che prima conosceva e ora fa finta di non conoscere:

E 'u patra, a malapena mi videtta,
Ti muta strata e si nda va luntanu
Comu, vidi, si mai mi canuscetta! [70].

Don Vitaliano è un altro e si è completamente dimenticato che prima del

(...) sessanta
Vindia carvuni 'u nunnu a la Catina!...
Cchi ti fannu i dinari, gnura Rosa [71].

In virtù dei soldi Don Vitaliano è "n'atra cosa": da carbonaio è diventato mercante e logicamente per tal motivo alla figlia spetta il titolo di "signurina". Una descrizione, come si vede, di un fatto sociale che ingloba una satira ironica, bonaria: "cchi ti fannu i dinari, gnura Rosa!". Don Vitaliano è ormai un uomo del palazzo e si è dimenticato quindi dei "magazzeni" e di quelli che vi abitano e che prima erano suoi amici e conoscenti. Si colgono dell'ambiente catanzarese naturalmente varie voci e personaggi; e le voci più interessanti sono i commenti, le critiche che si fanno su persone e avvenimenti. C'è in dialetto calabrese [72] una parola particolare che indica la critica, il pettegolezzo su persone o cose: *tagghia tagghia* [73]:

— Quantu si ficia randa Marietta!
L'annu passatu era na guagliuna...
Ti jocava cc'u circhju e la villetta,
E mo si ficia 'na simpaticuna... [74].

E ancora:

(...) comu marcia!... Mamma, cchi toletta!...
E comu tutta, guarda, s'impiruna!...
Mi para propriu figghja 'e nu baruna,
E 'u cappellinu nci mera 'a la civetta!... [75].

Marietta è una "civetta": appare così agli occhi della gente, e in questo caso dei pettegoli. Marietta ogni settimana cambia uomo: adesso se la intende con uno studente. Si passa poi nella seconda parte del sonetto ad altri pettegolezzi. Stavolta è presa di mira *Tiresina* [76] che non si sposa più con il tenente. Era solo un sogno: Teresina infatti non ha dote anche se sua madre andava a dire in giro che la figlia era provvista di una bella e grossa "dote" [77]: non è però così. Teresina è una "pezzenta" [78]. Ed ecco cosa dice un altro pettegolo per ribattere alle parole del suo interlocutore (naturalmente un altro pettegolo):

Teh, si l'avia daveru no 'a dassava!...
— No, nci 'a dunava Don Nicola Bava
Cchi d'a mamma (*capisci?*) [79] esta parenta [80].

Pare di assistere a questi pettegolezzi che fan parte anche della vita di tutti i giorni, e rappresentano un altro aspetto dei personaggi e della loro natura descritta dal poeta con forte senso e stile realistico. E il pettegolezzo continua ancora;

— Sì, capiscetti, 'on parrara; 'on parrara.
Su Ndo Nicola passa ogne matina
('On sacciu ad atru!) sutta d' 'a cummara [81].

E a conclusione:

Si, propriu, propriu. È russu 'e faccia e tundu,
Cchi m'assimigghja a fratumma Peppinu...
Quantu mbrògghj nce sunnu a chissu mundu... [82].

Il popolo — e lo si vede dall'ultimo verso del sonetto prima citato — ha una sua saggezza che è poi norma di vita tranquilla, serena, priva di inganni e che quindi conosce bene le malefatte e la natura della gente ricca e borghese. E ciò si vede ancora benissimo nel sonetto intitolato *L'Amura de 'u studenta* [83] (*L'amore dello studente*). Ecco la situazione: una madre saggia consiglia la figlia Giulia a rientrare a casa perché nulla può sperare dall'amore di uno studente appunto. Giulia ribatte alla madre:

— Mamma, cà chissu è figghiu é nu baruna! [84].

E la madre alla figlia:

— Si, ma intra 'a sacca 'on hava propriu nenta [85].

Questa madre può sembrare alla figlia una curiosa e ficcanasa anzi, Giulia non si aspetta nulla (soldi, ecc.) ma solo amore dallo studente. E ancora la madre le ripete che quello studente è un cattivo soggetto e nel contempo è

(...) Malu e birbanta... [86].

Scene anche queste di vita tipiche della Catanzaro del tempo del poeta e non solo di questa città ma di qualsiasi altra piccola città e paese d'Italia. È ancora il popolo che parla e quindi trasfigura con il suo linguaggio la realtà. È infatti il linguaggio del popolo che interpreta cose, e scolpisce in modo speciale avvenimenti, cose, fatti della cronaca e della vita quotidiana. A tal riguardo illuminante è un sonetto dal titolo *Duva i cucuzzuni* [87], e qui ci pare di sentire parlare il popolo che servendosi di riferimenti realistici sa rappresentare e dar vita a personaggi ed eventi:

A sti balli cci vannu i megghiu genti,
'U hjura 'e tutti i titulati;
De i Cucuzzuni, si sa, tutti parenti
Frati, neputi, cugini, canati... [88].

Ecco il conte Spaccadenti che rappresenta i "nobili sballati" (ovvero spiantati); poi il duca "Crozzu" che è specialista per i balli figurati; e ci sono anche le donne che con i loro *tulli* [89] appaiono signorone. Per poi terminare:

(...) Duva i Cucuzzuni
C'esta ballicchettu l'artistocrazia!... [90].

Da questo tipo di aristocrazia si passa poi alla delineazione delle serve, e non possono mancare in questi quadri *De i magazzeni a li palazzi* le serve appunto che si lamentano del comportamento delle loro padrone. Il sonetto dal titolo *I vajazzi* [91] a tal riguardo è emblematico. Quella che qui parla e giudica la sua padrona è una *vajazza*:

— Cu sa santi Diavula 'e patruna
Eu nci ncappavi 'e 'na mala manera
Cà cu tri liri u misa cchi mi duna
Va trova cchi diavulu volera;

E mi nda dicia, mi nda dicia ncuna...
Vajazza, pedilorda, parrettera... [92]
Cchi cridimi, Rosuzza, mi venèra
N'impetu ppe mma 'a jettu de' u barcuna [93].

Rapporti tesi tra serva e padrona, e il sonetto in esame evidenzia la psicologia, il comportamento e lo scontro tra queste due persone. La signora-padrona si lamenta sempre ed è anche capricciosa:

Nd'ava murrichi [94]!... Mo ch'è pocu 'u sala,
Mo ca 'a pasta è mancata o non è bona.
Mo ca 'a carna non 'mbala ppe 'u ragù... [95].

Ripete sempre questa canzone tutti i santi giorni e alla serva non rimane che salire e scendere le scale, per cui le pare di non aver più le ginocchia tanta è la stanchezza. La donna che si lamenta e parla della sua "signora" è Rosa 'a Pantonisa, e al suo discorso ecco cosa aggiunge (dando ragione alla collega serva) un'altra "servitura" [96]:

— Sunnu tutti, Rosuzza, 'e nu culura.
Ogne patruna è 'na chiacca[97] de mpisa[98].

Questa "servitura" è rassegnata: tanto i padroni son sempre gli stessi e nel contempo non bisogna farsi prendere dal desiderio di cambiare spesso padrone: è più saggio accorarsi con uno solamente. Quindi, continua ad osservare questa donna (venuta dal paese a Catanzaro per fare appunto la serva) ci vuole

(...) pacenza e pacenza, 'e na santa,
Quandu parra 'a patruna, 'assa ma smania,
E dicia dintra 'e tia: *mérula canta*[99].

E poi cade a fagiolo un proverbio molto pregnante e veritiero:

Cu dassa na via vecchia ppe na nova,
Mi dicia 'a non'attamina d'a mamma,
Sapa cchi dassa e non sapa cchi trova![100].

Il primo quadretto è finito, e subito ne segue un secondo che come il primo è di capitale importanza per conoscere e capire certi ambienti umani della Catanzaro d'altri tempi:

— Dunatimi se' sordi 'è malangiani
V'arraccumandu ppe mma sunnu boni,
Cà sapiti mi manda Donn'Antoni,
Parenta 'e Don Dominiccu Lepiani...[101].

L'acquirente viene subito stordito e colpito dalla bellezza della venditrice di melanzane, e così le chiede donde venga ma la donna lo invita a star fermo con le mani perché già conosce altri simili apprezzamenti, e l'uomo si difende dicendo che una parola (le ha detto prima che è veramente "bedda") non è poi una "curteddata"[102], e la invita a non far la "murricusa"[103] e dargli così un bacio. La donna non ci sta e gli dice chiaramente che non è una "fetusa", e lo invita a star fermo di nuovo con le mani in quanto essa è una "ffimmina schetta!"[104]. Contrasti amorosi che sottolineano il sentire di donne d'altri tempi.

L'ultimo quadretto del sonetto (IV) invece ritrae due signore che parlano di cibi:

— Rosuzza, cchi ti mangi stamatina?...
— 'U solitu, Tiré, pasta e ragu...
— Eu puru 'u stessu, ma 'on sacciu chi fu
Sta carna non vo cchiù ma si cucina?... [105].

Non si cucina bene la carne — continua a dire la signora — non perché non sia carne scelta (di vacca) ma perché la colpa è della serva che non è all'altezza di saperla cucinare:

(...) ti scordasti tu
C'haju ppe servitura, 'na scentina [106].

Logicamente le due signore affibbiano le colpe e ogni genere di difetti alle serve:

— Hai ragiuna, Tiré, sû 'na stonata,
Ca nd'aju n'atri chi, Gesù e Maria,
E 'a capu latra, 'a capu scostumata! [107].

Povere serve come sono trattate e giudicate dalle loro padrone: non solo lavorano ma sono trattate malamente. Naturalmente il sonetto si chiude con le due signore-padrone che denigrano ulteriormente le loro serve (ma tutte le serve): sono tutte della medesima "pasta", non ci si può far nulla:

— Sû tutti cugni [108] de 'a stessa legnama... [109]
'On c'è cchi fara, Rosinuzza mia...
Arrivederci ca Cicciu mi chiama.

Chissà quante volte *Patra Giuanni* [110] ha sentito questi dialoghi, queste conversazioni. Egli le trascrive fedelmente senza però partecipazione: si ha sempre l'impressione di trovarsi di fronte a un attento fotografo e descrittore di scene e personaggi che hanno solo — specie per le generazioni future — un valore di documento che mostra ciò che succedeva quotidianamente a Catanzaro e dintorni dalla fine dell'Ottocento al primo ventennio del Novecento. Infatti leggendo *Tirripitirri* conosciamo credenze popolari, usi, costumi, tipi particolari. Ecco una credenza popolare: quella degli "spirdi" [111]. La scena si svolge in una casa ove i sonni di una moglie e di un marito vengono interrotti in un'ora precisa: a mezzanotte. Il popolo, infatti, crede che gli spiriti dei morti girino da quell'ora in poi per le case. Si sentono voci, lamenti vari simili a quelli di un cane: è la voce dello spirito. Naturalmente s'avverte paura e la moglie di Antonio rabbrividisce e sta in ansia:

> Arricchiamu... Cchi bo?... Nu pocu è pana?
> De i peccati, teh mò, vo ma si penta?...
> Mamma pagura; mamma mia, cu 'nchiana?
> Ntoni mi dicia; *Statti queta, e nenta* [112].

Ogni ricerca di trovare qualcuno in casa è vana: si guarda dappertutto e non si sente più alcun rumore e lamento. Antonio spegne la luce e la donna per il buio si nasconde la testa sotto il cuscino. Ed ecco che ritornano i soliti rumori e languori dello spirito vagante per la casa. Ed è ancora credenza popolare che quando in una casa muore qualcuno di morte violenta il suo spirito s'aggira per le stanze producendo rumori. Ed è ancora credenza popolare che quando si avvertono i lamenti e i rumori di questi spiriti che salgono per le scale, bisogna fermarli gridando tre volte:

> *Signura, perdunu...* [113]
> Chiddu si ferma e doppu poi suspira?...
> Chiama nu santu monacu: a San Brunu [114].

Ma in presenza di spiriti maligni, come è questo descritto dal sonetto in esame, non c'è San Bruno che possa resistergli. E allora — ecco ancora un'altra credenza popolare — bisogna correre subito

(...) a lu Munta
E fatti chissa casa benedira
D''o primu monacheddu cchi t'affrunta [115].

Patra Giuanni osserva minuziosamente la vita de i *Magazzeni* e de i *Palazzi*; e fissa aspetti particolari dell'esistenza che sono poi segni particolari di vita come in quel sonetto dal titolo *Brutti tempi* [116] in cui si dice che la figlia di don Gerolamo si ''pulicija'' [117] con uno studente (ritorna un motivo già espresso prima). Tutte le sere lo studente passa sotto il balcone della sua bella e alla ''civetta'' fa mille segni col fazzoletto (''maccatura''). E non solo succede ciò ma

(...) tramenta cchi 'a figghja fa 'a l'amura,
'A mamma fa ca non capiscia nenta [118].

Qui però il poeta attaccato saldamente al passato rimprovera questo comportamento della madre e pensa ai suoi tempi quanto la ''donna fatta'' e l'uomo avevano altro comportamento. E adesso

(...) de dudici anni (oh chi pruritu!)
Cchi si ncinadduri 'a vucca feta 'e latta
Ti parranu d'amura e de maritu... [119].

Presente è pure la tematica della gelosia [120] che è causa di tante liti tra moglie e marito. La moglie (nella prima parte del sonetto parla lei, nella seconda parla il marito) rimprovera al marito di intendersela con una donna che è ''fetusa'' e anche ''lordazzuna'' [121], e logicamente questa moglie arrabbiata consiglia il consorte di lasciar perdere quel tipo di donna altrimenti

(...) venimu a cchi su eu e si tu... [122].

La donna gelosa distrugge a parole la presunta amante del marito:

Fetusa, lordazzuna, mangia-mangia...
Ca 'a porchetta de tia va cchi nda spera?...
Su peccatu, Signura, ppe ma 'u ciangia! [123].

Anche il marito è trattato male come un uomo che non pensa al domani anzi, viene chiamato boia che non pensa alla moglie (che è invece una persona pulita) e ai suoi quattro figli che hanno bisogno di pane.

Nella seconda parte del sonetto — già l'abbiamo detto prima — parla il marito che invita la moglie a non irritarlo con chiacchiere in quanto è stanco per il lavoro quotidiano. Invita la moglie a calmarsi altrimenti è pronto ad alzarsi dal letto e darle "quattru succuzzuni"[124], e l'apostrofa come "polca" che ricambia il lavoro e l'affetto di lui con queste inutili scenate. Ed egli così le ribatte:

Sempla 'na storia. A sira, a menzijolmu...
Ca si 'na paccia, paldeu, non t'adduni?...
Cùlcati plestu, ca su moltu 'e solnu,
Mi sentu i gambi comu du' piruni...[125].

E il marito continua a dirle:

E doppu 'na jolnata cchi faticu
Haju 'e vidira, paldeu, puru a ttia?...
'On fara n'ata vota ma t' 'u dicu!...[126].

Da ciò l'invito a coricarsi e a spegnere la luce:

Cùlcati plestu. Atutami da lampa.
Cu minta liti dinta a casa mia,
Paldecinata, cent'anni ma campa!...[127].

Patra Giuanni dalla grata del convento origlia dietro le porte dei catanzaresi e descrive realisticamente anche le scenate di gelosia. Dopo il sonetto dedicato alla gelosia viene quello sull'invidia[128] che fa apparire impossibile che un figlio di un benestante possa sposare la figlia di un "mastridascia"[129]. Intanto "a porchetta"[130] (la ragazza) si veste bene, con scarpine di seta, abiti con la coda: vuol apparire già signorina. L'ozio produce ricci ed anelli. L'ultima parte del sonetto richiama un canto popolare:

Hai vogghia mu ndi fai ricci e cannola,
U santu eni di marmuru e non suda;
Hai vogghia mu lu strica e lava,
A donna ha dessari bedda per natura.

Cioè:

Hai voglia a far ricci ed anella,
Il santo è di marmo e non suda;
Hai voglia di fregare e di lavare,
La donna deve essere bella per natura [131].

Il Patàri:

Abbaca ma nda fa ricci e cannoli,
'U santu esta de marmaru e non suda...
Ma restanu tra nui, Rò, si paroli... [132].

Ecco ancora altre scene: questa volta è una donna che invita il suo amante a non aver a che fare con la figlia della Babbusa altrimenti farà qualcosa che poi 'U Monacheddu racconterà:

— Si n'atra vota ti smircia [133] parrara
Ccu Peppinedda 'a figlia d' 'a Babbusa,
Fazzu na cosa propriu curiusa
Cchi *'U Monacheddu* [134] l'hava de cuntara....

Logicamente la figlia della Babbusa agli occhi della donna è una "fetusa" (termine già incontrato col medesimo significato) e l'uomo quindi farebbe meglio a lasciar perdere il suo amante, e la donna per tenersi il suo uomo cerca ogni pretesto per litigare con la donna "fetusa". La donna è disposta a tutto: con il "curtedduzzu" spaccherà il cuore a due parti alla figlia della Babbusa:

'U vi' [135] sû curtedduzzu?... E bbi, ccu chissu
Vaju e ci spaccu a ddu menzini 'u cora,
Quant'è beru ca c'esta 'u Crucifissu... .

Questa donna è capace di fare una simile azione in quanto è

(...) d' 'a razza, 'u sai, de i Scilaficu,
E i Scilaficu sû genti d'onora...
E mantegnu 'na cosa quandu 'a dicu! [136].

Pure i diverbi, le liti che avvengono tra madre e figli (nel caso che tratteremo è una figlia) sono fortemente realistici e ritraggono scene dal vero: una madre che rimprovera alla figlia di essere una ragazza poco attenta alle faccende domestiche. Questa ragazza — per la madre "faccia d'ammazzata" [137] — invece di stare attenta al fuoco, al focolare, pensa a giocare. La ragazza ovviamente si risente e dice alla madre di non essere una cuoca e allora ha tutte le sante ragioni per sfogarsi:

— Madonna ma Madonna... n'atru pocu
Mi si vruscia, guardati mo' a frittata!
O cchi scentina e comu sta appricata
De 'a matina a la sira, 'ombe, a lu jocu!...

E poi segue il vero e proprio rimprovero materno:

E non pensi ca si de quindici anni?...
'On ma ti cridi ca nescisti ajeri?...
Ca si guala de 'u figghiu e mastru Giuanni [138].

Usi e costumi vengono anche descritti ampiamente e realisticamente. Si veda a tal riguardo il sonetto diviso in due parti dedicato al Natale di un tempo, in cui si narra come si viveva nei giorni natalizi. Sonetto che è veramente illuminante.

Alla vigilia del Natale nessuno dorme: sta per arrivare la festa più bella dell'anno e si accoglie con scoppi di petardi e con suoni di zampogne e di fischietti. Ecco quindi una scena natalizia in una casa catanzarese:

— Mamma, Cicciuzzu, non trova rigettu...
— Dunatici 'na seggia a ndo Pasquala...
— Fumanu i vermiceddi — Eu ccà m'assetta...

— Ntonuzza, prestu, n'atru poco 'e sala...

— Sunnu quattr'uri — 'U viscuvatu sona.
Passa gridandu Gnazzu, 'u Mortiddaru,
Ed ogne tantu ncuna bumba introna;

E duva 'u Cancelleri Ndo Peppinu,
Tra u *leru-leru* [139] de lu zampugnaru,
Cantandu 'a *Ninna* [140] mintanu 'u Bombinu! [141]

Prima scena; seconda scena: tutto ciò che si fa durante le feste natalizie: *'A tumbula*: *La tombola*. Anche qui la scena si svolge all'interno di una casa catanzarese (scena realistica al massimo):

... *Vinti* [142] — Grida chiù forta, cà non sentu
E tu, Delina, non chiacchiariara...
— Antipaticu, figghju!... Statti attentu —
— *Quarantasetta* — 'U mortu dintra mara... [143].

Un'altra partecipante al gioco grida:

— Aspettàti, aspettàti, nu mumentu...
— 'A sta facendu, 'a tumbula, 'a cummara...
... Diciassetta 'A disgrazia!. 'On m'adocchiara!...
— Signa, signa!... *Quaranta*... 'On si cuntenta!... [144].

Un altro aspetta il cinque per fare tombola:

— Aspettu 'u cincu... Manija, manija!...
... *Cinquantanova*!... 'U previta spogghiatu!
— 'A ciopanara, comu si ricrija!... [145].

Dopo il diciassette esce il tredici:

— Tridici!... 'A fici!!... — Teh, cchi fortunatu!
— Donna Chicchina senza murmurija...
— (Quetu ccui i mani!... Mamma scustumatu!) [146]

Altro gioco su cui non ci soffermeremo in quanto già trattato è il sette e mezzo [147]. Comunque con la quarta parte termina il sonetto natalizio: *Doppu 'a festa* (*Dopo la festa*):

— Mamma, ca moru... O Ddiu, ppe carità
— Ti ficia mala pensu 'u capituna?...
— Tu sî paccia?... Mangiai baccalà...
Moru... sta panza... para 'nu corduna...

— Totu, va duva 'on Saveri Sità
Tri sordi de magnesia ma ti duna...
Curra, fa prestu, a nu momentu ccà... [148].

La premurosa madre pensa che il cibo che abbia fatto male al figlio possa esser stato il torroncino fatto in casa ma Gaetano le fa osservare che con più probabilità siano state le tartine di don Carlo Condò.

Patra Giuanni visita e descrive dettagliatamente le famiglie e i vari personaggi e macchiette della città. Ora è la famiglia Rébarbaru [149]. Il dialogo si svolge qui tra Nicolino e Antonio (Totò). Questi chiede a Nicolino dove trascorra la sera, e quello risponde:

— Vaju duva i Rébarbaru, Totò!...
— E st'amicizzia t' 'a trovasti mò?
— Mi presentau Ndo Giacumu Gullì!... [150].

Poi segue la descrizione della famiglia: il padre, che si chiama "Ndo Fofò", è un ingegnere capo nelle ferrovie, e per di più è un tipo che non sa dir mai di no alla moglie; la moglie che è una vera signora. Questo ingegnere ha tre figlie signorine "schetti" [151] e tutte e tre sono civette. Nicolino invita l'amico Antonio, quindi, a frequentare anche lui questa casa così posson prendersi insieme qualche spasso:

Venici puru, accussì spassamu...
E... toccamu... e vasamu... e pizzicamu! [152].

La moglie dell'ingegnere, una donna di talento (detto logicamente con ironia) se corteggiata si "sciala" [153], e per farla cadere nella pania basta adularla:

Dicci ch'è na madonna ta 'e quala!... [154].

Sonetto, questo, gustoso per contenuto e per stile. Cose che succedevano e succedono ancora oggi; così come appartengono a tutti i tempi i "trafacceri": gli ipocriti: coloro i quali fanno due facce e parlano come convenienza detta loro: e i *Trafacceri* [155] si intitola un sonetto diviso in due parti: una prima (*davanti*) e l'altra *darretu* (*dietro*). Ecco la scena:

(davanti)

O comu hjiu ppe ma veniti a st'ura?...
Mamma, cchi onori, prestu, favuriti...
Permettiti ma furnu sta custura...
E 'a signura Grazza comu sta?... diciti...

E la donna continua:

Madonna, eu puru sugnu sutta cura,
Ca vui de i mali mai cchi nda sapiti!...
Nu pocu e s'acqua virda pgne menz'ura
Dissa ma vivu 'u medicu Piriti... [156].

Don Vincenzo, così si chiama l'uomo che è andato a far visita a questa signora, si alza. La donna lo prega di "assettarsi" [157], e dice alla figlia di preparare una tazza di caffé ma l'uomo se ne va:

Gessu, v'azati?!... E cchi fu, ndo Mbicè?
Assettatevi... (Ro, porta 'na tazza!),
Ma vi pigghjati nu pocu 'e café...

Tutt'a 'na botta!... Mamma mai, cchi prescia!
Salutatimi tantu 'a gnura Grazza...
Ma vena mai mi trova appena nescia!...

Tutto ciò davanti a Don Vincenzo. Quando questi si congeda cambiano le cose: incominciano le critiche:

D'uvesta cchi bottija menzijornu
E fannu a st'ura visiti a li genti...
Certi persuni, Rò, perdiru 'u scornu...
Tantu da fama mi sbattanu i denti [158].

Don Vincenzo è un seccatore e bisogna secondare queste persone capricciose e nei loro confronti bisogna agire in maniera tale da farli contenti perché se così non fosse in nessuna maniera si levano d'attorno. In questo sonetto non solo si presenta la figura dell'ipocrita ma anche una credenza popolare molto viva: la jettatura [159]. Don Vincenzo mente quando afferma che la moglie è malata: proprio lei che è grossa e grassa e

(...) assimigghja 'na boia [160].

e che non le manca proprio nulla. E in ultimo la donna si angoscia quando pensa che le è capitata una disgrazia: Don Vincenzo è il capo dei iettatori:

M'arricordavi.. Prestu ppe ma scura...
Mamma, disgrazia cchi mi vinna oja!...
Don Vincenzu, este 'u capu jettatuta!... [161].

Il comportamento del popolo si vede pure in altre circostanze. A tal riguardo è illuminante il sonetto dal titolo *I visiti 'e lutti* (*La visita ai morti*) [162]. Naturalmente qui il morto (la persona morta) viene lodata e si racconta qualche cosa della sua vita mentre sta disteso nella bara posta al centro della casa:

— 'U seppi arsira ppe cumbinaziona...
Na cosa 'e chissa su' mai s' 'a cridìa?!...
Cchi galantomu... cchi persuna bona!...
Nessunu 'u sapa megghju cchiù de mia!

'U luni l'avia vistu a lu salona,
E comu bellu allegru discurria!...
Mi vola 'a capu comu nu pallona
Quando ci pensu a chissa malatia!... [163].

Poi vengono criticati i medici catanzaresi che sono asini e ignoranti perché non sono stati all'altezza di curare la malattia. In ultimo la conclusione amara:

— 'A morta nostra è peju de nu cana...
Haju grava a la casa a Carulina...
Pacenza!... Calma!... Po' tornu domana... [164]

Ciò che abbiamo riferito rappresenta il commento fatto da un uomo per la morte di un suo amico.

La seconda parte del sonetto è dedicata a una donna che ha perduto il figlioletto. Questa donna è consolata da una sua comare:

— Va; non ciangira, non ciangira chiù
Ca d'ò Cielo ppe tia prega 'u Signura...
Quantu potivi ci 'u facisti tu,
Non hai rimorsu ppe sa criatura!... [165]

La comare invita Teresina (questo è il nome della donna che ha perduto il figlio) a bere una tazza di brodo perché è da una settimana che non mangia. Ma la donna colpita dal lutto non vuol sentire alcuna ragione:

— Comu ma mangia mi po dira 'u cora?!...
E mancu randa potti ma m' 'a godu!...
— Nu sursu, armenu: fallu ppe favora!... [166].

È da sapere che quando muore qualcuno, in alcuni paesi della Calabria durante il periodo che il morto sta in casa, e anche dopo, almeno per una settimana la famiglia non prepara il cibo. Naturalmente la famiglia in lutto viene assistita anche con cibarie varie da parenti, amici, compari e comari.

Nella vasta e umana galleria dei tipi e delle macchiette disegnate dal Patàri c'è anche posto per alcune figure che hanno una statura fisica enorme come quella Donna Caterina Mulerà [167], grassa come una "gutta" [168] e per di più — e per l'ennesima volta il poeta usa un linguaggio fortemente realistico — ha le chiappe che somigliano al baccalà:

Madonna mia, cchi chiappa 'e baccalà!...
'U bujularu nci va subbra e sutta...
Pensu, all'aaghianda, comu i porci, va [169].

Donna Caterina ha avuto sempre questa figura: bella "russa e chjna" [170]; e ora che è diventata vecchia e brutta non bisogna riderne — aggiunge il poeta — perché è stata sempre una buona moglie e

(...) stacia duva Carvu e la Catina
E campava facendu 'a ricattera,
Ebbiva sempra a Donna Caterina!... [171].

La prima parte del sonetto è dedicata a questa donna invece la seconda al marito di donna Caterina: persona conciliante, buona, premuroso nei confronti della moglie che consiglia spesso di non affaticarsi, e al primo dolore di testa subito si turba:

—Ti dola 'a capu?... comu Jiu?... cchi hai? [172]

Un marito veramente raro questo don Camillo Aloi: uomo che si vede i fatti suoi e che rispetta e ama la moglie, e guai a chi gliela tocca. Don Camillo ha anche "nu bellu cozzettu" [173]

Cà sulu pensa (a nenta nc'esta 'è mala!)
O ma mangia o ma viva o... subbra u lettu

Ogne tantu s'affaccia a lu barcuna
E mi para 'nu principa riala...
L'ava daveru 'na bella curuna!... [174].

Due simpatici personaggi che sono presentati nella loro vera vita con un dialetto veramente espressivo e fedele al sentire dei personaggi medesimi. Infatti il dialetto del Patàri riproduce fedelmente la parlata catanzarese: *cozzetta*, *Catarinuzza*, *barcuna*, *randa* [175], *parrettera* [176], *vajazza* [177], solo per citare alcuni termini.

Altri personaggi e sentimenti sono ritratti con pari fedeltà dialettale e grande uso realistico di termini lessicali. E in questa sezione *De i magazzeni a li palazzi* ora sono di scena due genitori che son contenti di aver messo al mondo un bel figlio (nella prima parte del sonetto) [178], e nella seconda parte è un padre che è contento — e manifesta la sua felicità a tutti — in quanto suo figlio, studente di medicina a Messina, è un'arca di scienza: supera gli esami con voti ottimi e quindi non paga le tasse universitarie, ed è anche il miglior studente di medicina. Ogni genitore valorizza i propri figli, e questo "Totu" (così si chiama il bravo studente) — a sentire il padre — è veramente un ottimo studente: anche quando cammina pensa ai suoi libri di medicina. Il padre è fiero di questo figlio e può dire:

> Sti medicuni ciucci, 'e Catanzaru
> Si bbena Totu si nd' hannu 'e fujra...
> Cu 'cci pò stara 'e tutti chissi a paru?...
>
> U professora Rummu 'u sai cchi dissa?...
> Ca Totu 'na gran cosa ha de venira...
> E 'u professora Rummu 'on esta fissa!... [179].

In questi *Magazzeni* e *Palazzi* non possono mancare i delinquenti, la malavita [180]. Subito si presenta il personaggio:

> Sugnu *picciottu 'e sgarru* [181]

che ha dimestichezza con il coltello ("a serpentina") e aggiusta ogni cosa ricorrendo a quello strumento. Però si mostra ossequioso e obbediente con quelle persone che lo rispettano e fanno la sua volontà. Bisogna aggiungere che perfetto è il quadro di questo malandrino che come tutti i malandrini ha un suo gergo:

Cchi bella vita, cchi bellu distinu...
Sî passa 'ncunnu, mo, ci allargu 'a trippa;
Esta longu e puntutu su *cirinu* [182] ... [183].

Effettivamente Alfio Bruzio ha saputo in questa sezione di *Tirripitirri* rappresentare e fermare le superstizioni, gli usi, i costumi, le passioni e i vizi ma anche le virtù dei suoi concittadini.

Nell'altra sezione, di *Tirripitirri* — successiva a quella citata prima — son di scena altri personaggi. Ed ecco chi sono i personaggi di questa *Novità de 'u journu* (*Novità del giorno*):

> ciarlatani e ciurmadori; che, in ogni tempo, non mancano mai in nessuna città, richiamavano, quando dirigevo 'U Monacheddu, en passant, la mia attenzione. E spesso mi fermavo, mischiandomi tra il popolino, per sentirli... cantare e per... studiarli [184]. Anche oggi, come allora, mi compiaccio, talvolta di... ammirarli!

Entra subito in scena uno di questi ciurmadori, ritratto dal Patàri mentre cerca di ingannare i semplici [185], sottraendo loro i soldi:

— Che venghino a veder la meraviglia
Più migliore del séchilo presenta!
Essa è Mustarda, la diletta figlia
De la rigina Saba, assai potenta...

Questa Mustarda in mano se la piglia...
La testa... Poi la metta novamente...
Che venghino, a veder la maraviglia
Più migliore del séchilo presenta

Per videra la grande novità
Voi non pagati che due soldi soli
Domani non staremo mica qua...

Scene realistiche che si vedevano in alcuni paesini della Calabria, e che son ritratte con maestria dall'attento poeta Alfio Bruzio. La caratterizzazione di questo personaggio-imbonitore di piazza è veramente perfetta e nel contempo viene riprodotta anche la sua parlata di persona incolta: *venghino*, *séchilo*, *novementa*, *presenta*. Alla fine del sonetto, e ciò è una caratteristica di tutti gli altri sonetti facenti parte di questa sezione di *Tirripitirri*, c'è il commento del poeta che si coglie in bocca delle persone che assistono a quelle scene e sentono le parole dei vari imbroglioni e imbonitori:

— Chissu è na mbrogghia cchi bidetti a Riggiu.
Ccu si paroli mbulica i citroli...
Esta, Francì, nu joucu de prestigiu [186].

Segue ancora un altro sonetto con un tipo particolare: questa volta è un uomo travestito da gigante: si chiama "Svatta" ed è originario — così si proclama lui — "d'Argeru" [187]. Da ragazzo fu portato al Cairo e ha fatto il guerriero con i turchi. E ancora questo gigante dice di essere alto due metri, e il suo cimiero pesa più di sei chili, e invita anche colui che non crede alle sue parole a prenderlo in mano. Con questo gigante nessuno può competere e litigare: ha sempre partita vinta lui. Ma il gioco dura poco in quanto quel pseudogigante viene riconosciuto: è Turuzzu 'e Zagarisa [188]:

— *Tu mi pari Turuzzo 'e Zagarisa...*, [189]
— Satti quetu: pardeu, mi canuscisti... [190].

Leggendo questi sonetti apprendiamo aspetti, avvenimenti che un tempo successero realmente a Catanzaro e nei paesi limitrofi. Quindi questi componimenti rappresentano un po' la vita particolare di un'epoca ormai completamente scomparsa e mostrano pure una categoria di persone disoneste che cercano di imbrogliare il prossimo. E qui il poeta adopera la frusta, lo staffile verso di esse. È il caso del ciurmadore de *L'anello elettrico* [191] che ha la virtù — a detta di chi cerca di venderlo — di far guarire i dolori di testa, e il ciurmadore per provare alla gente che non intende ingannarla e che non racconta balle, esibisce certificati d'illustri dottori. Ecco come presenta la bontà di questo prodotto:

Voi lo mettete al dito e allora lesta
Una corrente elettrica vien fuori,
E voi guarito di tutti i dolori
E temere più nulla allor vi resta... [192].

E per di più:

L'anno passato, all'esposizione
Di Londra, ne vendetti diecimila
E ottenni il premio e questa menzione... [193].

Di poi segue il commento del poeta: un commento acre (rivolto a maestro Rosario) in cui apertamente vien detto che con questi tipi di persone bisogna usare lo staffile perché ogni imbroglione "scappa a Catanzaru" [194]. Attraverso queste scene realistiche di ciarlatani si coglie anche l'umore, il commento, le credenze della gente medesima. A tal riguardo è importante il sonetto de *La macchina magnetica* [195], grazie alla quale si può benissimo sapere e conoscere ogni cosa e azione:

Lei vuol sapere cosa fa l'amico?
Se bacia un'*altra* o se *monta a cavallo*? [196]
Il biglietto è qui pronto a dimostrallo;
A districare qualsivoglia intrico...

Un terno certo poi vi dà puranco
Codesta graziosa macchinetta,
E voi, vincendo, metterete un banco... [197].

Logicamente non può mancare il commento spontaneo della gente comune e credulona, incolta:

— *'A capu 'e l'omu, Nto, nd'ammenta ncuna,* [198]
Comu si fussi, guarda, na pruppetta,
Ni cucina sa machina 'a Fortuna! [199].

Dalle situazioni descritte salta fuori una considerazione che riflette il carattere di una umanità semplice, fresca, immediata anche se priva di cultura. Si veda a tal proposito la conclusione-commento a *Il borsellino inapribile* [200]. Un tipo ha un borsellino inapribile, ed ha depositato il brevetto della sua invenzione al Ministero. L'imbroglione invita la gente a prenderlo in mano quel borsellino e

> dica s'è possibile
> Aprirlo, o se, mai, sono io menzognero.
> A voi restate, signore, impassibile...
> Siete sorpreso; certo io dico il vero...
> È questo per le donne assai terribile,
> Vanno a pigliare e piglieranno zero.
>
> Pure io non parlo delle vostre donne,
> Non lo vorranno aprire il borsellino,
> Esse che sono, oibò, tante Madonne... [201].

Infine il commento di una persona che stava a sentire l'inventore del borsellino inapribile che si qualifica subito come una persona non menzognera:

> — *Mamma, pipita* [202]*!... Manc'una nda sgarra,*
> *Chissu è megghju 'e Grimardi e Consarinu...*
> *U' mandamu a la Cambara ma parra!...* [203]

Il popolo, la gente comune si lascia facilmente impressionare dalla *pipita* dei politici. E questo popolo si raffigura la *Cambara* come un luogo dove si parla e si parla sempre e nessuno sbaglia mai.

Borsellino inapribile, anello elettrico, macchinetta magnetica, e non può mancare la lima dei calli [204]. Questa volta l'imbonitore cerca di lanciare sul mercato una lima che serve per limare i calli appunto. Lo fa con molta furbizia e intelligenza:

> — Io non voglio, signori, ma v'annojio [205].
>
> Con ciarli [206] vene come un ciarlatano,
> Come Diogène allorquando muojo
> Lascio la scienza ch'ora stringe in mano

Ci avete un callo?... Rovinati il cuojo [207]
Anco se lo tagliate piano piano;
Mentre, signori miei, senza rasojo
In un minuto, udite, io ve lo sano... [208].

Quindi spiega l'uso di questa lima:

Stringete il callo tra le diti forte:
Poi lo limate con un pò di cura
Con questa lima, e tutt'andrà a la corte [209].

Ma sono solo belle parole con le quali non si possono guarire specie i calli durissimi.

Se esigua è la sezione *Novità de 'u journu* quella che segue, dal titolo *'A lanterna magica* (*La lanterna magica*) è più ampia e racchiude più vaste scenette e tipi. Ne *'A lanterna magica*

> (...) sono ritratti tipi popolarissimi, assai noti in Cantanzaro; tipi che, nella loro caratteristica furono la delizia dei monelli ed anco dei non monelli catanzaresi. Tipi, questi, alla distanza di un quarto di secolo, ora, del tutto scomparsi [210].

Assai nota, infatti, era a Catanzaro *Donna Rosa 'a Pira* che sembrava una madonna di cera, con gli occhi bassi: vera incarnazione dell'umiltà. Ciò è detto con ironia in quanto questa donna presta soldi ad usura, e la sua casa è piena di figurine di santi d'ogni genere, e naturalmente questa casa è bazzicata dai preti. Donna Rosa nonostante ciò passa per una "fimmina bona" sol perché va spesso al rosario e prende la comunione. Quasi tutti i componimenti della *Lanterna magica* hanno un tono di satira bonaria e contenuta che produce piccole scalfiture anche se con forte ironia sono stigmatizzati certi fatti e personaggi. A tal riguardo si legga il sonetto dedicato al cavaliere *Paliccu* [211], uomo brutto, giallo, secco, che sembra un galantuomo, un santo, un uomo sofferente. Tutti i catanzaresi conoscono questo don Pietro Paliccu, dapprima pezzente e poi diventato ricco, e come lo sia diventato ce lo dice il poeta stesso che sa ben leggere nel cuore degli uomini [212]:

(...) Era chjricala
Sutta Barbona, ma poi cunsigghjeri,
Doppu 'u sessanta, ficia u liberala...

E amicu sempra a l'urtimu 'e cu' vincia,
Sempre a cavaddu, veru cavaleri,
S' 'a pappatu i dinari d' 'a Provincia... [213].

Versi che certo non hanno bisogno di chiosa. Ecco svelato l'arcano del cavaliere. Una satira bonaria e ironica avvolge e presenta i tipi caratteristici osservati dal vero. È il caso dell'ingegnere "Santocchiu" [214]; persona buona e di bello aspetto. Ciò è detto logicamente con ironia trattandosi di un bacchettone. Questo ipocrita parla di Dio ma nel contempo bestemmia e

(...) volera ma dura
Ancora 'a leggia de sutta Barbona! [215].

E ancora *Santocchiu* ogni mattina

(...) 'u trovi a lu Rosaru,
Gua'!... nginocciatu avanzi l'Acciomu
Ccu i patarnostri sempra ammenzu i mani... [216].

Gli ultimi versi della garbata e pungente satira svelano finalmente la vera natura dell'uomo:

Ma... certi mali lingui 'e Catanzaru
Dicianu ca stu santu galantomu
Ha ruvinatu tri famigghj sani! [217].

Nella "Lanterna magica" il poeta sa dipingere e mettere a nudo certa umanità doppia, ambigua, di personaggi catanzaresi e non che vengono poi smascherati, specie nei versi finali, nelle loro intenzioni e vera natura. Ironia e satira pungente improntano vari sonetti di questa sezione poetica che stiamo ora esaminando.

Adesso tocca, dopo il bacchettone, alla marchesa *Farticchiu* [218]: una signora dell'alta società che ha un buon cuore: fa sempre la carità. La marchesa a nessuno nega favori e senza di lei (prima aveva detto che la marchesa era una "consiglieressa" [219]) nulla si fa. C'è una festa: non può mancare assolutamente la marchesa *Farticchiu*. I giornali spesso parlano di lei, e

'Na vota deza cincucentu liri
A li *Pentiti*, milli a lu Spitala [220].

Ma (e qui balza fuori la vera natura di detta marchesa)

(...) si n'affrittu cci bussa 'u purtuna,
Ma jetta, abbaca, lacrimi e suspiri...
Mancu 'nu sordu 'a Marchesa nci duna!... [221].

Altro personaggio della "Lanterna magica" che presenta una natura ambigua è pure l'avvocatu *Uffu* [222]; un avvocato particolare che, esperto delle cose del mondo, non è né carne né pesce, per cui di

(...) nuddu parra bene, 'e nuddu mala [223].

Basta questo verso per capire la natura e la personalità di questo avvocato che un giorno è dalla parte della Chiesa e del Papa e poi domani invece incensa e "alliscia" [223bis] la famiglia reale e clericale o massone. Natura ambigua questa dell'avvocato *Uffu*, e grazie a ciò egli è

(...) consigghieri d' ' a Provincia,
Priura, primu elettu e cavaleri [224].

Date queste premesse è certo che se cambiasse governo, l'avvocato non perderà mai perché sta sempre dalla parte di chi vince e comanda, diventando magari un Padreterno.

Abbiamo già parlato della marchesa *Farticchiu*, e nella medesima sezione di *Tirripitirri* incontriamo un'altra marchesa o, meglio una marchesina dal nome *Bebé* [225]. Anch'essa come la *Farticchiu* è una donna che sembra di cera:

Propriu 'na pupa, propriu 'na bebé!... [226].

Ha per di più una bella parlantina ed anche indossa ogni sera abiti diversi come se fosse la moglie di un re. Si tratta, al di fuori di queste metafore, di una donna che concede le sue grazie: una bella ed elegante signora che

A lu maritu cci prepara 'u tronu!... [227]

Dopo segue un altro personaggio: stavolta è di scena *L'Orificia Trama* [228] (*L'Orefice Trama*):

Non m'arricordu mo comu si chiama
St'orificia cchi passa tomu tomu...
Appiccicamuncellu, va, nu nomu...
Chiamamalu accusì... Ndo Cicciu Trama [229].

Don Ciccio è un uomo ricco anche se un tempo "moria de fama...". Qui ritorna un motivo, una tematica, già trattati. Infatti anche a proposito di Don Ciccio, il Patàri si chiede il perché della sua ricchezza. E subito viene detto:

(...) Vindiu ppe d'oru 'a rama!...
Doppu si ficia i dinari arrobandu
E speciarmente i tamarri e i pacchiani...
(Atru ca carti fazi e cuntrabbandu!") [230].

Poi il colpo finale che fa vedere la fisionomia intima e vera di quest'uomo disonesto:

Diventau santu... Così ombé ma riri!...
E, quandu è 'a festa, ccu si belli mani
Cci mpingia a San Franciscu centu liri!... [231].

Come osservatore e descrittore della realtà e del cuore umano Alfio Bruzio è veramente profondo. Infatti gli bastono poche parole per dipingere la personalità di un uomo e del suo aspetto interiore. Si prenda il sonetto dedicato al professore "Scarpa". Egli ha una "cucuzza randa" [232] in virtù della quale si reputa superiore agli altri. È un ritratto ironico, negativo di questo professore:

Scriva?... Subbra 'a carta 'a pinna vola
Megghju ca na machina 'e filanda...
Fa nu discursu?... Madonna parola!...
Genti, curriti!... Portatici a banda!... [233].

La caratterizzazione del personaggio riposa su frasi suggestive come *macchina 'e filanda* (per dire l'uso che della penna appunto fa il professore Scarpa), *pinna vola*, *cucuzza randa*. Naturalmente il poeta di questo professore dice altre cose:

Ti spapocchia n'articulu 'e giornala?
Cchi stila bellu!... Cu' mai non s'adduna
Ch'esta natru Buccacciu, tal'e quala?!
Comu ti sapa po' chissu 'a grammatica!...
Eu m' 'a ricordu, quand'era guagliuna
'A studiava d'intra l'orti 'e Pratica! [234].

Altri tipi e macchiette ci son dati di conoscere nel leggere *'A lanterna magica*. Qui citiamo *Don Cicciu Turacciulu* [234bis] (Don Francesco Turacciolo: uomo ambiguo, ermetico). Di lui si vede solo che ha una statura fisica grossa. Ma osservandolo bene si nota subito che è un perfetto voltagabbana. Difatti a ogni festa religiosa c'è sempre lui ma se arriva Ferri naturalmente non è più clericale ma socialista. E ancora

Vena Vittoriu?... Prestu 'u Comitatu;
Don Cicciu è 'u primu, e prestu, tu, vacacciulu?
D'uopo è si onori il Capo de lo Statu [235]

E curra, e suda, e torna, e gira e pigghja...
Comu facimu senza de Turacciulu
Si ccu chissu mbuddamu ogni buttighja!... [236].

Una situazione e una rappresentazione che nel Patàri poeta dialettale — almeno in questa sezione di *Tirripitirri* — si ripetono un po' sempre. Insomma la sua satira su persone e situazioni è generale e monotona anche se le immagini, le metafore sono diverse e pur efficaci. In questo caso si pensi alle battute iniziali di don Ciccio. Di lui si dice:

E cu' nda pigghja de chiss'omu pista,
Chiddu cchi d'esta e chiddu cchi non esta? [237].

Don Ciccio è lui: *Turacciulu* che dice tutta la personalità di quest'uomo. Dopo don Ciccio segue *Donna Rosa Vrascu* [238]: una donna che si è fatta da giovane vari uomini e ne ha combinato di tutti i colori:

Chissà nd'ha fattu chiù d' 'a mula 'e Rascu...
Mancu ha dassatu i previti e i sordati!...
Quandu diciti Donna Rosa Vrascu
Vui non aviti chiù ppe ma parrati! [239].

Adesso che è vecchia Donna Rosa non può più "carcara" [240] i maschi perché le sue carni sono "musci ed arrapati" [240bis] e naturalmente con queste qualità fa cilecca anche con un vecchio. Donna Rosa comunque si pente dei suoi peccati e tutte le "sante mattine" va in chiesa,

Ed ogni sira, si dicia 'u Rosaru...
E posa a Santa ed a matra Batissa [241].

Donna ipocrita, bacchettona: lei un tempo — già lo sappiamo — ne ha fatte tante ed ora che è vecchia afferma ipocritamente che non c'è a Catanzaro

'nu parmu 'e nettu... Ebbiva a Donna Rosa!... [242].

Il poeta non può terminare che così il suo ritratto di Donna Rosa. Egli dipinge fatti, tipi, macchiette con grande ironia e distacco, cogliendone esattamente la loro umanità vista in ogni piega del loro cuore e animo.

Alla satira ironica e sfottitoria di *Patra Giuanni* appartiene pure un onorevole che ha un nome significativo e particolare: *Ciucciu* [243]:

Bellu, stendutu subbra 'u canapé,
Si leja capusutta 'nu giornala...
Tantu de Ciucciu cu pô dira mala?...
N'omu cchiù bonu de Ciucciu duv'è?... [244].

Egli, questo onorevole, ha sempre voluto il bene generale, ed ha servito fedelmente il re. Egli ama la "Càmbara" [245]:

(...) a Ruma mai parrau,
Ca si 'na vota pur iddu ci jiu
'U discursu, viaggiandu, si scordau [246].

Nella parte ultima del sonetto si dà una frecciata a coloro i quali fanno certe carriere (come appunto quella di onorevole) ricorrendo a intrallazzi vari:

Ma chissu cchi bô dira? pônnu tutti
Parrara? On vogghja mmai Dominiddiu!...
E dotti 'on ci nda sû senza presutti!... [247].

La figura di questo onorevole ci richiama quella del Consigliere *'Nquacchiu* [248]. La sua delineazione è affidata interamente a parole svelatrici della personalità di questo consigliere che ha una testa che assomiglia a una "pipa", e solo a guardarlo si prova gioia: il consigliere — ciò è detto con scoperto senso ironico — ha una "cucuzza" [248bis] ricca di "sala", e nello stesso tempo la sua testa è superiore a quella di un Romagnosi, continua a dire sempre ironicamente il Patàri (nominato è pure il Filangieri, e naturalmente il consigliere in esame è più intelligente di quello). Il consigliere viene descritto con naturalezza e brio:

A l'udienzi... sta subbra penseri,
O capuzzia, o si leja 'u giornala...
Alija, s'aza... Nenta c'è di mala...
Trasa e... dispensa ergastuli e galeri [249].

Verso sera questo consigliere,

Tisu, derittu, comu nu piruna,
Ti passja cuntentu amenzu 'a chiazza;

E 'sappoja a lu vrazzu d'a neputa...
Ma cchi nda vonnu?... Sa bella guagiuna
Dicianu certi ch'è 'na mantenuta [250].

Non mancano in questi vari e molteplici personaggi patariani i preti. Ora tocca al prete polpetta [251], notissimo a Catanzaro. Don Cosimo Polpetta [252] ha una faccia piena di salute. La caratterizzazione del prete si basa su precise frasi che hanno una natura fortemente connotativa e denotativa insieme: *bellu buhjularu* [253], la sua pancia è grande come la metà di un *cantàru* [254]: un vero porco che può essere trasportato solo in carretta. Egli inoltre sa abbindolare con *gloriapatri*, *domini* [255] e *suspiri*... una

(...) povera veduva santocchja [256]

alla quale portò via con le sue arti una casa e di piú ventimila lire. Un vero porco che sa impapocchiare la gente [257].

Altri personaggi della *Lanterna magica* sono *Donna Marianna Spata* [258], un damerino, la *Marchesa de' Sinfona* [259], il conte *Pacchetta* [260].

La marchesa Spata come il prete polpetta è grassa, e non fa altro che pregare tutto il giorno e sempre sta inginocciata:

Jesus... Jesu cchi monaca 'e casa! [261].

Tutti i giorni si reca in chiesa: bacia tutti i santi, poi logicamente si confessa e chissà mai cosa dirà. Da una chiesa esce e in un'altra entra. È una "santocchia" [262] che passa così i suoi giorni solamente dicendo paternostri

Crju ca 'u mussa si l'ava strudutu... [263]

Efficace è anche il ritratto del damerino seduttore: Don Ciccillo Finocchiettu [264]. Egli è un vero professore in *arti amandi*, ed è abbigliato secondo l'ultima moda: porta un fiore all'occhiello ed è ben "alliffatu" [265]. Don Ciccillo così ci viene presentato:

Gua', comu tutti ti porta a licchettu [266]
E comu ti corteggia ogni signura!... [267].

Chi lo mantiene a questo Ciccillo? Egli infatti non "hava né arta né parta" [268] ed è però vestito di lino, si diverte e mangia bene. La conclusione:

Ahi, vui riditi e poi, chiuditi n'occhiu?
'U capiscetti 'nu misteru resta
Daveru 'a vita è su bellu finocchiu!... [269].

Poi è la volta ancora di due nobili: la marchesa de' Sinfona e del conte Pacchetta. La prima è una marchesa forestiera: non è di Catanzaro, infatti, la marchesa Rosalba de' Sinfona [270]. Lei è una buona donna ed una eccellente moglie. Presente — come l'altra marchesa vista in precedenza — a tutte le feste che ravviva con le sue conversazioni, con i suoi balli e canzoni. Per di più la marchesa è una poliglotta:

Comu canuscia i lingui sa Marchesa
È na cosa cchi propriu non si crida...
Parra 'a tudisca e parra puru 'a ngresa... [271].

Suo marito è veramente fiero di questa sua moglie, e prova piacere quando la vede impartire, la sera, lezione a uno studente.

Ben diverso il ritratto del conte che bisogna bene osservarlo per capire che è veramente nobile:

Si 'u guardu bonu dintra 'a ncornatura
M'addugnu cch'esta nobila, pardeu...
No, non cammina, comu cu sciaddeu...
Vui non guardati cchi caminatura!... [272].

Se uno lo saluta non risponde: egli risponde solamente ai suoi pari, e poi crede fermamente in certe cose:

> Vedi, cà porta nsinca subbra 'a spilla
> 'U stemma: nu granucchiu e cincu rosi [273].

Per di più

> (...) besta comu vestanu a Parigi...
> Chidda sciamberga, va, prejativilla...
> Simu o non simu?... Cò, *noblessa oblige*! [274]

Satira contenuta e ironica del nobile che ostenta appunto la sua nobiltà. *Patra Giuanni* non risparmia nessuno e chi passa davanti alla grata del suo convento viene bene osservato e giudicato come fan fede i versi dedicati alla marchesa Bebé, al conte Pacchetta, all'avvocato Uffu, al professore Scarpa, all'orefice Trama, al consigliere comunale, al commerciante, all'ipocrita, al voltagabbana [275], alle beghine.

Nel maggio 1945 Giovanni Patàri per invito del Circolo di cultura di Catanzaro faceva nel gran salone del palazzo provinciale una lettura di queste sue liriche, e Giovanni Mastroianni, che era tra i numerosi ascoltatori, ne dava il giorno dopo sul quotidiano catanzarese "Il Rinnovamento" questo giudizio:

> Giovanni Patàri guarda con occhio antico questa nuova vita catanzarese per cui la caduta del fascismo e l'armistizio hanno accentuato quella stupefacente trasformazione dei valori e delle ricchezze e degli atteggiamenti che già la guerra aveva iniziato.

Davanti allo sguardo del poeta, amante dell'onesta e della stabile vita antica, appaiono figure assurde quelle persone ipocrite che mutano spesso opinione per far carriera o guadagnare più soldi. Da ciò nasce lo stupore che la mente del poeta rifiuta di pensare come reali e nel contempo si sveglia in lui il mordente spirito del vecchio "monachellista". Ne nasce appunto la *Lanterna magica*, una specie di teatrino catanzarese. Il poeta, che ci mostra che esiste e resiste in fondo al nostro animo il senso giusto della vita, non considera logicamente persone di carne i personaggi di questo teatrino. Per questo *Patra Giuanni* "taglia" così crudemente: perché sente di non colpire veri uomini.

Dopo *'A lanterna magica* segue la sezione *Vrasci 'e cora* [276]. Questa contiene sonetti d'amore, scritti

> spesso improvvisandoli, per sartine, per studentesse e... per qualche altra donna... Di quelle mie ispiratrici erotiche sanno qualche cosa i miei amici Giulio Borello, Vitaliano Mancaruso, il giudice Cesare Brunetti, l'avvocato Giuseppe Casalinuovo ed il Prof. Cesare Sinopoli i quali tutti m'erano molto vicino, quando io scrivevo, per "'U Monacheddu", quei miei versi. Sui miei travagli amorosi potrà dire, a suo tempo Giovanni Greco, il quale con affetto quasi filiale, illustra me ancora vivente, la mia produzione poetica. Egli, frugando tra le mie carte, troverà qualche cosa che si riferisce pur agli amori del Carducci con Annie Vivanti. Potrà allora documentare se sia vero o no quanto in proposito io scrissi sul *Giornale d'Italia*, nel settembre 1907; affermazione, che il Ferrari mette in dubbio nei suoi tre poderosi volumi di critica e di commento alle *Barbare* del grande poeta della terza Italia (Bologna, Zanichelli) [277].

Sonetti amorosi giocati su immagini, sentimenti, analogie un po' ripetitive e riprese varie volte — come proveremo a suo tempo — anche in altri componimenti appartenenti ad altre sezioni di *Tirripitirri*. A tal riguardo possiamo citare il sonetto dedicato agli occhi della bella "ciopanara" [278] che scuote chi la guarda:

> Tu nno mbidi ca sulu guardanduti
> Muta sempra sta faccia 'e culura?...
> E cca ppe l'allegrizza mi lucianu
> L'occhj, quandu tu parri d'amura?
>
> Tu nno mbidi ca i labri mi tremanu
> Si ti smuzzicu ncuna parola,
> E ca paru, a c'erturi, teh propriu
> 'Nu guagliuna ccu a pittula 'e fora?!... [279].

La potenza dell'amore intacca anche l'uomo di marmo che si scioglie poi ai baci. Varie e sempre vive sono le schermaglie amorose:

Tu cu i labbri mi dici ca *no* [280]
Ma cu 'u cora mi dici ca sì...
E tu pensi de certu: *Mo... mo...*
Accarizzimi prestu, Giuanni

Quindi

Eu t'acchiappu, ti stringiu, accussì,
E tu torni... *Giannina*, no... no...
Eu chiù 'ncasu: *Peppina*, si... si...

... E tu tremi, respundimi, no...
S'hai coraggiu, respunda Peppì...
Ah, mi dici, mi dici, chiù no?...
— Si, Giuanninu, ha, ragiuna... sì... sì... .

Schermaglie che nascono dai rapporti tra uomo e donna. Eccone un'altra: una donna, Rosina, non degna d'uno sguardo l'uomo che intende amarla. Egli si dichiara sincero quando dice a Rosina di sposarla. Nonostante ciò la donna fa la vezzosa e risponde all'uomo che il suo comportamento non è improntato a dispetti ma esso è una prova per vedere se appunto l'uomo è sincero, e solo dopo ciò Mimi e Rosina, solo adesso che essa è sicura dell'amore dell'uomo, si incontrano. Altre volte la gelosia determina la rabbia e quindi il dispetto della donna. A tal riguardo è significativo il sonetto intitolato *'A raggia* [281] in cui scoperto è l'uso delle metafore, delle analogie e delle similitudini che mostrano la rabbia appunto di un uomo verso cui la "ciopa" fa la dispettosa. Però la donna ha ragione, in questo caso di mostrarsi dispettosa verso l'uomo in quanto vien sorpreso da essa con a fianco un'altra donna:

Ti guardai de stortu avanteri,
Ne ti pozzu dicira ca no...
Ma a lu hjhancu de n'atra tu eri...
Sû gelusa, gelusa, Totò!...

Si dispetti a li voti ti fazzu:
Ha' ragiuna: reparu mo mo...
Ma 'u capisci pecchì ti li fazzu?...
Su dispetti d'amura, Totò!... [282].

Alla grande passione d'amore non può mancare la gelosia e naturalmente da essa quando i fatti son chiariti si passa alla pace tra i due innamorati: tutto ritorna come prima e non c'è più posto per ciò che dicono le malelingue. A tal proposito sono illuminanti i due sonetti intitolati rispettivamente *'A gelusia* e *'A pacia* [283]. In quest'ultimo la lite per gelosia tra i due innamorati si placa e per far dispetto agli indiviosi e pettegoli i due amanti fanno pace. L'amore, è noto, procura gioie e dolori insieme. Ma vien pure il momento che la donna amata tanto un tempo si dimentica del suo amante. È la situazione esistenziale e umana di Giovannino che amò e baciò tantissime volte una donna (come potrebbero testimoniare i materassi e il letto). Adesso quella donna, proprio lei, lascia il suo Giovannino che ora trovandosi in questa situazione dà ragione all'autore di quella canzone che dice:

Tuttu passa, firnisca e si scorda?... [284]

Usando le medesime immagini in un altro componimento della stessa sezione parla degli occhi "calamitati" di una donna:

Calamiti mi paranu s'occhj!...
Si sta ciopa, mannaja, mi guarda
Eu mi sentu chjcara i dinocchj!... [284bis]

E quando il poeta l'incontra la sera in piazza resta attonito davanti alla sua bellezza ed eleganza. Però la donna fa la birbante in quanto comprende lo stato psicologico di colui che la desidera: fa finta di non vederlo anche se talvolta si impietosisce e lo degna di uno sguardo. L'uomo vorrebbe fare all'amore con la bella "ciopa" ma per il solo capriccio di un'ora. Infatti il poeta sa di essere come un fiore mezzo secco ("menzu ammusciatu") mentre la "ciopa" è "nu bellu buttuna...!" [285]. Al poeta oramai vecchio, al *Patra Giuanni* non rimane che fantasticare e assaporare certe cose della vita solo nel sogno e nella fantasia appunto: se, infatti, la sera uscisse con questa bella ragazza tutti quanti coloro che lo vedrebbero direbbero:

Caspita!...
Patra Giuanni si ficia papà [286]

Egli si appassiona e si intenerisce quando esalta le rare fattezze di una bella donna come nella lirica *Benadetta mammata è mammata sempra!* [287] o quando ascolta nel dormiveglia una serenata fatta all'innamorata nell'altra lirica intitolata *'A serenata* [288]:

E senti... L'altra notta a sonnu chjnu
Stacia dormendu, mberu 'a matinata,
Quandu mi resvigghiàu 'na serenata...
Du' chitarri, nu flautu e nu violinu.

'Nu giuvanottu cchi mi sta vicinu
Cantava 'na canzuna appassionata...
Si non potia spusara 'a nnamurata
L'affrittu s' 'a pigghiava ccu 'u Distinu!...
Quant'era bella, 'u sai?... chidda canzuna...
E t' 'a cantava ccu malincunia,
Ccu tuttu 'u cora, 'u povaru guagliuna!...
Doppu astutavi quetu quetu 'a lucia...
Dormendu 'n'atra vota mi parìa
Sentira 'a serenata e chidda vucia!... [289]

Quando, invece, il poeta canta le fattezze fisiche delle donne è un po' ripetitivo: la pelle vellutata e più liscia dell'avorio, e logicamente il suo colore è roseo [290], fino ad arrivare alla ragazza che ha sette bellezze come le fate e che solo a guardarla la gola sussulta. E ancora per l'ennesima volta le labbra della donna sono di fragola, e i suoi occhi brillano come stelle ed hanno il colore del mare. Il nome di questa donna è Carmelina che solo a guardarla vien subito il pensiero in quel momento d'essere una pulce per baciare quelle carni rosate. Ma è solo un sogno, una fantasia, e nel frattempo questo angelo non degna di uno sguardo il poeta, e

> Sulu quandu cci dicu: *Magnifica!*... [291]
> Vascia l'occhj, si vota... e mi rida [292].

Da Carmelina a Concettina. Questa donna vien vista dal poeta al mare, ed appare ai suoi occhi come una madonna (molti procedimenti fantastici sono iterati in vari componimenti) e le sue carni sono simili al latte e alle rose (anche queste immagini e similitudini sono spesso ripetute), e il suo petto è bianco, e le sue braccia sono bellissime. Perciò il poeta non può dimenticare questa creatura e le sue parole:

> Parra... Parra... Ca staju ma sentu...
> Mova chianu, cchiu chianu stu mussu...
> Oh cchi bellu garofalu russu!...
> Cuncetti... Cuncetti... Cuncetti... [293].

Questo andamento di canzone amorosa trova puntualmente riscontro in questi altri versi:

> E chiss'occhj cchi sunnu?... cchi sunnu?...
> Esta megghju, fammili scordara...
> Ca va trova... Chiss'aria de mara...
> Cuncetti. Cuncetti... Cuncetti... [294].

Gli occhi della donna, questa volta di Giuseppina, farebbero tremare e dare allegrezza anche a un santo! Occhi che somigliano alla calamita (similitudine già vista e usata prima), e i baci di Giuseppina sono di zucchero di rosolio e naturalmente dolci. Dopo questi ritratti femminili ne seguono altri che hanno una natura diversa (e lo vedremo qui di seguito analizzando i singoli sonetti). La sezione che segue dopo *Vrasci 'e cora* s'intitola *Retratti* [295]. A proposito dei sonetti afferenti a questa sezione di *Tirripitirri* leggiamo nei più volte citati *Chiarimenti* del Patàri stesso:

Questo gruppo di sonetti ha del reale ed ha del fantastico. Li avrei voluti levigare, ma poi ho pensato meglio pubblicarli, perché con essi e per essi mi proponevo, più che causticare, di raggiungere un alto fine morale [296].

Reale è senza dubbio questo ritratto:

— Nu mantu a rota, n'occhiu menzu chiusu,
Nu paru 'e cazi ligati ccu cordi;
Chissu è nu tipu propriu curiusu
Cchi si 'u vidi 'na vota mai ti 'u scordi.

Barbara Sorta, giri cumu 'u fusu
E de chissu pecchi no t'arricordi?
Jamma, tricentu liri ppe tri sordi...
Chissu è nu tipu propriu curiusu [297].

Un tipo che sempre sospira, e vien preso in giro dai monelli catanzaresi. Altrettanto realistica è la figura del secondo ritratto: Don Tommaso Fiori Milanesi [298]:

'A varva janca, l'occhj ombé sgargiati,
'I scarpi rutti, 'i cazi arrepezzati
'A giacca randa culura 'e canigghja... [299].

Questa figura è quella dell'ombrellaio che grida sempre per le strade:

'Mbrelli nd'a cconzati? [300].

Questo ombrellaio è un povero vecchio che incarna la morte. Anche quest'uomo come vari altri tipi e personaggi patariani sono osservati dal vivo e presentati effetivamente come sono. In questa prospettiva si colloca pure quest'altro vecchio oramai morto e che quindi non vien più canzonato dai ragazzacci catanzaresi:

O mulacchiuni cchiù nno l'apprettati,
Gridandu: Don Miché, duva stacìti?

Vui non 'u viditi cchiù, vui non 'u viditi
Passare cchiù stu vecchiu a menzu i strati

'Ncoppa a la crucia 'e lignu, no 'u trovati,
E subbra i spaldi soî cchiù nno riditi!
A lu spitala, comu i disperati,
Don Micheli morìu... Vui no 'u sapiti?... [301]

Il commento del poeta è veramente amaro: quel povero vecchio da giovane era un garibaldino [302]

Quando s'avia de fara 'a Talia una,
E finiu spasulatu, lu scentinu...
— Povaru e pacciu a nu fundu 'e spitale!
Chissa fu 'a sorta sua, chissa 'a fortuna:
Ppe ma fa bene e ma riciva mala!... [303].

Alfio Bruzio sa leggere nella realtà catanzarese del suo tempo, e coglie perfettamente vari tipi e macchiette che sono caratterizzati realisticamente e perciò salta sempre fuori quello che è il dato specifico della loro vita e personalità. Ecco quindi Don Antonio [304], conosciutissimo a Catanzaro: lo si incontra dappertutto e per di più è un uomo che la sa lunga:

Speculativu comu nu Notaru
Puru 'a na petra azzicca [305].

Se come ciò non bastasse — e ciò vien detto con molta ironia dal Patàri che si mostra sempre di essere dalla parte dei più deboli — lo fanno pure cavaliere:

Cà 'u Re ci scrissa, ca 'u decretu è fattu,
E 'a *crucia* l'aspettava, Ntò, avanteri!...

E 'a merita daveru, cà tu 'n'atru
Ntò, duva nc'esta comu chissu esattu?
A *crucia* ma sa minta intra nu quatru!... [306].

Un altro Antonio (*Totò*) è davvero intelligente: ciò è detto con molta ironia. Antonio è un politicone:

Guardatilu 'nu pocu a lu bancuna,
Non è Cavurru, ma 'nu cavurrinu.

Sa trattare e abbindolare bene i suoi clienti:

— Servu, Don Giuliu... Servu, signurinu...
— Cumandati, Don Ci... Sempra, 'u patruna.
— Ppe l'abbocatu, m'esta bonu 'u vinu...
'U bullitu ppe m'esta de 'u ganbuna [307].

L'oste Antonio ha capito tutto e fa affari mentre il poeta con il suo sapere non fa alcun affare, e continua:

Cchi mmi nda fazzu ca capisciu a Danta,
E cca mparu 'a grammatica latina,
Quandu sa sacca mia sempra è bacanta? [308].

Altri tipi sono ben rappresentati anche nella loro viva e varia parlata catanzarese come quel Antonietto il pazzo (*Ntonareddu 'u pacciu*) [309], nativo di Squillace, il cui padre si "tamava Feddinandu" e la "mammanna Fottunata de Finizia" [310].

Antonio il pazzo si rivolge al Prof. Patàri chiedendogli se esiste la giustizia, e per di più afferma che solo le malelingue lo considerano un pazzo mentre pazzi son quelli che lo accusano di esser tale. Egli non è pazzo, e tutti lo conoscono a "Tatanzaru" [311] e ciò che più conta

Onettamenta vivu de lavoru... [312].

Presenti son pure i quadri di povera gente, di poveri vecchi che per guadagnare qualcosa per vivere danno — ad esempio — i numeri del lotto come quel vecchio appunto dalla giacca tutta rattoppata che passa tutto il giorno davanti al Tribunale di Catanzaro e la notte dorme

... duva Ma Rosa,
E all'urtimu nci tocca... a lu spitala... [313]

Poveri vecchi, gente disoccupata, gente disperata che non hanno casa e lavoro son presenti nei sonetti di questi *Retratti*. E a proposito di disoccupati si consideri Don Decio che gira sempre di notte e di giorno mentre

Era riccu 'na vota, era parenta
De menzu Catanzaru su tolornu [314].

Adesso è pezzente e logicamente non l'avvicina più nessuno: chiede inutilmente aiuto: ognuno fa finta di non vederlo oppure se ne sbarazza subito. In questa condizione l'ex ricco Decio è solo: unico suo compagno un cane che lo segue sempre. Serpeggia fra le righe un moralismo che mette a nudo il cuore umano e la sua cattiveria. La conclusione del sonetto è anche amara:

Ca mo, criditi, 'na parigghja 'e cani
Su affezionati a chissi tempi d'oja,
Cchiù de ducentu mila cristiani!... [315].

La definizione della natura umana in Patàri la si coglie e si vede in scenette di tipi ben tratteggiati. Da quelle scene, dalle parole dei personaggi sprizza tutta quanta la loro varia umanità. È il caso di *Mastru Ntoni, 'u pulimma* (*Mastro Antonio, il lustrascarpe*) [316] che vuol imporre a tutti i costi la sua pomata veramente "fina" [317], scoperta da un uomo di talento:

Eccu, io la stricu ccu na pezzolina
E il lucidu nesce in un momentu [317bis].

Disprezza Mastro Antonio la "pomata" degli altri suoi colleghi che usano invece grasso di vacca o nitrato d'argento:

Tantu che i cojama si fa lentu
Ed eccu crepa, 'na bella matina [318].

Ma Mastro Antonio vuole campare onestamente in quanto non è — è una frecciata contro gli altri lustrascarpe — disonesto e imbroglione:

Eu nno canusciu, signurinu, 'u mbrogghju... [319].

Egli per provare ulteriormente la sua onestà finisce col dire:

Ogne cosa retiru de Milanu...
Ma... sentiti, arrivau 'na pacchianuna
(L'haju a la casa) scicca 'e Jimigghjanu!... [320].

Altra macchietta realistica di questi *Retratti* è Saverio: *Saveriu 'u Crivaru* [321]: tutti lo conoscono in quanto vende giornali:

— Savé, fa prestu; dunami 'a *Tribuna*
— Un mumentu ma servu e lu Notaru.
— U *Mattinu?*... Mugghjeramma v' 'u duna;
Ancora duva Olanda no' 'u portaru... [322].

Scene, queste, vive, osservate ogni giorno a Catanzaro come in altri centri e paesi della Calabria.

Quando Saverio non vende i giornali si sente perduto: gira a vuoto e non fa che gridare:

Scì, stasira senza
Giornali, grida: e gira subbra e sutta:
Scì, scì si è perduta 'a coincidenza... [323].

Nei *Retratti* c'è posto anche per gli imbroglioni, per i mestatori, per i traffichini come quel tizio che ha molto viaggiato senza avere una lira, e per di più in prima classe. L'unica sua arma: l'imbroglio: sa imbrogliare e sbrogliare meglio del governo italiano:

(...) ma mbrogghja e ma sbrogghja ogne matassa
E megghju de 'u guvernu talianu... [324].

Polemica blanda e generale. E il poeta continua a dire che questo politicone ha il mondo in una mano e gli bolle la testa come un vulcano. Ma che cosa pensa effettivamente costui? Presto detto: imbrogliare il prossimo e gli sprovveduti. Ed ecco un'altra conclusione amara:

> 'U mundu non è fattu ppe i minchiuni:
> Sapiti 'u pantanisa comu dissa:
> Domana a lu frjira ti nd'adduni [325].

Per terminare su questa sezione di *Tirripitirri*, va osservato che nella delineazione di vecchi e tipi caratteristici catanzaresi il poeta usa le medesime parole e immagini. Si veda la pittura di quel vecchio con la giacca rattoppata che nonostante è in tarda età ed è derelitto, nel contempo è felice. Infatti

> (...) guarda, e rida, te si conza 'e latu
> E s'abbicina, vi', mannaja cui!...
> A Napuli, vintottu e trentadui...
> Jocativi, ndo Gé, ambu serratu... [326]

Dando i numeri per il lotto questo vecchio detto *Bettagghja* [327] riesce a campare:

> L'affrittu si procura ncuna cosa,
> E mangia 'e crudu si tu mangi 'e cutta [328].

Dopo questa sezione segue l'altra dal titolo *Guai 'e mundu* (*Guai del mondo*). I sonetti raggruppati in essa dal Patàri non sono stati uniti a quelli dell'altra sezione *Vrasci 'e cora*. Ciò perché questi sonetti di *Guai 'e mundu* nella concezione e nella forma si distaccano da quelli di *Vrasci 'e cora* per passionalità più semplice e più popolare. Anche qui *Patra Giuanni* osserva, analizza il portamento interno ed esterno della donna, cogliendone perfettamente lui monaco che osserva dalle grate del convento il mondo — le sue intenzioni nascoste. Ecco quindi l'acqua odorosa [329] che fa diventare attraente anche la più "brutta civetta": quest'acqua di violetta ha il colore di un fiore ed è profumatissima:

acqua dovuta a un monaco, geloso però della sua ricetta. Quindi un'acqua straordinaria che facilmente può far presa sulle donne che per un istante possono smettere di fare le vezzose e concedere così le loro grazie oppure non si lasciano facilmente corrompere dalla bellezza di questa acqua e così restano fedeli ai loro mariti e fidanzati:

Eu t' 'a dugnu, ma vogghju nu jussu:
Sempra, sempra stu mussu ma vasu,
Chissu bellu simpaticu mussu,
Russu cchiù de nu russu cerasu...

Tu fa' gringi... Nda, sû persuasu,
Ca non voî ma m' 'a cedi stu jussu;
Ma ti vasu su mussu de rasu,
Chissu russu garofalu russu... [330]

Non c'è nulla da fare: per questa donna *Patra Giuanni* è un villano rozzo ("mbromu") in quanto essa ha dato il suo cuore a un altro uomo:

'Na catina ligata ti tena...
Si ligata, ligata a n'atr'omu!...
Ppe Ciccillu suspiri, d'amura,
A Ciccillu tu sulu vôi bena...
Cchi tti 'mporta de l'acqua d'addura? [331].

L'osservazione diretta di personaggi catanzaresi è tipica non solo di *Retratti* ma anche della sezione in esame. Di scena è ancora la donna: la donna, questa volta, più bella di Catanzaro ritratta con occhi e immagini, sia pur differenti, cari allo Stilnovo:

'A chiù bella cchi c'è a Catanzaru,
Mo v'u dicu, si chiama Maria:
'Na Madonna scinduta 'e l'aotaru
Para propriu, criditimi a mmia! [332].

Dobbiamo proprio credergli perché *Patra Giuanni* è esigente: non adula nessuno ma non può restare impassibile di fronte — e qui c'e una ripresa d'immagini, di riferimenti già usati — a un

Musiceddu de fragula e rosa,
Occhj niguri, teh comu 'u vellutu,
V' à dicera, 'a dicera na cosa...[333].

Il monaco non può toccare queste parti meravigliose e quindi non gli resta perciò che star zitto e di sentire solo rabbia dentro il suo cuore. È una "Madonna", questa Maria, che rende smunto e fa disperare il poeta che non essendo ricco non ha da offrire a questa bella ragazza non perle e brillanti ma più umili doni: sonetti anzi, i più belli sonetti. In altri sonetti la donna vien paragonata a una regina o a una fata per il suo portamento e abbigliamento e per tal motivo il cuore dell'uomo che l'osserva si incendia d'amore.

Patra Giuanni descrive i convegni amorosi, l'amore che nasce dall'incontro per cui anche se tira vento forte avviene sempre. Sonetti amorosi — come questi di *Guai 'e mundu* — in cui son descritti ampiamente le sartine anzi, la più bella sartina di Catanzaro che è poi una creatura veramente bella e anche qui il poeta ripete una immagine altre volte usata:

'Na Madonna scinduta 'e l'otaru [334].

Sembra proprio, questa sartina, una figlia di regina; indossa un abito delizioso e sa muoversi con grazia. Il poeta la incontra ogni giorno per la strada, e questa sartina lo guarda senza dirgli parole, e poi riprende la sua strada e si muove con rapidità.

Le bellezze delle varie "ciope" son descritte quasi sempre con le medesime immagini e parole, e anche così nel sonetto *'U hjura* (*Il fiore*) [335] vien ripetuto che le labbra delle graziose "ciope" sono come garofani rossi.

Il fuoco d'amore alimenta talvolta malintesi fra gli innamorati e produce anche ferite:

(...) avant'eri
Tu nescivi d'à chiesa d' 'o Munta,

'Nsema a màmmata, subbra penseri...

Mi smicciasti... E parola d'onora
Tẹh, chidd'occhi; teh, comu 'na punta
De curteddu, perciaru [336] stu cora! [336bis].

La passione amorosa è intesa in maniera semplice e popolare e rispecchia fedelmente il pensiero, la vita del popolo che vive il sentimento che viene sottolineato in una serie di situazioni e parole veramente suggestive e intense: il nome dell'innamorata (Maria) produce un tonfo [337] nel cuore dall'amante. L'amore per una bella donna — ciò è un altro elemento che rappresenta la forza sentimentale del popolo — porta equilibrio e sana le piaghe dell'anima. Maria può benissimo far ritornare a suonare la chitarra scordata: le serenate che gli amanti facevano alle loro belle sotto i balconi.

La fisionomia e la natura dell'amore sono calate in oggetti reali che mettono in evidenza tutta la sua intensità che promana dagli occhi della donna:

E mi guardi, mannaja, si passa,
E ccu s'occhi, teh, mo calamita!...
Chissu cora mi scippa, e mi 'ntassa!

E poi lesta, chiù lesta camina...
Ah cchi mossi, cchi tagghju de vita!...
Mariannù, tu si 'a capu sartina [338].

Descrizioni di scene di vita osservate per strada o durante il tragitto che il professore Patàri faceva da casa sua per andare al liceo.

Il dialogo amoroso è sempre fresco, ricco di sentimento che rivela la forza dell'amore. Difatti ancora Mariannuccia viene invitata a fermarsi, a non fare la sostenuta e la vezzosa: si fermi un attimo perché il poeta-frate possa guardare i suoi splendidi capelli, la sua bocca di rosa e così ricevere qualche parola consolante:

Parra... parra... non fara 'a vezzosa!... [339]

La donna — e ciò rientra nelle solite ripetizioni — ha la bocca di rosa ed è più rossa più di una rossa ciliegia; e ancora più si bacia la bocca di una simil donna e più si vorrebbe baciare. L'amore qui è ritratto come lo sente il popolo che ricorre ad immagini che sono tipiche dell'ambiente in cui vive e che poi sono la sua stessa esistenza:

Sucu mela...
E ti vasu, ti vasu, ti vasu!...

Eu mo tornu, mannaja, guagliuna...
Eu mo tornu ccu 'a pittula 'e fora!

Veni ccà, ciopa mia, 'no scappare!...
Tremu tuttu, parola d'onora!...
N'atra vota, tu fatti vasara! [340]

È una bocca che è un bel richiamo, per cui

ogni oceddu, contentu cci rota! [341]

Una bocca che fa dimenticare all'uomo la morte e i guai di questo mondo:

Chi mi 'mporta si m'azu sturdutu?...
Cchi mi 'mporta si Morta po' veni?...
Eu stu mundu mi l'haju godutu! [342].

La dolcezza del bacio femminile sconfigge i guai del mondo. Basta il nome di Maria (più dolce del miele) più bello di un fiore: nome d'amore è il suo: un nome anche di pace che allevia le paure. Però il poeta quando è

'a matina intra 'u lettu
E ti senta gridara... Maria!...
Forta 'u cora mi sbatta intra 'u pettu [343].

Gli altri sonetti della sezione sono anche importanti in quanto ci comunicano altre sensazioni e ci fan conoscere come eran vestite le donne d'un tempo ormai trascorso. Si veda il sonetto — ritratto della "pacchiana" [344] e la sua psicologia femminile. Qui il poeta ci descrive una ragazza vestita da "pacchiana" appunto: è un vero capolavoro con

'U mandila, 'u jappuna, 'a suttana...
Tuttu stannu 'a concertu tra loru...

Sti scioccagghj, sta bella collana,
Chissa spilla magnifica d'oru...
Tuttu, tuttu a cuncertu tra lloru...
Sî daveru 'na bella pacchiana [345].

Patra Giuanni vede e osserva ogni cosa ed entra nelle case di Catanzaro, sorprendendo i suoi concittadini nelle loro azioni quotidiane. Un monaco, questo *Patra Giuanni*, attento a tutto: ai baci che vecchi, giovani, ragazzi, belli, brutti, pezzenti, ricchi si danno o per capriccio o perché innamorati oppure che si danno camminando in compagnia, o di nascosto:

suli, suli, a lu scuru, ppe i strati,
Dintra i cambari, dintra i portuni;
Scali scali... Cchi belli vasati!... [346].

E son baci che hanno un loro sapore; baci di bocche gentili; baci "vruscenti d'ammura" [347]. Naturalmente il poeta indugia molto sulla bellezza e potenza del bacio che si danno gli innamorati:

E cchiù vasu e chiù bogghju ma vasu...
— Cchi ducizza facendu sta cosa!...
Stenda 'u mussu chiù finu de 'u rasu...
Stenda 'u mussu chiù bellu 'e 'na rosa [348].

Il dialogo sempre di più fa vedere la potenza del bacio:

Tu mi dici: — Nu pocu arreposa...
Sugnu stanca... Mo, scappu, m'arrasa...
— Ccù ti nchiovu... Non fara 'a vezzosa...

Ti respundi, e... ti vasu, ti vasu...

E tu, 'ntantu, mi guardi, mi riri...
Poi mi stringi cchiù forta, cchiù forta...
Oh cchi mossi, carizzi, suspiri! [349].

Dopo questa sezione c'è l'altra intitolata molto significativamente *Mundu vecchiu e mundu novu* (*Mondo vecchio e mondo nuovo*). Alfio Bruzio attaccato alla tradizione, con una punta di malinconia e di rimpianto nota che molte feste popolari, interamente popolari, le quali

> furono la delizia dei nostri maggiori; oggi sono del tutto scomparse. Da qui nasce il titolo. *Il mondo nuovo*, pur si frappone al vecchio [350].

Ecco le feste di una volta: *'A festa 'e galileia* (*La festa di Pasqua*) [351], alla quale partecipavano molte persone e si mangiava tanto: braciole, pasta, insalate varie. Si era allegri perché si beveva tanto e si cantava.

Altro caro ricordo è il tempo dei bagni a Sala [352] con vari avvenimenti. Ormai tutto è passato. Comunque i personaggi dei sonetti di questa sezione sono come si nota subito i figli naturali che un tempo a Catanzaro si chiamavano *mulacchiuni* [353]: figli abbandonati dai padri e dalle madri. Essi crescevano come cani in mezzo alla strada. Questi poveri sventurati son descritti realisticamente dal poeta che li vedeva tutti i giorni a Catanzaro, e li osservava nelle loro azioni. Il Patàri si limita solo a descriverli:

Lordi, fetusi, niguri, sciancati...
Tu torci l'occhj a tanta fetunsia,
Ma iddi allegri, rre d'ammenzu i strati,
Sû sempra allegri cch'è 'na simpatia!...

Sono esseri che s'accontentano di poco. Infatti

'U cchiù riccu si crida, 'e chissu mundu
Si tu nci jetti 'nu pocu 'e muzzuna!...

I *mulacchiuni* — continua ad osservare il poeta che dimostra di averne capito profondamente la psicologia — non sanno a chi son figli: sanno solo l'amarezza della vita: conoscono gli scalini ove dormono e il freddo inverno. Per vivere fanno i più umili mestieri: venditori di cenci, il lustrascarpe [354], venditori di giornali:

> Tutti sî mulacchiuni è Catanzaru,
> Sû tanti boni e passanu ppe mali... [355].

Tipi originali, questi orfani, che si divertono pure a canzonare la gente e si mostrano abili nel suonare con la bocca

> (...) ccu 'a vucca...
> 'Nu duettu d'à Norma o d' 'a Boema...
> Chiss'altri a nu tamarru fannu 'a cucca [356].

Di poi il poeta ci racconta la storia di uno di questi "mulacchiuni": Gianninedd u (Giannino) Bagalà: meglio conosciuto tra i "guagliuni" (ragazzi) come «'U figghju» 'e Baccalà (il figlio di Baccalà). Giannino non si differenzia dagli altri compagni di sventura. Egli vende cerini e raccoglie le cicche ma oltre a ciò si guadagna da vivere facendo l'imitazione dei maggiorenti della città:

> 'Nu sordu o'nu turnisa si nci duni
> Ti pitta i capizzuni d' 'a citta... [357].

Ecco gli imitati: il senatore Rossi, il sindaco, il prefetto, il deputato: queste persone sono imitate alla perfezione da Giannino. Dopo ciò finisce il tutto sparando due possenti pernacchie.

In questa umanità così varia ci sono aspetti patetici che conferiscono a queste persone più rilievo. Si prenda e si consideri un altro di questi ragazzi che è un solitario: non ama la compagnia: egli è soprannominato il Tenore, esperto nel cantare il *Faust*. A lui se ne aggiunge un altro: incolto in quanto ha fatto le scuole elementari sino alla quarta, e poi è stato espulso dalla scuola perché continuamente assente. Nonostante ciò egli è capace di fare vari mestieri: cameriere, lustrascarpe, sarto. Poi si passa alla descrizione di altri esseri osservati in una cantina che è in realtà una enorme camera bassa e oscura; viene l'ora dove queste persone si recano per mangiare. Esse sono allegre, bevono ed hanno anche il pane e il companatico ("'u calatura"). Il poeta si sofferma su alcuni di questi tipi: il *Bruciato* (*Vrusciatu*) che mangia e ride contemporaneamente: il cordaio ("'U cordaru"), il Riccio ("'U rizzu") che conosce il poeta *Patra Giuanni* e grida

> Largo a lu Monacheddu e a lu Scugnizzu [358].

Il Patàri agura a questi poveracci che il pane che essi mangiano possa esser per loro salute; questi esseri hanno una vita

> (...) comu' vita da nu cana,
> E 'avita vostra... Siti mulacchiuni!... [359].

L'unica colpa è quella di essere "bastardi". I denari li posseggono solo i "capizzuni" (i ricchi, le persone influenti) e essi possono benissimo correre dietro le sottane delle donne. Così oggi; ma domani, il poeta si mostra convinto, domani non ci saranno più servi e pardroni:

> Accusì oja... ma, mannaja, domana,
> 'On ci nda sunnu cchjù servi e patruni!
>
> Ha de mangiare sulu cu' fatica,
> Né cchjù vidira s'anno i strati strati
> Pezzenti e morti 'e fama (...) [360].

La conclusione del componimento si chiude con una denuncia:

> Mentre cchi tanti, fatti cavaleri,
> Passanu, intra i carrozzi, mpellicciati
> Mbecia ma stannu dintra de i galeri! [361].

Singolarmente sfilano davanti ai nostri occhi tutti i *mulacchiuni 'e*

Catanzaru: poveri ragazzi infelici, senza scarpe e senza calze, con qualche cencio addosso per non oltraggiare il pudore. Questi *mulacchiuni* si vedono accanto ad altri personaggi che già conosciamo: Don Ciccio Turacciolo, La Marchesa Bebè, l'avvocato Uffu, il conte Pacchetta, il consigliere "Nquacchiu" e tanti altri.

Il poeta, osservando questa varia umanità, desidera un mondo nuovo, una nuova società in cui non ci siano sfruttati, poveri, pezzenti e nel contempo i disonesti, i ladri siano sbattuti nelle galere.

In un sonetto di questa sezione dal titolo *'A Prucessiona e' San Franciscu* (*La processione di San Francesco*) [362] il Patàri inveisce contro le usuraie che si meriterebbero — almeno nella credenza comune del popolo — essere buttate nel fuoco. Ecco il ritratto di una simile donna:

> Mo ca daveru, idḍa prega ti cridi?...
> (...)
> 'A porca guarda a tutti, tu no 'a vidi?...
> (...)
>
> 'A porca campa facendu 'a surara,
> E si mantena 'u figghju d' 'a Bubbusa...
> Chiuditi, vucca mia, megghju 'on parrara! [363]

Il popolo, la gente comune è sempre al centro delle varie poesie dialettali del poeta di Catanzaro. Così nella sezione che segue dopo *Mundu vecchiu e mundu novu* c'è infatti il racconto che un popolano fa, dopo d'averlo visto in "cinematografia" [364], del noto viaggio del Verne: *Dalla terra alla luna*. A proposito di questo componimento Alfio Bruzio osserva:

> Ho curato nella dizione poetica, d'essere quanto più mi è stato possibile catanzarese. Il Maestro Mottola, di cui è cenno in questi sonetti, fu una figura simpaticissima e popolare di cittadino e di educatore [365].

Ecco il racconto del viaggio verso la luna effettuato in una palla di cannone:

A pocu a pocu 'a palla s'abbicina,
Si fa chiu randa a pocu a pocu 'a luna...
Para 'affetta randa de meluna,
'N'affetta tunda, russa e chjna...

Si muta 'a scena... cc'esta 'e sutta 'u mundu...
D' 'a firnestra d' 'a palla 'u cannuna
Guardanu i stromi... daveru ch'è tundu!

Ma 'u culura d'a terra è tuttu giallu...
Ava 'u maestru Mottula ragiuna
Quandu mi spiega ch' 'e nu portugallu!...[366].

Il popolo con immagini concrete spiega la natura della luna tanto diversa dalla terra: sulla luna ci sono "savurri e mazzaccani"[367], vulcani, fuoco, gelo, neve.

Le scene che si vedono dalla palla di cannone sono veramente belle. La fantasia del popolo che racconta gli aspetti del paesaggio lunare colorisce ogni cosa: orti grandi di funghi quanto ombrelli, e non possono mancare gli abitanti lunari ("Nsalanuti": lunatici appunto) che sono dietro siepi. Essi

Paranu, sarva l'anima nimali...
Tantu, sû brutti, e cchiù peju vestuti.

L'occhj è gramboi, i nasi comu mbuti,
Niguri, nducchi daveru ccu l'ali...
A li mani tenianu certi pali
Lunghi e, comu lampi, poi puntuti...

Portavanu a li labbra i circhj d'oru
Portavanu a la frunta cincu raggi...
Primu signu si ficiaru tra loru,
E doppu, senza ma fannu paroli,
Cuntra i stromi, pardeu, comu servaggi,
Si minanu, facendu caprioli!...[368].

Alla fine gli astronomi vincono anche questa prova con i "lunatici" e possono rientrare nella palla di cannone. Naturalmente i "lunatici" si mordono le dita per la rabbia: prendono la palla e la portano su un monte ("Timpuna") e la spingono verso la terra, ed essa cade proprio in mezzo al mare, avviandosi pian piano verso la spiaggia. Il racconto ha una fine lieta e gli astronomi vengono festeggiati per la loro impresa riuscita:

'I signurini pottavanu hjuri...
A menzu 'a chiazza c'era n'arcu randa
Fattu 'e banderi de tutti i culuri...

Sutta chiss'arcu 'u re d'a Cornavagghja,
Ccu i generali, mentra sona 'a banda,
A li se' stromi cci misu 'a smeragghja [369].

A questa sezione ne segue un'altra del tutto particolare: *Savurri* (*ciottoli*). I versi di *Savurri* — composti quando il poeta era giovanissimo — sono sonetti. Tra di essi ne spicca uno dal titolo *I Palumbi* (*I colombi*) che — a ragione — il Patàri medesimo crede essere tra i migliori della sua

(...) produzione dialettale e che al Pascoli, cui li disse piacevano tanto [370]

Il sonetto de *I Palumbi* è un caldo e persuadente invito rivolto a una bella e graziosa ragazza ad amare come si amano appunto i colombi. Il maschio scende dalle tegole e la colomba lì per lì si mostra paurosa ma non si tratta di paura: come la ragazza anche la colomba è vezzosa [371] per natura. Ma il colombo le gira intorno (sempre l'uomo deve pregare la donna) e finalmente cede... si baciano e rientrano così nella cova:

'U palumbu che tornu cci gira
(Sempra 'a fimmina s'ava 'a pregari!)
E t' 'a guarda, piatusa, e suspira...

Finarmenta idda ceda... Si vasanu [372].

L'analogia è perfetta, e nell'ultima parte del componimento presente è l'invito alla "ciopa" a baciare e far all'amore come i colombi:

Veni trasa, ca' simu a lu scuru,
E nissunu ni vida... Abbrazzamuni...
(...)

Mussu e mussu, e cà veni... Sucami...

E vasamuni sempra, Mari...
N'atru pocu, tu, stringemi chiù...
Si potera ma moru accussì!... [373].

Scopertissime sono le analogie e le similitudini anche se varie volte ripetute specie nei componimenti amorosi. Analogie e similitudini che si riferiscono alla passione amorosa. Questo procedimento è tipico — per fare un esempio — dell'ultimo componimento, diviso in due parti di *Savuri* dal titolo *'A canzuna de 'u scarparu* (*La canzone del calzolaio*) che si innamora, lui povero operaio, di una figlia di barone. Amore non corrisposto naturalmente, e al calzolaio non resta che battere con forza il martello e inchiodare i tacchi. Logicamente sospira e in certi momenti sembra un pazzo:

(...) Tira 'u scarparu 'a migna e sbatta i denti.
Poi ccu 'u marteddu vatta, vatta...
Para mu pacciu a cert'altri mumenti...

E ncira 'u spacu, e cusa, e tira e stira
Chiù de na vota 'na mpigna [374] si scatta...
E nchiova i tacchi..., e suspira... suspira! [375].

L'oggetto del suo tormento è la bella signorina che puntualmente tutte le mattine si affaccia dalla finestra, e sempre alla stessa ora, e ci resta per un bel pezzo. Toto, questo è il nome del calzolaio "pazzo" per amore, ha la sua bottega vicino alla finestra della bella e ogni tanto naturalmente

'Ncantatu potta l'occhj a la finestra...
Poi vascia 'a capu, e mina, mina, mina
E mina punti, e comu a manu e lesta [376].

Toto in questi deliziosi momenti intona una canzone:

(...) Ciopa 'nzuccherata,
Esta è ferru ogne chiovu, ma si struda,
E finisca arruzzatu a menza 'a strada [377].

Con una nostalgia continua termina poi il disperato e rassegnato canto:

Ma 'u chiovu cchi nchiovasti, ciopa tu
Dintra a su cora meu, no, non si struda,
Non si consuma, non mi dassa chiù... [378].

Parole, immagini che rispecchiano fedelmente la forza e l'intensità dei sentimenti dell'uomo calzolaio tormentato da una irrealizzabile passione amorosa. Anche in questa sezione di *Savurri*, l'amore, la donna con i suoi occhi calamitati fan tremare e disperare il cuore di chi li guarda. Le donne o, meglio le "ciopanare" descritte da Alfio Bruzio hanno una forza magnetica e sembrano venute da chissà dove. Esse sono fate e regine: più belle dei fiori che s'aprono bagnati alla mattina.

Non sono invece sonetti i componimenti presenti in *Chitarra battenta* [379], son chiamate così

(...) queste liriche, perché, non essendo sonetti, hanno un'andatura ritmica attivata dal sentimento erotico che dà loro una forma agilissima, quasi sempre [380]:

Mariuzza!...
Mariuzza, a voi fatta?
'A voi fatta 'a poesia?
Si tutta simpatia...
'A poesia sî tu!...

Tu ridi, birbontedda!

'A poesia tu sî rosa e lattu

Tu vali nu Perù!...
Tu pensi a Giacchinuzzu?
Stu cjovu percia ancora?
Sî bella 'e dintra, 'e fora...
Nun da parramu cchjù...

Tu curri... on, vôi ma senti?...
Tu scappi e torci 'u mussu?...
Stu bellu hjura russu
Volera... 'on pozzu cchjù...
Tu curri... on, vôi ma senti?...
Tu scappi e torci 'u mussu?...
Stu bellu hjura russu
Volera... 'on pozzu cchjù...

Ma Mariuccia non vuol saperne:

Tu vasci, vasci 'a capu...
Azala, va, 'nu pocu...
Sì bona... E nnatru pocu...
'On da parramu cchjù... [381].

Veramente bella questa Mariuccia dal mento di rosa che verso *Patra Giuanni* fa la ritrosetta:

Si, o non sì na ciopanara?
Si t'affrunta a menza a strata
Cchi penseri 'on mi fari paura! [382].

Per la donna il poeta nutre alti sentimenti e le attribuisce una funzione importante: vedendola egli riprende il gusto per la vita e si sente bene [383] e per tal motivo *Patra Giuanni* vorrebbe tenere la "ciopanara" in un

(...) garavattulu de oru
(...) ma ti tegnu,
Ca' ppe mmia vali cchiù de nu trisoru,
Cchiù de centu paesi e de nu regnu... [384].

La bellezza della "ciopa" potrebbe essere per *Patra Giuanni* un efficace unguento per far guarire le sue ferite prodotte dalla passione d'amore; passione d'amore che è viva nel frate che può benissimo accontentare la ragazza e forse un giorno butterà l'abito alle ortiche e ritornerà ad essere un forte e attraente giovinotto.

I componimenti di questa sezione hanno un ritmo scorrevole e facile che si intreccia alla passione amorosa:

T'arricordi chiddu journu
Cchi ti vitti dintra mara?...
Mi guardavi, mi ridivi
'E luntanu, ciopanara...
Eu, natandu, chianu chianu
Mberu tia mia nda venia,
Cà cuss'occhj 'e calamita
Mi facivi 'a magaria... [385]

Il componimento è un vero e proprio quadretto delizioso a cui l'espressività del dialetto conferisce tocchi di armonia e di leggerezza molto marcati:

Era l'ura (cchi bell'ura!)
Quandu 'u sula si nda mora...
Quandu cchi chiù forta 'a passiona...
Tuppi tuppi [386] fa a lu cora...

T'arricordi?... Era maretta,
Tu de l'unda eri annacata...
A la praja cchi bellezza
Cchi bellezza 'e sapunata [387].

Anche le liriche di *'A simana santa* (*La settimana santa*) sono veri quadretti di vita paesana che rappresentano situazioni e avvenimenti legati a feste solenni delle chiesa come appunto quelle della settimana santa. A tal proposito illuminante è il quinto sonetto dal titolo *Passando 'a naca* (*Passando la culla del bambinello Gesù*). Qui il poeta si fissa a considerare le persone che fanno parte della cerimonia e i suoi occhi si posano sul giovane che porta la croce della penitenza, figlio di mastro Fortunato, e sulla Madonna, bella come un'angioletta, con i suoi capelli biondi e ricci [388]. Le processioni che si fanno durante questa settimana vengono descritte minutamente e in ogni loro particolare. E anche qui coloro i quali portano la croce della penitenza o la madonna sono popolani e popolane.

'A Simana santa è l'ultima sezione poetica di *Tirripitirri*. Essa contiene vari sonetti che ritraggono la vita, un misto di sacro e di profano, della settimana di passione del popolo catanzarese. Il primo di questi sonetti s'intitola *'U precettu* (*Il precetto*) ove si dice di una donna che va a confessare i suoi tanti e gravi peccati a un prete, e questi le dà l'assoluzione a patto di fargli avere *'a cuzzupa*: un dolce pasquale a base di uova:

— Patra, i peccati non sû grossi assai
Cchi Gesù Cristu mancu mi perduna...
Nda poteruva fara na curuna
Chjina de spini e chi non spiccia mai...

Na vota tri cammisi ci arrubaru
A Cuncetta, 'a figghiana, a lu barcuna
Con Rosa 'a Ddeca 'u marti mbrigai.
E ccinda dissi, e ci nda dissi 'ncuna.

E in ultimo parla il prete:

— Va', capiscetti... Tu si propriu cupa...
Ppe ttia ci vonnu tri assoluzioni...
Eu ti perdugnu... Mandami à cuzzupa [389].

Situazioni e scene varie s'annidano in questi vividi sonetti della *Settimana santa* che sono lo specchio fedele di usi e costumi catanzaresi. Ecco ancora un povero vecchietto che spinto dalla fame lecca il piatto oppure un altro poveretto ritratto mentre beve il suo quartino di vino. E son questi umili personaggi gli attori principali del terzo sonetto di

'A Simana santa dal titolo *'A cena* (*La Cena*). Vien ritratta qui la scena degli Apostoli, che son scelti tra le persone più bisognose del paese. Questo rito pasquale ancor oggi è vivo in molti paesi della Calabria. Generalmente il prete sceglie gli apostoli tra le persone più povere. Il sonetto in esame è una descrizione veristica della cena appunto, alla quale partecipano gli apostoli, che son persone di solito vecchie di Catanzaro:

— Guarda e chiddu tignusu — U gangaleddu
Nci gira, Ve', comu rota e' mulinu!...
Ma non c'esta chiss'annu 'u Micareddu...
Dorma, viatu, a n'atra tavulinu!... [390].

Se la ricorrenza del Natale ha dato luogo a canti tutti pervasi di tenerezza, non meno sentiti sono quelli tutta pietà, che ispira la passione: essi si chiamano "laudi" o "razioni" [391] e sono cantati durante la Settimana Santa dal popolo sia in casa sia nelle lunghe processioni al "Calvario", formato da tre grandi croci di legno poste su una collina a poca distanza dall'abitato dei diversi paesi.

La Passione nei suoi vari momenti veniva (anche oggi in alcuni paesi e centri della Calabria è viva questa tradizione) rappresentata e gli attori (Pilato, Anna, Caifas, ecc) erano gente comune, umile [392]. Orbene il migliore componimento di questa raccolta è *'A pigghjata* (*La Cattura*), ovviamente di Cristo. In molti paesi calabresi ancora oggi — come abbiamo già detto — durante la Settimana Santa si rappresenta la passione di Cristo; tale rappresentazione ha vari nomi: *'A pigghjata* appunto o *Giudei*. Gli attori sono — come quelli del Patàri — popolani e popolane. L'inzio della rappresentazione è segnato dalla entrata in scena di "Caifassu" ("Caifas") che entra nel Sinedrio e grida come un dannato:

Gridava: *Chissu è Ddiu non esta figghju;*
Chissu è 'nu pacciu od è 'nu strampalata...
Comu ancora, gnorsì, mi maravigghju
A mmorta non l'avidi cundannatu... [393].

Altro personaggio ben delineato nel suo carattere è Giuda: il brutto traditore: giallo, sottile, che solo a guardarlo mette paura.

'A Pigghjata è la più bella, la più commovente delle rappresentazioni sacre che in molti paesi della Calabria

> si inscenavano nell'aperta campagna, in Calabria e in qualche altra regione d'Italia ed anche all'estero. Notissima è quello che si svolge in Oberammergau in Germania.

'A pigghjata, cioè la presa di Cristo. Gesù è nell'orto a pregare. I discepoli dormono alla grossa. Pietro rinnega il Maestro. Giuda si è venduto agli Ebrei e lo indica ai nemici,

> ai soldati, mentre Egli si accosta e lo bacia: Il Signore è preso, denudato, schiaffeggiato, insultato per esser giudicato e condannato alla morte sulla Croce, e là sul Calvario, muore, tra due ladroni [394].

Alfio Bruzio assistette di persona alla Presa di Cristo che si celebrò in Gagliano, sobborgo di Catanzaro, riportandone la seguente impressione:

> Grande era l'abilità degli attori, per lo più gente di scarsissima cultura, tutta però presa e compresa da vivo sentimento religioso, rifacente a suo modo in qualche punto, la storia della Passione di Gesù, rifazione che, nello studiato disordine, mi sembrò mantenere uno spiccato carattere popolare, così che richiamavano quelle scene al mio orecchio le voci dolci, amorevoli, protettrici di mamma mia, ormai, da tanti e tanti anni ammutite per sempre! [395].

'A Pigghjata del Patàri è un umoristico e non sempre castigato commento alla rappresentazione popolare dell'arresto di Cristo, che era uso farsi nel sobborgo catanzarese. Questa rappresentazione ha uno svolgimento apparentemente diverso dal consueto, per la scena più vasta; in sostanza si restringe ancora in quadretti nei quali il poeta era portato a concentrare la sua attenzione, più che mordace, bonaria e ridanciana. Difatti nella rappresentazione ci sono riferimenti a fatti concreti della

città e talvolta son nominate persone esistite veramente e che nella loro vita si son distinte per alcune qualità positive o per difetti.

Esaminiamo ora il componimento quando i Giudei prendono il Signore e lo legano con corde e catene. Il poeta dice:

> 'U liganu ccu cordi e cu catini,
> Comu si fussi 'natru Petru Bianchi [396],
> Gridànduci: Ccu mmi *hai mai camini!* [397].

Con tocchi realistici il Patàri prosegue a descrivere:

> E l'acchiapparu, 'u spogghiaru a la nuda
> E t' 'u ligaru comu 'nu crapettu,
> Cuminciandu a minara a carna cruda
> Staffilati a li nàtichi e alu pettu... [398].

Anche qui non mancano le descrizioni realistiche. Ecco Pilato: "na paletta a lu ventu 'e ciminera" [399]. Pilato era impersonato da Ignazio Sgromo, un avanzo di galera oppure la Madonna in cerca del figlio viene descritta come una colomba afflitta specialmente

> (...) quandu
> A la cuva cci màncanu i picciuni [400].

Il cireneo è invece impersonato dal figliastro di Giacinto Purverata (Polverata). Si capisce che non essendo attori professionisti immancabilmente qualcosa di stonato doveva pur capitare o succedere. Difatti alcuni attori sbagliano battute e parlano prima che il copione li obbliga a parlare. Naturalmente il suggeritore monta su tutte le furie e grida per evitare disordine e confusione:

> ognuno a lu so' postu,
> Ca stasira si nno, furna 'a cagnara [401].

Gli attori della *Cattura* sono tutti naturalmente del luogo ove si svolge la rappresentazione. Difatti il Signore era "Peppi Pecuraru" (Peppe il percoraio),

'Nu Gesù Cristu propriu naturala,
L'accihomu cchi c'esta a lu Rosaru,
Nu patutu 'e tri misi a lu spitala [402].

La Madonna è impersonata da una donna di Gagliano veramente bella e appetitosa. Essa

A la capu portava na curuna,
E camminava tutta 'ncuntegnusa...
Ccu cchi grazza movìa a la sua persuna,
Né parrandu facìa la gnocculusa... [403].

Alfio Bruzio è uno dei migliori illustratori della vita e dei costumi del popolo calabrese e in particolar modo di quello catanzarese. Come testimoniano i suoi numerosi sonetti dialettali nei quali si nota il suo acuto spirito di osservazione e nel contempo l'amore che nutre per la sua terra, e così centinaia di tipi felicemente colti nella loro vita sfilano nei suoi gustosi sonetti, come in un brillante caleidoscopio, "né manca nei suoi versi la nota del più fine sentimento" [404].

Il poeta fotografa la vita catanzarese in tutte le sue diverse manifestazioni, le personalità più in vista in tutte le loro caratteristiche, i pregiudizi del popolo. Passa in rassegna tutti coloro che per vivere erano costretti ad esercitare le più disperate professioni: dall'acconciombrello all'arrotino, dal venditore di giornali e fiori al mendicante, da chi vendeva i numeri del lotto per guadagnare qualche cosa e sottrarsi così all'umiliazione di tendere la mano, al professore, dall'impiegato al magistrato, al *viveur* che si faceva chiamare marchese ed era talvolta un umile impiegato: tutta una folla di personaggi e non, fissando, poi, attraverso il motteggio e la satire, tracce di parecchie epoche come lo sviluppo e il progresso della città, e criticando l'attività del deputato e dell'amministratore. I suoi personaggi erano conosciutissimi a Catanzaro come quell'Antonio (Totò), un uomo di "naso fine", un vero "politicone" che gestisce bravamente la trattoria, sempre disponibile verso i clienti. Così ancora altro personaggio conosciutissimo nella città è il già citato (come pure Antonio) Saverio *'u Crivaru*, venditore di giornali;

e potremmo ancora citare tanti altri tipi e macchiette come il cavaliere Paliccu, l'ingegnere Santocchiu: persone reali, non figure nate dalla fantasia di *Patra Giuanni* che descrive sempre con la sua penna un pò velenosa non inventando dunque i personaggi. A tal riguardo *Tirripitirri* è una vera rassegna di tutti coloro che esercitano i più disparati mestieri: il barbiere, l'arrotino, il venditore di fiori, il salumiere, il calzolaio, il lustrascarpe; ci son pure i professionisti: l'avvocato, l'ingegnere, il medico, l'alto e umile impiegato, il deputato o l'amministratore, il disoccupato e il fruttivendolo, la sartina, la modista, la cameriera, la balia, la governante; logicamente tutta una folla maldicente, ciarliera, pettegola, vanitosa, che parla, grida, strepita, legifera, e si agita e si muove in mezzo ad un'altra folla di personaggi che ascolta, ride, compiange, biasima. Il Patàri insomma fotografa la vita. Quindi non ci resta anche a noi che avvicinarci a guardare nella *Lanterna magica*. Ecco:

> Chissa cchi passa è donna Rosa 'a Pira,

una donna che cammina seria, con gli occhi bassi, tutta piena di umiltà, e intanto — come già sappiamo — presta soldi ad usura. Da Donna Rosa alla marchesa Forticchia — altro personaggio che già conosciamo —. Alfio Bruzio con il suo

> *Tirripitirri* guarda il mondo e la vita filosoficamente e fissa maschere e volti con sublimi, tocchi di artista. Ci fa scendere in mezzo al popolo. Ce lo presenta nella sua vesta disadorna: fuori nella maschera che gli crea la società; dentro a contatto con la realtà della vita, nella sua più schietta espressione [405].

Effettivamente Alfio Bruzio ci fa conoscere l'essenza della "stirpe" calabrese, e nel contempo anche l'umanità. Ciascuna forma di vita calabrese è fermata, incisa in linee definitive: il sonetto è scultoreo e ricco di scene riprodotte fedelmente anche nella parlata catanzarese. Scene che hanno varie e ben incastrate sequenze tra di loro e che fi fan conoscere situazioni tipiche di una Catanzaro di fine Ottocento inzizio Novecento [406].

I sonetti che compongono il volume *Tirripitirri* son quasi tutti pervasi da una satira pungente che tocca tanti e tanti personaggi che passano come in un

> film dove sono rappresentati quasi tutti i professionisti, quasi tutti gli operai, quasi tutte le caratteristiche dei difetti degli uomini, dipinti con una vivacità di colori e d'una freschezza briosa [407].

Davanti ai nostri occhi passa tutta una schiera di gente che strepita, impreca, uno alla volta ci sfilano davanti vari personaggi che già conosciamo. Il poeta non prende di mira solo le persone impertinenti ma anche gli umili: stessa bilancia e gli stessi pesi di cui si serve per la pesatura del conte, del barone, del marchese e di don Ciccio: egli li adopera senza umani riguardi, per il barbiere, il sarto, il lustrascarpe, l'erbivendola.

Leggendo *Tirripitirri* si ha netta l'impressione di assistere a una specie di giudizio universale dove grandi e piccoli, uomini e donne, nobili e plebei, si sentono mostrati e pubblicati i loro peccati. A ciò si aggiunga anche la considerazione che le sue poesie mostrano quindi una realtà ormai sorpassata. Difatti la grande guerra mondiale ha apportato anche in Calabria varie e consistenti trasformazioni e ha mutato i valori morali, intellettuali ed economici delle masse. A ciò s'aggiunga il fatto che

> il terzo stato tende ad equipararsi al secondo e forse a sorpassarlo. L'unità monetaria, nella forma e nella sostanza, si è radicalmente trasformata. Perfino nelle sue manifestazioni erotiche, il popolo, e non il calabrese soltanto, è affatto diverso [408]

Gli economisti ''grandi'' e ''piccinini'' ''piagnucolano, discutendo di aride cifre''. La vita è completamente mutata, e di ciò il poeta ha profonda coscienza alloquando nella *Prefazione* a Tirripitirri annota:

> (...) oggi si viaggia non più come ieri. Si viaggia, si gode, si spende. L'umile operaio non c'è più. E nemmeno la ragazza contadina. Tutti vogliono godere la vita, e divertirsi, e mangiare bene, ed avere abiti di seta, e scarpine scamosciate e dalla pelle al corma lucida finissima [409]

Nonostante queste profonde metamorfosi sociali, il poeta si mostra convinto che le sue poesie in

> vernacolo possono andare (...) oggi lo stesso. Non sono, né saranno mai fuori di moda. Gli è che l'anima del nostro popolo, è e rimane, dopo tutto, sempre la stessa, pur attraverso avvenimenti, secoli e generazioni [410].

Catanzaro non ha un popolo che parla spiccatamente il suo dialetto; ha, invece, una moltitudine di persone che lo parla e che, in senso quasi dispregiativo, viene chiamata popolino. E a questo popolino si indirizzò la poesia vernacola di *Patra Giuanni*, descrivendone i suoi difetti e i suoi vizi, dipinti dal vero e che a volte dipinge in modo inimitabile [411]. E allorquando il poeta s'allontana dal popolino e scruta il ceto medio, o le categorie dei professionisti o il mondo degli aristocratici e pseudo tale, allora nei suoi versi serpeggia la satira.

La vita catanzarese di un tempo non ebbe limiti nella manifestazione del poeta. Vi sono delle scene vere, vive, palpitanti, in cui il Patàri fissa i personaggi a suo piacimento. Così avviene per i tre sonetti intitolati *Si mbriganu* (Litigano) [412], *'A Simpatia* [413], *Cuntentizza* [414]. Tutto sommato *Tirripitirri* contiene quadretti a non finire [415], in cui con versi agili, scorrevoli, sono poste in rilievo la vanità, l'invidia, la gelosia, l'amore. All'interno di ogni sonetto della raccolta c'è sempre la voce di *Patra Giuanni* che alla fine non s'accontenta più di vivere di preghiera e passa all'azione: s'innamora di una bella donna, dimenticandosi così della Chiesa e del convento. Egli però osserva, descrive, parodiando anche i suoi personaggi, e dedicando sonetti pieni d'amore alle belle ragazze catanzaresi. Ma in *Tirripitirri* non c'è solo *Patra Giuanni* che osserva e descrive ma anche son presenti i suoi drammi: un amore di cui non si può facilmente dimenticare:

> 'U Chiovu cchi inchiovasti, ciopa, tu,
> Dintra su cora meu, non, non si struda [416].

Ecco sollevato un velo sulla sua vita: è un singulto amaro, una nostalgia affascinante. Da quattro mesi non vede la sua "ciopa" (dolce amica dell'anima) e gli sembrano quattro anni! Ma l'ama ancora intensamente: lo sanno le pareti della sua stanzetta di lavoro in cui la sera si raccoglie muto e pensieroso, e lo sa il cuore che soffre tanto! Ma ormai da quell'amore molto tempo è passato. Ginuzza [417] è morta, e la vita è triste per lui:

Fumandumi a la pippa dui muzzuni,
Arretu i lastri d' 'a finestra mia,
Cu i mani dintra i sacchi de i cazuni,
Eu jettu l'occhj, fora, 'a menza 'a via.

E

Chjova e fa friddu: cchi brutta sirata!
Mina nu ventu siccu 'e tramuntana
Cchi fa tremara ogne mumentu 'a porta.

Ognunu pensa a st'ura a'nnemurata
E' a volera vicina s'è luntana...
Eu penzu attia, Ginuzza, cchi si morta!... [418].

La vita ha il suo sopravvento però anche dinanzi a questo dolore. Tuttavia gli anni passano, mentre, al profumo di tante rose e di tanti fiori il mese di maggio torna. S'avverte che torna al cuore la giovinezza, e l'anima ha voglia d'amare, sognare, sperare, credere ancora.

È un'illusione che ha un amaro risveglio:

E torna maju e spampina...

Per un momento si ritorna a sperare o a credere o a sperare che ella gli sorrida una volta; a credere ch'ella possa amarlo una volta. Solo illusioni. La realtà è diversa: fredda e tagliente come una lama d'acciaio.

In *Tirripitirri* risalta anche però un altro dato macroscopico: il rimpianto del poeta per il buon tempo antico, per le usanze di una volta ormai scomparse, e ricordanto le feste popolari in cui saltavano i bambini dall'alba alla sera, e al suono della piva si ballava la tarantella, riflette e diventa triste, e il suo pensiero corre a una lirica in dialetto di un suo carissimo amico: il poeta Michele Pane, autore, come ben si sa, de *I tùmbari* (*Tamburi*):

'A tantu tiempu mo nun ce vennunu
Chiù li tùmbari, sû disusati...

E il Patàri commenta amaramente:

> Già, non già oggi feste popolari; non sono di moda; il progresso le ha distrutte; altri tempi, altri usi; ora lecchiamo il gelido cono; ed è tanto piacevole stare al cinema, gli occhi fissi allo schermo... e... [419].

A parte la monotonia di alcune immagini (già indicata prima) esse son sempre nuove e presentate con un dialetto veramente espressivo:

I palumbi non nesciuni cchiù fora,
Si stannu ammasunati dintra 'a tana
Cu' sa? pur iddi sû malati, 'e cora
Si chiova forta e mina 'a tramuntana!... [420].

Espressività che s'avverte a tutti i livelli: nelle singole parole, nelle metafore, nelle allegorie, nell'uso dei verbi: *magara* (per donna attaccabrighe e portata al male); *civettuna* (ragazza che dà confidenza a tutti gli uomini e le piace essere corteggiata) oppure l'uso del verbo *impirunarsi* che equivale a darsi arie, contegno; solo per fare alcuni esempi.

Il Patàri riproduce fedelmente il dialetto catanzarese [421] che rispecchia fedelmente la vita, la cultura, le esperienze dei vari personaggi delineati [422]. Egli eleva il dialetto a forme artistiche: lo forgia a suo piacimento, l'obbliga ad ubbidirgli, lo rende vena schietta, limpida, spontanea, scintillante e sgorgante, attraverso la scorrevolezza del verso, sfatando così la credenza che il dialetto non possa raggiungere l'efficacia ed il valore artistico cui arriva il linguaggio popolare.

È ben noto che la poesia popolare e dialettale [423] ha avuto in Calabria una grande fioritura nei vari paesi. Così Alfio Bruzio parlando dei paesi, e in questo caso di Gimigliano (provincia di Catanzaro) appunta la sua attenzione sulla poesia popolare di questo paese e su un umile bovaro analfabeta: Nicola Scozza, soprannominato *Piterinu*. Egli dettava originali poesie d'amore, politiche, satiriche, tra cui è rimasta popolarissima quella dal titolo *'A storia d'o Governu* (*La Storia del Governo*), in ottave armoniose ed impeccabili, nella semplicità del ritmo e del pensiero. A questo punto citiamo alcuni rispetti d'amore ricchi di varie immagini e contrasti:

A mare, a mare lu hjumu currente...
Lieviti, bella, cchi nu duormi mai...
Megghju 'na giuvinella senza nente,
E nno 'na brutta ccu dinari assai...
La bella ti la guodi ecu la gente...
E di la brutta cchi d'onura nd'hai?
La rroba si la lievanu li viente,
E chilla brutta sempra'n casa l'hai [424].

Ecco quest'altra ottava:

Affaccia 'e sa finestra amara
Sienti lu miu cantu appassionatu
Chi t'ama e ti vué bena sta di fora,
Fa nu campara miseru e penatu...
Bella, si mi canusci a la palora
'N dicu ca de mia'on ti hai scurdata,
Ca, su amanti e su fidila ancora,
Criju ca nun mi aviti abandunatu!... [425].

Ottava semplice ma meravigliosa nell'espressiva chiusa il verso: "Crju ca nun m'aviti abbandunatu!". L'umile poeta nell'impeto della passionalità dubbiosa, non più parla alla sua bella dandole del *tu*, ma adopera il *voi* che

> in Calabria si dà alle persone di riguardo ed è indice di rispetto e di devozione [426].

Oltre a *Tirripitirri*, Alfio Bruzio è autore di un'altra silloge poetica in dialetto (apparsa postuma) intitolata *'A Lanterna magica* che raccoglie poesie del secondo periodo patariano. Nella *Prefazione* che è — come al solito dell'A., leggiamo:

> Come non avevo più scritto nel vernacolo della mia Catanzaro dal 1905 al 1926, così continuai a non farne dal 1926 al settembre del 1943; cioè fino a quando non venne il famoso armistizio tra il governo d'Italia e quello d'Inghilterra... [427].

Comunque dopo il settembre del 1943 il Patàri "nauseato" riprese a poetare — come dice lui stesso — all'"acido prussico" per cui ha ragione di scrivere nella *Prefazione 'A Lanterna magica* che

> certo molti, o pochi non importa, ascoltandomi o leggendomi, non possono rimanere contenti. Saranno toccati dai nuovi versi e talvolta in malo modo, all'acido prussico.

A prescindere da ciò, dopo la caduta del fascismo, a distanza di circa quarant'anni da quando aveva abbandonato la musa vernacola egli fu preso dal desiderio di tornare a scrivere versi in dialetto e preparò un volume di oltre 200 sonetti che non ebbe il tempo di pubblicare perché nel frattempo morì. Il volume tuttavia nel 1950 vide la luce a cura della sorella, sotto il titolo, dato dall'autore stesso, *'A Lanterna magica* appunto [428]. Accanto ai due volumi di poesie dialettali dobbiamo ricordare anche di Alfio Bruzio le poesie in lingua italiana: *Bolle di sapone*, *Crisantemi*, la canzone *Accanto a Roma*.

Con *Le Bolle di sapone* Alfio Bruzio si mostra di non essere un "crepuscolare" o uno scapigliato, o un futurista, un decadente, un'"ermetico". Egli scrive queste liriche col cuore, così come il cuore gli va dettando i suoi componimenti. E questo sin da quando nel 1890 dette in Napoli, editore Antonio Pagani, i suoi primi versi. E proprio Giovanni Bovio, cui aveva fatto omaggio del volume, gli scriveva:

> Voi sapete che non ho tempo di leggere poesie, ma che voglio un gran bene ai giovani che cominciano poetando, perché essi daranno assai

più di quelli che cominciano criticando. Non c'è nel vostro verso la ricerca del nuovo, c'è la nota del cuore che fa il poeta. Al resto provvederà lo studio [429].

Il cuore del Patàri è anche nei sonetti dal titolo *Crisantemi*. In questi sonetti c'è anche il ricordo di tempi dolorosi della prima giovinezza del poeta [430], che in un primo momento credeva che

(...) fosse un paradiso
questo mondo di perfidi e di sciocchi [431].

In fondo — e ciò lo dice con estrema rassegnazione — il mondo sarà sempre lo stesso, e tutti gridano:

(...) *libertà... progresso*(...)... [432].

Accanto a Roma, canzone tradotta in lingua spagnola da Francisco Diaz Playa con altre sue poesie in vernacolo, apparve nel 1895 [433]. Si tratta di un inno vero e proprio che esalta la libertà di Roma:

Non più la lupa in ferri ceppi avvinta
Giace nel Vaticano,
Ne' da i cancelli in cui l'avean costretta
Veglia fremendo su la grande Estinta:
Libera il passo affretta
Dal Tebro al Campidoglio.
Mandano i lampi de l'antico orgoglio
Gli occhioni rossi al par de la saetta,
E, come pria, le sanne cadute
Omai le son cresciute...
Libera va, che la sua Roma è sorta
A vita nuova ed a vigor novello
L'altero capo la divina Morta
Ha sollevato dal dischiuso avello [434].

La storia di Roma viene ripercorsa dal poeta nel pensiero mentre guarda i suoi monumenti, le sue strade, i suoi eroi:

Io guardo... e mi affacciano a la mente
col galoppo di rapidi cavalli
E trionfi e sventure...
Le prime lotte de l'Urbe nascente
(...)
Mi passano... Monarchi e Dittatori
E consoli e Tribuni,
Le stragi di codardi imperatori,
Le nobili rivolte de li oppressi;
Ne l'ampia arena par che senta l'eco
Tuttor de i forti gladiator morenti [435].

Poi passa a delineare la civiltà cristiana di Roma: Lino, Anacleto, e accanto a questo periodo c'è poi quello più propriamente storico: "l'alma romana" di Pier Capponi e di Garibaldi in un secondo tempo:

Cuor di lione e d'aquila lo sguardo
Il primo de i gagliardi è Garibaldi.
Il suo cavallo, ardimentoso e bello,
Passa, acclamato, il grande Emanuello [436].

Naturalmente in questa rievocazione storica non può mancare la breccia di Porta Pia. Ma la storia dell'"Aquila latina" scrisse altre pagine gloriose, riferendosi, ad esempio, a Dogali, e quindi

La nostra itala stella...
Splende su l'Alpi... tutte nostre alfine?
E di lauri immortali una corona
Posa di Roma sul fluente crine...
E risorta così la gran Sepolta
Torna regina per la terza volta!...

Fin qui l'attività poetica patariana. Orbene, arrivati a questo punto prima di parlare di quella letteraria — è necessario soffermarsi sul Patàri poeta dialettale e segnalare alcuni giudizi critici sulle sue raccolte in vernacolo.

Giovanni Patàri, amico del Martini e del Graf, del Carducci, del Pascoli, è stato un nome (non solo a Catanzaro) per la sua attività poetica ma anche per la sua opera giornalistica che prese soprattutto ad oggetto di innumerevoli articoli, buttati giù alla lesta l'amatissima Calabria [437].

Doveva, però più tardi raggiungere la popolarità ed il plauso maggiore nella poesia in vernacolo catanzarese. Essa s'iniziò col sonetto *I muzzuni* (*Le cicche*: ovviamente quelle delle sigarette), e il sonetto gli valse l'amicizia di Giuseppe Chiarini, Arturo Graf e Tullo Massarani [438].

Il poeta catanzarese si colloca tra i due maggiori poeti dell'Ottocento calabrese (Padula e Ammirà) e i due più famosi e autentici lirici del Novecento calabrese: Michele Pane e Vittorio Butera [439]. Giustamente il Cimino colloca il Patàri nel terzo periodo della poesia dialettale calabrese, caratterizzato dal "predominio" della poesia lirica e dell'abbandono totale della mania delle traduzioni anche se permane il gusto per il faceto ed il satirico (si pensi ai due poeti cosentini Antonio Chiappetta e De Marco, e al già ricordato Pietro Milone), e si afferma sempre costantemente la lirica amorosa pervasa di nostalgia (Michele Pane), del rimpianto per la giovinezza lontana e trascorsa (Butera) [440]. Ma si afferma anche, si sviluppa e prende forma anche la tendenza sociale con i poeti De Nava, Sema, Franco e molti altri [441]; accanto a questi ci son quelli i cui componimenti son potentemente pittorici, tra cui il Patàri medesimo,

> che ha dato un grande impulso alla letteratura dialettale sia con un settimanale (...) sia con la raccolta di circa trecento sonetti (...), in cui il pretto ed ingrato dialetto catanzarese è molto ingentilito dall'arte del poeta. Poesia di grande freschezza (...) e di viva potenza pittorica [442].

Anche il Gambino — e siamo d'accordo con lui e anche col Cimino — riconosce al Patàri una "fresca vena" e una "rara potenza pittorica",

> perché ogni sonetto è un acquarello, e tutta la raccolta risulta una galleria di personaggi e di scenette popolari ora romantiche, ora (giustamente) gustosamente allegoriche o caricaturali, pure se qualche volta, per stemperare i propri colori, egli, confessa, usò l'acido prussico [443].

Alla fine del 1905 la poesia vernacola di Giovanni Patàri tacque per lunghi decenni. Il poeta rivolse la sua attenzione alla storia e al paesaggio calabrese col desiderio di farlo conoscere a un pubblico più vasto di quello a cui aveva presentato alcuni aspetti della vita calabrese attraverso il foglio settimanale redatto nella parlata del popolo. E nel 1925 pubblicò, in lingua italiana, *Terra di Calabria* [444] che ebbe due edizioni e un grande successo. L'opera dedicata ad Antonino Anile [445] presenta visite e ricordi del poeta legati a vari paesi calabresi: l'"impervia" Savelli (in provincia di Catanzaro); la "misteriosa Sila" [446]; Stalettì (in provincia di Reggio) "Carbonara", e tanti altri paesi delle tre province. La descrizione di questi paesi è vivace, minuta, ben curata:

> Le vie e le viuzze sono popolatissime. È giorno di festa. Le donne vociano a frotte più degli uomini. Sono donne vigorose aitanti, originali nell'abbigliamento: caratteristiche le trecce péndule sulle guance rosee e paffute; il corpetto di velluto nero frena le mammelle esuberanti; la gonna di fustagno, dalle cento piegature rigate, comprime, quando elleno si muovono, l'ondeggiare delle anche, poderose e muscolose [447].

Qui, a San Giovanni in Fiore (provincia di Cosenza) l'abate Gioacchino fondò — come è notissimo — il suo primo convento, sul colle del Fiore; la chiesa fu dedicata a San Giovanni appunto.

Il Patàri ha girato in lungo e in largo le tre province calabresi, e mostra di conoscerle minutamente, osservandone bene i vari aspetti, ed ricordandone pure il passato. E quindi da ciò nascono le mature riflessioni, l'impressione colta a volo, le analogie o i cruciali contrasti tra la sua epoca e i tempi passati: ciò conferisce piena vita alle sue pagine, e lo stile è tutto originale, personale. Perciò il libro si presenta snello, e non ha la fisionomia del grave andamento del trattato o della disquisizione ma, somigliando ad una galleria di quadri, può lasciarsi e riprendersi a piacere e quindi si legge senza fatica anzi, con vivo diletto. Ed ecco apparire "Nicastro operosa"; Guardavalle, ove nacque il cordinal Sirleto [448]; Soverato, e poi Reggio "la città distrutta" dal terremoto del 1908, e in seguito "risorta"; e ancora altri paesi: Gimigniano [449]: Gagliano (il nido delle belle pacchiane); Corigliano [450].

Abbiamo già fatto cenno a Reggio e al terremoto, e il poeta della sua Calabria descrive anche le calamità: appunto Reggio [451], distrutta — come è noto — dal terribile terremoto [452] del 28 dicembre 1908 [453]:

> Il cielo è scuro sempre e la pioggia continua. Perfino lungo il binario, troviamo cadaveri nudi, i pugni chiusi, quasi maledicendo il destino. Il cadavere di una donna giovanissima, bellissima, è sulla spiaggia; l'infelice è nuda; a pochi passi da lei, un maiale morto! [454].

E sempre con lo stesso linguaggio chiaro, essenziale, ci rappresenta un'altra scena di dolore:

> I carri ferroviari, i vagoni, sono pieni di feriti e di scampati. Sono lì da tre giorni: il loro aspetto stringe il cuore [455].

Comunque la città risorge: si amplia e la vita ricomincia.

Reggio è la città cantata da molti poeti: da Ibico [457], da Diego Vitrioli [457]; e la sua bellezza suggestiva risalta di più nelle notti serene,

> quando la conca del firmamento cupamente azzurra è tutta trapunta di stelle vividissime, e in basso si specchiano nelle acque tranquille, intorno, e città e paesi, e da presso e da lungi, e di traverso e di rincontro, e formano una fantastica linea interminabile di luci tremolanti.

> Riggiu, si bedda assai
> Ccu stu cielu stiddatu,
> Ccu stu mari incantatu...
> Accussì beddu 'on ti vitti mai...
> C'è 'ndall'arie un profumu 'e gersuminu
> Cchi ti faci sturdiri...
> Riggiu, 'u vogghiu diri
> Tu si tutta un giardinu... [458].

Reggio è anche la città della "Fata Morgana" [459]. Già poeti dissero della Fata Morgana, in ogni tempo. Il Varano e il Pindemonte, ad esempio, ne fermarono in versi, il prodigio incomparabilmente meraviglioso; e nell'impeto lirico della descrizione, pur ne umanizzarono la maliarda velata esistenza. E sulla scia di questi poeti, altri d'ogni regione d'Italia scrissero sullo Fata Morgana:

> dal reggino Ignazio Cumbo [460] al pubblicista infaticato e sempre innamorato della sua Reggio, Luigi Aliquò Lenzi, che serie di nomi non potrei formare e formare, e dire quanto da essi è raccolto in poesia e in leggenda intorno alla Fata che tanto, col suo fantastico incantamento rende il nome della più bella e sventurata città di Calabria [461].

A prescindere da ciò va ancora detto che al risveglio culturale della città (specie in epoca moderna) contribuì Alfonso Frangipane, che, sebbene non nativo di Reggio (ma di Catanzaro (1881), direttore della rivista *Brutium*), ha saputo, pure da vero calabrese, con iniziative varie e diverse rendere questa città un ammirevole centro d'un movimento artistico regionale efficacissimo. Difatti per opera sua, a Reggio, sorse una *Bottega d'Arte*; si pubblicava pure un giornale d'arte battagliero e molto ben fatto, il già ricordato *Brutium* (si pubblica tuttora); la società (*La Bottega dell'Arte*), la *Mattia Preti* [462] riuniva in un fascio letterati ed artisti tra i più noti della Calabria.

Per rimanere ancora in ambito reggino è da dire che è presente pure Palmi "la martire", con la sua periferia quadrata e lesionata, accanto alla quale, si estende la

> Palmi nuova, la Palmi del terremoto, con le cento e cento sue casupole baracche, dalla linea originale... [463].

Più famosa Stilo: la terra di Campanella [464]: gloria non solo della regione ma "d'Italia tutta". Logicamente a Stilo il Patàri posa gli occhi sul monumento dedicato a Campanella e fatto dallo scultore romano Ernesto Gazzeri: il frate sta seduto su di un masso, fermo lo sguardo ai

> lontani orizzonti da lui divinati, il piede destro calpesta i volumi delle dottrine da lui combattute. E gli splende nell'occhio scrutatore il pensiero forte e superbo, sprezzante d'ogni tirannia, intollerante d'ogni impostura... [465].

Dopo Stilo viene Siderno "fulgida e forte!", e altri paesi, questa volta della provincia di Catanzaro. Ma prima di parlare di essi ci sia permesso citare e riferire le pagine che riguardano la città di Catanzaro con il suo giardino pubblico:

l'unica cosa veramente bella ch'è in Catanzaro [466];

giardino costruito da Francesco De Seta, sindaco della città dal 1878 al 1881. Visitato da vari artisti e poeti ne restarono tutti affascinati: il Lenormant e il Bourget lo descrivono meravigliosamente; e Giovanni Pascoli

che lo vide nel giugno 1899 — ed io ne scrissi in Rivista storica calabrese [467], ammirandone il magnifico panorama: la parte alta della città che sembra si svincoli dal colle su cui sorge, e quasi desiosa sempre più d'azzurro e di verde (...) Egli [il Pascoli] non si stancava mai di guardare... E mi disse, ricordo, che già vagheggiava di scrivere un poemetto latino sulla nostra vecchia Bruzia silenziosa e bella... E guardando lontano mi ripeteva, Egli, anima virgiliana, dolcissimi distici suoi" [468].

Aristide Gabelli, visitando Catanzaro *en touriste*, la disse un nido di aquile [469]. In questa città [470] — come un pò in tutta la regione — sorsero le Accademie [471]: quella degli Aggirati che, fondata il 1637 da padre Bonaventura Tomaselli, durò molto tempo. Più tardi, ad iniziativa del Padre domenicano Antonio Lembo, venne fondata nel 1661, una nuova accademia detta degli Agitati. Ebbe vita breve, perché il Lembo, poco dopo, venne chiamato a Napoli, e poi trasferito al Convento di Soriano. Partito lui, l'Accademia si sciolse. Nel 1819, con decreto reale del 3 marzo, sorse la Società letteraria del Cròtalo. Ne fu eletto presidente un certo Pasquale Delaurentis, e segretario perpetuo un tal Rodolfo Guidi. Gli accademici del Cròtalo si rendevano ancor essi, nella loro produzione letteraria, eco dello spirito liberale dei tempi. Non solo, come in altri secoli si scrivevano inni ascetici o mitologici, ma ancora, spesso e volentieri l'argomento patriottico era scintilla di "nobili e liberi sensi". Onde la Società visse poco, perché il governo borbonico, intravedendone l'elemento rivoluzionario la sciolse con decreto dell'anno 1822.

Da quell'anno sino al 1860, non sorse altra associazione letteraria, e risorta, nel 1860, l'Italia ad unità di Stato, si cercò di far rivivere in Catanzaro la vecchia Accademia. Nel 1864, il noto poeta e letterato Domenico Milelli [472] (Conte di Lara) [473] fondò la *Società letteraria Alessandro Poerio*; questa società durò pochi anni, e visse una vita molto battagliera [474].

Ritorneremo in seguito a parlare nuovamente di Catanzaro allorquando esamineremo un'altra opera del Patàri: *Catanzaro d'altri tempi*. Per ora — restando sempre in *Terra di Calabria* — passiamo a considerare il giudizio e le pagine del giornalista catanzarese dato sui vari paesi calabresi della provincia di Catanzaro prima e di Cosenza dopo. Tra i primi ricordiamo Verzino e Strongoli. A Verzino le donne

> vanno leste per le viuzze sporche del paese. Sono donne cui il lavoro non pesa. E vanno forti e aitanti nella vigorosa persona. E portano barili d'acqua e portano legna e portano sacchi di legumi e di farinacei sulla testa che sta diritta sul collo muscoloso [475].

Strongoli, l'antica Petelìa, dove sorge nelle vicinanze di "questa ora povera Strongoli", ha dato i natali al poeta Biagio Miraglia [476] e a Leonardo Vinci [477], contemporaneo ed emulo — quest'ultimo — del "divino" Pergolesi. E ancora altri paesi catanzaresi: Guardavalle che ha dato i natali al Cardinale — già lo abbiamo detto — Sirleto [478]: Crotone [479] e ovviamente Sibari [480], la già anche ricordata "Sila misteriosa". E qui il Patàri non si limita a descrivere solamente i monumenti e i luoghi caratteristici ma anche il suo occhio è rivolto alla storia antica e moderna:

> Crotona [481] era la dotta, Sibari la ricca. Lì, era raffinato il gusto dell'arte; qui, il voluttuoso godimento imperava. A Crotona, il divino pennello di Zeusi trovava ispirazione nel volto e nelle movenze delle belle fanciulle; a Sibari, nell'atto dell'ora fuggente, l'artista incomparabile di Grecia trovava l'oblio dopo le lunghe veglie ansiose e tormentose, inebriandosi in godimenti spasmodicamente voluttuosi. A Crotona, era l'arte, era la sapienza; a Sibari era il godimento, era il piacere... [482].

La Sila appare al poeta come una

> Svizzera ideale (...), una corona d'incanti, una teoria di gaudi, ineffabili, per l'anima... [483].

E per restare ancora nel catanzarese ecco Taverna (non molto distante da Catanzaro), la piccola città; di Taverna, l'antica favolosa, storica *Trischene*, che fu distrutta dal tempo dei Romani, dai Mauri, dai Cretesi, dai Cartaginesi. Questa piccola [484] e silenziosa città diede i natali al grande pittore Mattia Preti.

Dopo Reggio, Catanzaro, e i loro paesi, ora tocca a Cosenza e alla sua provincia, ampiamente descritta con passione dal giornalista catanzarese.

Cosenza "l'Atene della Calabria" [485]. Questa città simboleggia il forte ingegno calabrese; in essa nacquero umanisti e poeti, critici e filosofi sommi. Essa è la patria di Aulo Pirro [486], del pittore Negroni,

> (...) del fisico e matematico Coriolano Martirano [487], dei giuristi Paolo Parini ed Antonio Serra, del poeta Sartorio Quatromani [488], del poliglotta G. B. Vecchietti, del critico Francesco Salfi [489], del criminalista Bernardino Alimena, del maestro insigne di letteratura comparata Bonaventura Zumbini [490], del petrarchista Galeazzo di Tarsia [491], dello statista G. Antonio Palazzi, di Antonio Telesio, oratore sommo e zio di Bernardino Telesio... [492].

E parlando di questa città il Patàri non può non dire dell'Accademia cosentina che sorse, in tempi di servaggio e di oscurantismo, quella appunto gloriosa Accademia che tuttora esiste, e che fu modello a tutta Europa per la scoperta del vero metodo naturale e che porta nella sua arma simbolica il motto: *Donec totum impleat orbem*. Fondatore di quest'accademia fu il già nominato Aulo Giano Parrasio, gentiluomo cosentino, audace iniziatore d'ogni miglioramento culturale, apprezzato e noto scrittore. E con lui la cultura calabrese smetteva la rude veste provinciale e si associava anch'essa al gran moto del Rinascimento e, cominciava così a divenire italiana e nazionale.

L'Accademia ebbe il massimo splendore verso la metà del secolo XVI, per opera del poeta e letterato Pirro Schettino [493].

Per quanto riguarda la provincia cosentina ci basti parlare qui del già menzionato paese di San Giovanni in Fiore, ove l'abate Gioacchino fondò il suo primo convento; la chiesa fu dedicata a San Giovanni, e accanto ad essa sorse il vecchio convento,

> e per quegli androni scuri e fuliginosi, sembra tuttora debba passare, lieve incedendo, pio e cogitabondo, l'umile grande fraticello di Célico, che leggendo nel futuro, si rese famoso per terre lontane, nel secolo suo. Qui, in qualcuna di queste celle, il veggente (...) scrisse le proposizioni magnifiche avverso il blasfemo Pietro Lombardo che gli valsero fama fuori dalla Calabria selvaggia [494].

Altri paesi, altre storie, altre notizie storiche e folcloristiche sempre interessanti che mettono in evidenza il carattere umano e culturale della regione. Ed ecco Paola con il suo santuario di San Francesco; l'antica Rossano [495], patria di papi e di antipapi, di Giovanni XII e di Giovanni XIII. In questo paese, nel duomo magnifico,

> fasciato di finissimi marmi, è superbo cimelio di una epoca gloriosa, il *codex purpureus evangeliorum*, incomparabilmente prezioso'' [496].

Rossano è anche il paese di Nilo, e difatti tra gli alberi secolari, avvolta nel mistero e nell'ombra è

> la piccola chiesa del Patire, dove il vecchio e santo anacoreta Nilo ebbe la mirabile visione: la vergine che gli predisse la sconfitta dei Turchi e la salvezza della sua Rossano... [497].

Con *Terra di Calabria*, Giovanni Patàri si mostra essere un facile espositore, efficace colorista, e ci dà qui un completo panorama della terra di Calabria. E si deve aggiungere che quest'opera fa amare e nel contempo invoglia il lettore a saperne di più sulla Calabria, ricordata e descritta nei suoi luoghi storici, in ogni uomo glorioso del passato: ''Dove fu Sibari'' (ed ecco le squallide rive contristate dalla malaria rianimarsi dell'antica gaudente vita ellenica); ''Da Savelli a San Giovanni in Fiore'' (''e rivedi la piccola schiera eroica dei Bandiera sbarcati alle foci del Neto, salire verso la Sila all'ultimo convegno con la morte"). Insomma ad ogni capitolo risponde una nota intima, sobbalza un mondo risvegliato. La stessa cosa vale per l'altro libro dedicato alla Calabria dal titolo *Per la Calabria*, pubblicato dai discepoli del Patàri. Essi pensarono che il modo migliore di onorare il vecchio ed amato maestro, dopo quarant'anni d'insegnamento lasciava la scuola, era quello di riunire in un volume alcuni tra i suoi più importanti scritti, apparsi in tempi lontani e vicini, su riviste e giornali italiani ed esteri. Quest'opera è costituita da conferenze, articoli, tenute e pubblicati in tempi diversi, dal 1896 al 1933: panorami magistrali dei luoghi più suggestivi della Calabria, profili brevi ma acuti e precisi delle glorie calabresi. I vari personaggi della cultura e della storia calabrese rivivono in tutta la loro operosità nelle pagine patariane. La vita politica e letteraria della Calabria della fine del secolo diciannovesimo è presentata con tocchi felici e con osservazioni originali ed acute. Il Patàri con queste pagine ha inteso esaltare la Calabria e anche l'Italia; esse sono dedicate a quanti e a quante

> discepoli e discepole, ebbi in quarant'anni d'insegnamento — 1893-1933 — nelle RR Scuole medie della mia Catanzaro.

La Calabria qui è vista in relazione ai suoi uomini migliori che si son distinti nelle lettere, nelle arti, nel diritto:

> l'ingegno di noi calabresi è forte come forti sono le nostre rupi [498]

Infatti tra i selvaggi dirupi di Calabria è nato Giuseppe Ciaccio [499], lustro dell'Università di Bologna; lì, Felice Tocco [500], Bonaventura Zumbini,

> il critico più stimato dei nostri tempi [501].

Vengono presentati letterati, artisti insigni di Catanzaro e non: basti ricordare due glorie del R. Liceo Galluppi di Catanzaro: Giuseppe Vincenzo Ciaccio [502], Francesco Acri [503], traduttore dei dialoghi di

Platone; filosofo e umanista, amico del Carducci e del Pascoli; Antonino Anile [504] presentato nella vita nella scienza e nell'arte [505].

Nell'opera *Per la Calabria* c'è anche l'impegno di far conoscere artisti e poeti dimenticati come Pasquale Furgiuele [506] di cui il Patàri lesse le poesie (*La vela*; *Guardo il mare*; *La festa di Dicembre*), quando era ancora studente liceale su consiglio dello studioso Michele Vitale [507].

La poesia del Furgiuele ondeggia tra il Leopardi, il Manzoni, il Carcano, il Grossi, il Prati. Del resto, è da dire, che a questi poeti si ispirano tutti i dilettanti di versi che pure, in Italia, dal 1848 al 1860, ebbero un certo nome nel gran "torneo letterario".

Il Furgiuele era malato fisicamente e psichicamente. La tisi lo rodeva, e gli sembrava che la tomba doveva a lui spalancarsi sul fiore degli anni, sentiva *l'infinita vanità del tutto*.

Altro poeta ingiustamente dimenticato e di stampo diverso dal Furgiuele è Isidoro Gentile [508]. Egli bene può dirsi il Tirteo della Sila. Cospiratore, soldato, martire della indipendenza nazionale, scrisse poesie per gli eroi caduti per la patria. Per il Gentile si può opportunamente ripetere quel che il De Sanctis scrisse per il Settembrini:

> Sereno nel martirio quando l'Italia fu serva, quando la Patria fu libera, nulla volle e nulla chiese [509].

Del Gentile fu il Primo Patàri ad occuparsene nel glorioso *Calabrese* di Cosenza.

L'anima di questo poeta si può compendiare in due parole: *patria ed arte*. Il suo libro *Canti* [510] s'apre con una lirica dove c'è tutto l'entusiasmo e la fede d'un giovine ardente di libertà; mai dispera, chiama infortunio la sconfitta ed "arrota" le armi per tempi migliori come si può scorgere leggendo alcune sue liriche patriottiche e rivoluzionarie: *Il ferito d'Aspromonte* e *Italia, Grecia e Polonia*.

In Calabria pochi si ricordano di questo poeta come di Alfonso Azzinnari, poeta acrese (sett. 1847 - ivi 1866). Tra le sue poesie satiriche spicca il *Filosofo della cicuta*, in cui si nota, come in altri componimenti di tal fatta, un *esprit* tutto originale, tagliente.

Però la forza e l'impegno poetico dell'Azzinari [511] non si mostrano tanto nei componimenti patriottici che sanno di scuola ma nelle strofe erotiche che ci restano:

Ben tu nell'opera intenta
Che a debil donna comparte natura,
O a togliere la lenta
Erba dei fiori con soave cura,
Echeggiar non farai sul caro stuolo
La canzon di chi canta ignoto e solo?

Odi: una mente altera,
Che non vende il suo cuore, a te s'inchina;
E della sua guerriera
Anima solo te pare regina
E tu nella procella
Di sua vita sarai la prima stella [512].

Altro poeta dimenticato in una specie di "limbo de l'arte" è Giuseppe Inglese [513].

Nelle pagine di *Per la Calabria* e nelle conferenza *Vinti e sommersi nella letteratura contemporanea calabrese* il Patàri ci fa conoscere "cavalieri dell'Arte" poco conosciuti ai tempi suoi e anche nei nostri. Grazie agli studi letterari e critici del Patàri possiamo avere notizie e dati su quegli autori. Molti però sono gli scrittori, i poeti, gli artisti di cui non c'è traccia nelle biblioteche. Queste anime grandi di sognatori e di artisti si contentavano di ben "piccolo orizzonte". La "casuccia", il paesello, i torrenti, i monti natii furono tutto il loro mondo. Scrissero versi e novelle, scrissero d'arte e di critica, di storia e di filosofia: ebbene ai loro studi fu premio "dolce e grande" il plauso di pochi intimi amici, il sorriso fascinante di qualche bella fanciulla.

Però per loro l'ambiente calabrese non andava: era necessario sciamare verso Napoli, e qui si imposero subito: dalle colonne dei migliori periodici partenopei si spargevano per tutta Italia i loro articoli di letteratura e di politica, di scienza e di arte, ed i più valorosi mostravano che non aveva torto il Settembrini il quale aveva scritto che "nella nostra Calabria l'ingegno schizza fin dalle pietre" [514]. E tra essi il Patàri ricorda Gregorio Musardi [515], Vincenzo Padula, Francesco Fiorentino [516], Diego Vitrioli, Domenico Mauro, Vincenzo Julia, Luigi Stecchi, Vincenzo Vivaldi, Felice Tocco, Rocco De Zerbi, Vincenzo Gallo Arcuri, Bonaventura Zumbini, il nominato poco fa Giuseppe Inglese, Luigi Palma, Domenico Milelli, Vincenzo e Leopoldo Pagano, Francesco Saverio Arabia [517]. Sono appunto questi autori che hanno onorato e onorano il nome di Calabria. Accanto ad essi sono citati altri: Geniale Vocaturo, Pasquale Guarino, Alessandro Lupinacci, Francesco Pometti [517bis]. Alcuni di questi autori erano amici del Patàri. Difatti altro poeta apprezzato e conosciuto da Alfio Bruzio in Napoli, in una sera piovosa d'inverno, fu Filippo Greco [518], di "Acri pietrosa" e dai "tetti rossi". Filippo Greco a Napoli era visitato dai tanti calabresi amanti delle lettere e della poesia. Il profilo del Greco rivive nei ricordi napoletani del Patàri, allora studente — come già detto — di legge ma

> allora per noi un canto de *Gli eroi della soffitta del poeta* Aurelio Costanzo valeva molto di più e meglio di un articolo di codice civile e penale [519].

Eran tempi in cui giovani ignoti entravano nel gran torneo, con audacia di scrittori provati e martiri, e si discuteva appassionatamente su gli articoli di Ferdinando Martini, di Giuseppe Chiarini, di Carducci, di Olindo Guerrini, di Luigi Lodi, di Adolfo Borgognoni, della Serao. E così quei giovani amavano le lezioni di Giovanni Bovio e preferivano alle lezioni giuridiche di Francesco Scaduto le altre di Bonaventura Zumbini e di Francesco D'Ovidio.

Per ritornare al Greco [520] è da dire che venne letto dal Milelli, e questi lo volle conoscere personalmente, facendone in pubblico un grande elogio.

Nel libro *Per la Calabria* son presenti tantissimi personaggi. Ecco ancora è ricordato il Cardinale Fabrizio Ruffo e la controrivoluzione partenopea del 1799; il latinista già ricordato Diego Vitrioli, il *vecchio mago*, come lo chiamò il Pascoli; Rocco De Zerbi [521], un altro dimenticato, giornalista, parlamentare, scrittore insigne. Nato nel 1843 da modesta famiglia borghese in una "cittaduzza della estrema Calabria" [522], la rivoluzione del '60 lo trova adolescente, ed egli appena Garibaldi, dopo la vittoriosa conquista della Sicilia, sbarca a Reggio, lascia i banchi di scuola per vestire la camicia rossa e seguire l'eroe.

Fondatore de "Il Piccolo", De Zerbi introdusse la parte letteraria nei giornali periodici politici e "d'allora la novità piacque e, con continuata fortuna, si allargò sempre più, e ne è tuttora, ' pars magna ' e precipua" [523].

Memorabile fu per la forte e varia portata letteraria, la polemica da Rocco De Zerbi sostenuta a lungo sul "Piccolo" col Carducci, a proposito delle prime *Odi Barbare*.

Era Rocco De Zerbi nel pieno urgere delle sue forze fisiche ed intellettuali, quando, a cinquantanni, nel 1893, la bufera politica bancaria, scatenatasi improvvisa in Italia, lo colse e lo travolse. La notizia della fine tragicamente improvvisa di Rocco De Zerbi, diffusa dal telegrafo in tutta Italia produsse immenso stupore misto a sentito cordoglio, e Napoli seguì

> (...) dolorando il feretro del grande pubblicista e dello infortunato uomo politico [524].

E ancora ci son altri personaggi: il giurista Guido Pucci, e tra i maestri d'altri tempi si ricorda don Sante Calabria [525], Giovanni Tancredi [526], Nicola Misasi, scagionato questi dall'accusa "balorda" di aver diffamato, quasi apposta, coi suoi racconti ritraenti drammi passionalmente truci di brigantaggio, la Calabria. L'opera del Misasi non è — continua ad osservare il Patàri — di "denigrazione" ma di "riabilitazione"; ancora l'opera dello scrittore cosentino

> viene a smascherare una turpe leggenda. Misasi ha dimostrato che il nostro brigantaggio è brigantaggio politico [527].

L'eroe del *Senza dimani* [528] è "davvero un eroe" e non un bandito, perché egli cerca di liberare "la patria" dalla dominazione francese. Ed i briganti di Misasi — annota ancora il Patàri — perciò, sono sempre "generosi".

Varie e numerose le sue indagini sulla letteratura calabrese. A tal riguardo ci piace citare una sua conferenza su *Umorismo negli scrittori calabri*, letta all'*Associazione dei Calabresi di Roma*, il 26 marzo 1927 [529]. Egli dopo aver parlato della vita letteraria catanzarese nel XIX, di Domenico Mauro letterato e patriota e dell'opera poetica di Domenico Milelli, discute sull'umorismo [530] presente negli scrittori calabresi. Qui prende le mosse da un glorioso *casale*: Aprigliano, patria di poeti e di scrittori, tra i più noti della Calabria. In questo paese cosentino nacquero Francesco Muti [531], Pirro Schettini [532], Francesco Stefanizzi (questi tradusse in dialetto qualche ode di Orazio e i *Salmi*), Michele Abruzzini [533], Carlo Cosentino [534], Giuseppe ed Ignazio Donato, Liborio Vetere, Giuseppe Gallucci [535] tutti con le loro opere quasi sempre in dialetto, resero la parlata aprigliananese tra le più caratteristiche di Calabria.

Parlando di umorismo si profila subito all'orizzonte il nome del ben conosciuto sacerdote Domenico Piro, meglio noto come *Donnu Pantu* [536]: il più laido e sozzo dei poeti in vernacolo calabrese.

Il Patàri vuole riabilitare il sacerdote e il poeta. In realtà egli non fu un prete sozzo e panciuto, dal tricorno spelato, dalla zimarra verdastra e sdrucita, dalla faccia "rotonda", amico di femmine e vino. La vita di Piro [537] fu assai breve: non visse che trentaquattro anni, e molte poesie, specie quelle pornografiche non sono di lui, ma di altri scrittori apriglianesi, o parenti suoi, o suoi contemporanei.

Donnu Pantu è famoso solamente per le sue poesie erotiche mentre pochi sanno che è anche l'autore — avverte il Patàri — del più arguto, del più umoristico poemetto che possa vantare la letteratura in vernacolo calabrese. Questo poemetto è "'A mbriga de li studenti'": cento ottave in cui è ritratta argutamente la vita studentesca del tempo: s'intende quella del seminario. Il poemetto, pur di due secoli prima, s'avvicina nella concezione alla nota e fortunata commedia, dai martelliani dolcemente sonanti, di Felice Cavallotti: *Il cantico dei cantici* [538]. Merito però del Piro è questo:

> Se con lui s'inizia ai primi del Settecento, la vera e propria poesia dialettale calabrese [539]. Prima di lui ci erano stati, nella nostra regione, traduttori in vernacolo dei più grandi poeti latini e volgari [540].

Dopo il Piro viene ricordato lo zio materno: Ignazio Donato: autore della esilarante faceta novella *Lu gattu*. Questa novella è in ottava, dal semplice intreccio, dall'andamento piano, con passaggi pochi e spiccati.

Dal Donato al Cosentino, anch'egli — come sappiamo già — aprigliánese: Cosentino tradusse in vernacolo *La Gerusalemme liberata* ma è anche autore della farsa *Colambiase*, composizione in versi in cui sono ritratte le misere condizioni della vita calabrese nel secolo decimosettimo. In questa farsa sono mirabilmente dipinte la vita del contadino, del pecoraio, del massaro, del piccolo proprietario, dell'artigiano [541].

Il Patàri intese far conoscere e anche valorizzare la Calabria. Per tal motivo scrisse vari articoli, tenne conferenze che poi diedero vita al volume del '34 *Per la Calabria*, e infine per la sua Catanzaro scrisse appunto *Catanzaro d'altri tempi*, ove non manca — e già l'abbiamo visto — nella poesia dialettale, la descrizione di certe macchiette e tipi della Catanzaro del tempo: il barbiere, ad esempio, *Coddu 'e sugghju* (Domenico Cencio): "una specie di cronaca cittadina ambulante, egli si introduceva in tutte le case, in tutte le famiglie, dalle più ricche alle più squattrinate, dalle più nobili alle più umili. Questo barbatonsore sentiva, osservava, commentava, (...) rapportava, parlando sempre nel suo caratteristico idioma, un misto d'Italiano sgrammaticato e di catanzarese levigato" [542].

Non solo vengono ricordati eroi, aspetti sociali ma macchiette tipiche della Catanzaro degli anni 1870-1920 ma anche poeti, autori, artisti che non si trovano in nessuna storia letteraria e che sono vissuti appartati, poco noti in quanto esercitarono umili mestieri. È il caso del poeta Domenico Citriniti: falegname, chiromante, soldato, prestigiatore, e infine uxoricida. Come poeta ebbe molti ammiratori. Fu

> poeta a getto continuo: fu davvero il poeta della patria in ogni grande occasione e nei momenti d'Italia più luminosi [543].

Le "sue panzane poetiche" le spediva ad illustri personaggi e chiedeva loro "l'obolo" che puntualmente arrivava. Domenico Citriniti per i suoi meriti letterari venne poi nominato portalettere dal direttore

Provinciale delle Poste e Telegrafi di Catanzaro. Egli è figura tipica di poeta che va a caccia di diplomi e di consistenti somme di denaro. Alla "Casa reale" riuscì a "spillare" parecchie centinaia di lire, invece dal Pontefice ebbe solo la non chiesta Apostolica Benedizione.

Catanzaro d'altri tempi [544] è il libro dei ricordi legati, ad esempio, alla calda libreria Mazzuca in cui si incontravano gli intellettuali catanzaresi e non che poi diventarono famosi anche in tutta Italia: il teramano Felice Romani, cultore illustre di studi dialettali, Alfredo Trombetti, che dal suo posto di professore di lingue, umile, ignorato qual era, balzò d'un tratto alla cattedra di letterature comparate dell'Università di Bologna [545].

Interessanti anche le pagine dell'opera dedicate ai giornali e ai giornalisti della città: e qui viene ricordato il più vecchio periodico cittadino, *Il calabro*, fondato e diretto dall'avvocato Vincenzo Cirimele [546], giornale che si può "considerare come l'esponente del partito moderato di quel tempo" [547].

Prima del 1870 si pubblicò il settimanale *La luce calabra*, battagliero periodico diretto dall'avvocato Giuseppe Giampà, giornalista "di fede repubblicana, avvocato, valoroso polemista temutissimo" [548].

Nel 1871 comparve *La Gazzetta calabrese*, diretta da Alfonso De Guzzis ma, nel luglio 1876, questi lasciava di compilarla e ne assumeva la direzione Fabrizio Suriano, di nobile famiglia, spadaccino assai noto.

Aspre polemiche sorsero presto tra il vecchio ed il nuovo periodico, polemiche che, terminano con un duello tra Pietro Rende, redattore capo de *La Verità*, e il Suriano: il Rende ebbe una grave ferita sul viso [549].

Altri giornali ricordati sono il *Corriere calabrese* (1882), diretto da Michele Vitale, *La giovine Calabria* (1901), *Il pensiero contemporaneo* ("magnifica" rivista letteraria, nella quale collaborarono notissimi scrittori; ne fu direttore Antonio Renda); seguono poi *La Calabria letteraria* (1888), fondata e diretta da Domenico Milelli, che presto continuò a stamparla in Cosenza, dov'egli s'era trasferito, e ancora *Il Tramonto* (settimanale diretto da Achille Tesi, che durò dal 1898 al 1906), e tanti altri.

In mezzo a tanti nomi e autori c'è anche posto per il già citato

Vincenzo Morello [550], meglio conosciuto con lo pseudonimo di Rastignac.

In *Catanzaro d'altri tempi* alla letteratura si intreccia anche qualche pagina dedicata al dialetto, studiato nelle sue origini e nelle sue derivazioni dal francese, ad esempio: vere noterelle linguistiche come quella riguardante la parola (*macellare* = *vucceri* = dal francese *baudiene*):

> francesismo importato durante la dominazione dei re napoleonidi Giuseppe Buonaparte e Gioacchino Murat, nel cosiddetto decennio 1805-1815 che si ebbe nel napoletano [551].

E sono di quel tempo altri francesismi dialettali tra cui le parole dialettali *dijunéddi* dal verbo *dejuner*, far colazione; *canterano*, e via dicendo.

Catanzaro è anche la città della seta [552] e dei telai, della biblioteca De' Nobili [553], ed è stata anche la città di Settembrini [554].

Fra i prodotti della seta famosi erano i *fazzoletti di seta*, assai adoperati dagli ecclesiastici, dai medici e da ladri professionisti, mentre le donne di campagna portavano il fazzoletto alla *spicarda*, fatto di calamo e di seta di colori vivaci. Bisogna ancora menzionare le *zagarelle*: nastri di seta tutti di un colore, delle quali si ornavano le pacchiane nei loro *jupponi*.

L'attività letteraria del Patàri è stata multiforme, ed egli fu noto come uno dei più colti ed apprezzati scrittori calabresi contemporanei: giornalista brillante e nel contempo amante di uno stile tutto suo: semplice, schietto, spontaneo. A ciò s'aggiunga il fatto che egli non ha lasciato mai nessuna occasione per valorizzare la sua terra, sconosciuta, dimenticata, calunniata. Con conferenze, con scritti, con articoli, egli ha parlato della Calabria e dei suoi figli illustri, mettendo in evidenza le meraviglie della sua terra, ricordando i "dimenticati", le glorie del passato, portando ai calabresi lontani, oltre l'Oceano, la voce della patria, richiamando, tra i primi, l'attenzione su una regione quasi ignorata, ma generosa e nobile sempre.

Il Patàri ci ha lasciato inoltre

> alcuni contributi notevoli allo studio della letteratura calabrese (...)

collaboratore di varie riviste, e tra esse il Pensiero contemporaneo di Catanzaro, rivista diretta da Antonio Renda e famosa per l'inchiesta nel '900 raccolta in volume, sulla questione meridionale: in questa rivista, nel 1899, il Patàri ha pubblicato un interessante studio su *Politica e letteratura in Calabria, prima del 1860* [555].

Alfio Bruzio se la prende contro quei critici che non capiscono nulla di arte e di poesia:

> Né con melenso critico Giobatta,
> Che muleggiando sta bene in arcione,
> Avviene qui per caso ch'io m'imbatto.
>
> Né il Calabrone, sofo d'ogni vizio,
> dopo ciurlata una colazione,
> I miei sonetti dannerà al supplizio! [556].

Comunque le poesie di Alfio Bruzio e i suoi sonetti, ora arguti e mordaci, ora vivaci,

> e scintillanti, ora mesti ed accorati, oltre ad una cultura ad un gusto non comuni, dimostrano il suo grande, smisurato amore per la Calabria, la sua venerazione per i grandi, che l'hanno onorata, in ogni tempo [557].

NOTE

[1] Catanzaro 15 ottobre 1824 - Bologna 15 giugno 1901. Su di lui v. la voce *Ciaccio Giuseppe Vincenzo* di R. C. Mazzolini, in "Dizionario biografico degli Italiani", 25, Istituto della Enciclopedia italiana, Roma, 1981, pp. 87-88.

[2] Dopo la morte del Patàri, la sorella Caterina raccolse le poesie del secondo periodo (1926-1943) in un volume intitolato "'A lanterna magica" (*La lanterna magica*), che diede alle stampe nel 1950, e venne edito dalla tipografia Bruzia di Catanzaro.

[3] Il Ginnasio-Liceo Galluppi "prima del 1861 era sede dei Padri Scolopi che educavano e istruivano la gioventù rigorosamente e anche a sentimenti patriottici, per quanto i tempi fossero tristi e oscuri. I Padri Scolopi tennero lì sede e scuola dal 1816 al 1861". V. G. PATÀRI (ALFIO BRUZIO), *Catanzaro d'altri tempi (1870-1920)*, Guido Mauro Editore, Catanzaro, 1947, p. 25.

[4] Oggi Vibo Valentia. Qui nacque Vincenzo Ammirà che con i suoi versi dialettali allietava le brigate studentesche. Su questo poeta v. A. PIROMALLI, *Poesia inedita di V. Ammirà*, in *Società e cultura in Calabria — Tra Otto e Novecento*, Editrice Garigliano, Cassino, 1979, pp. 43-65; V. G. GALATI, *Poeti dialettali*, in "Almanacco Calabrese", 1951, pp. 63-69 (si sofferma a parlare più diffusamente, dopo aver accennato a Domenico Piro e a Conia, di Vincenzo Ammirà, il "più popolare della Calabria catanzarese". V. ancora su questo poeta il libro dello stesso Galati dal titolo *Vincenzo Ammirà poeta e patriota calabrese*, Vallecchi, Firenze, 1930. Sul poeta di Monteleone V. ancora l'ottima monografia-antologia di P. TUSCANO, *Letteratura delle regioni d'Italia. Storia e testi* (Collana diretta da Pietro Gibellini e Gianni Oliva) — *Calabria*, Editrice La Scuola, Brescia, 1986, pp. 6, 30, 40,163-168 (con bibliografia).

[5] Acri 1° aprile 1862 — ivi 25 novembre 1891. Poeta romantico calabrese, "di cui si può dire, è l'ultima, e forse, più pura voce". V. P. TUSCANO, *op. cit.*, p. 138. Tra le sue opere ricordiamo: *Liriche e poemetti*. A cura e con prefazione di A. JULIA, in "Giornale di Calabria", febbraio 1925; F. MASTROIANNI, *Filippo Greco l'ultimo dei romantici calabresi*, Pellegrini, Cosenza, 1966.

[6] Scrittore e poeta dotato di facile vena, ha lasciato buoni versi nei quali canta i dolci affetti della famiglia, espressi in una forma elegante e sentita. Egli è autore dei seguenti volumi: *Letteratura calabrese. Vincenzo Padula poeta*, Tip. del Corriere Abruzzese, Teramo, 1893; *Letteratura calabrese — Vincenzo Julia*, Tip. del Corriere Abruzzese, Teramo, 1894. Su G. Vocaturo v. *La Lira Itàlica-Poesiàs de autores italianos contemporanéas puestas en rima castellana é illustradas con retratos y noticias biogràficas per Don Francisco Diaz Plaza*, Impronta De Mariano Galvé Aviño, Barcellona, 1847, p. 52. In questa antologia figura anche Giovanni Patàri (lo studioso spagnolo sottolinea la vigorosa ispirazione del suo *Accanto a Roma*, v. pp.131-132 della citata antologia). Oltre al Patàri e al Vocaturo è presente un altro poeta calabrese di Reggio: Giuseppe Mantica, traduttore di Schiller, Heine, Platen, Goethe; è autore del *Scanderberg*: poema "profondo humoristico", pubblicato nel 1895 con illustrazioni. Il Mantica è pure autore di un volume di Novelle, edito da L. Cappelli (1897). Collaborò a *Nuova Antologia*, *Natura e arte*, *Vita italiana*. Cfr. *La lira Itàlica*, cit., p. 129.

[7] Fu per un sonetto in dialetto, ora disperso, che egli, invece di prendere la via del tribunale e fare le sue comparse in toga per difendere ladri e assassini, prese la via

dell'insegnamento appunto: perché quel sonetto (*I Muzzuni = Le cicche*) ebbe la ventura di cadere sotto gli occhi di Giuseppe Chiarini, Arturo Graf e Guido Mazzoni, i quali divennero amici dell'autore, ammirandone l'ingegno e poi lo proposero come professore presso il ginnasio Galluppi di Catanzaro, ove egli per quarant'anni insegnò (il 3 febbraio 1951 in quel ginnasio gli fu dedicata una lapide con la seguente iscrizione: "Giovanni Patàri, in rime dialettali fresche e gioconde fermò sentimenti, costumanze, idee del popolo catanzarese, e disegnò svelto il profilo storico della Calabria e il paesaggio [...]).

[8] Il Lunatico, lo strampalato. Il periodico era diretto da Raffaele Cotronei (Lellé), poeta molto popolare che fu anche autore di un dizionario calabro. Fra i redattori, oltre al Patàri, vanno ricordati il parroco Michele Cazzipodi (Pica), che pubblicò gustosissime scenette calabresi, e il maestro elementare Antonio Scalese (Ascanio Salente), di Marcellinara, paziente raccoglitore di proverbi calabresi. Cfr. M. LAVECCHIA, *Il dialetto del catanzarese nella poesia popolare e in alcuni poeti d'arte*, Editrice Arti grafiche Abramo, Catanzaro, 1956, p. 194.

Proprio sulle brevi colonne di questo giornaletto in dialetto catanzarese, Alfio Bruzio pubblicava i suoi primi versi in vernacolo. Questo giornale, il cui vero titolo era "'U Strolacu" (1888) (Giornale umoristico dialettale), fu diretto dal 1888 al 1889 dal già ricordato Raffaele Cotronei, ebbe vita breve e fu il primo giornale dialettale calabrese. Pubblicava poesie in vernacolo ed in italiano, novelle e bozzetti, aneddoti, sciarade ed una diffusa cronaca locale.

Per ritornare al Cotronei è da dire che fu anche giornalista molto stimato, e in seguito diresse il quotidiano "Il Sud". Cfr. F. MILITO, *Giornalismo in Calabria tra Ottocento e Novecento (1895-1915)*, Fasano, Cosenza, 1981, p. 251.

Sul giornalismo calabrese v. G. GUERRIERI, *Per la storia del giornalismo calabrese*, in "Brutium", XXIII (1954), n. 9-10; *ID.*, *Per la bibliografia dei periodici calabresi; le schede di Filippo De' Nobili* in "Civiltà di Calabria". *Studi in memoria di Filippo De' Nobili*, a cura di A. Placanica, Framas, Chiaravalle Centrale, 1977, pp. 139-150; M. GRANDINETTI, *Il giornalismo calabrese* dal 1861 al 1900, in "Brutium", LI (1972), n. 3, pp. 15-18.

[9] Monachello o folletto: figura centrale nella "mitologia". Cfr. R. CORSO, *Figure mitiche nel folklore*, in "Almanacco calabrese", 1954, pp. 31-38 (v. specialmente pp. 32-33). *'U Monacheddu* è un folletto stravagante e pazzo, detto anche volgarmente *Fajetta*, e la fantasia popolare lo rappresenta con berretto rosso-azzurro e tavolette leggere appese agli omeri, le quali agitandosi nel suo cammino producono rumore. Cfr. R. LOMBARDI SATRIANI, *Credenze popolari calabresi*, Fratelli De Simone Editori, Napoli, 1951, p. 207.

Come giornale (*'U Monacheddu*) incomincia a pubblicarsi verso il 1903 per la precisione dal 1 febbraio quasi contemporaneamente con il *Fra Nicola* di Cosenza (di questo giornale parleremo in seguito).

Che cosa abbia significato *U' Monacheddu* lo si può subito arguire quando si considera il fatto che tra le testate di Catanzaro è una delle pochissime di cui alla "De' Nobili" si conservano tutte intere le annate. Dal primo numero si qualificò giornale del popolo catanzarese ed usciva ogni domenica: due particolari che lasciano chiaramente intravvedere come ci tenesse veramente a sentirsi la voce di un popolo con cui amava dialogare, interpellandolo, più spesso stuzzicandolo nel giorno certamente più ricco di contatti umani e sociali, qual è la domenica.

Direttore, ed in pratica giornalista permanente ed animatore simpaticissimo ne era stato chiamato un giovane professore del "Galluppi": Giovanni Patàri.

Nella testata un disegno presentava un fraticello con una borsa piena d'oro nella mano sinistra ed una grande penna nella destra, più simile ad una scopa, mentre la luna se la ride. Per le notizie fin qui date e per quelle che daremo in seguito ci siamo serviti di F. MILITO, *art. cit.*, p. 258.

In verità il settimanale sembrava un vero e proprio parlatorio di un convento da cui si prendeva in giro tutto e tutti, con un'aria scanzonata, ma non offensiva. Per tal motivo ognuno dei collaboratori si firmava con uno pseudonimo dell'anagrafe monacale: *Patra Giuanni*, *Fra Galdino*, *U Picozzu* (il Patàri medesimo), *Patra Cola*, *Fra Franciscu* (il ragioniere Francesco Pedullà), *Fra Peppi* (l'avvocato Giuseppe Casalinuovo), *Patra Segrè* (Sebastiano Gullo), *Nu novizzu*, *Petru u' Remita* (Pietro l'Eremita: in realtà Pietro de' Marchesi de Riso), *Fra Roccu* (Arturo Peronacci), *Fra Galdino* (Renato La Valle), ed anche una suora, *Suor Anna*, che altri non era che la signorina Nina Mazariti, esempio raro se non unico della presenza di una donna tra i collaboratori del giornale della Catanzaro di questi anni (inizio del '900). Comunque il settimanale faceva leva — e se la sapeva davvero meritare ed incrementare — sulla collaborazione del pubblico cittadino da cui continuamente attingeva i fondi per la pubblicazione e per questo motivo guardava avanti con fiducia.

Fra Galdino nella rubrica *La Tabbacchiera* trattava notizie d'esclusivo interesse delle lettrici, mentre sull'esempio dei grandi giornali quotidiani si pubblicava una *corrispondenza amorosa* sicché, premette il giornale, "ognuno può corrispondere segretamente in tal modo con la sua fidanzata o innamorata e viceversa. Non occorre scrivere la propria firma, basta scegliere uno pseudonimo per firmare ed indirizzare la corrispondenza". Inoltre largo spazio veniva dato alla pubblicità commerciale: "la réclame fatta sul *Monacheddu* è la più utile, la più economica, la più conveniente. *'U Monacheddu* è il giornale cittadino più letto e più diffuso...". Ma il settimanale è anche un'autentica antologia di poesie in vernacolo, la cui lettura si rivela ancor oggi fresca ed in più di un caso piena di trasporto, come in alcune liriche patariane — che esamineremo dopo — dedicate alla Madonna e in quelle appassionate e struggenti sulla Passione del Signore, come *'A Simana Santa* (*La Settimana Santa*) e *'A Pigghiata* (*La cattura*).

'U Monacheddu fa divertire il popolo, lo fa ridere, e entra in ogni casa: nel superbo palazzo del ricco e nella casa umile del povero. Fa chiasso ovunque — quasi sempre è apportatore di gioia e di bene. È caro ai fanciulli, lui fa sognare cose bellissime; è ricercato dalle donne che lo considerano un genio per loro affettuoso.

'U Monacheddu ha avuto varie edizioni e diversi titoli: *'U Monacheddu faccia letterata* (*Il monacello faccia letterata*) (1912) (giornale umoristico pupazzato); *'U monacheddu trastulanta* (con simpatie socialiste e beffarde verso l'Amministrazione comunale di Catanzaro); *'U monacheddu cantatura* (*Monachello Cantatore*) (1913); *'U monacheddu missionara*; *'U monacheddu resuscitatu*, quest'ultimo giornale italo-dialettale del popolo catanzarese.

Per gli altri giornali simili a *'U Monacheddu* per spirito e impostazione v. F. MILITO, *Giornali dal 1910 al 1915, in Giornalismo a Catanzaro. A cavallo dei due secoli (1895-1915)*, cit., p. 262.

10 Citiamo insieme opere poetiche, narrative e letterarie: *I nuovi sonetti*, Napoli, Pagani, 1890; *Un poeta* (*G. A. Costanzo*), Trani, Vecchi, 1892; *Sonetti intimi*, Teramo,

Rivista Abruzzese, 1893; *Crisantemi*. Versi, Trani, Vecchi, 1897; *L'opera poetica di D. Milelli*, Cosenza, tip. Cronaca di Calabria, 1912; *La scuola di Calabria* ivi, 1928; *Catanzaro nido di aquile*, Milano, Sonzogno, 1927; *Napoleone e Murat*, Catanzaro, tip. la Giovane Calabria, 1928; *Italia! Italia! Antologia per le scuole medie*, Catanzaro, Mauro, 1929 (II edizione in collaborazione con Giulio Aromele, ivi, 1934); *Per la Calabria. Rievocazioni e rivendicazioni*, ivi, 1934; *Catanzaro d'altri tempi*, Catanzaro, Mauro, 1927. Opere postume: *Tra carte e ricordi*, Catanzaro, tip. Bruzia, 1950 (opera che racchiude in vari capitoli pagine giornalistiche su uomini illustri calabresi, figure ed eventi caratteristici della vita della Catanzaro dell'800. Cfr. M. BONETTI, *Contributo per una bibliografia storica calabrese* (1945-1964), Cosenza, Editrice Mit, 1968, p. 251); *La città dei sogni — Poemetto*, Catanzaro, tip. Bruzia, 1950; *Bolle di sapone — Sonetti*, ivi, 1950; *'A lanterna magica — Nuovi e ultimi versi in dialetto*, ivi, 1950. Altre sue opere sono: *Terra di Calabria. Paesi e paesaggi*, Catanzaro, Mauro, 1925 (IIª e IIIª edizione rispettivamente 1926-1931, sempre Catanzaro, Mauro); *Cosenza — Atene della Calabria*, Milano, Sonzogno, 1927; *Reggio Calabria — La città della fata Morgana*, ivi, 1927 (Cfr. D. TOPA, *Calabria e calabresi (Contributo bibliografico)*, Palmi, A. Genovesi e figli, 1937, p. 60); *Vinti e sommersi — Letteratura calabrese contemporanea — Conferenza*, Catanzaro, G. Caliò, 1896; *Tirripitirri — Poesie in vernacolo catanzarese*, Catanzaro, Mauro, 1926; e possiamo ancora citare altri titoli di opere poetiche e di saggistica letteraria: *Sul Rinaldo del Tasso. Note e critiche*, Trani, Vecchi, 1893; *Crisantemi* — Con una lettera di Edmondo De Amicis, ivi, 1897; *Accademia e vita letteraria in Catanzaro prima del 1860*, ivi, Tip. "Il Calabro", 1904; *Politica e letteratura in Calabria dal 1830 al 1860*, ivi, 1904; *L'Isonzo ed il suo poeta*, Cittanuova, ediz. Alteri, 1928; *Cosenza Catanzaro Reggio Calabria. Monografie illustrate*, Milano, ediz. Sonzogno, 1928; *Lo scultore Francesco Jerace*, Reggio Calabria, tip. Fata Morgana, 1930; *Il Trilussa di Calabria: Vittorio Butera*, in "Brutium", anno XXIV, serie IV — 1945, n. 5-6 sett. ottobre; Il sonetto *Accanto a Roma*, Italia, 1895; *Critiche e polemiche boccaccesche* (Appunti di storia letteraria), Trani, Vecchi, 1894 (studio dedicato al padre Giacomo) e poi pubblicato dalla "Rassegna pugliese", anno XI; questo studio come quello riguardante il Tasso riscosse unanimi consensi dalla critica: "Ferruccio", anno XVIII, n. 35 (Reggio Calabria); "Rivista Italiana", anno XXIII, n. 1; "L'Ateneo Italiano", anno XVIII, n. 10 serie II (Roma); *Sonetti intimi* (in collaborazione con G. Vocaturo), Teramo, Tip. Rivista Abruzzese, 1893; *Falus et umbra* (versi), Roma, Voghera, 1895; *Sonetti calabresi*, Catanzaro, tip. del Sud, 1895; *La poesia dialettale in Calabria (Studio critico)*, Trani, Vecchi, 1895; il già nominato *L'Isonzo ed il suo poeta*, cit. (e qui richiamato per segnalare che è uno studio critico sulla poesia del tenente medico Andrea Ciaccio, morto in Roma nell'aprile del 1928, V. D. ZANGARI, *Anonimi, pseudonimi eteromini — Scrittori calabresi di opere attinenti alla storia letteraria delle Calabrie*, Napoli, Ediz. "La Cultura Calabrese", MDCCCCXXX, p. 80); *Luigi Siciliani*, in "Cronaca di Calabria" del 31 dicembre 1938; *Ugo Ortona, pittore e xilografo*, in "Il Rinnovamento", Catanzaro, 17 agosto 1946; *Un innamorato della terra nativa: Francesco Grillo*, in "Il Rinnovamento", Catanzaro, 27 agosto 1947; *Un libro su Gioacchino Fiore*, in "Cronaca di Calabria", XLVIII (1942), n. 89; "La Calabria" *di Alfonso Frangipane*, in "La Giovine Calabria", XXVI (1929), n. 19 del 18 maggio; *La morte di Cesare Sinopoli*, in "Cronaca di Calabria" del 3 ottobre 1935; *Lettere di Francesco Jerace ed Alfio Bruzio*, in "Cronaca di Calabria" del 30 gennaio 1937 (cenni su D. Mauro, sulla statua di S. Paolo di Jerace, sul volume *Bellezza e verità delle cose* di Antonino Anile); *È morto Francesco Jerace*, in "Cronaca di Calabria" del 21 gennaio 1937; *Gente di Calabria: Achille Martelli*, in "La Tribuna" del 22 novembre 1938; *Gente di Calabria: O. C. Mandalari*, in "Cronaca di Calabria" dell'8 febbraio 1938; *I Calabresi nel giornalismo romano: Guido Puccio*, in "La Giovine Calabria", XXVI (1929), 1 marzo; *I Calabresi nella vita e nell'arte*, in "Il Mattino", XXXVIII (1929), n. 56; *Del momento culturale in Calabria*, in "Arte e Natura", Reggio Calabria, II (1930), n. 8-9 (si parla, tra l'altro, di Luigi Aliquò-Lenzi, Corrado Alvaro, Antonino Anile, Aldo Borelli, Giuseppe Casalinuovo, Giovanni Ciravolo, Vincenzo Franco, Vincenzo Gerace, Francesco Maradei, Vincenzo Morello, Michele Pane, Francesco Fiorentino, Francesco Perri, Guido Puccio, Francesco Sofia Alessio); "Briciole letterarie", in "Cronaca di Calabria", X, 1934, n. 42, p. 3 (Rec. a *Briciole letterarie* di G. Capalbo); il sonetto *Calabria*, in "La Rassegna Letteraria", Palmi, III (1931), n. 3; *Calabresi in America — Il poeta M. Pane*, in "Brutium", n. 7-8, anno XXVII, 1948, p. 7.

Su Giovanni Patàri e la sua opera si vedano i seguenti studi: G. VITO GALATI, *Giovanni Patàri*, in "Nosside", a. VI, n. 1, 1927; T. DE LUCA, *La poesia dialettale di G. Patàri*, in "Arte e Natura", Reggio C., n. 8-9, 1930; C. SINOPOLI, *I ricordi di un vecchio professore catanzarese*, in "Il Giornale d'Italia", Roma, 5 gennaio 1935; A. PEDULLÀ-AUDINO, *Un decano del giornalismo calabrese: G. Patàri*, in "La Gazzetta", Messina, 3 ottobre 1935 e in "Cronaca di Calabria", Cosenza 4 ottobre 1935; D. ZAPPONE, *Calabria nostra*, Milano, Bietti, 1969, p. 141 e 188 (viene riportato il componimento *Madonna bedda* (*Madonna bella*); lirica dalle parole semplici, dimesse, che potrebbero essere parole di una donna del popolo tanto sono fruste eppure alate: "Prega, prega ppe nui; prega 'u Signura, / cà nudda cosa a tia Mamma, è negata; / Prega, prega ppe nui quand'esta l'ura / Ppe ma furnimu l'urtima jornata": Prega, prega per noi, prega il Signore, / perché a Te, o Mamma, nessuna cosa ti è negata, / Prega, prega per noi quando sarà l'ora / perché la nostra giornata finisca bene"). Invece il Gambino nella sua antologia riporta due componimenti del Patàri: *Don Deciu* e *'Na brutta sirata* (*Don Decio* e *Una brutta serata*). Cfr. S. GAMBINO, *Antologia della poesia dialettale calabrese*, Catanzaro, 1977, Abramo, p. 157.

11 Per queste e le precedenti notizie biografiche v. LUIGI ALIQUÒ LENZI-F. ALIQUÒ TAVVERRITI, *Gli scrittori calabresi — Dizionario bio-bibliografico* — seconda edizione — vol. VIII (N-Z), Reggio Calabria, Tip. Editrice "Corriere di Reggio", 1955, pp. 71-72.

12 "Arte e Natura", agosto-settembre, 1930.

13 Ed. cit.. Il poemetto fu composto nel 1989 e letto, per la prima volta, al Circolo di Cultura di Catanzaro, il 21 aprile 1902. Importanti per capire lo spirito dell'opera le parole medesime dell'autore: "gli spiriti politici che affiorano qüa e là nel poemetto si riapportano a quel periodo tumultuoso della vita italiana in cui esso fu scritto". V. *Chiarimenti* di Patàri all'ed. cit. dell'opera.

14 "Il cenacolo di quel Vico è stato largamente illustrato da giornalisti calabresi, e per la morte di Antonio Marchese (1933), i grandi quotidiani di America, scritti in Italiano, rievocarono quel nido di arte, affermando che influì sul divenire magnifico della letteratura meridionale odierna". Cfr. *Chiarimenti e note a la città dei sogni*, cit., p. 87.

15 V. *La città dei sogni*, C. III., ed. cit., p. 31.

16 Di Corigliano (1865-1941; i suoi versi migliori sono quelli dialettali). V. per Maradei A. PIROMALLI, *La letteratura calabrese*, Napoli, Guida, 1977, p. 194.

[17] V. *La città dei sogni*, c. II., ed. cit., p. 38.

[18] Autore de *La Repubblica di San Marino* e del famoso *Codice di Diritto e Procedura penale*.

[19] Patriota, pittore egregio, garibaldino. Fu anche Deputato al Parlamento. Nacque e morì a Cortale (provincia di Catanzaro) nel 1913. Autore dei *Pensieri artistici*, Catanzaro, Tip. Maccarone, 1890; tra i suoi numerosi quadri ricordiamo solo "Germanico": quadro storico che ritrae il momento in cui le donne partono dal campo, ed Agrippina coi figli prende commiato da Germanico. La scena è ritratta nelle ore mattutine, quando il sole illumina di viva luce le sole parti alte del campo (su questo quadro v. G. FODERARO, "Germanico" *quadro storico di Andrea Cefaly*, con una tavola illustrata, in "Rivista storica calabrese", anno II, fasc. VIII-IX, Siena, Bernardino, 1894, pp. 137-146).

Al Romanticismo e al Risorgimento aderì l'entusiasta gioventù calabrese che raggiunge Napoli e l'Accademia da cui quei giovani ritorneranno operosissimi artisti come appunto il pittore colto e nobile Andrea Cefaly, autore anche della coloratissima tela del "Bruto che condanna i figli" (1864, Palazzo Provinciale; altri quadri al Museo di Catanzaro ed a Cortale). Cfr. P. APOSTOLITI-A. FRANGIPANE, *L'arte a Catanzaro — Sotto gli auspici dell'Amministrazione provinciale*, Roma, Istituto grafico Tiberino, 1910, p. 17.

Sul pittore Cefaly, v. A. FRANGIPANE, *Andrea Cefaly*, in "Almanacco calabrese", 1954, pp. 107-113 (qui vengono analizzati i quadri "Bruto" e la "Battaglia del Volturno"). Lo studioso fa notare il fatto che Cefaly nell'ultimo quarantennio dell'Ottocento era stato con gli esponenti più importanti della battaglia intellettuale e patriottica in Napoli, accanto a maestri, accostandosi specie a Luigi Zuppetta e a G. Bovio, a P. S. Mancini ed a Arcoleo e F. Fiorentino.

[20] V. *La città dei sogni*, c. II., ed. cit., p. 46.

[21] *Ricordando il maestro Vincenzo Valente*, apparso dapprima in "Corriere di America" di New-York, 15 ottobre 1929, e poi in *Per la Calabria*, cit., pp. 271-276.

[22] Numerose le canzoni da lui musicate. Tra le sue operette segnaliamo: "Pasquita"; "Signorina Capriccio"; "Verigine d'amore", e "I granatieri".

[23] *La città dei sogni*, c. IV., ed. cit., p. 78.

[24] *Ibidem*.

[25] *Chiarimenti e note*, cit., pp. 89-90.

[26] *La città dei sogni*, c. IV., ed. cit., p. 79.

[27] *Ibidem*, c. III., p. 59.

[28] Di Maddaloni; fu professore di Lingue e Letteratura asiatiche nell'Istituto Orientale di Napoli.

[29] Alfredo Arcuno, pedagogista, giornalista.

[30] Nato a Zara, nel 1851, morto a Napoli nel 1926. Pubblicista brillante; poeta, romanziere, autore di melodrammi; diresse in Napoli *Il Corriere del Mattino*.

[31] Questo corsivo, come quelli di prima e gli altri che seguiranno, sono dell'Autore.

[32] Poeta e giornalista napoletano; autore del poemetto *'Mparavise*. Nacque nel 1866, morì nel 1918.

[33] 1850-1922. Per i versi citati v. *La città dei sogni*, c IV., ed. cit., p. 72.

[34] 1865-1916.

[35] *La città dei sogni*, ed. cit., p. 32.

[36] Si tratta del carmelitano scalzo, "vissuto nella prima metà del secolo decimo settimo" che fu "oratore di grande efficacia; si deve a lui, in quel tempo, l'illuminazione pubblica di Napoli. Il governo municipale partenopeo non riusciva nell'intento, perché la teppa non voleva per meglio lavorare che la luce venisse fatta nelle vie e nei vicoli della grande città, e ricorse al Nostro Padre Rocco. Il quale radunò il popolo nella vasta Piazza del Mercato e fece una magnifica predica in cui disse che il famoso brigante Mastrillo era andato, morendo, diritto in *Paradiso*, poiché era stato devotissimo di San Giuseppe, cui accendeva, ogni notte, una lampada in un'icona del padre putativo di Gesù; icona che era nelle vicinanze di casa sua. Dopo di questa predica cominciarono a venire dipinte, qua e là, nei quartieri popolari di Napoli, figure di S. Giuseppe con in basso lampade votive, dovute al forte sentimento religioso, l'illuminazione della grande città cominciò però a poco ad estendersi. Un simulacro, in grandezza naturale, del popolare monaco, è in una sala del Museo di S. Martino". Cfr. *Chiarimenti e note* a *La città dei sogni*, cit., p. 85.

[37] Famoso Pulcinella.

[38] *La città dei sogni*, cit., p. 11 e 13.

[39] Si allude a Ferdinando di Borbone.

[40] *La città dei sogni*, c. 1., p. 13.

[41] Raffaele Trabucco, capitano garibaldino, coinvolto nel processo Orsini, per l'attentato alla vita di Napoleone III., fu "mandato a Cajenna, donde, graziato, tornò il 1861 in Italia. Era nativo di Santa Maria di Capua, e suonava il *corno* nei pubblici teatri. Trascurato per le sue intransigenti idee repubblicane, visse miseramente gli ultimi anni della sua vita, quasi elemosinando. Per lui, Luigi Zuppetta dettò questo distico: "Amò la Patria più del proprio corno / È un premio dai Caini ottenne un corno". Quando Giovanni Bovio lesse questi versi, esclamò: "Mi scusi il maestro (cioè Zuppetta) ma corno e corno fan corna". Cfr. *Chiarimenti e note*, cit., p. 23.

[42] Maggiore garibaldino, cadde nell'ottobre 1860 a Castelmorrone, ove alla testa di 220 uomini, sostenne l'urto di 4900 soldati borbonici.

[43] Corsivo, come pure quelli che seguiranno, dell'Autore.

[44] *La città dei sogni*, c. 1., ed. cit., p. 24.

[45] Il Guarino fu redattore del "Roma" e corrispondente da Napoli del "Messaggero". Repubblicano, si distinse nella epidemia del 1884 per l'assistenza ai calabresi. Era nato a Crotone; per le sue idee politiche fu imprigionato più volte; egli è autore di alcune novelle di carattere carcerario dal titolo *Sole a scacchi*.

[46] *La città dei sogni*, c. 1., cit., p. 25.

[47] Vasta è la sua produzione di poesie in vernacolo ed in italiano, per cui fu caro a Carducci e Pascoli, De Amicis ed Enrico Panzacchi, Ferdinando Russo e Giuseppe Aurelio Costanzo. Quest'ultimo poeta, molto amato dal Settembrini e dal De Gubernatis, era siciliano di Melilli (l'antica Hibla) (1843). Autore di *Nuovi versi*, egli è poeta degli affetti del cuore. Scrisse una composizione teatrale *I ribelli* e un poema satirico *Gli eroi della soffitta* (1880): vero trionfo della poesia del Costanzo. Altro suo poema *Un'anima*, e il suo canto (impregnato di triste filosofia) dal titolo *Nihil*: grido di un'anima contristata per la ingiustizia universale.

[48] Si presentava come *Gazzetta di Catanzaro. Giornale politico amministrativo letterario commerciale*. Lo aveva fondato l'avvocato Vitaliano Fera. Dopo il Fera prese le

redini del giornale Michele Vitale, grande pubblicista ed allora soltanto il periodico acquistò una sua propria fisionomia e larga e meritata fama. La critica letteraria era affidata a Vincenzo Vivaldi. Sul giornalismo calabrese e catanzarese v. G. MINICUCCI, *Giornalismo calabrese — Giornali di Catanzaro*, in "Cronaca di Calabria", L (1951), nn. 3-4 (23 settembre), 5-6 (30 dicembre).

[49] Corsivo dell'Autore. V. G. PATÀRI (Alfio Bruzio), *Tirripitirri, Poesie in vernacolo catanzarese*, ed. cit., p. VII.

[50] Ma de *'U Strolacu* e del *Cucuveni* la raccolta non si trova nemmeno nella Biblioteca Comunale di Catanzaro; e quella produzione poetica (non facendo allora il Patàri collezione dei suoi versi) andò del tutto perduta.

[51] Altre testate simili sono: *La Sentinella* (1903), *Il Dardo* (1907) e *Giano* (1902) ancorati alla realtà del Circondario catanzarese.

Per quanto riguarda, invece, i periodici calabresi dal 1881 al 1870 v. G. GUERRIERI, *Periodici calabresi (1811-1870)*, in "Almanacco Calabrese", 1956, pp. 35-42.

A Cosenza esisteva contemporaneamente un giornale molto simile a *'U Monacheddu* dal titolo *Fra Nicola*. Infatti il 1 gennaio 1903 usciva a Cosenza il primo numero del *Fra Nicola*. Per la stampa cosentina e quindi per questo settimanale v. G. VALENTE, *Giornalismo a Cosenza. Tra Ottocento e Novecento (1895-1915)*, cit., pp. 19-20.

Il *Fra Nicola* si presenta subito con un programma in versi sotto caricatura monacale. Cfr. G. VALENTE, *Giornalismo a Cosenza*, cit., p. 19. Fra gli altri giornali umoristici sono da menzionare le *Facce toste*, periodico diretto e illustrato da Ciccio Maruca, che in seguito recatosi a Roma divenne notissimo pubblicista e caricaturista; *La Pulce* (già ricordata), fondata da Gaetano Niccoli, scrittore dotato di gran senso giornalistico, oltre che di grande cultura e di eletto umorismo: *'U Cucuveni* (anch'esso già ricordato), e qui dobbiamo dire che il giornale venne stampato da Giulio Borrello; visse però brevissimo tempo. E moltissimi — va aggiunto — sono i periodici che imitarono *'U Monacheddu*, e aggiungendo al titolo primitivo una coda si ebbero: *'U Monacheddu a la cerca*; *'U Monacheddu spatrunatu*; *'U Monacheddu faccitosta*: tutti cercarono di imitare il primitivo *Monacheddu*, e che, compilati da giovani di scarsa ed incerta cultura credevano facile dare alla luce un periodico dialettale umoristico. Logicamente questi *Monacheddu* spurii durarono brevissimamente. E vita brevissima appunto ebbe il *Pietro Aretino*, scritto dalla prima all'ultima parola da Clodimiro De Giorgi; così vide la luce anche *L'Avvenire*, diretto da Giuseppe Paparazzi; organo del partito radicale fu *Vita Calabrese*, un settimanale ben fatto, diretto dall'avvocato Michele Tedeschi, e sempre diretto dallo stesso Tedeschi, fu pure in seguito l'ebdomedario *Il Rinnovamento* di cui fu redattore Raffaele Petrucci e che visse due anni, dal 1919 al 1921.

Di orientamento cattolico furono *La Stella del Jonio* (diretta dal parroco Cozzipodi), e, quando il "Partito popolare" era un auge *Il Popolo*, diretto da G. V. Galati, e poi *Vita Nova*. La rassegna il Patàri la fa terminare con il settimanale *L'Operaio*, compilato da Francesco Frangipane "organizzatore davvero infaticabile dell'artigianato catanzarese". Cfr. G. PATÀRI, *Catanzaro d'altri tempi*, cit., p. 168. Infine il giornalista e poeta Patàri ricorda anche *Il Progresso*, scritto da Giuseppe Crispo, giornale che durò dal 1880 al 1886, e che sostenne aspre polemiche nel campo politico e amministrativo.

[52] V. *Tirripitirri*, ed. cit., p. VI.

[53] Frate mendicante. Si tratta dei pseudonimi di Giovanni Patàri. Infatti nelle prose del *Monacheddu*, del *Cucuveni* e de *La Pulce* amava firmarsi: Alfio Bruzio e

Fra Galdino; nelle poesie: 'Patra Giuanni', 'U Piciaru, 'U Picozzu, 'Gianninu', 'U novizzu, 'D'Artagnan'.

[54] V. R. DE BELLA, *La poesia dialettale in Calabria*, Firenze, Edizioni Giuntine 1959, pp. 108-109.

[55] Deputato catanzarese (1881-1945).

[56] Corsivo dell'A.

[57] Corsivo dell'A.

[58] Corsivo dell'A.

[59] V. *Notala* (*Natale*) II, (*'A tumbula = La tombola*), in *Tirripitirri*, cit., p. 28. Ecco la traduzione dei versi citati: "Venti... Grida più forte, perché non sento, / E tu, Adelina, non chiacchierare... / Antipatico, figlio / ... Statti attento... / — Quarantasette — Il morto nel mare — / Fermatevi, fermatevi, un momento... / Sta facendo, tombola la comare... / Diciassette la disgrazia! non mi fare il malocchio!... / Segna, segna!... Quaranta... non sei contento!".

[60] *Notala* (*Natale*), III, (*'U setta e mezzu*), in *Tirripitirri*, cit., p. 29: "Buon gioco a questi signori tutti quanti!... / — Dammi, fai presto, non esser cerimonioso... / Due carte, e dammele buone... / — Un soldo di resto... Pietro, passa avanti!...

[61] Il corsivo è del Patàri.

[62] V. *Tirripitirri*, ed. cit., p. VIII.

[63] *Ibidem*, p. IX.

[64] Giocattolo popolare, in cui il poeta volle sintetizzare la motivazione schietta del suo sentire all'unisono con popolo. Tirripitirri è la "Raganella di Pasqua". V. G. ROHLFS, *Vocabolario supplementare dei dialetti delle tre Calabrie*, VII (S-Z), Munghen, Verlag Der Bayerischen Akademie der Wissenchaften, 1967, p. 350. Ma sentiamo il Patàri come spiega il titolo della raccolta *Tirripitirri*: "è un piccolo rozzo strumento musicale che i ragazzi catanzaresi usano suonare nella settimana santa, specie nei giorni in cui, per il lutto della chiesa, sono coperte le croci degli altari". Cfr. *Chiarimenti*, in G. Patàri, *Tirripitirri*, ed. cit., p. XI.

[65] V. S. VENTURELLI, *Poeti e poesia dialettale in Calabria*, in "Il Mezzogiorno", Napoli, 17-18 aprile 1926.

[66] Queste parole si leggono nella *Prefazione* all'altro libro di versi dialettali del Patàri dal titolo *'A Lanterna magica*, cit., p. X. Ricordiamo pure il Cesareo che autorevolmente scriveva: "nessun poeta sa trattare oggi così varie corde, con arte così penetrante". Cfr. L. ALIQUÒ-LENZI-F. ALIQUÒ TAVVERRITI, *Gli scrittori calabresi — Dizionario bio-bibliografico — Seconda edizione*, vol. III. (N-Z), ed. cit., p. 72. V. pure *Terra di Calabria*, cit., p. 282, ove viene riportato anche il giudizio del Cesareo, che dopo le parole prima trascritte termina così il suo parere sulla poesia dialettale del poeta catanzarese: "Anche la generosa Calabria ha oggi finalmente il suo poeta dialettale degnissimo di stare a pari coi migliori delle altre regioni d'Italia". E il noto critico affermava inoltre che i versi patariani "sono pieni di sapore, circonfusi d'aria e di luce odoranti di spiganardo, come la tela sincera delle nostre massaie chiuse ne' saldi cassettoni d'abete". Cfr. *Terra di Calabria*, cit., p. 282.

[67] Sulle case calabresi abitate da povera gente, persone umili, operai v. la descrizione che fa V. PADULA in *Paesi di Calabria — Calabria di sempre — Prefazione e scelta a cura* di Giuseppe Costanzo, Roma, Milano, Edizioni Corte, 1971, pp. 155 e ss.

[68] V. *Chiarimenti*, cit., p. XI.

[69] Appunto s'intitola *I dinari* (*I soldi*) un sonetto della sezione *De i magazzeni a li palazzi*, in *Tirripitirri*, cit., p. 38.

[70] *I dinari*, cit., p. 39: "E' il padre a mala pena mi ha visto, / Ti cambia strada e se ne va lontano / come, ho visto, facendo finta di non avermi mai conosciuto".

[71] "Prima del Sessanta / Vendeva carboni il nonno alla Catena!... / Che ti fanno i soldi, Signora Rosa". *Catina* (località di Catanzaro). Per i versi citati v. *Tirripitirri*, cit., p. 39.; e per i luoghi della Calabria v. G. VALENTE, *Dizionario dei luoghi della Calabria*, vol. I., (A-B), *Ceco*, Chiaravalle, FRAMA'S SUD, 1969.

[72] Sul dialetto in genere e sugli altri aspetti calabresi (usi, costumi, ecc) v. M. LIGOTTI, *Bibliografia dialettale calabrese*, Taranto, Jonica Editrice, 1968, estr. dal "Bollettino della carta dei dialetti italiani" (3, 1968). Invece sui dizionari dialettali calabresi v. G. FORESTIERO, *Breve storia bibliografica*, in *Proposta per una Grammatica calabrese*, Roma, Accademia degli Incolti, 1985, pp. 11-14.

[73] V. *'U tagghia tagghia de i menzicozzetti* (*Il taglia taglia delle mezze calzette*): i pettegolezzi, appunto, delle mezze calzette. V. *Tirripitirri*, cit., p. 15.

[74] *Ibidem*: "Quanto si fece grande Marietta! / L'anno scorso era una ragazza... / Giocava col cerchio alla villetta, / E adesso è diventata una simpaticona...".

[75] *Ibidem*: "Come cammina!... Mamma che abbigliamento!... / E come tutta, osserva, si atteggia!... / Mi pare proprio figlia di un barone, / E il cappello le sta bene alla civetta".

[76] Teresina.

[77] Dote.

[78] Pezzente.

[79] Corsivo dell'Autore.

[80] *'U tagghia tagghia de i mezzicozetti*, in *Tirripitirri*, cit., p. 16: "E, se l'aveva davvero (la dote) non la lasciava (il tenente a Teresina)! / — Non, gliela diede (la dote) Don Nicola Bava / Che della mamma (Comprendi?) è parente".

[81] *Ibidem*: "— Sì, ho capito, non parlare, non parlare. / Questo Don Nicola passa ogni mattina / (Non so altro) sotto dalla comare... //".

[82] *Ibidem*: "— Sì, proprio, proprio, — È rosso e di faccia è tondo, / Che rassomiglia a mio fratello Peppino... / — Quanti imbrogli ci sono a questo mondo!...".

[83] *Tirripitirri*, cit., p. 8.

[84] *Ibidem*: "— Mamma, questi è figlio di un barone".

[85] *Ibidem*: "— Sì, ma nelle tasche non ha proprio nulla".

[86] *Ibidem*: "(...) cattivo e birbante".

[87] *Dove le teste rasate*, in *Tirripitirri*, cit., p. II.

[88] *Ibidem*: "A questi balli ci vanno le migliori persone / Il fior fiore di tutti i titolati; / Dei maggiorenti si sa tutti parenti... / Fratelli, nipoti, cugini, cognati".

[89] "Tessuto di seta o di cotone, fine, trasparente, bucato come un velo o merletto, (dal fr. *tulle*). Cfr. G. B. MARZANO, *Dizionario etimologico del dialetto calabrese*, Bologna, Arnaldo Forni Editore, 1980 (ristampa anastatica dell'edizione di Laureana di Borrello, 1928).

[90] *Duva i cucuzzuni*, cit., p. II: "Dove ci stanno le teste rasate c'è l'aristocrazia vestita con ricercatezza".

[91] V. *Tirripitirri*, cit., pp. 19-22. *Vajazza* = "donna plebea, poco onesta; fantesca adibita ad uffici vili" (Marzano). Usata al maschile, *vajazzu*, vale villano, zotico, rustico.

92 Corsivi dell'Autore.

93 *I vajazzi*, cit., p. 19: "Con questa santa Diavola di padrona / Io ci son capitata di mala maniera / Perché con tre lire al mese che mi dà / Chissà cosa vorrebbe; / E me ne dice, me ne dice di tutti i colori... / *Serva, piedisporca, ciarliera...* / Tanto che credimi, o Rosina, mi venne / l'impeto di buttarla dal balcone".

94 Capriccio, moina, schifiltosità, Vi è anche *murriculusu* = bizzarro, capriccioso, e *Murricu*.

95 V. *I Vajazzi*, cit., p. 19: "Ne ha capricci!... Ora che è poco di sale, / Ora che la pasta è mancante o non è buona, / Ora che la carne non è adatta per il ragù".

96 Serva, persona di servizio.

97 Cappio, laccio, fune per impiccare.

98 V. *I Vajazzi*, II, cit., p. 20: "Sono tutti, Rosinuzza, di un colore. / Ogni padrone è un avanzo di forca".

99 L'ultimo corsivo è dell'Autore. V. *I Vajazzi*, II, cit., p. 20: "pazienza, pazienza di una santa, / Quando parla la padrona lasciala parlare, / E ripeti dentro di te: *merlo canta*".

100 *Ibidem*: "Chi lascia la via vecchia per una nuova, / Mi diceva la buonanima della mamma / Sa che lascia e non sa che trova!".

101 *I Vajazzi*, III, cit., p. 21: "Datemi sei soldi di melanzane / Vi raccomando che siano buone, / Perché mi manda Donn'Antonio, / Parente di Don Domenico Lepiani...".

102 Una coltellata.

103 La capricciosa. *Fetusa* = sporcacciona.

104 Non maritata, e quindi vergine.

105 V. *I Vajazzi*, IV, cit., p. 22: "Rosina, che ti mangi questa mattina?... / — Il solito, Teresa, pasta e ragù... / — Io pure lo stesso, ma non so per qual motivo / Questa carne non si cucina più bene".

106 V. *I Vajazzi*, IV, cit., p. 22: "(...) Ti sei dimenticata tu / Che ho per serva, una scapestrata?".

107 *Ibidem*: "Hai ragione, Teresa, sono un pò confusa, / Che ne ho un'altra (serva), Gesù e Maria, / È una ladra, e anche scostumata".

108 *Essere cugnu d' 'a stessa lignama*; "dicesi di persona della stessa indole" (Marzano).

109 V. *I Vajazzi*, IV, cit., p. 22: "Son tutte persone della stessa indole [son tutte a un modo] Non c'è da far nulla, Rosinuccia mia... / Arrivederci perché Ciccio mi chiama".

110 Egli continuamente rispecchia la sua indole "di fraticello maldicente e pettegolo". V. M. LAVECCHIA, *Patra Giuanni, il non umile frate*, in *Il dialetto del catanzarese nella poesia popolare e in alcuni poeti d'arte*, cit., p. 92. Per il Lavecchia Giovanni Patàri non è "un poeta, pur proclamandosi egli stesso tale; Patra Giuanni, invece, nel suo genere è un artista e non ha competitori, perché nessuno è più maldicente di lui". Cfr. M. LAVECCHIA, *op. cit.*, p. 12. Egli contrappone *Patra Giuanni* a un altro poeta anche lui catanzarese: Francesco Gerace, considerato patetico ed umano, e per tal motivo vero poeta. V. M. LAVECCHIA, *F. Gerace, patetico ed umano*, in *Il dialetto*, cit., pp. 107-109.

Francesco Gerace nacque a Catanzaro il 19 giugno 1877 e ivi morì nel '55. Fu geometra nel locale ufficio del Genio Civile; pubblicò per la Tipo Meccanica di Catanzaro, nel 1940, "U Prisebbiu cchi si motica!" (*Il presepe che si muove*): scenette in versi dialettali con l'aggiunta di altre poesie. Quest'opera è stata scritta dal poeta per ricordare a se stesso i tempi lontani della giovinezza e per soddisfare la curiosità della nipote alla quale è dedicata. V. su questo poeta M. LAVECCHIA, *op. cit.*, p. 10.

[111] Spiriti dei defunti.

[112] Corsivi dell'Autore. V. *I spirdi*, I, in *Tirripitirri*, cit., p. 5: "Orecchiamo... che vuole?... Un pò di pane? / Dei peccati, adesso, vuol pentirsi?... / Mamma, paura; mamma mia, chi sale le scale? / Antonio mi diceva: statti tranquilla, non è nulla".

[113] Corsivo dell'Autore.

[114] V. *I spirdi*, II, cit., p. 6: "Signore, perdona... / Quello [lo spirito] si ferma e dopo sospira?... / Chiama un monaco santo: a San Bruno!".

[115] V. *I spirdi*, II, cit., p. 6: "(...) al Monte / E fatti questa casa benedire / Dal primo spirito benigno monachello che ti capita di incontrare!".

[116] V. *Tirripitirri*, cit., p. 12.

[117] Se la intende.

[118] *Brutti tempi*, cit., p. 12: "(...) frattanto che la figlia fa l'amore, / La mamma fa finta di non accorgersene".

[119] *Ibidem*: "È adesso di dodici anni (oh che prurito!) / Che se odori la loro bocca ancora puzza di latte / Ti parlano d'amore e di marito (...)".

[120] *'A gelusia*, in *Tirripitirri*, cit., pp. 23-24.

[121] Puzzolenta e sporca.

[122] *'A gelusia*, I, cit., p. 23: "(...) Veniamo a chi son io e chi sei tu".

[123] *Ibidem*: "Puzzolenta, sporca, mangiona... / Questa porca di te cosa spera?... / Questo peccato Signore, lo deve piangere".

[124] Schiaffi. *Polca* = porca.

[125] V. *'A gelusia*, II, cit., p. 24: "Sempre la medesima storia. La sera, e a mezzogiorno... / Che sei una pazza, perdio, non ti accorgi?... / Coricati subito, che son morto di sonno, Mi sento le gambe come due stecchi".

[126] *Ibidem*: "E dopo una giornata di fatica / Devo vedere, perdio pure a te?... / Fai in modo che un'altra volta non posso dirtelo!".

[127] *Ibidem*: "Coricati subito — Spegni questa luce. / Chi mette zizzanie in questa mia casa, / Voglia campare cent'anni in dolore".

[128] *'A imbidia*, in *Tirripitirri*, cit., p. 25.

[129] Falegname.

[130] La ragazzina chiamata così perché già si comporta come se fosse una donna già fatta.

[131] V. G. B. MARZANO, *Dizionario etimologico del dialetto calabrese*, cit., p. 80 (voce *cannòla*).

[132] V. *'A mbidia*, cit., p. 25: "L'ozio produce ricci ed anelli, / Il santo è di marmo e non suda... / Ma restino tra noi, Rosa, queste parole...".

[133] Ti sorprende.

[134] Corsivo dell'A.

[135] "Lo vedi questo piccolo coltello": la donna parla mostrando l'arma al suo uomo. V. *Ppe a Babbusa*, cit., p. 26. Ecco la traduzione dei versi: "Lo vedi questo coltellino?... E allora, con questo / Vado e le spacco il cuore in due parti, / Quanto è vero c'è il Crocefisso". Babbusa = babba: stupida, cretina.

136 *Ibidem*: "(...) della razza, lo sai [sempre rivolta all'uomo], dei Scilaficu / E i Scilaficu son gente d'onore... / E mantengo una cosa quando la dico!".

137 V. *'Na bella parma!* (*Una bella palma*), in *Tirripitirri*, cit., p. 7.

138 Generi di rimproveri di molte madri ai figli ancora piccoli e poco attenti alle faccende domestiche. V. *Tirripitirri*, cit., p. 7: "— Madonna mia, Madonna un altro poco / Mi si bruciava, guardate adesso la frittata! / O che scioperata e come sta intenta / Dalla mattina alla sera, al gioco!... / E non pensi che sei di quindici anni?... / Ti credi di esser nata ieri?... / Che hai la stessa età del figlio di mastro Giovanni".

139 Corsivo dell'Autore.

140 Corsivo dell'Autore.

141 *Notala* (*Natale*), I, *'A Vijilia* (*La Vigilia*), in *Tirripitirri*, cit., p. 27: "— Mamma — Ciccio non trova riposo... / Dateci una sedia a Don Pasquale... / Fumano i vermicelli. Io mi siedo qui... / — Antonia, presto un altro po' di sale... / Sono quattr'ore. Il vescovato suona. / Passa gridando Ignazio venditore di Mortella [simbolo di allegria] / Ed ogni tanto qualche petardo scoppia; / E a casa del Cancelliere don Peppino, / Tra il suono delle ciaramelle, / depongono il Bambino Gesù".

142 Corsivo dell'A. Come gli altri che seguiranno.

143 *Notala*, II, (*'A tumbula*), cit., p. 28: "— Venti... Grida più forte, perché non ti sento, / E tu, Adelina, non chiacchierare... / — Antipatico, figlio!... / Statti attento... / — Quarantasette — Il morto nel mare...".

144 *Ibidem*. p. 28: "— Attendete, attendete un momento... / — La sta facendo, la tombola, la comare... / ... Diciassette — La disgrazia! Non farmi il malocchio! / — Segna, segna!... Quaranta... non sei contento!...".

145 *Ibidem*: "Aspetto il cinque... Mescola... mescola [i numeri]... / Cinquantanove! Il prete spogliato! / — La bella ragazza, come gode!...".

146 *Ibidem*: "— Tredici... / Ho fatto Tombola... — Ecco, come è fortunato! — Donna Checchina sempre borbotta... / — (Sta fermo con le mani... Mamma scostumato!).

147 V. la terza parte del sonetto in esame in *Tirripitirri*, cit., p. 29.

148 *Ibidem*, IV, p. 30: "Mamma mia, sto per morire... O Dio, per carità / — Ti fece male penso il capitone?... / Tu sei pazza?... Ho mangiato baccalà!... / Muoio... questa pancia... sembra un cordone... / — Antonio vai da Don Saverio Sità [dal farmacista] / Tre soldi di citrato fatti dare... / Corri, fai presto, in un momento qua...!(...)".

149 V. *'A famigghja Rèbarbaru*, in *Tirripitirri*, cit., p. 31-32. (Il sonetto è diviso in due parti).

150 *Ibidem*, p. 31: "Vado dove i Rebarbaro, Antonio!... / — E questa amicizia l'hai trovata, ora? / — Mi ha presentato Don Giacomo Gullì!...".

151 Non maritate.

152 *'A famigghja Rébarbaru*, cit., p. 31: "Vieni anche tu [in questa casa], così ci divertiamo... / Vieni questa sera, perché ci sarò anch'io... / E... tocchiamo... e baciamo... e diamo i pizzicotti!".

153 Gioisce.

154 *'A famigghja Rébarbaru*, II, cit., p. 32: "Dille che è tale e quale una Madonna".

155 V. *Tirripitirri*, cit., pp. 37-38.

156 *Ibidem*, p. 37: "Perché siete venuto a quest'ora?... / Mamma, che onore,

presto lasciatemi fare questa cucitura... / E la signora Grazia come sta?... dite... / Madonna, io pure sono sotto cura, / Che voi dei miei mali che cosa ne sapete!... / Un poco di quest'acqua verde ogni mezz'ora, / Disse di bermi il medico Pirito...".

[157] Di sedersi.

[158] V. *I Trafacceri*, I, in *Tirripitirri*, cit., p. 37: "Gesù, vi alzate?!... E che fu, don Vincenzo? / Accomodatevi / — Rosa, porta una tazza! / Per prendervi un pò di caffé... / Tutto all'improvviso!... Mamma mia, che fretta!... / Salutatemi tanto la signora Grazia... / Ditele di venirmi a trovare appena si sente bene". Degli altri versi non si dà la traduzione in quanto son facili a comprendersi.

[159] Il malocchio.

[160] "Assomiglia a una vacca".

[161] "Mi son ricordata... Presto prima di farsi buio... / Mamma, disgrazia che mi capitò oggi!... / Don Vincenzo, è il capo iettatore". V. *Tirripitirri*, cit., p. 38. Il componimento s'intitola *I Trafacceri*, II.

[162] V. *Tirripitirri*, cit., pp. 33-34.

[163] *Ibidem*, I, p. 33: "Lo seppi iersera per caso... / Una cosa di questa chi mai l'avrebbe creduta?... / che galantuomo!... Che persona buona!... / Nessuno lo sa meglio di me!... / Lunedì l'avevo visto dal barbiere, / E come bello e felice conversava... / Mi vola la testa come un pallone / Quando penso a questa malattia!".

[164] *I visiti 'e luttu*, cit., p. 34: "La morte nostra è peggio di quella di un cane... / Ho grave a casa Carolina... / Pazienza!... Calma... Poi torno domani...".

[165] *Ibidem*: "— Va; non piangere, non piangere più / Che dal cielo per te prega il Signore... / Quanto hai potuto ha tu fatto, / Non hai rimorso per questa creatura". La scena si svolge infatti nella prima parte del sonetto *Duva l'omini* (*Dove gli uomini*); la seconda parte del componimento ci porta dove stanno le donne (*Duva i fimmini*).

[166] *Ibidem*, p. 34: "Come posso mangiare? E neppure grande me lo son potuto godere!... / — Un sorso, almeno, fallo per favore!...".

[167] V. *'Na bella coppia* (*Una bella coppia*), in *Tirripitirri*, cit., p. 13 (il sonetto è diviso in due parti).

[168] Una botte.

[169] *'Na bella coppia*, cit., p. 13: "Madonna mia, che natiche di baccalà... / Il sottomento la va sopra e sotto... / Verso, alla ghianda, come i porci, va".

[170] "Rossa e piena".

[171] *'Na bella coppia*, cit., I, p. 13: "E stava dove Carvo alla Catena / E campava facendo la rigattiera, / Evviva sempre a Donna Caterina!...".

[172] Corsivi del Patàri. V. *'Na bella coppia*, I, cit., p. 14: "Ti fa male la testa?... Come mai?... che cosa vuoi?".

[173] Occipite, nuca, cervello, quindi: "un bel cervello".

[174] V. *'Na bella coppia*, II, cit., p. 14: "Che solo pensa (e nulla c'è di male) / O mangia o beve o sul letto. / Ogni tanto s'affaccia al balcone / E mi sembra un principe reale... / L'ha davvero una bella corona...".

[175] Grande.

[176] Ciarliera.

[177] Donna plebea.

[178] V. *'A cuntentizza* (*La contentezza*), in *Tirripitirri*, cit., p. 35.

[179] *Ibidem* (*Papà ppe Totu = Papà per Toto*), II, cit., p. 36: "Questi medici ciucci

di Catanzaro / se viene Antonio devono tutti scappare... / Chi può competere di tutti questi con lui?... / Il professore Rommo lo sai cosa disse?... / Che Antonio una gran cosa diventerà... / E il professore Rommo non è uno sciocco".

180 E *Mala vita* si intitola un sonetto che è diviso in due parti V. *Tirripitirri*, cit., p. 17-18.

181 Corsivo dell'Autore. Si allude a un delinquente di secondo grado in una società appunto a delinquere.

182 Corsivo dell'Autore.

183 V. *Mala vita*, I, cit., p. 17: "Che bella vita, che bello destino... / Se passa qualcuno, ora, gli allargo lo stomaco [gli dò una coltellata]. È lungo e appuntito questo coltello". Altre parole care al malandrino sono la "mutria", cioè sfregiare il viso; *pila* per denari; *serpertina* per coltello.

184 V. *Chiarimenti*, cit., p. XII.

185 "'mbulicare i citroli". V. *'A fimmina* (*La donna*, in *Tirripitirri*, cit., p. 50).

186 V. *'A fimmina*, cit., p. 50: "Ciò è un imbroglio che ho visto a Reggio / Con queste parole imbroglia i semplici... / E, Francesco, un gioco di prestigio". Per il testo dialettale v. *Tirripitirri*, cit., p. 50.

187 "Di Tunisi in Algeria".

188 Salvatore di Zagarise. V. *'U giganta*, in *Tirripitirri*, cit., p. 49.

189 Corsivo dell'Autore.

190 Così risponde "Turuzzu" a chi lo ha riconosciuto: "— Tu mi sembri Salvatore di Zagarise [paese in provincia di Catanzaro]. / Stai fermo e zitto: perché, mi hai conosciuto".

191 V. *Tirripitirri*, cit., p. 48.

192 *Ibidem*.

193 *Ibidem*.

194 Arriva all'improvviso a Catanzaro.

195 V. *Tirripitirri*, cit., p. 44.

196 Corsivi dell'Autore.

197 V. *La macchina magnetica*, cit., p. 44.

198 Corsivi dell'Autore.

199 Per il testo v. *La macchina magnetica*, cit., p. 44: "La testa dell'uomo, Antonio, inventa varie cose, / come se fosse, guarda, una polpetta. / Ci cucina questa macchina la Fortuna!".

200 V. *Tirripitirri*, cit., p. 45.

201 V. *Tirripitirri*, cit., p. 45.

202 Malattia delle galline che si manifesta sulla punta della lingua che impedisce loro di bere. In senso traslato "pipita" vale anche parlantina, loquacità; onde a chi parla assai suol dirsi, quasi, come imprecazione: *pipita garinarica!* "Pipita mu ti veni, o paricchiara, / Nommu pe' vucca pe nu misi": "Che ti venga la pipita, o ciarlona in modo da non aprire la bocca per un mese" (Marzano, *op. cit.*, p. 322).

203 V. *Tirripitirri*, cit., p. 45: "Mamma, che parlantina!... Non ne sbaglia una [parola], / Questi è meglio di Grimaldi e di Consarini... / Lo mandiamo alla Camera per parlare!".

204 E appunto *La lima de' calli* s'intitola il sonetto d'apertura di questa sezione. V. *Tirripitirri*, cit., p. 43.

[205] Annoiarvi.

[206] Chiacchiere.

[207] Rovinate la pelle.

[208] Guarisco.

[209] Tutto finirà bene e subito. Per i versi citati prima e ora v. *Tirripitirri*, cit., p. 43.

[210] V. *Chiarimenti*, cit., p. XI.

[211] *Tirripitirri*, cit., p. 53.

[212] *Ibidem*, p. 54.

[213] V. *'U Cavaleri Paliccu*, in *Tirripitirri*, cit., p. 54: "Era clericale / Sotto il Borbone, ma poi consigliere, / Dopo il '60, fece il liberale... / È amico sempre a l'ultimo di chi vinceva, / Sempre a cavallo, vero cavaliere, / Si è mangiato i soldi della Provincia...".

[214] La parola vale per bacchettone, ipocrita. Per il testo v. *Tirripitirri*, cit., p. 55.

[215] *Ibidem*: "(...) vorrebbe vigente / Ancora la legge del regime borbonico".

[216] *Ibidem*: "(...) lo trovi al Rosario, / Guarda!... inginocchiato davanti al Crocefisso, / Con i paternostri sempre nelle mani...".

[217] *Ibidem*: "Ma... certe malelingue di Catanzaro / Dicono che questo santo galantuomo / Ha rovinato tre famiglie intere!".

[218] È il verticillo, la rotella del fuso.

[219] Una consigliera.

[220] Corsivo, come pure quello di prima, dell'Autore. Per il testo v. *'A Marchesa Farticchia*, in *Tirripitirri*, cit., p. 56: "Una volta donò cinquecento lire ai Pentiti, mille allo Spedale".

[221] *'A Marchesa Farticchia*, cit., p. 56: "(...) Se un sofferente bussa al suo portone / Hai voglia di gettare lacrime e sospiri... / Non gli dà nulla".

[222] V. *L'abbocatu Uffu*, in *Tirripitirri*, cit., p. 57.

[223] *Ibidem*: "(...) di nessuno parla bene, e di nessuno parla male".

[223bis] Adula.

[224] *L'abbocatu Uffu*, cit., p. 57: "(...) consigliere provinciale, / Priore, primo eletto e cavaliere".

[225] V. *'A Marchesina Bebé* in *Tirripitirri*, cit., p. 58.

[226] *Ibidem*, p. 58: "Proprio una bambola, proprio una bambina".

[227] *Ibidem*: "(...) al marito gli prepara il trono".

[228] V. *Tirripitirri*, cit., p. 59.

[229] *Ibidem*: "Non mi ricordo adesso come si chiama / Quest'orefice che passa placido placido... / Appiccicamogli, va, un nome??? / Chiamiamolo così... Don Ciccio Trama". *Trama* dice tutto: mestatore e trafficone.

[230] *Ibidem*: "(...) vendette per oro il rame!... / Dopo si fece i soldi rubando / E specialmente i contadini e i villani... / (Altro che carte false e contrabbando!)".

[231] Detto con evidente ironia. Per il testo v. *L'Orificia Trama*, cit., p. 59: "Diventai santo... Che c'è da ridere...! / E, quando c'è la festa, con queste belle mani / dono a San Francesco cento lire!". Sul monosillabo *San* in dialetto calabrese v. G. PIZZUTI, in G. ROCCA, *Aggiunte al Vocabolario del dialetto Calabrese di Luigi Accattatis*, Cosenza, Pellegrini, 1974, p. 70.

[232] Una testa grande.

[233] V. *'U Professora Scarpa* (*Il Professore Scarpa*), in *Tirripitirri*, cit., p. 60: "Scri-

ve?... Sopra la carta la penna vola / Meglio di una macchina di filanda... / Fa un discorso?... Madonna che parola!... / Gente, correte... Portateci la banda!''.

234 *Ibidem*: ''spapocchia un articolo di giornale? / Che stile bello... Chi mai non s'accorga / che è un altro Boccaccio tale e quale?!... / Come sa questi la grammatica!... / Io mi ricordo, quand'era ragazzo / La studiava negli orti di Pratica''.

234bis Così si intitola un sonetto di *'A lanterna magica*. V. *Tirripitirri*, cit., p. 66. *Turacciulu* sta per tappo.

235 Corsivo dell'Autore.

236 *Don Cicciu Turacciulu*, cit., p. 66: ''Viene Vittorio?... Presto il Comitato; / Don Ciccio è il primo, e presto, tu, vai a cacciarlo? / È necessario che si onori il Capo dello Stato! / E corre, e suda, e torna, e gira, e piglia... / Come facciamo senza Tappo / se con questo tappiamo ogni bottiglia!''. Le traduzioni in italiano di tutti i versi del Patàri che sono citati di volta in volta nel testo sono mie.

237 *Ibidem*: ''Chi capisce quest'uomo? / Ciò che è e ciò che non è''. Efficace l'uso della parola *pista*.

238 V. *Tirripitirri*, cit., p. 67.

239 *Ibidem*: ''Questa ne ha fatte più della mula di Rasco... / Neppure ha lasciato i preti e i soldati / ... / Quando dite Donna Rosa Vrasca / Voi non dovete più parlare!''.

240 Sedurre.

240bis Flosce ed avvizzite.

241 *Donna Rosa Vrascu*, cit: ''Ed, ogni sera, si dice il Rosario... / E posa a Santa ed a Madre Badessa''.

242 ''Un palmo di pulito. Evviva Donna Rosa''.

243 Asino. V. *L'on. Cicciu*, in *Tirripitirri*, cit., p. 69.

244 *Ibidem*: ''Bello, steso sopra un canapé, / Si legge capovolto un giornale... / Tanto di Ciuccio chi può dir male?... / Un uomo più buono di Ciuccio dov'è?...''.

245 Alla camera.

246 *L'on. Ciucciu*: ''(...) A Roma, mai parlò, / Che se una volta pure lui ci andò. / Il discorso, viaggiando, si dimenticò...''.

247 *Ibidem*: ''Ma ciò che cosa vuol dire? / Possono tutti / Parlare? Non voglia Domineddio!... / E dotti non ce ne sono senza prosciutti!''.

248 V. *Tirripitirri*, cit., p. 4.

248bis Testa, e quindi intelligenza.

249 *'U consigghieri 'Nquacchiu*, cit: ''Alla udienza o sta soprapensiero, / O lascia andare giù il capo per il sonno, o si legge il giornale... / Sbadiglia, s'alza... Nulla c'è di male... / Entra e... dispensa ergastoli e galere''.

250 *Ibidem*: ''Teso, dritto, come uno stecco, / Ti passeggia felice in mezzo alla piazza; / E s'appoggia al braccio della nipote!... / Ma che cosa vogliono?... Questa bella ragazza / Dicono certi che è la sua amante!''.

251 *'U Previta pruppetta*, in *Tirripitirri*, cit., p. 63.

252 Detto così per la sua natura pingue.

253 Mento.

254 ''Antico peso di cento rotoli, cantaio; dall'ar. *quintar*. Li guai sindi veninu a cantaru e sindi vannu a dramma (prov. po.), i guai se ne vanno a cantaja e se ne vanno a dramma'' (Marzano). Insomma *cantaru* significa quintale (arab. *Fintar*). V. M. LAVECCHIA, *Il dialetto popolare catanzarese nella poesia popolare e in alcuni poeti d'arte*, cit., p. 21.

255 Corsivi dell'Autore. V. *'U Previta pruppetta*, cit., p. 63.

256 *Ibidem*: "una povera vedova bacchettona".

257 *Ibidem*: "ma intelligente il polpetta (...)... / che questo delinquente seppe abbindolare, / affamando, quando sopra e sotto (...)".

258 V. *Tirripitirri*, cit., p. 65.

259 *Ibidem*, p. 61.

260 *Ibidem*, p. 62.

261 *Donna Marianna Spata*, cit., p. 65: "Gesù / ... Gesù... Che monaca di casa!".

262 Beghina.

263 *Donna Marianna Spata*, cit., p. 65: "Credo che la sua bocca se l'abbia logorata".

264 V. *Tirripitirri*, cit., p. 68.

265 Impomatato.

266 Attillato.

267 V. *Tirripitirri*, cit., p. 68: "Guarda, come è tutto attillato / E come ti corteggia ogni Signora!".

268 È un perdigiorno, un fannullone. Detto per colui che non ha un mestiere e non svolge alcuna attività.

269 *Don Ciccillo Finocchiettu*, cit., p. 68: "Ah, voi ridete e poi, chiudete un occhio? / L'ho capito un mistero resta / Davvero la vita di questo bello finocchetto".

270 V. *Tirripitirri*, cit., p. 61.

271 *Ibidem*: "Come conosce le lingue questa marchesa. / È una cosa che proprio non si crede... / Parla la lingua tedesca e parla pure la lingua inglese...".

272 *'U Conta Pacchetta*, cit., p. 62: "Se lo guardo bene nella sua persona / Mi accorgo che è nobile, perdio... / No, non cammina, come uno scioperone... / Voi non guardate che portamento!...".

273 *Ibidem*: "Vedi, che porta fin sulla spilla / Lo stemma: un ranocchio e cinque rose".

274 Corsivi dell'Autore. Per il testo v. *'U Conta Pacchetta*, cit., p. 62: "(...) veste come vestono a Parigi... / quella marsina, va, godetevela... / Siamo o non siamo?... Comare, *noblesse oblige*!".

275 Illuminante a tal proposito — e già lo abbiamo visto — il Don Ciccio *Turacciulu*, davanti al quale il frate *Patra Giuanni* resta un pò imbarazzato. Occorre qui dire che nell'Italia meridionale quel titolo spagnolesco, il *Don* non è dato solo ai preti, ma si premette al nome di tutte le persone di riguardo: conti, marchesi, baroni, commercianti, impiegati; e si dà con un significato tutto particolare a coloro che appartengono alla nobiltà o che, comunque vivono senza bisogno di guadagnare i mezzi di sussistenza col lavoro. In quei tempi, a Catanzaro, i *Don* non si potevano contare, tanti ce n'erano. Don Ciccio (Francesco) è una di quelle persone di riguardo che avendo o non avendo il blasone ha il diritto di vivere senza avere il dovere di lavorare; e perciò si fa chiamare *Don Ciccio*: egli è uno di quei *Don* che per naturale costituzione si muovono secondo il moto della corrente e stanno sempre a galla.

276 Fiamme di cuore.

277 V. *Chiarimenti*, cit., p. XII.

278 Ragazza graziosa.

279 V. *Cchi ti cridi* (*Che ti credi*), in *Tirripitirri*, cit., p. 73: "Tu non t'accorgi che

solo guardandoti / Muta sempre questa faccia i suoi colori?... / E che per la contentezza mi brillano / Gli occhi, quando parli d'amore? / Tu non vedi che le labbra mi tremano / Se ti barbuglio qualche parola, / E che sembro a cert'ore, proprio, / Un ragazzo con il lembo della camicia che sporge fuori dall'apertura dei calzoni".

280 Corsivi dell'Autore. V. *Tra 'u si e 'u no* (*Tra il si e il no*), in *Tirripitirri*, cit., p. 82: "Tu con le labbra mi dici di no, / Ma con il cuore mi dici di sì... / E tu pensi di certo: Adesso... adesso... / accarezzami presto, Giovannino...; / Io ti prendo, ti stringo, così, / E tu torni... Giannina, no... no / Io più batto: Peppina, sì, sì... / E tu tremi, rispondimi, adesso... / Se hai coraggio, rispondi, Peppì... / Ah, mi dici, più no?".

281 *'A raggia* (*La rabbia*), in *Tirripitirri*, cit., p. 44.

282 V. *'U nguentu* (*L'unguento*), in *Tirripitirri*, cit., p. 84: "Ti guardavo [dice la donna a l'uomo] di storto avantieri, / Né ti posso dir no... / Ma al fianco di un'altra tu eri... / Son gelosa, gelosa, Antonio!... / Se dispetti alle volte ti faccio: / Hai ragione: riparo adesso adesso... / Ma lo capisci perché te li faccio?... / Son dispetti d'amore, Antonio!...".

283 *La gelosia e la pace*, *Tirripitirri*, cit., p. 85.

284 "Tutto passa, finisce e si dimentica". V. *Si volera...* (*Se volessi...*), in *Tirripitirri*, cit., p. 77.

284bis "Calamite mi sembrano questi occhi!... / Se questa ragazza, mannaggia, mi guarda / io mi sento flettere le ginocchia!...".

285 "È un bel fiore non ancora dischiuso".

286 *Eu volera, ma...* (*Io vorrei, ma...*), in *Tirripitirri*, cit., p. 28: "Caspita!... / Padre Giovanni è diventato papà".

287 "Benedetta sia sempre tua madre!...", in *Tirripitirri*, cit., p. 79.

288 V. *Tirripitirri*, cit., p. 185.

289 *Ibidem*: "E senti. L'altra notte a sonno pieno / Stavo dormendo, verso il mattino; / Quando mi svegliò una serenata... / Due chitarre, un flauto e un violino... / Un giovinetto che mi sta vicino [di casa] / Cantava una canzone appassionata... / Se non poteva sposare l'innamorata. / L'afflitto se la pigliava con il destino!... / Quant'era bella, lo sai?... quella canzone... / E te la cantava con mestizia, / Con tutto il cuore, il povero ragazzo!... / Dopo spensi piano piano la luce... / Dormendo un'altra volta mi sembrava / Sentire la serenata e quella voce!...".

290 V. *'A ciopa de i ciopi*, La ragazza dei ragazzi, in *Tirripitirri*, cit., p. 80.

291 Corsivo dell'Autore.

292 *'A ciopa de i ciopi*, cit., p. 80: "Solo quando le dico: Magnifica!... / Abbassa gli occhi, si volta... e mi ride!...".

293 *Ibidem*: "Parla... Parla... Perché ti voglio sentire... / Muovi piano, più piano questo muso... / O che bello garofano rosso!... / Concettina... Concettina... Concettina".

294 *Ibidem*: "questi occhi che sono?... che sono?... / È meglio, fammili dimenticare... / Per caso... Quest'aria di mare... / Concettì... Concettì...". Per l'amore nei canti e nella poesia calabrese v. ANTONIO JULIA, "Archivio storico calabrese", anno III, Mileto-Catanzaro, 1915, pp. 124-130.

295 *Ritratti*, in *Tirripitirri*, cit., pp. 90-107.

296 V. *Chiarimenti*, cit., p. XII.

297 V. *Barbara sorta!* (*Barbara sorte!*), in *Tirripitirri*, cit., p. 90: "Un mantello a ruota, un occhio mezzo chiuso, / Un paio di calzoni legati con le corde; / Questi è un tipo proprio curioso / che se lo vedi ancha una volta sola non lo dimentichi più. / — *Barbara*

Sorte gira come il fuso / E di questo perché non ti ricordi?... / Andiamo, trecento lire per tre soldi... / Questi è un tipo proprio curioso". I corsivi del testo sono dell'Autore.

298 V. *Ndo Tummasi, Fiori Milanesi*, in *Tirripitirri*, cit., p. 91.

299 *Ibidem*: "La barba bianca, gli occhi spalancati, / Le scarpe rotte, i pantaloni rattoppati, / La giacca grande colore della forfora".

300 Corsivo dell'Autore. Tutti i corsivi che seguiranno nei vari testi dialettali e in altre opere del Patàri son tutti dell'Autore. V. Per il testo di *'Ndo Tummasi Fiori Milanesi*, in *Tirripitirri*, cit., p. 91: "Dovete riparare ombrelli".

301 V. *'On Miché, 'a la Crucia 'e lignu* (*Don Michele alla Croce di legno), in Tirripitirri*, cit., p. 92: "O monelli non lo burlate più, / Gridando: Don Michele, dove abitate? / Voi non lo vedete più, voi non lo vedete / Passare più questo vecchio per le strade. / Alla Croce di legno, non lo trovate, / E sopra le sue spalle più non ridete, / Allo ospedale, come i disperati, Don Michele morì... / Voi non lo sapete?...".

302 Sui garibaldini calabresi v. ORESTE CAMILLO MANDALARI, *Uomini e cose della mia Calabria (Scritti di storia — letteratura e politica — 1908-1932)*, Roma, Ufficio Storiografico dei Reduci, 1934, pp. 705-709 (l'articolo del Mandalari all'interno di questi *Scritti* si intitola *Gli umili dimenticati* e apparve dapprima in "La Terra e la gente di Roma", luglio 1932). Per l'apporto, invece, della regione alla unità italiana e per i calabresi che si distinsero nelle lotte risorgimentali v. S. FODERARO, *La Calabria per l'Unità d'Italia*, Roma, Colombo, 1971; P. ALATRI, *La Calabria nel Risorgimento*, in "Almanacco Calabrese", 1955, pp. 17-32; V. BARONE, *Storia — Società — Cultura di Calabria*, Catanzaro, Abramo, 1982, pp. 389-422. Per lo stato della Calabria dopo il 1860 v. pure A. DITO, *Note di critiche e cronache reggine e calabresi*, quaderno 2, Reggio Calabria, 1947, pp. 7; E. MISEFARI, *Storia sociale della Calabria. Popolo, classi dominanti, forme di resistenza degli inizi dell'età moderna al XIX secolo*, Milano, Jaca Book, 1976, pp. 169-216.

303 V. *'On Miché, 'a la Crucia 'e lignu*, cit., p. 92: "Quando si doveva fare l'Italia unita, / E finì povero, il miserabile... / Povero e pazzo in fondo a uno ospedale! / Questa fu la sua sorte, questa la sua fortuna: / Fece bene per ricevere male!".

304 Il ritratto s'intitola *Don Antoni*, in *Tirripitirri*, cit., p. 93.

305 *Don Antoni*, cit., p. 93: "Speculando come un notaio / Pur a una pietra riesce a conficcare i chiodi".

306 *Ibidem*: "Perché il Re gli scrisse che il decreto è fatto, / E la croce l'aspettava, Antonio, avantieri... / E' la merita davvero, perché tu un altro, / Antonio dove c'è come questo preciso e coscienzioso? / La croce se la può mettere in un quadro!".

307 V. *Totò*, in *Tirripitirri*, cit., p. 94: "Osservatelo un pò al balcone, / Non è Cavour ma un cavurrino. / — Servo Don Giulio... Servo, signorino... / — Comandate - Don Francesco... Sempre il padrone. / — Per l'avvocato sia buono il vino... / E il bollito sia magro di prosciutto".

308 *Ibidem*: "Che utile traggo dalla conoscenza di Dante. / E che insegno la grammatica latina, / Quando le mie tasche son sempre vuote...".

309 *Retratti*, cit., p. 101.

310 *Ibidem*: "Si chiamava Ferdinando"; "la mamma Fortunata De Finizia".

311 "A Catanzaro".

312 V. *Ntonareddu 'u pazzu*, in *Tirripitirri*, cit., p. 101: "Onestamente vivo di lavoro".

313 "(...) dove Maria Rosa, e in ultimo gli tocca... lo spedale". V. *Bettagghja* [il nome del vecchio], in *Tirripitirri*, cit., p. 98.

314 V. *Don Deciu* (*Don Decio*), in *Tirripitirri*, cit., p. 99: "Era ricco un tempo, era parente / Di mezzo Catanzaro questo disgraziato".

315 *Ibidem*: "Che adesso credete, un paio di cani, / Sono affezionati a questi tempi odierni, / più di duecento mila cristiani!...".

316 V. *Tirripitirri*, cit., p. 100.

317 Eccellente.

317bis V. *Tirripitirri* (sezione *Retratti*), cit., p. 100: "Ecco, io la strofino con una pezzuola, / e il lucido riesce in un momento".

318 *Ibidem*: "Tanto che il cuoio si allenta / Ed ecco si rompe, una bella mattina".

319 *Ibidem*: "Io non conosco, signorino, l'imbroglio".

320 *Ibidem*: "Ogni cosa ritiro da Milano... / Ma sentite, arrivò una contadinotta / (L'ho a casa) elegante di Gimigliano!...".

321 U Crivaru = il buratto.

322 V. *Tirripitirri*, cit., p. 95: "— Saverio, fa presto: dammi la Tribuna. / — Un momento sto servendo il notaio... / Il mattino mia moglie ve lo darà; / Ancora dove Olanda non lo hanno portato...".

323 *Ibidem*: "Sì, stasera senza / Giornali, grida: e gira sotto e sopra, / Sì; sì / Si è perduta la coincidenza...".

324 V. *Tirripitirri*, cit., p. 97: "Ma imbroglia e sbroglia ogni matassa / È meglio del governo italiano...".

325 *Ibidem*: "Il mondo non è fatto per i minchioni: / Sapete il pantanese come disse: / Domani al friggere te ne accorgerai!...".

326 V. *Tirripitirri*, cit., p. 98: "Vi guarda, e ride, poi si mette di lato / e s'avvicina, vedete, mannaggia a chi,... / A Napoli, ventotto e trentadue... / Giocatevi, Don Genio, ambo serrato...".

327 *Ibidem*.

328 *Ibidem*: "L'afflitto si procura qualcosa; / E mangia di crudo se tu mangi di cotto".

329 V. *L'acqua d'addura*, in *Tirripitirri*, cit., p. 113.

330 *Ibidem*, II, p. 114: "Io te la do [l'acqua odorosa], ma voglio un diritto: / Sempre, sempre queste tue labbra voglio baciare, / Questo bello simpatico muso, / Rosso più di una rossa ciliegia... / Tu fai le smorfie... Ne son convinto, / Che non vuoi concedermi questo diritto; / Ma ti bacio, queste labbra di raso, / Questo rosso garofalo rosso...".

331 *Ibidem*: "Una catena legata ti tiene... / Sei legata a un altro uomo!... / Per Ciccio sospiri d'amore, / A Ciccio tu solo vuoi bene... / Che cosa ti importa dell'acqua odorosa?".

332 *'A chiù bella 'e Catanzaru* (*La più bella di Catanzaro*), in *Tirripitirri*, cit., p. 115: "La più bella che c'è a Catanzaro, / Adesso ve lo dico, si chiama Maria: / Una Madonna scesa dall'altare / Sembra proprio, credetemi a me!".

333 *Ibidem*: "Musetto di fragola e di rosa, / Occhi neri come il velluto, / Ve la direi, ve la direi una cosa...".

334 *Ibidem*, p. 121: "Una madonna scesa dall'altare".

335 V. *Tirripitirri*, cit., p. 112.

336 Bucare, ferire. *Perciatu*, lat. *percisus*, part. di *perciu*. Da qui *perciuliari* vale a dire foracchiare, bucarellare. V. G. B. MARZANO, *op. cit.*, p. 124.

[336bis] "(...) avant'ieri / tu uscivi dalla Chiesa del Monte, / con tua madre, pensierosa... / Mi hai appena guardato... E parola d'onore / Quegli occhi, ecco, come una punta / di coltello, ferivano questo cuore!".

[337] *Tumbu*.

[338] V. *Mariannù* (*Mariannuccia*), in *Tirripitirri*, cit., p. III: "E mi guarda, mannaggia, se passa, / E con questi occhi, mi calamita!... / Questo cuore mi strappa, e mi avvelena... / E poi veloce, più veloce cammina... / Ah che mossa, e che taglio di vita! / Mariannuccia, tu se la migliore delle sartine".

[339] "Parla... parla... non fare la contegnosa". V. *Tirripitirri*, II, cit., p. 192. Ma prima aveva detto: "Ferma... ferma... non fare 'a vezzosa": "Fermati... fermati... non fare la capricciosa".

[340] *Vasamuni* (*Baciamoci*), in *Tirripitirri*, cit., p. 107: "Succhio miele... Perché smettere di baciare?!... / E ti bacio, ti bacio, ti bacio!... / Io vorrei tornare bambino... / Io vorrei esser con il lembo della camicia fuor dai calzoni! / (...) / Vieni qua; bella mia, non sfuggirmi!... / Tremo tutto, parola d'onore... / Un'altra volta, fatti baciare".

[341] "Ogni uccello ci ruota".

[342] *Ibidem*, II, p. 118: "Che cosa mi importa se m'alzo stordito?... / Che cosa mi importa se la Morte può sopraggiugere?... / Io questo mondo me lo son goduto".

[343] *'U Nomu 'e Maria* (*Il nome di Maria*), in *Tirripitirri*, cit., p. 109: "(...) la mattina nel letto. E ti sento gridare... Maria / ... / Forte il cuore mi sbatte nel petto".

[344] La donna del contado; la contadina; la popolana. V. *'U retrattu 'e pacchiana* (*Il ritratto della popolana*), in *Tirripitirri*, cit., p. 105. A proposito delle pacchiane il Lavecchia osserva giustamente: "in tutti i paesi e non soltanto del catanzarese, ma dell'intera Calabria, i costumi regionali vanno lentamente scomparendo. A Nicastro, che è uno dei più importanti centri della media regione, vi è l'esempio più eloquente. Ora non si arriverà, sia pure a gradi, alla distruzione del folklore della città di Nicastro? Ne consegue che i giovani delle generazioni future non soltanto ignorano le "pacchiane" ma anche tutti i vocaboli coi quali vengono designati i vari capi del loro multiforme costume". Cfr. M. LAVECCHIA, op. cit., p. 108.

[345] *'U retrattu 'e pacchiana*, cit.: "La tovaglia [quella che si mettono in capo le contadine], il giubbone, la sottana... / Tutto stanno a concerto tra loro... / Gli orecchini, questa bella collana, / Questa magnifica spilla d'oro... / Tutto, tutto a concerto tra loro... / Sei sul serio una bella popolana".

[346] *I Vasati* (*I Baci*), in *Tirripitirri*, cit., p. 117: "Soli soli, al buio, per le strade, / Nelle camere, nei portoni; / Sulle scale... che bei baci!...".

[347] "Brucianti d'amore".

[348] *I Vasati*, II, cit.: "E più bacio e più mi vien voglia di baciare... / — Che dolcezza che si prova facendo questa cosa!... / Stendi il muso più bello di una rosa...".

[349] *Ibidem*: "Tu mi dici: — Un pò di tregua... / Sono stanca... Adesso, scappo, mi scosto... / — Perché ti inchiodo... Non fare la vezzosa... / Ti rispondo, e ti bacio, ti bacio... / E tu, intanto, mi guardi, mi ridi... / Poi mi stringi più forte, più forte... / O che mosse, carezze, sospiri!". I versi finali sono i seguenti: "Ma cchi ci haju a sti labri?... C'è focu? / Non fa nenta... De mia non m'importa... / N'atru pocu: Peppì, n'atru pocu!...": "Ma che cosa io ho a queste labbra?... C'è fuoco?... / Non fa nulla... Di me non m'importa... / Un altro poco: Peppino, un altro poco / ...".

[350] V. *Chiarimenti*, cit., p. XIII.

[351] V. *Tirripitirri*, cit., p. 134.
[352] Località vicino Catanzaro.
[353] V. *I mulacchiuni* (*I bastardi*). Sonetto dedicato a Enrico Mastracchi. V. *Tirripitirri*, cit., p. 78-134. Il componimento è diviso in otto parti. Ecco la traduzione dei versi trascritti (v. *Tirripitirri*, cit., p. 127): "Sporchi, puzzolenti, storpii... / Tu torci gli occhi davanti a tanta sporcizia, ma essi sono allegri; re delle strade, / Son sempre allegri che simpatia!...". Gli altri versi tradotti dicono così: "Il più ricco si crede, di questo mondo / Se tu gli butti una cicca".
[354] in dialetto si dice *Pulimma*; lat. *polire* che significa lisciare, nettare.
[355] *I mulacchiuni*, II, cit., p. 128: "Tutti questi bastardi di Catanzaro, / Son tanto buoni e passano per cattivi...".
[356] *Ibidem*, II, cc: "(...) con la bocca / Un duetto della Norma e della Boeheme... / Questi altri mettono alla berlina uno zotico". *Fari a cucca* vuol dire "dar la berta" o, meglio mettere alla berlina (Marzano).
[357] *I Mulacchiuni*, IV, cit., p. 130: "Un soldo o un tornese [moneta di rame corrispondente a due centesimi] se gli dai / Ti imita i pezzi grossi della città...".
[358] *Ibidem*, VII, cit., p. 133: "Largo al Monachello e allo scugnizzo".
[359] *Ibidem*, VII, cit., p. 134: "(...) come la vita di un cane, / E la vita vostra... Siete randagi".
[360] *Ibidem*: "Così oggi... ma, mannaggia, domani, / Non ci saranno più servi e padroni! / Deve solo mangiare con il lavoro, / Né più si devono vedere le strade piene / Di pezzenti e morti di fame (...)".
[361] *Ibidem*: "Mentre tante persone, fatte anche cavalieri, / Passano nelle carrozze, impellicciate invece di stare nelle galere".
[362] Sonetto diviso in quattro parti. V. *Tirripitirri*, cit., p. 135.
[363] *Ibidem*, III, cit., p. 137: "Adesso, quella prega tu credi? (...). La porca guarda tutti, tu non la vedi?... / (...) / La porca campa facendo la usuraia, / E si mantiene [ha come amante] il figlio della Babbusa... / Chiuditi bocca mia, meglio che io non parli!".
[364] V. *Dintra 'u ginimatografu* (*Nel Cinematografo*), in *Tirripitirri*, cit., pp. 151-160 (il componimento è diviso in dieci parti, e il titolo è *D' 'a terra a luna* (*Dalla terra alla luna*).
[365] V. *Chiarimenti*, cit., p. XIII.
[366] V. *Dintra 'u ginimatografu*, V, cit., p. 155: "A poco a poco la palla s'avvicina, / Si fa più grande a poco a poco la luna... / Sembra una fetta grande di cocomero, / una fetta tonda, rossa rossa e piena... / Si cambia la scena... C'è di sotto il mondo / Dalla finestra della palla del cannone / Guardano gli astronomi... davvero è tondo. / Ma il colore della terra è tutto giallo... / Ha il maestro Mottola ragione / Quando ci spiega che è un arancio".
[367] Ciottoli e massi di pietre.
[368] V. *Dintra 'u ginimatografu*, VII, cit., p. 157. "Sembrano, salvo l'anima, animali... / Tanto son brutti, e per di più malvestiti. / Gli occhi come quelli dei buoi, i nasi come imbuti, / Neri, occhi davvero con le ali... / Alle mani / tenevano certi pali / Lunghi e, come lance, poi appuntite... / Portavano alle labbra i cerchi d'oro, / Portavano alla fronte cinque raggi... / Primo segno si fecero tra di loro, / E dopo, senza far parola, / Contro gli astronomi, perdio, come selvaggi, / Si scagliano, facendo capriole...".
[369] *Ibidem*, X, p. 160: "Le signorine gettavano fiori... / In mezzo alla piazza c'era un arco grande / Fatto di bandiere di tutti i colori... / Sotto quest'arco il re di Cornova

glia, / Con i generali, mentre la banda musicale suona, Agli astronomi ci mettono la medaglia''.

370 V. *Chiarimenti*, cit., p. XIV.

371 V. *I Palumbi* (*I Colombi*, in *Tirripitirri*, cit., p. 133.

372 *Ibidem*: "Il colombo le gira intorno / (Sempre la donna bisogna pregare!) / E la guarda pietosa, e sospira... / Finalmente essa cede... Si baciano / Come sanno graziosamente baciarsi!... / Poi piano rientrano nella cova''.

373 *Ibidem*, VI, p. 168: Vieni entra, siamo al buio... / E nessuno ci vede... Abbracciamoci... / E baciamoci sempre, Maria... / Un altro poco, tu, stringimi più forte... / Se potessi morire così!...''.

374 "Tomaia, la parte superiore delle scarpe'' (Marzano).

375 *'A canzuna de u scarparu* (*La canzone del calzolaio*), in *Tirripitirri*, cit., p. 187: "Tira, il calzolaio la tomaia e sbatte i denti. / Poi con il martello batte, batte, batte!... / Sembra un pazzo a certi altri momenti / Incera lo spago, e cuce, o tira, e stira / Più di una volta la tomaia si rompe... / E inchioda i tacchi, e sospira, e sospira!''. *Stira* appunto la grossa pelle con cui si forma il tomaio delle scarpe dei contadini.

376 *Ibidem*, II, p. 188: "Incantato guarda alla finestra / Poi abbassa il capo, e cuce, cuce, cuce... / E cuce e con la mano è veloce!...''.

377 *Ibidem*: "Ragazza dolce, / È di ferro ogni chiodo, ma si consuma, e si arrugginisce in mezzo alla strada''.

378 V. *Savurri*, cit., p. 188: "Ma il chiodo che tu inchiodasti, bella tu, / Dentro il mio cuore, no, / non si distrugge, / Non si consuma, non mi lascia più!...''.

379 Chitarra battente.

380 V. *Chiarimenti*, cit., pp. XIII-XV.

381 V. *Mariuzza*, (*Mariuccia*), in *Tirripitirri*, pp. 191-192: "Mariuccia, Mariuccia, la vuoi fatta? / La vuoi fatta la poesia? Sei tutta simpatia... / La poesia sei tu... / Tu ridi, piccola birbante! / La poesia, la vuoi fatta? / Ma tu sei rosa di latte... / Tu vali un Perù! / Tu pensi a Gioacchino?... / Questo chiodo perfora ancora? / Sei bella di dentro e di fuori / ...Non ne parliamo più / Tu scappi... Non mi dai ascolto?... / Tu scappi e torci il muso? / Questo bel fiore rosso / Vorrei... non ne posso più / (...) Tu abbassi, abbassi la testa... / Alzala, va, un poco... / Sei buona... / E un altro poco... / Non ne parliamo più!''.

382 V. *Facimu Pacia!* (*Facciamo la pace!*), in *Tirripitirri*, cit., p. 193: "Sei o non sei bella? / Se ti incontro per la strada / Che pensieri mi fai fare!... ''. Altrove dirà: "Ciopa, cch'ai bella 'a faccia e bellu 'u cora, / Ciopa, cch'ai l'occhi, comu du' brillanti, / Guardami nu mumentu, ppe favora''. V. per questi versi e per la loro traduzione ("Bella, che hai bella la faccia e bello il cuore, / Bella che hai gli occhi come due brillanti, / Guardami per un momento / Per favore'') G. B. MARZANO, *Dizionario etimologico*, cit., p. 104 (v. *Ciopu e Ciopanaru*).

383 "Recriara''.

384 *Canzuna d'amura*, in *Tirripitirri*, cit., p. 292: "Scrigno d'oro / (...) ti tengo, / Che per me vali / più di un tesoro, / Più di cento paesi e di un regno''.

385 *La magia* (*L'incantesimo*). V. *T'arricordi?* (*Ti ricordi?*), in *Tirripitirri*, cit., p. 205: "Ti ricordi quel giorno / Che ti ho vista nel mare? / ... Mi guardavi, mi ridevi / Di lontano bella ragazza... / Io, nuotando, pian piano / verso di te venivo, / Perché con quest'occhi di calamita / Mi facevi l'incantesimo''.

386 Voce onomatopeica che esprime il picchiare agli usci, il battere che si fa alla porta o al portone.

387 V. *T'arricordi?*, cit.: "Era l'ora (Che bell'ora!) / Quando il sole sta per tramontare... / Che più forte la passione / fa battere il cuore... / Ti ricordi? C'era la mamma, / Tu dall'onda eri cullata... / Alla spiaggia che bellezza; / Che bellezza di saponata!".

388 V. *'A Simana Santa*, cit., p. 222.

389 V. *'U precettu* (*Il precetto*), in *Tirripitirri*, cit., p. 217: "— Padre — i peccati miei sono gravi assai / E Gesù Cristo neppure mi perdona... / Potrei farne (dei miei peccati) una corona / Piena di spine che non finisce mai... / Una volta tre camicie rubai alla mia figlioccia Concetta, al balcone... / Con Rosa 'a Decia martedì litigai... / E gliene dissi gliene dissi tante!... / Va, ho compreso... / Tu sei proprio perduta... / Per te ci vogliono tre assoluzioni... / O ti perdono... mandami una ciambella!...". *Cuzzupa* = specie di ciambella coronata di uova. A proposito di essa va osservato che da un punto di vista alimentare il giorno di Pasqua si differenzia dagli altri giorni per i seguenti cibi: *salsicce*, *cudduri* (*cuzzupi* appunto) con le uova, pasta e carne.
"Di Pasqua facevamo le "cuzzupedde" mettevamo l'uovo ai bambini e facevamo loro le "cuzzupi": parole riferite da una anziana donna. A tal riguardo v. l'esemplare volume di V. Teti, *Il pane, la beffa e la festa. Cultura alimentare e ideologia dell'alimentazione nelle classi subalterne* (nuova edizione aggiornata), Firenze, Guaraldi, 1978, p. 250.

390 V. *'A Cena* (*La Cena*), in *Tirripitirri*, cit., p. 129: "Guarda quel vecchietto calvo. Il mento gli gira, guarda, come una ruota di mulino!... / Ma non c'è quest'anno Domenichello / Dorme, beato, a un altro tavolino!".

391 Sui canti ("razioni" o "laudi") calabresi della Settimana Santa v. S. Ungheri, *La poesia popolare in Calabria. Introduzione di R. Corso*, Reggio Calabria, Tip. Panella, 1960, pp. 100-106. Le "razioni" si riferiscono ai vari momenti della Passione, e nella loro rozza semplicità non mancano di pregi artistici, specie quando è il cuore che parla, perché il popolo calabrese è singolarmente efficace quando s'ispira al suo sentimento: "Piangi, piangi, Maria povera donna, / ca pe to' figghiu è data la cundanna, / Nun lu spittari no, 'n casa nu torna / Ch'è jutu 'n manu di' Pilatu ed Anna. / Si partì scunsulata la Madonna, / "Figghiu si ti truvassi a carchi banda!" / Va e lu trova e la mano a la canna": "Piangi, piangi, Maria povera donna, / Che tuo figlio è condannato, / Non l'attendere, a casa non torna / Che è andato in mano di Pilato ed Anna. / Partì sconsolata la madonna, / "Figlio se ti trovassi in qualche parte!" / Va e lo trova legato alla colonna / La croce addosso e in mano una canna". Cfr. S. Ungheri, *op. cit.*, p. 102.

392 "Pigghjata". Presa, cattura di Cristo. "Si dice così un dramma tragico-sacro, col quale il popolino crede di rappresentare la cattura di Gesù Cristo e la sua flagellazione o morte. Questa rappresentazione che ormai va in disuso soleva farsi in moltissimi paesi, con molta pompa ed affluenza di paesi contermini, a periodi di anni determinati, nel venerdì santo". V. L. Accattatis, *Vocabolario del dialetto calabrese (Casalino-Apriglianese)*. Compilato da L. Accattatis e diviso in due parti. Parte prima — *Calabra Italiana*, Castrovillari. Dei tipi di Francesco Patitucci, 1895, p. 565 (la voce appunto *pigghjata*).

393 *'A pigghjata*, cit., p. 227: "Gridava: Questi non è figlio di Dio; / Questi è un pazzo ed è uno scemo... / Come ancora, gnorsì, mi meraviglio / Che ancora non l'abbiate condannato a morte...".

394 V. G. Patàri, *La settimana santa*, in *Catanzaro d'altri tempi*, cit., p. 211.

395 *Ibidem*.

[396] Brigante.
[397] "Gridandogli come mai non cammini".
[398] "E l'acchiapparono, lo spogliarono / E lo legarono come un capretto, / Cominciando a picchiarlo sulla pelle nuda. Staffilate alle natiche e al petto".
[399] "Una paletta al vento della ciminiera".
[400] "(...) quando / alla cova ci mancano i piccioni".
[401] "Ognuno al suo posto / Che questa sera altrimenti finisce in chiasso".
[402] "Un Gesù Cristo proprio naturale, / Hecce Homo che c'è al Rosario, / Un afflitto che per tre mesi è stato all'ospedale".
[403] "Sul capo portava una corona, / E camminava tutta contegnosa... / Con che grazia muoveva la sua persona, / Né parlando faceva la contegnosa...".
[404] V. G. GRECO, *Giovanni Patàri*, in *Poeti dialettali calabresi (contemporanei)*, Catanzaro, Guido Mauro Editore, 1931, p. 302. Gli altri poeti calabresi presentati e discussi dal Greco sono: Agostino Pernice, Vincenzo Franco, Francesco Maradei, Giovanni De Nava, Pietro Milone, Michele Pane. Su tutti questi poeti v. G. GIMINO, *Poeti dialettali calabresi*, in "Il Ponte", a. VI, n. 9-10, 1950, pp. 1092-1104; e la bibliografia di A. PIROMALLI che chiude il suo esemplare volume dal titolo *La letteratura calabrese*, Napoli, Loffredo, 1977, pp. 233-244; v. pure *Poeti dialettali dei tempi nostri. Raccolti ed annotati da Amedeo Tosti*, Lanciano, Carabba, 1925, pp. 298 e ssg. Anche il Tosti, oltre ai componimenti del Patàri, presenta pure altri poeti calabresi: a quelli già citati o indicati dal Greco bisogna aggiungere il poeta catanzarese Vincenzo Ammirà e il già ricordato Michele Pane di Decollatura (CZ). Su questo poeta, uno dei migliori del Novecento in Calabria, v. F. MASTROIANNI, *Amore di terra lontana nel canto di Michele Pane*, in "Cronaca di Calabria", 19 aprile 1936 e *Ricordi di Michele Pane*, in "La Voce Bruzia" (Cosenza), febbraio 1971; U. BOSCO, *Pagine calabresi*, Reggio Calabria, Edizioni del Parallelo 38, 1975, pp. 47-49; P. TUSCANO, *Calabria*, cit., pp. 37, 43, 321-325, 330.
[405] G. GRECO, *op. cit.*, p. 302.
[406] Si veda il sonetto *Si 'mbriganu* (*Litigano) della sezione De i magazzeni a li palazzi*, in *Tirripitirri*, cit., p. 9. Son di scena due donne: una rinfaccia all'altra di essere una "fetusuna" (sporcacciona) che ha venduto la figlia a Cosenza (l'ha avviata alla prostituzione), e però deve — per questa sua grave azione — cuocersi "dintra 'u 'mpernu" (nell'inferno) come si cuoce "nu pezzu 'e ragù" (un pezzo di ragù). V. *Tirripitirri*, cit., p. 9. Una lite tra due donne che se ne dicono tante: "E daveru ca averi dintra 'u locu / Jira ppe ma ti chiudi, sbrigognata, / Schifusa... / Statti ferma n'atru pocu!...": "E davvero che dovresti andare nel lago / Per chiuderti, svergognata, / Schifosa... Statti ferma un altro poco". V. *Si 'mbriganu*, cit., p. 9. Parla così una donna onorata che si è sentita giudicata da una donna "sbrigognata". E la donna onorata è consapevole di essere tale e dà l'estrema batosta alla sua avversaria: "Eu non ricivia i previti ogni sira!...": "Io non ricevevo i preti ogni sera". V. *Si 'imbriganu*, cit., p. 9.
[407] V. *M.* LA VECCHIA, *op. cit.*, p. 49
[408] V. M. SPANÒ, *La satira dei costumi — Giovanni Patàri*, in *Letteratura dialettale calabrese*, Reggio Calabria, Grafiche Sgroi, 1973, p. 105.
[409] V. *Prefazione*, cit., p. IX. S'intende a *Tirripitirri*. La *Prefazione* è del Patàri.
[410] *Ibidem*, cit., p. X.
[411] *Ibidem*.

412 Già di questo sonetto abbiamo parlato. Ora va solo osservato che in questo sonetto e in altri di *Tirripitirri* c'è l'esaltazione della morbosa sentimentalità amorosa del popolo. Ed ecco allora che una moglie accusa il marito di parlare troppo spesso con una ragazza. In questa amicizia la moglie non ci vede bene; e attende il momento per attaccar briga con l'avversaria in amore. Le parole sono come le ciliegie: una tira l'altra, e allora se le verrà qualche sospetto sa usare benissimo "il curtedduzzu" (il coltellino) che metterà a posto ogni cosa.

413 V. *Tirripitirri*, cit., pp. 28-29.

414 *Ibidem*, cit., p. 35. Nel sonetto si nota una mamma che interroga il proprio figlio che ancora non pronuncia bene le parole. Vanità materna! Nel piccolo intravvede un futuro avvocato.

415 V. *I visiti 'e luttu* (*Visite di lutto*), in *Tirripitirri*, cit., pp. 33-34.

416 V. *'A canzuna de 'u scarparu*, cit., p. 188: "Ma il chiodo che inchiodasti, bella, tu, / in questo mio cuore, non si consuma...".

417 La sorella. V. *'Na brutta sirata* (*Una brutta serata*), cit., p. 175. Il suo pensiero va alla sorella morta in una brutta serata, in cui si sente un forte vento di tramontana, che fa tremare continuamente la porta di casa. Il poeta in questa brutta serata pensa alla sorella morta.

418 *Ibidem*: "Fumandomi alla pipa due cicche, / Dietro ai vetri della mia finestra, / Con le mani dentro le tasche dei calzoni, / Io getto lo sguardo fuori, in mezzo alla strada / Piove e fa freddo: che brutta serata!... / Tira un vento secco di tramontana / Che fa tremare ogni istante la porta / Ognuno pensa a quest'ora alla innamorata / E la vorrebbe vicina s'è lontana... / Io penso a te, Ginuzza, che sei morta!...".

419 V. *Chiarimenti*, cit., p. XIII.

420 V. *Chiova forta* (*Piove forte*), in *Tirripitirri*, cit., p. 196: "I colombi non escono fuori, / Si stanno appollaiati nella tana! / Chissà perché se pur essi son malati di cuore / Se piove forte e soffia la tramontana!... / I colombi non escono più fuori...".

421 Sulle caratteristiche di questo dialetto v. la più volte citata opera di M. LA-VECCHIA, *Il dialetto di Catanzaro nella poesia e in alcuni poeti d'arte*, cit., pp. 108-109.

422 V. tanto per far un solo esempio il già citato sonetto *'A cuntentizza* (*La contentezza*), in *Tirripitirri*, cit., p. 35.

423 Sul dialetto calabrese v. pure T. DE MAURO, *La lingua italiana e i dialetti — Basilicata e Calabria*, Firenze, La Nuova Italia, 1969.

Sulla poesia dialettale calabrese V. almeno S. GAMBINO, *La poesia dialettale calabrese*, in "Parallelo 38", n. 4, Reggio Calabria, aprile 1964; G. GALATI, *Poeti dialettali calabresi moderni*, estr. dalla rivista "Vita ed Arte", diretta da C. Sajeva, Palermo-Recalmunto, anno III, n. 12, settembre 1913, Palermo-Recalmunto, Casa Editrice di "Vita ed Arte" (in particolar modo sono analizzati i seguenti poeti dialettali: Antonio Julia, Francesco Limarzi, Antonino Alvaro, Antonio Chiappetta, autore quest'ultimo del grazioso poemetto intitolato *Jugale*: tipo babbeo e stupido).

424 V. GIOVANNI PATÀRI, (Alfio Bruzio), *Terra di Calabria*, cit., p. 201: "A mare, a mare io fiume corrente... / Alzati, bella, che non dormi mai... / Meglio una ragazza senza nulla, / E no una brutta con soldi molti... / La bella te la godi con la gente... / E della brutta che onore hai? / La roba se la porta via il vento, / E quella donna brutta sempre in casa ti resta".

425 "Affacciati da questa finestra amata / Senti il mio canto appassionato / Chi

t'ama e ti vuol bene sta di fuori. / Fa un campare misero e sofferto... / Bella, se mi conosci alla parola. Non dico che di me tu ti sei dimenticata, / Che sono amante e son fedele ancora, / Credo che non mi abbiate abbandonato!...". Cfr. per questi versi G. PATÀRI, *Terra di Calabria*, cit., p. 202.

426 *Ibidem*, p. 202.

427 *Prefazione*, cit., p. X.

428 Su questo volume di poesie in vernacolo v. R. DE BELLA, *La poesia dialettale in Calabria*, Firenze, Edizioni Giuntine, 1959, pp. 113-114.

429 V. *Catanzaro d'altri tempi*, cit., p. 246.

430 I componimenti di questa raccolta sono dedicati "ai poeti più gentili dell'Italia nova: a Giuseppe Costanzo ed a Giuseppe Chiarini". V. G. PATÀRI, *Crisantemi — Sonetti — Preceduti da una lettera di E. De Amicis*, Trani, V. Vecchi (Tipografo Editore), 1897.

431 V. A mia madre (Aprile 1985), in *Crisantemi*, cit., p. II.

432 Corsivi del Patàri.

433 V. *Crisantemi*, cit., p. 16.

434 *Crisantemi*, cit., p. 17.

435 *Ibidem*.

436 *Ibidem*.

437 V. G. GALATI, *Introduzione storica allo studio della poesia dialettale calabrese*, in "Archivio storico per la Calabria e la Lucania", anno XX (1951), fasc. I-IV, p. 86.

438 V. G. GRECO, *G. Patàri*, in *Poeti dialettali calabresi (contemporanei)*, cit., p. 30.

439 Tra i due poeti dell'Ottocento e gli altri due del Novecento si collocano pure altri dialettali, tra cui ricordiamo il poeta burlesco Pietro Milone, Vincenzo Franco, Giovanni De Nava. Sul Milone v. G. SILVESTRI SILVA, *Poeti dialettali calabresi — V. Migliorini — P. Milone — C. Gulli*, Genova, Tipografia navale, 1932.

440 V. G. GIMINO, *op. cit.*, p. 1102.

441 *Ibidem*.

442 S. GAMBINO, *Antologia della poesia dialettale calabrese (Dalle origini ai nostri giorni)*, Catanzaro, Carelli, 1977, p. 42.

443 *Ibidem*.

444 Su quest'opera espressero giudizi positivi molti illustri critici del tempo. V. almeno A. ANILE, "Bollettino dell'ufficio scolastico", 2 aprile, Cosenza, giugno, 1925; G. PUCCIO, "La Tribuna", Roma, 21-8-1925; A. FRANGIPANE, "Brutium", Reggio Calabria, 30-6-1915; S. MELLO, "Epoca", Roma, 19-7-1925; L. BARZINI, "Corriere d'America", New York, 13-7-1925; G. GALLO, "La Giovine Calabria", Catanzaro, 9-7-1925; S. VENTURELLI, "Il Mattino", Napoli, 18-7-1925; G. CASTELLO, "Calabria nuova", Buenos Aires, luglio, 1925; C. CURTI, "Il Solco", Cagliari, 27-5-1925, n. 118; "La Rassegna" — Aprile-Giugno, 1926 — anno XXVI.

L'opera piacque molto anche ad Achille Pellizzari, al Mazzoni. Da osservare ancora che tra un'edizione e l'altra di quest'opera, l'Autore esaudì il voto dei contemporanei, particolarmente dei corregionali residente nelle Americhe, e raccolse in un volume i sonetti che *'U Monacheddu* aveva portato in tutti i paesi della Calabria.

445 Su di lui v. almeno V. G. GALATI, *Antonino Anile*, Roma, Ed. Paoline, 1952; P. TUSCANO, *Antonino Anile - L'uomo, l'educatore, il poeta*, Cosenza, Pellegrini, 1970.

446 Sulla Sila v. S. DE CHIARA, *La Sila*, in *La nuova Calabria*, Milano, Società Anonima Editoriale, 1920, pp. 7-48.

[447] *S. Giovanni in Fiore*, in *Terra di Calabria — Paesi e paesaggi, con 82 illustrazioni in fototipia — Seconda edizione*, cit., p. 15. Su questo e su gli altri che nomineremo in appresso (Verzino, Savelli, ecc) v. G. VALENTE, *Dizionario dei luoghi della Calabria (M-Z)*, Chiaravalle Centrale, Edizione Frama's, 1981, pp. 883-884; pp. 984-986; 1136-1137.

[448] Guardavalle è un paese in provincia di Catanzaro. Sul Cardinal Sirleto (1514-1585), prefetto della Biblioteca Vaticana; dottissimo e illustre umanista v. almeno i seguenti studi: C. PAJA, *Il grande Cardinale della Calabria*, Palermo, Tip. Scuola del Boccone di pane, 1912; P. PASCHINI, *Note per la biografia del Cardinale Guglielmo Sirleto*, in "Archivio Storico della Calabria", anno V, 1917, pp. 44-104; P. PASCHINI, *Guglielmo Sirleto*, in "Almanacco Calabrese", 1957.

[449] Provincia di Catanzaro come pure Gagliano. Gimigliano è anche un paese ricco di castagne, e di "farina di castagne si ha un pane gradevolissimo e molto nutritivo, le *pastille* si esportano ovunque, i *tordoni*, sono d'un sapore così squisito che perfino Giovanni Pascoli, me li chiedeva per i suoi nipotini, ed il grande poeta, ogni tanto, per le feste del ceppo, mi scriveva: "I frugoli di mia sorella vogliono che io ti ricordi di mandarmi i marroni, i saporosi marroni di Gimigliano". V. *Il nido delle belle pacchiane*, in *Terra di Calabria*, cit., p. 189.

[450] Paese in provincia di Cosenza, che ha dato i natali inoltre al prete Antonio Toscano: "di Pietro Micca più grande e più vero, immortalato dal Botta e dal Colletta nelle pagine magnifiche delle loro istorie con parole magnifiche". Cfr. *Corigliano, nel forte desio...*, in *Terra di Calabria*, ed. cit., p. 260.

[451] Sulle origini di questa città v. D. CORSO, *Rhegium chalcidense*, in "Archivio storico calabrese", anno III, 1915, pp. 174-178. La città diventa presto forte e potente, mossa guerra alla vicina Zancle, e la occupò, e le mutò il nome in *Messene*, che, poi, cambiò in *Messina*. Dopo questa vittoria, fiorì ancora più Reggio, e divenne sempre maggiormente ricca e temuta.

[452] Il terremoto distrusse, tra le altre cose, una tra le più belle chiese di Reggio: quella di San Giorgio. Essa andò completamente distrutta nel fatale mattino del 28 dicembre 1908; così pure il Museo Nazionale di Reggio che, tra le sue medaglie di "grandissimo valore storico" c'è quella raffigurante Esculapio ed Igea, e un'altra il Sole e Apollo.

Sui terremoti in Calabria v. V. BARATTA, *Terremoti in Calabria — Conferenza* tenuta il 28 febbraio 1906 nella grande aula del Collegio Romano nella Biblioteca della Società Geografica Italiana, fasc. V, 1906; M. MANDALARI, "Pro-Calabria", in "Nuova Antologia" del 16 settembre 1905 (articolo scritto appena notizia del terremoto del giorno 8 settembre 1905); e per i terremoti verificatisi nel 1905-1908 v. G. GINGARI, *Pro-Calabria terremoti, legge speciale*, in *Storia della Calabria — Dall'unità a oggi*, Bari, Laterza, 1982, pp. 141-170.

[453] Tale notizia venne data dallo stesso Patàri all'"Avanti" che la stampò il 2 gennaio 1909.

[454] V. *La città distrutta*, in *Terra di Calabria*, cit., p. 173.

[455] *Ibidem*, p. 172.

[456] V. L. ALIQUÒ-LENZI, *Ibico Reggino, Canti e leggende*, Tip. Morello, Reggio Calabria, 1916. Furono reggini anche i filosofi Aristide, Pizio, Elicaione, per ricordarne alcuni; in questa città ancora nacquero i poeti Licofone, Cleonimo, e Ibico appunto,

e i musici Glauco e Aristene; gli scultori Clearco e Policreto; e il celebre medico Niccolò da Reggio.

457 Reggio Calabria 1819 — ivi 1898. Fu studioso di latino e ricercatore d'antichità calabresi; autore di epigrammi in latino e in greco e di elegie, di cui le più famose sono quelle dedicate alle rovine di Pompei. La sua opera più famosa è un poemetto in tre canti in esametri sulla pesca del pesce spada nello stretto di Messina (*Xiphias*), con il quale vinse il premio dell'Istituto belgico al primo concorso internazionale di poesia latina di Amsterdam (1841).

Viene apprezzato molto dal Croce e dal Pascoli, quest'ultimo lo proclamò "l'ultimo degli umanisti". Su questo "squisito poeta latino di ispirazione virgiliana" (Cfr. M. LA CAVA, *Letteratura calabrese e cultura nazionale* (*Spunti introduttivi*), in "Calabria libri" (Panorama bibliografico e di vita culturale), luglio-dicembre 1982, Soveria Mannelli, Il Rubettino, 1982, p. 306) v. almeno i seguenti studi: D. CARBONE GRIO, *Le fonti mitiche e storiche dello Xiphias di Diego Vitrioli*, Reggio di Calabria, Stab. tip. di F. Morelli, 1901 (di questo studio v. la recensione di G. SCOPELLITI, in "Rivista storica calabrese", 1902, pp. 88-90); L. ALIQUÒ-LENZI, *Gli epigrammi satirici di Diego Vitrioli*, Reggio Calabria, Tip. Corriere di Calabria, 1915; *Dizionario enciclopedico della letteratura italiana* (diretto da G. Petronio), vol. V (S-Z), Bari, Laterza, 1968, p. 478; A. PIROMALLI, *La letteratura calabrese*, cit., pp. 178, 189, 190; P. TUSCANO, *Calabria*, cit., pp. 30, 43; G. SAPIA, *Tra Calabria e Umbria. Classicità del secondo Ottocento*. Presentazione di Germano Marri. Introduzione di Nino Scivoletto, Perugia, Fondazione Marino, Anna e M. Lodonei Saveri, 1988.

458 *La città risorta*, in *Terra di Calabria*, cit., p. 180: "Reggio, sei bella assai, / Con questo cielo stellato, / Con questo mare incantato... / Così bella non ti ho vista mai... / C'è nell'aria un profumo di gelsomini / Che ti stordisce... / Reggio, io ti voglio dire / Tu sei tutta un giardino...".

459 Cfr. G. PATÀRI, *La città della Fata Morgana*, in "Le cento città d'Italia illustrate", fascicolo 239°, Milano, Sonzogno, 1928, pp. 1-17.

460 Poeta reggino dell'età di Campanella; autore di un poema sacro, *La Maddalena liberata*. Su di lui v. L. ALIQUÒ-LENZI, *Scittori calabresi*. Messina, Stab. tip. Alicò fu Ros, 1913, p. 88.

461 G. PATÀRI, *La poesia della Fata Morgana*, in "Le Cento città illustrate", fasc. cit., p. 2.

462 Mattia Preti di Taverna (1631-1699), detto il Cavaliere calabrese, capace di raggiungere "nella pittura vertici di drammatica violenza" (Tuscano). Su questo pittore, v. anche A. PIROMALLI, *La letteratura calabrese*, cit., pp. 81, 91, 104.

463 V. *Terra di Calabria*, cit., p.215.

464 *Nella terra di Campanella*, in *Terra di Calabria*, ed. cit., p. 121.

465 *Ibidem*.

466 *Il giardino pubblico di Catanzaro*, in *Terra di Calabria*, ed. cit., p. 121.

467 Venne fondata nel 1893 a Catanzaro con il titolo di "Rivista calabrese di storia e geografia "dallo storico reggino Oreste Dito. Su questa rivista v. *Appendice* alla relazione di M. Mafrici, *Il giornalismo a Reggio Calabria e Provincia. Contributo ad una indagine storiografica della stampa calabrese dal 1895 al primo conflitto mondiale*, in AA. VV., *Giornalismo in Calabria. Tra Ottocento e Novecento (1895-1915)*, a cura della Sezione Studi "Carlo De Cardona", Cosenza, Fasano, 1978, p. 99.

[468] *Il giardino pubblico di Catanzaro*, cit., p. 113.

[469] V. G. PATÀRI, *Catanzaro* "Nido di aquile", in *Le cento città d'Italia*, fasc. 189, ed. cit., p. 1.

[470] Sulle origini di Catanzaro v. C. DE' NOBILI, *Su le origini di Catanzaro*, Catanzaro, Tip. Caliò, 1907.

[471] Sulla storia e sulla cultura catanzarese nell'Ottocento e nel Novecento v. U. BOSCO, *Piccola storia d'una città senza storia* (articolo del 1958) e *Una Catanzaro giovane* (nota stesa nel 1972), in *Pagine calabresi*, Reggio Calabria, Parallelo 38, 1975, pp. 61-66; 67-86; e soprattutto per la cultura a Catanzaro dall'unità alla Repubblica v. R. COLAPIETRA, *Potere e cultura a Catanzaro (Dall'unità alla Repubblica) — Presentazione di U. Bosco*, Soveria Mannelli, Il Rubettino, 1987.

[472] Su di lui v P. TUSCANO, *op. cit.*, p. 30, 42, 141-145.

[473] Suo pseudonimo.

[474] Per le altre accademie v. *Catanzaro* "Nido di aquile", cit., p. 14 e ssg.

[475] Cfr. *Da Verzino a Strongoli* , in *Terra di Calabria*, ed. cit., p. 129.

[476] Come è noto poeta romantico, autore de *Il Brigante*. Su di lui v. A. PIROMALLI, *op. cit.*, pp. 148, 152, 153, 165.

[477] V. *Terra di Calabria*, ed. cit., p. 189 e ssg.

[478] "Grande davvero questo principe della Chiesa Romana, che, nato in un piccolo paese di Calabria, solo per l'altezza della mente, salì alle più alte cariche" della gerarchia ecclesiastica. Cfr. *Nella terra di Campanella*, cit., p. 148. Nella stessa opera di *Terra di Calabria* sono ricordati Squillace che ha dato i natali a Florestano Pepe ("avventuroso ed ardimentoso, che combatté nella Spagna, per la Repubblica partenopea, con Napoleone a Marengo, con Murat in Russia ed a Lipsia, con fratello sui piani lombardi...". Cfr. *Fantasticando di Squillace*, in *Terra di Calabria*, cit., p. 108.), e a Guglielmo Pepe, a Damiano Assanti che, "sereno nel martirio quando la Patria era serva, quando essa fu libera, nulla volle e nulla chiese!...". Cfr. *Ibidem*, p. 109.

[479] Provincia di Catanzaro.

[480] Provincia di Cosenza. Il Patàri ne parla qui accanto a Crotone perché ambedue città antichissime e gloriosissime.

Sybaris, come è noto, metropoli magnogreca, fu fondata dagli Achei, presso il fiume omonimo, là dove sorsero le sue eredi *Thourioi* e *Copia*. Cfr. E. BARILLARO, *Dizionario bibliografico e toponomastico della Calabria*, vol. II., *Provincia di Cosenza*, Cosenza, Pellegrini, 1979, pp. 201-204.

Su Sibari v. inoltre: G. FOTI, *La scoperta di Sibari*, in "Almanacco Calabrese", P. I., 1972-73, pp. 17-23 (con bibliografia); G. PUGLIESE CARRATELLI, *Problemi della storia di Sibari*, in "Almanacco Calabrese", 1969.

[481] Crotone.

[482] *Dove fu Sibari*, in *Terra di Calabria*, ed. cit., p. 126. Ecco ancora un'altra narrazione, questa volta di storia moderna, afferente a un paese reggino: Stalettì "carbonara": "fu il primo paese di Calabria ad insorgere — il 4 luglio 1821 — contro il governo borbonico; e proprio da questo paese fu proclamato decaduto dal trono di Napoli il fedigrafo Ferdinando I, il vecchio Re nasone lascivo e bigotto". Cfr. *Stalettì carbonara*, in *Terra di Calabria*, cit., p. 60.

[483] *Nella Sila misteriosa*, cit., p. 78.

[484] G. PATÀRI, *Cosenza* "L'Atene della Calabria", in "Le cento città d'Italia illustrate", fasc. 250, cit.

[485] *Ibidem.*

[486] Egli ebbe come maestro il grande umanista cosentino Aulo Giano Parrasio.

[487] Su di lui e il fratello Bernardino v. F. POMETTI, *I Martirano*, in "Atti dell'Accademia dei Lincei", 1894.

[488] Critico, erudito, poeta cinquecentesco. Per la bibliografia su di lui v. A. PIROMALLI, *op. cit.*, p. 236.

[489] Su di lui v. A. PIROMALLI, *op. cit.*.

[490] Di Pietrafitta (1836-1916). Su di lui v: B. CROCE, *Primi saggi*, Bari, Laterza, pp. 134-135 e *La letteratura della Nuova Italia*, ivi, 1949, vol. III., pp. 378-396; L. RUSSO, *La critica letteraria contemporanea*, Bari, Laterza, 1946, vol. I., pp. 140-141; A. TESTA, in AA. VV., *Letteratura italiana — I critici*, Milano, Marzorati, vol. II., 1969, pp. 945-964; F. FIGURELLI, *Profilo di Bonaventura Zumbini*, in "Calabria/Cultura", an. I., n. 3-4, 1974, pp. 415-437.

[491] (1520-1553). Su di lui la bibliografia è vasta, e qui ricordiamo solo alcuni studi: S. DE CHIARA, *Galeazzo da Tarsia*, Cosenza, 1885; B. CROCE, *Poesia popolare e poesia d'arte*, Bari, Laterza, 1933; G. CONTINI, *Introduzione a Rime di G. Di Tarsia*, a cura di D. Ponchiroli, Parigi, Tallone, 1951; L. BALDACCI, *La fortuna critica di Galeazzo di Tarsia* e *Sulla poesia di Tarsia*, in "Inventario", ottobre-dicembre 1953; G. PETROCCHI, *I fantasmi di Tancredi*, Sciascia, Caltanisetta-Roma, 1972; M. ARIANI, *La scrittura e l'immaginario. Saggio su Galeazzo di Tarsia*, Padova, Liviana, 1987.

[492] *L'Atene della Calabria*, cit., p. 6.

[493] Furono Presidenti dell'Accademia in epoca diversa Nicola Misasi e Stanislao de Chiara, quest'ultimo dantista e poeta di non comune valore.

Su Pirro Schettini (1630-1670) di Aprigliano "che ribaltò con decisione la moda facile ed epidermica del marinismo" (Tuscano) v. i seguenti studi: A. CARDILLO, *Pirro Schettino*, in "Misure critiche", an. II, n. 4., 1972, pp. 26-42; e il fondamentale studio di V. GIANNANTONIO, *Per l'edizione critica delle opere edite ed inedite di Pirro Schettini*, in "Critica letteraria", anno XV-fasc. III., n. 56, 1987, pp. 419-496.

[494] V. *San Giovanni in Fiore*, in *Terra di Calabria*, cit., p. 96.

[495] Su Rossano (ant. *Rosia*, *Rosianum*) v. E. BARILLARO, *Dizionario bibliografico e toponomastico*, vol. II., cit., pp. 163-167.

[496] Per questa citazione v. *Roscia et portus Rosciae*, in *Terra di Calabria*, cit., p. 250. Sul codice di Rossano v. almeno i seguenti studi: V. G. SAPIA, *La carta Rossanese e il Barber. Lat. 3205*, Messina, D'Anna, 1978; M. SQUILLACE, *Calabria vecchia e nuova*, Chiaravalle Centrale, Edizioni Frama Sud, 1978, pp. 10-16 e ssg. e 23-26; C. MONTEVERDE, *Intorno alla Carta Rossanese*, in "Cultura neolatina", n. 9, 1949, pp. 136-142; A. COLONNA, *Tradizione ed esegesi della cosiddetta "Carta di Rossano"*, in "Rendiconti dell'Istituto Storico Lombardo", n. 89-90, 1956.

[497] V. *Roscia et portus Rosciae*, cit., p. 250.

[498] V. *Vinti e sommersi nella letteratura calabrese contemporanea*. Conferenza tenuta al Circolo calabrese di Napoli il 6 aprile 1896, Catanzaro, Officina Tipografica di G. Caliò, 1896, p. 37.

[499] 1824-1895. Medico famoso.

[500] Catanzaro 1845 — Firenze 1911. Filosofo e letterato. Dopo vari incarichi in-

segnò Storia della Filosofia a Pisa e nell'Istituto superiore di Firenze. Per altre notizie su di lui e la bibliografia v. "Dizionario enciclopedico della Letteratura italiana" V, cit., p. 285.

501 *Vinti e sommersi*, cit., p. 31.

502 Su di lui v. *Vinti e sommersi*, cit., p. 32.

503 Tra le sue opere ricordiamo: *Videmus in aenigmate*, Bologna, Mareggiani, 1907; *Amore, Dolore, Fede*, Bologna, Mareggiani, 1908 (n. ed. Bologna, Cappelli, 1915); *Dialectica*, Bologna, Mareggiani, 1911; *Le cose migliori di F. Acri*, a cura di L. Ambrosini, Lanciano, Carabba, 1910. Sul filosofo catanzarese v. R. MONDOLFO, *Francesco Acri e il suo pensiero*, Bologna, Zanichelli, 1914; A. ANILE, *Vita ed opere di Francesco Acri*, in "Bollettino Filosofico", n. 5-6, 1924; M. VALGIMIGLI, *Uomini e scrittori del mio tempo*, Firenze, Sansoni, 1965, pp. 327-339; E. GARIN, *Cronache di filosofia (1900-1943)*, Bari, Laterza, 1966, vol. I., p. 81; F. CORVINO, *Acri Francesco*, in "Dizionario biografico degli italiani", Roma, Istituto della Enciclopedia Italiana, 1960, vol. I., pp. 201-203.

504 Pizzo (Catanzaro) 20 novembre 1863 — Raiano (L'Aquila) 26 settembre 1943. Si laureò in medicina presso l'Università di Napoli dove rimase come aiuto del suo maestro Giovanni Antonelli, nell'insegnamento dell'anatomia umana. Cultore della scienza, ebbe una speciale predisposizione per la poesia, scrisse, accanto a due *Trattati di anatomia dell'uomo*, la raccolta di versi *Prima mane* (1889), *Intermezzo di sonetti* (1893), per ricordarne alcune. Per la bibliografia su di lui v. P. TUSCANO, op. cit., p. 43.

505 V. *Per la Calabria*, cit., pp. 249-261.

506 Su di lui v. A. LENZI - ALIQUÒ TAVERRITI, *Gli scrittori calabresi*, cit., II., p. 120 e ssg.

507 Di Maida (Catanzaro), 19 agosto 1844 — Napoli 1912. Diresse diversi giornali catanzaresi: "Il Corriere calabrese" e "La Giovine Calabria", e fondò, nel 1896, con Francesco Maruca, espressivo caricaturista, "Le facce toste" settimanale umoristico illustrato. Sul Vitale v. ALIQUÒ LENZI - F. ALIQUÒ TAVERRITI, op. cit., p. 233.

508 Egli, pur giacendo per tre anni, dal 1857 al 1860, per "liberi moti" di pensiero nelle orride carceri di S. Maria Apparente di Napoli, continuò, tra patimenti inauditi, a scrivere versi frementi di libertà.

509 *Per la Calabria*, cit., p. II.

510 Tip. Vaglio, Napoli, 1864.

511 Su questo poeta v. pure A. PIROMALLI, *op. cit.*, pp. 162-163; p. 240 (bibliografia).

512 Cfr. *Ad una giovinetta*, in *Per la Calabria*, cit., p. 18.

513 Arena (Catanzaro) 7 settembre 1828 — Catanzaro 12 ottobre 1911. Per altre notizie biografiche v. *Per la Calabria*, cit., pp. 269 e ssg. L'Inglese fu un poeta romantico; seguace del Prati e dell'Aleardi. Il poeta calabrese da vecchio, quando erano in auge le poesie carducciane, cercò anche lui di scrivere delle odi barbare.

Tra le sue opere ricordiamo solo *Scene ed effetti*, Catanzaro, 1887. Cfr. su di lui v. A. PIROMALLI, *op. cit.*, pp. 156-157.

514 *Vinti e sommersi*, cit., p. 7.

515 1805-1876. Autore di tragedie romantiche ispirate ad Alfieri. L'influsso alfieriano e i primi segni del romanticismo cominciano a produrre in Calabria tragedie come quelle del Musardi, di Pietro Giannone (1806-1864); e così pure cominciano ad

apparire versi patriottici, come quelli di Francesco Ruffa (1792-1851), che scrisse pure tragedie, di Antonio Pandullo che scrisse sui martiri calabresi. Cfr. A. PIROMALLI, *op. cit.*, p. 138.

516 Su tutti questi autori v. le più volte citate opere di Aliquò Lenzi, di Piromalli e di Tuscano.

517 E per continuare l'elenco: Giuseppe Mantica, Pietro Martire, Salvatore Rago, Oreste Dito, Emilio Ravenda, Luigi Cretella, Giuseppe Sterno, Raffaele Cotronei e tanti altri. Anche su questi autori vale quanto detto nella nota precedente.

517bis Cfr. A. PIROMALLI, op. cit., p. 87 e ssg.

518 Su di lui v. A. JULIA, in "Giornale di Calabria", febbraio 1925; A. ANILE, *Prefazione a Liriche e Poemetti*, Messina, Ed. "La Sicilia", 1926; F. MASTROIANNI, *Filippo Greco. L'ultimo dei romantici calabresi*, Cosenza, Pellegrini, 1966; P. TUSCANO, *Calabria*, cit., p. 30, 42, 138-141.

519 *Per la Calabria*, cit., p. 20. Tra i calabresi che studiarono a Napoli vengono ricordati Antonio Marchese, Francesco Giovanni Solimena, Filippo Amantea. E tra i non calabresi: Ferdinando Russo, Giuseppe Rizzi, Tommaso De Vivo, Giuseppe Casciaro, Peppino Amendola.

520 Una delle sue prime poesie *Le tre figlie del re Sonno*, vide la luce su la *Vita paesana*, diretta da Pietro Martire.

521 Su Rocco De Zerbi v. O. C. MANDALARI, *Rastignac e Rocco De Zerbi*, in "Corriere di Calabria", 9 maggio 1923, poi in *Uomini e cose della mia Calabria (Scritti di storia-letteratura e politica) (1908-1932)*, cit., pp. 439-444 (Rastignac è appunto Vincenzo Morello di Bagnara, di cui parleremo in appresso); A. CONSIGLIO, *Rocco De Zerbi*, in "Almanacco Calabrese" 1970-1971, pp. 99-101.

522 *Un dimenticato: Rocco De Zerbi*, apparso dapprima ne "La Tribuna", 18 settembre 1923, e poi in *Per la Calabria*, cit., p. 279.

523 *Ibidem*, p. 281.

524 *Ibidem*.

525 Insegnante di lettere latine e greche nel R. Liceo Galluppi di Catanzaro.

526 Preside del liceo di cui nella nota precedente.

527 V. *Nicola Misasi*, in *Per la Calabria*, cit., p. 319.

528 Libro del Misasi del 1891.

529 Poi venne pubblicata in *Per la Calabria*, cit., pp. 117-146.

530 Presente è l'umorismo, e di buona lega, nei versi dialettali. Anzi l'umorismo è la nota più saliente della poesia dialettale non solo della poesia dialettale del Patàri ma di ogni regione d'Italia e forse del mondo — afferma il medesimo Patàri — che parla anche di nota sarcastica che si può cogliere di continuo sulla bocca del popolo, studiandone la vita e i caratteri. E ciò che ha fatto il Patàri in *Tirripitirri*.

Certo la Calabria si riconosce in quella raccolta di versi. Difatti Alfio Bruzio scrive che la poesia dialettale è stata rivoluzionata dal Belli. Non più poemi, ma *macchiette* di vita da fermare nel breve sonetto. In questo indirizzo, la Calabria sta prima di altre regioni. Il sonetto dialettale, prima "che dal Belli a Roma, si ebbe da noi col Conìa". Cfr. *Per la Calabria*, cit., p. 145. Su Giovanni Conìa, poeta popolare reggino, v. L. FUCILE, *Un poeta dialettale della Calabria reggina: l'abate Conìa*, Messina, Ed. "La Sicilia", 1927; P. CREAZZO, *Introduzione a G. Conìa, Poesie complete*, Reggio Calabria, Soc. ed. Reggina, 1929; A. PIROMALLI, *Giovanni Conìa*, Reggio Calabria, 1947;

R. SERGIO, *L'abate Giovanni Conìa poeta dialettale calabrese*, Reggio Calabria, ed. Parallelo 38, 1980; P. TUSCANO, *Calabria*, cit., pp. 6, 30, 42, 158-163.

531 Telesiano che nel 1508 poubblicò a Ferrara la sua difesa del Patrizi contro il marchigiano Teodoro Angelucci e subito dopo intervenne nelle discussioni sull'amore con il *De pulchritudine...* . Cfr. A. PIROMALLI, *op. cit.*, p. 76.

532 V. F. S. SALFI, *Un frammento del saggio storico sulla letteratura cosentina*, in "L'Eco peloritano", a. V., pp. 202-205.

533 "Nato in Aprigliano. Insegnò Teologia e fu Rettore nel Seminario di Cosenza". Cfr. su di lui L. ALIQUÒ-F. ALIQUÒ TAVERRITI, *Gli scrittori calabresi*, I, cit., p. 47. Da quest'opera apprendiamo che fra i "componimenti, letti nell'Accademia cosentina alla memoria della Sovrana delle due Sicilie Maria Cristina" (Cosenza, Migliaccio, 1836) si legge un Carme latino dell'Abruzzini (pp. 22-23), e altre poesie di Piro (di lui ci occuperemo in seguito), di Giuseppe ed Ignazio Donato. Su questi due ultimi poeti v. L. ALIQUÒ LENZI, *Gli scrittori calabresi*, cit., p. 128.

534 Aprigliano (secolo XVII). Scrisse molti versi. Gli si attribuisce una farsa intitolata *Colambrosio*. Il Cosentino è famoso per aver ridotto "La Gerusalemme Liberata" in vernacolo calabrese. Conoscitore del "giure penale fu anche governatore di Bisignano dove ebbe dal Principe rubata la moglie: ne fu tanto indignato che lasciò pandette e governo, riducendosi al tranquillo loco nativo, dove visse e studiò quietamente e lungamente". V. L. ALIQUÒ-LENZI, *Gli scrittori calabresi*, cit., p. 85.

Della sua *Gerusalemme*, il Parrini di Napoli fece un'edizione, oggi rara, nel 1738, datandola da Cosenza nella "Gazzetta Artistica" di Palermo (1890). Giovanni Solimèna, in uno studio dal titolo "Poesia dialettale", si occupa, sulle orme del Gallucci, della vita e delle opere dei due poeti Domenico Piro e Carlo Cosentino, che paragona al Vitali, poeta siciliano: rileva i loro pregi linguistici e si occupa di Piro e della sua poesia pornografica, raffrontandola col marinismo.

535 Anch'egli di Aprigliano; fiorì nella prima metà del XVIII secolo. Fu accademico cosentino; compose in greco, latino, italiano ed in vernacolo calabro. Resta — stampato a Napoli nel 1783 — un volume di *Vari componimenti poetici*. Cfr. L. ACCATTATIS, *Vocabolario calabro italiano e viceversa*, PII, cit., p. 167. Di ben quarantaquattro componimenti l'Accattatis dà i titoli, osservando che "pur essendo un professore eruditissimo di letteratura greca e latina, non arrivò ad eguagliare il genio poetico dei suoi compatrioti".

536 Pseudonimo fortemente greco: *amico di tutti* secondo alcuni; *conoscitore di tutto*, secondo altri.

537 Aprigliano 1664 o 65-1696. Su di lui v. *Raccolta di poesie calabre con prefazione di Luigi Gallucci*, Cosenza, Mit, 1968 (contiene notizie sulla vita di Piro, pp. 3-29). Questa raccolta contiene anche le poesie di Ignazio e Giuseppe Donato e di Luigi Gallucci (*L'Umbra de Pantu*, *La Culeide*, per citarne alcune).

Il Gallucci attenendosi alla tradizione scrive che i componimenti intitolati *Briga de li studienti*, *Lu gattu*, e la canzone che incomincia *Fratemma dice ca nun vale l'uoru* ("mio fratello dice che non vale l'oro" si "vogliono dettate da Ignazio Donato"; *La maija*, *La littera a Vimmara*, ed altri ghiribizzi poetici da Giuseppe Donato. *Lu Murmuriale*, la *Cazzeide*, la *Cunneide*" poi si addebitano al prelodato Domenico Piro". Cfr. L. GALLUCCI, *Notizie...* (stese nel 1833), in *op. cit.*, p. II). Di Piro v. ancora *Poesie calabre con prefazione di Luigi Gallucci*, Cosenza, Edizioni Brenner, 1983.

Sulla poesia a personalità artistica di Piro v: *Appendice II del Vocabolario Calabro-Italiano e viceversa. Compilato da Luigi Accattatis e diviso in due parti*. Vol. unico Parte I e II, cit., pp. 151-157 (riproduce l'Accattatis un suo studio già ricordato: "La poesia dialettale aprigliánese", apparso in precedenza nella "Rivista storica calabrese", anno II, fascicolo VIII-IX-X, 1894); sempre di L. ACCATTATIS, *Le biografie degli uomini illustri delle Calabrie*, Bologna, Forni, 1977 (ristampa dell'edizione di Cosenza, 1869-1877), pp. 362-372; P. ADDANTE, *La personalità e l'opera di Domenico Piro alias Duonnu Pantu. Contributo di ricerche storico-critiche*, Bari, Centro Ricerche storico-filosofiche, 1975; *Id.*, *Tra leggenda e realtà. Domenico Piro, conosciuto come Duonnu Pantu*, in "Cronaca di Calabria", Cosenza, 20 settembre 1964, n. 59; Id., *D. Piro, in Francesco Antonio Piro. Contributo alla storia della Calabria e del Pensiero filosofico del Settecento*, I, Corigliano Calabro, Editrice Mit, 1969, pp. 47-51; S. DE CHIARA, *L'anima calabrese nei canti del popolo*, in *La mia Calabria*, cit., pp. 56-94; O. LUCENTE, *Domenico Piro*, Cosenza, Fasano, 1982.

[538] Trieste, 1882, "interessante documento delle tendenze positivistiche e anticlericali che dominavano la vita pubblica italiana" (V. *Dizionario enciclopedico della letteratura italiana*) diretto da G. Petronio, I, Bari, Laterza-Unedi, 1966, p. 654.

[539] Sugli inizi e caratteristiche proprie di questa poesia v. A. PLACANICA, *Calabria in idea*, in *Storia d'Italia — Le regioni dall'unità ad oggi — La Calabria*, a cura di P. Bevilacqua e A. Placanica, Torino, Einaudi, 1985, pp. 626 e ssg.

[540] *Per la Calabria*, cit., p. 27.

[541] Altri scrittori "umoristici" ricordati sono l'abate Conìa, l'Ammirà con la scollacciata *Ceceide*, e la famosa *'A pippa*; Salvatore Scervino, Giacinto Bendicenti, Pietro Milone, quest'ultimo riesce a prendere la vita umoristicamente e a dipingerla satiricamente. Altri poeti che furono nei versi umoristicamente perfetti in Italiano sono stati Giuseppe Mantica, giornalista, poeta, professore, deputato: le *Sue rime gaie* (Roma, 1903) sono impregnate di quel tenue umorismo alla Sterne e Luigi Siciliani (amico del Pascoli; poeta e traduttore. Egli fu anche conoscitore profondo delle letterature e delle lingue antiche e moderne, romanze che, nel *Giovanni Francica*, egli a somiglianza di quanto faceva il Verga ed il Capuana per la Sicilia, e la Deledda per la Sardegna, cercò di fermare l'anima del popolo di Calabria negli usi, nei costumi, nelle credenze, nei pregiudizi. Tra le sue opere ricordiamo *Poesie per ridere*, ricche di un umorismo patetico). Sia il Mantica sia il Siciliani morirono in giovane età a Roma.

[542] V. G. PATÀRI, *Catanzaro d'altri tempi*, cit., p. 34 e ssg. *Collu 'e sugghiu* (Collo di lesina) è un tipo che è esistito veramente. Infatti il Patàri ci fornisce tutti i dati reali della sua vita (1840-1912).

[543] V. *Catanzaro d'altri tempi*, cit., p. 123.

[544] Oltre a notizie letterarie ci sono descrizioni sociali, costumi, poesie dello stesso Patàri. E qui ricordiamo quella dedicata alla chiesetta di *Materdomini*, che si trova sulla rotabile che porta da Catanzaro a Gagliano. V. *Catanzaro d'altri tempi*, cit., p. 189. In questa opera c'è posto anche per la malavita: "sugnu picciottu 'e sgarru": poesia già esaminata. E quando parla di delinquenti ricorda la figura di Brancati ("Il poliziotto Brancati", in *Catanzaro d'altri tempi*, cit., pp. 232-234) pure in *Tirripitirri* e precisamente in due sonetti appunto che ritraggono un alterco rusticano dal titolo *Mala vita*, in cui si combatte col coltello e i *loschi figuri* parlano, con parole tutte proprie, *figuratamente* espressive.

Antonio Brancati (1860-1944) da semplice guardia di P. S., pur non avendo titolo di studio, con la sua abilità giunse al grado di maresciallo maggiore, e ciò dette molto fastidio alla malavita catanzarese. Egli fu una specie di poliziotto alla americana, un Scherlokolmes. Comunque anche in quest'opera l'adesione del Patàri va non ai potenti ma alle persone buone, oneste, lavoratrici.

545 *Catanzaro d'altri tempi*, cit., p. 57.

546 Catanzaro 2 aprile 1842 — ivi 29 gennaio 1913. Su di lui v. L. ALIQUÒ LENZI, *Gli scrittori calabresi*, cit., pp. 76-77.

547 V. *Catanzaro d'altri tempi*, cit., p. 163.

548 *Ibidem*, p. 165 e ss. Tra i numerosi pubblicisti catanzaresi d'altri tempi, Alfio Bruzio ricorda Giovanni Iannoni, Luigi Cirimele, Cesare Sinopoli, quest'ultimo conoscitore profondo di storia catanzarese e di storia regionale, Giuseppe Casalinuovo, poeta e giornalista.

549 Poco dopo il Rende lasciava *La verità* e fondava *Il ventilabro*, settimanale ch'ebbe brevissima vita.

550 Bagnara 1860 — Roma 1933. Prima di laurearsi collaborava al *Piccolo* di Rocco De Zerbi. Collaborò inoltre con successo al *Corriere di Napoli*, al *Fracassa* e al *Don Chisciotte*. Fu uno scrittore fertile, polemista vivace, ed acquistò fama collaborando alla *Tribuna*. Fu anche poeta, e abbiamo in *Strofe* motivi, delicatissimi, immagini colorite. Tra le altre sue opere segnaliamo: *L'energia letteraria*, Torino, Casa editrice Nazionale Roux e Viarengo, 1905 (contiene la raccolta di vari articoli firmati *Rastignac*: *Il Dio del Mazzini*, *Emilio Zola*, *Nerone*, per ricordarne solo alcuni); L'*Adriatico senza pace*, Editrice Alfieri et Lacroix, Milano-Roma (s.a) Sul Morello (morì l'anno prima che era uscito il suo libro *Il conflitto dopo la conciliazione*) v. G. GATTI, *Gabriele D'Annunzio e Vincenzo Morello*, in "Almanacco Calabrese", 1963, pp. 43-50; G. NATALE, *Vincenzo Morello*, in "Almanacco Calabrese", 1952, pp. 110-114; D. LOIZZI, *Il romantico Rastignac (V. Morello)*, in "Calabria libri" (Panorama bibliografico e di vita culturale", gennaio-giugno 1982, Soveria Mannelli, Rubettino, pp. 107-109.

551 *Catanzaro d'altri tempi*, cit., p. 99.

552 Sull'arte della seta in Catanzaro v. V. D'AMATO, *Memorie historiche di Catanzaro*, Cosenza, Editrice "Casa del Libro", G. Brenner, 1961 (si tratta di una ristampa fotomeccanica dell'edizione del 1670 dell'opera del D'Amato), pp. 18-19: *Capitoli e statuti della seta in Catanzaro preceduti da una relazione sulla origine e decadenza della Arte della seta in Catanzaro* del Segretario della Camera di Commercio Filippo Marincola S. Floro con note ed appendice di Cesare Sinopoli, Catanzaro, Tipo Editrice Bruzia, 1929; R. CORSO, *L'arte tessile in Calabria*, in "Folclore della Calabria", 4/4 1959, pp. 125-129; "Calabria letteraria", 8/8-10, 1969, pp. 2-22 (Canti popolari che cantano le tele e i telai di Castrovillari, Catanzaro appunto, Cosenza, Rogliano); A. SALADINO, *Seta e setajoli calabresi nel '500*, in "Almanacco Calabrese", 1969. Per le notizie sui nastri e fazzoletti v. *Brani di Pergamene riferentesi a privilegi dell'Arte della seta*, in *Jesus Maria-Vitalianus, Capitoli, Ordinazioni et Statuti da osservarsi da quelle persone che esercitano la nobilissima Arte della Seta in Catanzaro*, Tipo Editrice Bruzia, Catanzaro, 1929, nota 91, pp. 129-130.

553 Numerosi i manoscritti presenti in questa biblioteca. Vi figurano infatti poesie di Giuseppe Inglese, prose e poesie di Don Pippo De' Nobili (poesie italiane, poesie in vernacolo, epigrammi, racconti, novelle, ecc). V. Università degli Studi di Udine

— Facoltà di Lettere e Filosofia. Anno accademico 1981/82, G. PLATANIA, *La storia tra archivio e Biblioteca. "Il Fondo ms. Pippo De' Nobili" nella Biblioteca Comunale di Catanzaro — Guida Inventario*, Udine, C.D.C. (Centro Duplicazioni, Copisteria), 1982; sulla biblioteca e le sue iniziative v. la relazione di A. FRANGIPANE, *La biblioteca popolare e le sue iniziative nel 1911*, Catanzaro, VI gennaio MCMXII, Tipografia del 'Calabro', Catanzaro (è un estratto del giornale "La Giovine Calabria", anno X, n. 2-3).

554 V. L. MARSICO, *Luigi Settembrini a Catanzaro*, in *Catanzaro nella storia*, Catanzaro, La Tipo Meccanica, 1973, pp. 121-132 (Luigi Settembrini dimorò a Catanzaro dal novembre 1835 al maggio 1839 e nelle *Ricordanze* scriveva: "Io le voglio un gran bene a quella città di Catanzaro e piacevolmente mi ricordo sempre di tante persone che vi ho conosciuto, piene di cuore e di cortesia, ingegnose, amabili, ospitali". V. L. MAURO, *op. cit.*, p. 132; G. LAVIOLA, *Legami di Luigi Settembrini con la Calabria e Lucania*, Chiaravalle Centrale, Frama Sud, 1981.

Il Settembrini scrisse sull'origine della città di Catanzaro (v. *Autografo di L. Settembrini*, scritto nell'ergastolo di S. Stefano) in *Capitoli e Statuti dell'arte della Seta in Catanzaro*, cit., pp. 117-120.

555 V. A. TESTA, *La critica letteraria calabrese nel novecento*, Cosenza, Pellegrini, 1968, p. 51.

556 *La mia casa*, in *Crisantemi preceduti da una lettera di E. De Amicis*, cit., p. 73.

557 V. D. PITTELLI, *Di Giovanni Patàri e di questo libro*, in *Per la Calabria*, cit., p. VIII. In questo libro si trovano vari scritti del Patàri composti dal 1896 al 1934; scritti che riguardano Domenico Milelli, Domenico Mauro, Giuseppe Ciaccio, Francesco Gerace, Anile, Vincenzo Valente, Misasi ed altri giovani allora calabresi che rivivono in tutta la loro arte ed operosità in queste pagine del Patàri.

III.

Un poeta dialettale emigrato in America: Michele Pane [1]

Michele Pane Fiorentino [2] nacque nella borgata Adami [3] di Decollatura nel 1876 e morì a Chicago, Illinois, il 28 aprile 1953 [4].

> Allevato ed educato all'amore per la Patria e per la libertà — suo padre ed i suoi zii sopportarono carcere e persecuzioni —, e cresciuto al culto della memoria del grande Francesco Fiorentino, fratello della madre, Michele Pane ebbe coscienza profonda ed anima sensitiva di poeta. Accanto al focolare della casa avita, aveva appreso le fiabe e le leggende della terra madre: le gesta dei maghi e dei briganti, e l'eroismo generoso del popolo; le tirannie, le sanguinose battaglie; le oppressioni, i patimenti, le persecuzioni e la marcia vittoriosa di Garibaldi.

Studiava a Catanzaro [5], alla Scuola Normale, quando — aveva quindici anni — lo raggiunse la notizia della morte del padre: fu il suo primo immenso dolore, che gli diede un'angoscia mai più dimenticata. E alla memoria del genitore scomparso dedicò poi versi di commozione e di pianto [6].

Nel 1906 il poeta più "emotivo e sentimentale di nostra gente", lasciava la Calabria per imbarcarsi in Napoli e recarsi negli Stati Uniti, in cerca di fortuna. Michele Pane voleva, lì, giungendo, non più scrivere versi, eppure troppi ricordi lo prendevano e non poteva dimenticarli; ricordi eroici e ricordi di bellezza di paesaggio incomparabili [7].

Il nuovo e babilonico mondo, con tanti affetti nel cuore gli parve un deserto. Fu qui che scrisse "Accuordi", nella solitudine dell'anima e del silenzio di tutte le cose che gli stavano d'attorno e nel ricordo di tutte le cose che erano così lontane da lui [8]. Rimase per decenni, per tutta la sua esistenza inchiodato

> al suo destino di emigrato [9], sospirando il paesello natìo, la casa lontana, alimentando nel cuore dei suoi figli l'ardente amore per la Patria, l'orgoglio dello loro origine di Italiani e, quindi una razza eletta,

nel senso più aristocratico e spirituale dell'espressione. La sua anima, ammalata di nostalgia, trovò solo conforto nel canto che ravvivava di immagini dolci, di albe rosate, di tramonti opalini; un canto di tenerezza viva, nell'idioma della sua Decollatura lontana. Rifiorì così la sua vasta superba produzione poetica dialettale, nella quale rivivano i quadri palpitanti di domestica bontà; di richiami affascinanti e ogni verso è un'invocazione mistica che ha ritmi di preghiere armoniose ed accenti accorati [...] [10].

Come riferisce Pane stesso, da Chicago, 15 maggio 1935, sulla sua vita di "Italiano in America", nel 1956 fonda a New York *La Calabria letteraria*, periodico mensile, che visse appena un anno. E nel 1921 fondò il Circolo calabrese Francesco Fiorentino [11]. Ne era presidente onorario Antonino Anile, allora ministro della pubblica istruzione. Nel biennio 1923-24 pubblicò poi sempre in America non senza gravi sacrifizi, una rivista, in cui si rievocano episodi e tradizioni di vita calabrese, piena di vivace e, soprattutto commovente amore alla sua terra lontana. Questa rivista si chiamò "Il lupo" [12].

Iniziato agli studi classici a Monteleone ne fu distratto per il miraggio di una chiamata oltre oceano. Ma assai vaste furono le sue letture e appassionate. Amò i poeti contemporanei e, sopra tutti, il Carducci. Studioso di Storia del Risorgimento, predilesse l'Eroe dei "due mondi" e tutte le più famose celebrazioni garibaldine [13] egli conosceva profondamente. Dei poeti stranieri amò Victor Hugo, di cui ripeteva spesso,

sottolineandoli col gesto vigoroso della mano e delle luminose pupille, brani nella lingua originale.

Dei poeti calabresi conobbe e studiò i migliori, specie Duonnu Pantu [14], Conìa [15], Ammirà e, tra i viventi, il Butera.

Michele Pane nacque alla poesia nel periodo glorioso in cui primeggiavano, in Italia, poeti come Pascarella, Di Giacomo, Russo e Martoglio, Barbarani, Trilussa, ed erano ancora i tempi

in cui appariva fiammeggiante [...] la poesia muscolosa e atletica del

Carducci e le erano seguaci quella facile e popolare, con guizzi di arguzia e schiette vibrazioni di sentimento, dello Stecchetti, quella colorata e impregnata di un senso di sentore di vegetazione fiorente del D'Annunzio [...] e quella, infine, più umana e ariosa, in cui era il senso del familiare e del campestre, di Giovanni Pascoli [16].

L'educazione del Pane è stata carducciana e stecchettiana, ma vi si sente "nell'aura del suo spirito" un influsso della natura lirica pascoliana, alla quale pare che egli aderisca per istinto, quasi inconsapevole. Egli in confronto dei nostri vecchi poeti dialettali come l'Ammirà, ha una vena melodica cantabile, fatto mai prima di lui riscontrato nella nostra poesia dialettale, che è elegiaca anche quando è eroica e licenziosa. Comunque bisogna sottolineare anche un altro fatto per ritornare a Pascoli. Orbene, però se si entusiasma il poeta di Decollatura per i sentimenti libertari leggendo alcuni canti del Carducci, per una certa affinità di natura, possiamo dire che egli "senta" alla maniera pascoliana, cioè non deve indurci a scambiare una simpatia, un'adesione istintiva, una somiglianza d'anima, e quindi del modo di sentire, come una derivazione. D'altronde la poesia del Pane è fatta di nostalgica rievocazione d'un passato suo, del poeta che non ha nulla da vedere con la poesia evocativa del Carducci né con quella "rappresentativa" del Pascoli. E per quanto alla onomatopee, basta leggere i *Tùmbari*, *La zampugna*, e *Tarantella nova*, che sono i canti di Pane dove ricorrono come ritornelli, per sentire che sono felicissime espressioni di quel particolare stato dell'anima a cui quei suoni giungono con insistenza e modulano il canto, il quale, appunto per questo, esce in quel modo e non potrebbe uscire in un altro: il che vuol dire che non sono voci di derivazione. Quel volgersi del poeta a cose e a scene umili della casa, del villaggio e della vita agreste, le quali popolano il mondo di Pane e ne fanno un piccolo paradiso; quel sentirle con cuore di bimbo che si estasia e piange dinanzi alle bellezze che, mute per la maggior parte degli uomini, incantano le anime innocenti; quel ricorrere frequente di onomatopee indicano che il "grande poeta delle piccole cose" fu il maestro da cui il Pane trasse "lo bello stile". In verità Michele Pane respirò l'aria freschissima della poesia pascoliana e il suo cuore si scaldò, inoltre, alle fiamme dell'arte del Carducci e di quella del D'Annunzio, senza parlare di una certa attenzione che egli prestò ai versi "orecchiabili" del già ricordato Lorenzo Stecchetti e alla voce "tenorile" di Giovanni Marradi. Del Pascoli, anzi, del Carducci e degli altri due ultimi, il Pane tradusse in vernacolo calabrese alcune poesie.

Prima di Michele Pane non v'è che il tentativo scherzoso, strettamente vernacolo o, quello serio, non sempre felice, ed occasionale, che all'infuori di qualche balenio, in cui la poesia si preannunzia gradevolmente, come nel Padula e appena nel Conìa, non c'è alcunché di degno da essere segnalato. Con Michele Pane, la

> Calabria può dire di avere finalmente il suo poeta dialettale, nel senso più alto della parola [...] e a lui, proprio a lui, rimasto fin oggi solo nel suo spicco incontrastato non bisogna negare l'appellativo di grande [17].

Possiamo collocarlo nel terzo periodo della poesia dialettale calabrese che è caratterizzato dal

> predominio della poesia lirica e dell'abbandono totale della mania delle traduzioni. Permane ancora il genere narrativo-faceto coltivato con maggiore senso d'arte (Chiappeta, De Marco, Milone), ma in compenso compare e s'afferma la lirica amorosa e sentimentale pervasa dal tormento della nostalgia per la patria lontana (Pane) o per la lontana giovinezza (Pane e Butera) e quella a tendenza sociale (De Nava, Franco, Sema) o di notevole potenza pittorica (Patàri, Vitale [18], Giunta) [19].

Michele Pane è poeta nuovo. Difatti con lui, a partire dal suo "esilio' americano, che data — come già sappiamo — dal 1906 ed ha termine con la sua morte nel 1953 —, si è ormai fuori di

> quel mondo oppressivo di estremo abbandono sociale, che aveva dato ispirazione ai poeti del primo e secondo romanticismo, sicché la poesia in vernacolo calabrese comincia a trovare altre fonti di ispirazione [20].

Da notare ancora che la poesia calabrese dialettale del Novecento sembra perdere

> l'empito di protesta sociale, che aveva graffiato le pagine di Antonio Martino [21] e di mastro Bruno Pelaggi. Ora altri temi, che sono propriamente faceti, satirici, soprattutto nostalgici, occupano la pagina, che non sa piangere sulle sventure della povera gente, se non in modo rapsodico e declamatorio. Con l'eccezione di Vincenzo Franco che in *Rose e spine* ha riprodotto le cinque piaghe da cui è oppresso il popolo: la miseria, l'ubriachezza, gli avvocati, le tasse, l'America [22]. Persino nella produzione di Michele Pane incombe ripetuta, trita la topica della nostalgia per la terra lontana, tirata nelle sillabe stinte delle vecchie cantilene dei primi, spauriti emigranti [23].

In verità il Pane occupa un posto a sé nel mondo della poesia dialettale calabrese. Lo differenzia dagli altri poeti i motivi delle sue ispirazioni, che traggono alimento dal piccolo mondo paesano della sua infanzia e della sua prima giovinezza, l'accento nostalgico e romantico dei suoi canti, la loro penetrante comunicativa. Il suo è un posto d'eccezione nelle letteratura in dialetto. L'eco facile e vibrante delle sue rime non si riscontra in altri poeti; le rappresentazioni dei fatti e degli avvenimenti hanno particolari che sembrano ritratti col pennello, più che rievocati con la penna. Raggiunge il più alto tono del "diapason" dell'ispirazione con mezzi semplici che denunciano l'arte del grande poeta, il quale, pur essendosi creato uno spirito di arte sotto gli influssi del suo tempo, questi influssi ha poi saputo eliminare dentro di sé, dandoci la sua novità. Non ebbe egli l'arte oggettiva, quindi lo spirito inventivo di Pascarella, poeta creatore di tipi, né quello drammatico e colorista di Di Giacomo (*A San Franciscu* e *Fùnneco Verde*), né quella fantasiosa di Russo del poema "Mparavise", né quella ambientale, dialogizzante e narrativa del Martoglio di "Testimonianze" ma egli cantò di sé, della sua vita, della sua famiglia, del suo paese e delle cose che vide e gli furono care. Ci fa pensare — lo ribadiamo — piuttosto a un Pascoli in cui si sia meglio condensato lo spirito lirico dell'ultimo Carducci, ma così, per una parentela molto lontana, parentela di grandi spiriti, e non ravvisabile per pedissequa imitazione o per ecolalia: il Pascoli dell'intimità familiare e dell'umanità campestre. Perciò la poesia di Michele Pane rappresenta quanto di meglio sia stato scritto in vernacolo nel genere lirico puro, e in essa prevale la nota amorosa velata di tristezza e di nostalgia. Egli canta con sentito rimpianto i suoi amori giovanili fuori da ogni schema tradizionale e dai soliti raffronti retorici, ascoltando unicamente e rendendola con frase armoniosa, fresca ed espressiva, la voce intima dei suoi ricordi e del suo paese natìo. Nei suoi componimenti raggiunge una "musicalità" che non si trova in alcun altro poeta dialettale (ad eccezione di Butera), accresciuta dal frequentissimo uso di una stessa rima variata per il cambiamento della vocale tonica e della ripetizione di qualche verso a guisa di *leit-motiv*. Le donne della sua "quatraranza" (gioventù) sono tutte ricordate e di ognuna egli compone la figura rivelando un accostamento delle due anime che non si ritrova nelle liriche amorose degli altri poeti in vernacolo e rievocando brevi episodi, parole scambiate, fugaci atteggiamenti, nella cornice di un paesaggio a lui ben noto, anch'esso rievocato con delicata tenerezza nostalgica. Il paesaggio del Reventino,

> il luogo natìo, personaggi paesani, ricordi di donne, sono i motivi lirico-elegiaci di Pane (espressi in un dialetto che non ha avuto evoluzione). Linguisticamente e tecnicamente assai dotato il poeta ebbe come tema centrale la nostalgia del paese lontano (idilli, feste, figure del passato; in i tùmbari = i tamburinai, — "Io tiegnu ancore le ricchie tise — a chillu suonu: bràbita brù" [24].

Difatti Mario Spanò lo inserisce fra i poeti nostalgici [25]. A proposito si può citare la poesia *'U focularu* (Il camino): notevole documento della vocazione nostalgica appunto di Pane: commossa celebrazione della casa, di cui il focolare è l'angolo più luminoso, ove si ritrovano, come a dolce convegno, sembianze dilette. Ci torna in mente il sospiro di Ulisse che respinge le lusinghe della maliarda:

> [...]
> Io dissi: o mia casa! o mia casa

che scricchioli al vento
col leggero tuo limitare
dov'Argo s'adagia fiutando nel mare [26].

Il tono di Pane è pacato e raccolto: una serie di visioni passa, irridate di intima dolcezza:

[...]
Tu me ricùordi a mie de zu Saveru,
de l'atri vecchiarelli chi m'amarû;
sî l'ornamientu de la casa mia,
'mperò te scriva chista puisia
[...]
A 'nu tue cantu avia nu cippariellu
ch'era 'n'ugna e cchiù 'rande de' nu ruollu,
io mi cce ammasunava cum'aggièllu
e si m'azava m' 'u portava 'n cuollu;
le volìa bene cum'a fratisciellu,
nun me'mportava ca nud'era muollu,
cà me parìadi pugliu cumu 'e mante,
biellu cumu 'nu tronu de regnante [27]

"Tu mi fai ricordare di zio Saverio, / degli altri vecchietti che m'amarono; sei l'ornamento della mia casa, / e quindi ti scrivo questa poesia / [...] / in un tuo angolo io avevo un piccolo ceppo (sedile) / ch'era poco più d'una ruzzola (disco da gioco) / io mi rannicchiavo (appollaiavo) come uccello / e se mi alzavo lo portavo con me; / gli volevo bene come a fratellino, / né m'importava che non era morbido, / perché a me pareva soffice come le coperte di lana, / bello come un trono di Re"

E ricorda e ha anche nostalgia della sua vecchia casa:

Vecchja mia casa, mi 'nd'era venutu
— doppu trent'anni chi t'avia lassata.
sperandu mu cce passu riposata
'sta mia vita de zingaru sperdutu.
Ma te trovavi quasica assuluta:
Cchjù dde 'nu caru, imbecchiatu o mortu

cce stiézi 'na vernata dispiaciutu,
Cumu 'nu scanusciutu, de passata
Mo — persa la speranza de tornata —
Cara, te mandu l'urtimu saluti:
Me resta 'stu ritrattu tue, ch'è mutu,
povara, duce casa mia, sciollata [28].

Lo scrittore Matteo Teresi, pubblicando questa poesia sul suo "Araldo" di Cheveland, Ohio, vi aggiunse:

> questa poesia dell'illustre poeta e caro amico M. P. può esser letta da molti anziani come la voce del proprio cuore, come la espressione di un desiderio che non è più sostenuto dalla speranza. L'Italia rimane una aspirazione sublime; ma nel paese natìo ci sentiremmo estranei, e alla casa paterna preferiamo mandare da lontano l'ultimo saluto con voce tremula di pianto [29].

Michele Pane si fa il poeta della lontananza e quindi dei ricordi espressi sempre con molta partecipazione sentimentale che lo riportano ad ore della sua vita che sono ben diverse naturalmente della vita americana:

Ti 'nd'arricùordi quandu ne'mbrigavamu
e doppu ne facìamu nue l'allùtta?
tu jettave l'anchella, io te stringiadi
Cumu tinaglia, o mia duce Carmè!
Cum'era tosta! Un te volìe mai arrendere
'nsinca chi nun m'avie misu de sutta;
doppu vattìe le manu e diciè rìsule:
lu malandrinu mio guarda chin'è!
Mo' sû luntanu assai, ma sienti, cridème,
sempre 'st'anima mia vicina t'è [30].

"Ti ricordi quando litigavamo / e dopo facevamo la lotta? / tu davi lo sgambetto, io ti stringevo / come tenaglia, o mia dolce Carmela! / Come eri dura / non ti volevi mai arrendere / fino a che battevi le mani e dicevi ridente: / il malandrino mio guarda chi è! / Adesso credimi: / sempre quest'anima mia ti è vicina".

Quasi tutta la sua poesia si basa sui ricordi della fanciullezza trascorsa ad Adami e ogni attimo viene assaporato e spesso il poeta ricorda precisi momenti della sua vita che doveva vivere lontano dai luoghi a lui carissimi ma gli restano i ricordi e spesso chiede insistentemente o meglio vorrebbe ad esempio che il mese di maggio gli facesse

[...]séntere
'n'atra vota la notte i vriscignuoli
e alla matina 'e rindini e lli pàssari
cumu 'e sentiadi quandu èradi llà;
famme vidire ancore 'ntra li tìcini
de le piche e d'e funtane famme séntere,
no' llu forte rumure 'e 'sta cità [31]

"... sentire / un'altra volta la notte gli usignuoli / e la mattina le rondini e i passeri, / Come li sentivo quando ero là; / fammi vedere ancora tra gli ontani / delle gazze e delle tortore i voli / il rumore delle fontane fammi sentire, / non il forte rumore di questa città"

Egli ricorda sempre i cari luoghi:

i prati, ccu' lapriste e ccu vurrajne,
dduve lu furisellu 'u jurnu prova
la zumbettana, appriessu de li pecure,
ed ogni tantu grida: Gasci ga!... [32]

"i prati, con i radicchi e con le borrane (erba), / dove il piccolo mandriano il giorno prova / lo zufolo [33], pascendo le pecore, / ed ogni tanto grida: Gasci, gà!..."

Naturalmente nei ricordi c'è posto per l'amore, per gli appuntamenti amorosi:

Ricuordi, anima mia,
la sira, all'umbruliata,
sutta chillu ruviettu?

Vattia 'stu core in piettu

’na marcia scelerata
’nsinca ch’un te vidia.

E tuni, o affezionata
nu’ sbagliave mai l’ura
de chill’appuntamentu [...] [34]

“Ricordi, anima mia, la sera al crepuscolo, / sotto quel rovo? / Batteva questo cuore in petto / una marcia scellerata, / fino a quando non ti vedevo. / E tu, o affezionata! / Non sbagliavi mai l’ora / di quello appuntamento [...]

Il poeta si ricorda sempre di quella situazione e sembra di vedere la sua donna, e domanda al vento:

hai tu ’ncuna ’mbasciata
d’illa? n’appuntamentu?

Rispunde: s’e’ scordata
— mo chi se’ è aluntanatu —
de tie, l’uocchi ammagata! [35]

“hai tu qualche cosa da riferirmi da parte sua? / Un appuntamento? / Rispondi: Si è dimenticata / — adesso che si è allontanata — da te, la megera!”

Lo stesso motivo è anche nella poesia intitolata *Secretu* (Secreto) [36]:

Ti ’nd’arricuordi cchiù de chill’amure?
quante prumise de ’nu m’abbandunare!
Sempre dicie ca l’acqua de lu mare
nun potiadi stutare lu tu’ ardure,
e mo’ ti si scordata
ca ssa vucc’addurrusa haiu vasata! [37]

“Ti ricordi più di quell’amore? / quante promesse di non abbandonarmi! / Sempre dicevi che l’acqua del mare / non poteva spegnere il tuo ardore; / e adesso ti sei dimenticata / che questa bocca odorosa ho baciata!”.

E nei ricordi ci sono anche i *Tùmbari*[38] che suonavano durante i periodi di festa:

Due vote l'annu veniunu i tùmbari
alle due feste de lu paìse,
(ch'a tantu tiempu nun viju cchiù!)
A San Raféle ed allu Carmini,
io tiegnu ancora le ricchie tise
a chillu suonu: bràbita brù![39]

"Due volte l'anno venivano i tamburinari / alle due feste del paese, / (che da tanto tempo non vedo più!) / A San Raffaele e al Carmine: / io tengo ancora le orecchie tese / a quel suono: bràbita brù!"

Ricorda anche ciò che dicevano le mamme ai loro figli allorquando durante le feste si esibivano appunto i tamburinai:

"Gioia de màmmata, figliu, nun chiangere,
sienti li tùmbari: brabiti brà!
avanti 'a gghiesa sunu chi sonanu;
bràbita brùbiti, bràbita brà!

Si tu nun chiangi, core di màmmata,
pue ti cce puortu io'vanzi llà;
o quanti gienti cce sû ch'abballanu!
bràbita brùbiti, brabita brà!
[...]
Ed accitàvadi, cumu ppe' 'ncantu
Tu quatrariellu, nun chiangìa cchiù,
cà chillu suonu potìadi tantu:
bràbita brùbiti, bràbita brù!"[40]

"Gioia di tua madre, figlio, non piangere, / senti i tamburi; bràbita brù! / davanti alla chiesa sono che suonano, / bràbita brùbiti, bràbita brù / Se, tu non piangi, cuore di tua mamma, / poi ti ci porto io alla chiesa; / e quanta gente c'è che abballa! / bràbita brùbiti, bràbita brù! / [...] / Ed si azzittiva, come per incanto / il ragazzo, non piangeva più, / che quel suono poteva tanto: bràbita brùbiti, bràbita brù"

Ma — lamenta il poeta — da tanto tempo i suonatori di tamburi non si vedono più, "sû dissusati" ("non son più di moda") è il progresso che li respinge e adesso

> [...] alle feste vene la musica
> e dde li tùmbari se sû scordati
> tutti i Gambuni, ma io sulu no![41]

"[...] alle feste viene la musica / e dei tamburi si son dimenticati / tutti i galantuomini[42]; ma io solo no!"

La vita, con le sue amare e inattese vicende, ha disperso i facili sogni del cuore. Ma il cuore ne ha conservato gelosamente i ricordi, e di essi il poeta vive. Si chiami Stella, d'amore prima scintilla, e s'illumini della poesia dell'infanzia lontana o si chiami Carmela e fiorisca in un raggio di luna e in un accordo di profumi e di canzoni, si chiami Concetta o Tiresù, l'amore[43] che ha sorriso al poeta rivive, con tutti i suoi palpiti, in una serie di canti bellissimi, delicati, nostalgici (v. a tal riguardo "A catarra", "Spartenza"). La partenza evocatrice del ricordo è tale, nello spirito del poeta che l'immagine della donna amata gli sorride nella memoria come nella realtà, e ad essa gli parla come se gli fosse vicina.

Scende la notte, e nell'ora dei convegni il ricordo dell'amata lontana sboccia nel suo cuore come un sorriso di stella. Si ricorderà di lui?... Rivolgerà, in quella stessa ora, il suo pensiero al suo poeta, guardando come lui il cielo?... È una punta sottile di gelosia che punge nel cuore:

> Vorra sapire si addimandi all'ariu,
> alla luna, alli stilli ed alli vienti
> ccu' chilla vuce tua ch'è di 'na musica:
> 'U nammuratu mio moni duv'è?
> E di luntanu assai, ma sienti, cridilu:
> sempre l'anima sua vicina t'è[44]

"Vorrei sapere se domandi all'aria, / alla luna, alle stelle e ai venti / con quella voce tua che è una musica: / l'innamorato mio adesso dove si trova? / È lontano assai, ma senti, credilo: / sempre l'anima sua ti è vicina"

Le cose migliori di Pane sono, certamente, quelle che palpitano del ricordo della sua infanzia, della sua "quatraranza": "'U vullu"[45], "Tùmbari"[46], "'U focularu"[47], "Natale"[48].

Ricordi delle sue monellerie, ed anche delle sue prime meraviglie scoperte al ritorno in paese nelle fugaci evasioni dai chiusi ergastoli del collegio di Nicastro, quando ci si divertiva a sbarrare il corso del torrente con rami d'ontano per godere il rigurgito delle acque del "vullu" e farvi il bagno come in una vasca; o quando nei giorni delle feste patronali, arrivavano i "tùmbari" a svegliare le strade addormentate:

Quand'alle feste venìanu i tùmbari
curriamu lesti nue all'affruntara:
(o cari tiempi, tornati cchiù?)
O cchi alligrizza quando sentiamu
'ntra li cavùni nue rintronare:
bràbita brùbiti, bràbita brù![49]

"Quando alle feste venivano i tamburinai / correvamo lesti all'incontro: / (o cari tempi, / tornate più?) / O che allegria quando sentivamo / nei burroni noi rintronare: / bràbita brùbiti, bràbita brù!"

I ricordi dell'adolescenza e della giovinezza del poeta sono in gran parte poesie d'amore. Ora è Carmela che maciulla il lino ora è Concetta che ride, ora è Lisa che fa la contegnosa. E il canto del poeta si scioglie nel languore d'una serenata ed ora s'eleva nell'impeto bellissimo d'una "brigantisca"[50]; ora rievoca l'ultimo distacco doloroso, ed ora prega la sua bella ad estirpare dall'orto e ripiantare sulla sua fossa le rose. E ciò che qui va più rilevato è che, quasi sempre, le donne non sono delle semplici figure che balzano scolpite dal verso, ma esse hanno a torno, come la bionda Maria del Carducci, tutto il quadro pittoresco delle rudi campagne calabresi, che ora appare con il suo verde lussureggiante, ora sono folti boschi pieni d'ombra e di misteri.

Bellissimi sono i suoi canti d'amore. Basterebbero di questo ciclo, "Serenata", "Spartenza" e "'A Catarra" per conferire al loro autore i "lauri della poesia". Sono tutti e tre dedicati alla donna del cuore, e formano una trilogia nella quale il poeta ci dà la misura dei suoi mezzi espressivi.

Nel primo componimento rivive l'amaro fascino dell'ultima serenata, in una di quelle splendenti notti lunari di Calabria che prendono sensi ed anima. L'incanto della notte inviterebbe al sogno, ma l'anima del poeta è dolente, perché il giorno della partenza per l'America è ormai prossimo, e il fascino della notte lunare gli dà solo tristezza:

Forse chista èdi l'urtima passata,
e tu me sienti ppe l'urtima vota!
'mperò l'anima mia tutta è ricota
'ntra lu lamentu de 'sta serenata;
o affezionata mia, o affezionata,
forse chista èdi l'urtima passata [51].

"Forse questa è l'ultima serenata di passaggio, / e tu mi senti per l'ultima volta! / però la mia anima è tutta raccolta / nel lamento di questa serenata; / o affezionata mia, o affezionata; / forse questa è l'ultima serenata di passaggio!"

Nel secondo componimento il poeta ricorda e rivede l'amata come nella sera del distacco ("spartenza"): pallido il volto, e irrorato di lacrime, tutto un tremito la persona, squassata dai singhiozzi:

Io la ricùordu sempre chilla sira
chi me vinni de ti' a licenziare;
tu me guardavi nun potie parrare
e la facciuzza tua paria dde cira;
parca te sientu mo' sugliuttiare...
Io la ricúordu sempre chilla sira [52]

"Io la ricordo sempre quella sera, / che mi venni a licenziare da te; / tu mi guardavi e non potevi parlare / e la tua piccola faccia sembrava di cera; / sembra di sentirti adesso singhiozzare... / Io la ricordo sempre quella sera".

Il canto continua, tutto vibrante, fino all'ultimo, della sua carica di emotività:

Tuni tremavi cumu rindinella
ntra le mie vrazza; te sbattian'i dienti;
le lacrime de ss'uocchi strallucienti
facìanu, cara mia, la funtanella
e me dicie: ripienti, ripienti...
Tuni tremavi cumu rindinella [53]

"Tu tremavi come rondinella / nella mie braccia ti sbattevano i denti; / le lacrime di questi occhi lucentissimi / facevano, cara mia, la fontanella / e mi dicevi: ripentiti ripentiti... / Tu tremavi come rondinella".

Ma il destino era ormai segnato, e bisognava partire. Come però distaccarsi dall'amata? Ed ecco, a un certo punto, la risoluzione, espressa in un verso di rara efficacia rappresentativa, che inizia e conclude l'ultima strofa:

Te dissi: Statti bbona, e pue fujivi [54]

"Ti dissi: Statti bene, e poi scappai"

Il terzo componimento è dedicato alla chitarra, una delle cose più care del poeta, e specie in America, in quanto lo strumento gli ricorda tante belle serenate. E alla chitarra egli parla come a un vecchio amico fedele:

Ti nd'arricùordi, catarrella mia,
quante vote allu suonu tue cantai?
com'era duce e cara l'armunia,
chi de le corde tue tandu cacciai!...
Ti nd'arricùordi, catarrella mia? [55].

"Te ne ricordi, mia chitarra, / quante volte al suono tuo cantai? / com'era dolce e cara l'armonia / che dalle corde tue allora facevo uscire!... / Te ne ricordi, chitarrella mia"

Ma la chitarra gli è cara come un tesoro anche perché su di essa, in una sera lontana, si posarono le mani della donna amata:

Pur'illa ssi piruozzuli ha toccati

cchiù de 'na vota ccù lla bella manu:
ppecchissu io mo' nun l'haju cchiù cangiati;
'nsinc'alla morte mia cchissi cce stannu,
Pur'illa ssi piruozzuli ha toccati [56]

"Pure lei (la donna), questi bischeri della chitarra ha toccati, / più d'una volta con la bella mano / Perché io adesso non l'ho più cambiati; / fino alla morte mia questi ci stanno / Pure lei questi bischeri della chitarra ha toccati".

I canti d'amore di Pane sono vari e nuovi e tutti pervasi da un sentimento così caldo che si comunica all'anima di chi legge. "'A nsinga" [57], "'A menta" [58], "'E rose" [59], "Brigantisca", "'A manganatrice", "Ss'occhiuzzi", "Diedica" [60], "Suonnu" [61], "Calavrisella" [62] ed altre poesie sono autentici gioielli "di sentimento e di armonia". E vorremmo aggiungere che a differenza di certi componimenti poetici, a carattere romantico, di più celebrati e più noti poeti dialettali, la poesia di Michele Pane non rimane nei limiti d'una commozione estetica ma rende il lettore partecipe delle intime commozioni del poeta. Per ritornare sulle poesie prima citate va osservato che in "'A menta" la linea classica si afferma e riluce. Torna

al nostro cuore l'armonia suggestiva dei *rispetti* e delle ballate trequattrocentesche, senza tuttavia lo studio imitativo. Identica è la sorgiva, ch'è poi quella, perenne, dello spirito,la quale, attraverso i tempi e in vario modo, il degenere petrarchismo ha annacquata e maculata [63]:

Io te dicia: pperchì sî fatta lenta
e stai tu culerusa e cchiù nun canti?
cchid'hai patutu, diceme, e chi fu?
— Hai adduratu a 'na troppa de menta,
l'uomini 'nnamurati sû briganti,
ma 'u capu d'illi, crideme sî tu

Ed io ridiendu rispundia: cchi cunti?
tu sî lla malandrina chi nun sienti,
chi nun cridi 'e mie pene, oi Tiresù!

Tu chi pruminti sempre mari e munti
e allu stessu mumenti te ripienti,
'a brigantola mia, cara, sî tu!

"Io ti dicevo: perché sei diventata magra / e sei triste e più non canti? / che hai sofferto, dimmi, che fu? — Ho odorato una pianta di menta; / gli uomini innamorati son briganti, / ma il capo d'essi, sei tu — / E io ridendo rispondevo: che dici? / Tu sei la malandrina che non senti, / che non credi alle mie pene, o Teresa! / Tu che prometti sempre mari e monti / e allo stesso momento ti ripenti, / la brigantola mia, cara, sei tu"

Qui c'è garbo primitivo e spontanea movenza musicale, senza accenti posticci e senza incrostazioni retoriche, senza lusso di immagini forzate, senza coreografia di detriti mitologici; senza luccichii di luce riflessa. È un mondo idillico che rivive in nitidi acquarelli, con contorni pieni di grazia, e dà la misura della sensibilità artistica: fine autentica nativa.

La poesia fa parte di *Accuordi e suspiri* e può dare un'idea dell'arte di Pane. Qui ritrae il paesaggio di Adami, il paese — come si sa — natio del poeta, giovane sui vent'anni, simpatico, irresistibile e "rubacuore". Nella poesia è Tiresù che si affaccia, in una pausa tra una fatica e l'altra, alla porta della sua casa, in una bella giornata di sole e rimane appoggiata con dolce indolenza allo stipite della porta. È sola, i suoi sono, forse, intenti ai lavori di campagna. Michele passa e ripassa. E s'inizia il semplice ma incantevole dialogo di questo meraviglioso *strambotto*, condotto con unica rima che scorre senza il più piccolo sforzo variata solo nella finale tonica, alla maniera antica che gli conferisce la musicalità di una chitarra battente:

Io te dicia: pperchì sî fatta lenta
e stai tu culerusa [...] [64]

"Io ti dicevo: perché sei dimagrita / e stai irata [...]"

Tiresù ha una concorrente: Carmela. Ecco che così dice la donna all'uomo:

— Hai adduratu 'a na troppa de menta,
l'uomini 'nnamurati sû briganti,
ma 'u capu d'illi, cridimi, sî tu! [65]

"Ho odorato una pianta di menta, / e gli uomini innamorati sono briganti, / ma il capo di essi, credimi, sei tu!"

Poi anche Michele vuole muovere un rimprovero per tante e forse lunghe e varie attese, ma questo è attenuato e dolce ed assume il carattere di una lagnanza

per finire in una ritorsione della stessa parola usata da lui (brigante) che, però, si trasforma in un diminutivo scherzoso (*brigantola*), lanciato come una carezza, come un misterioso, suadente invito, come un'offerta di pacificazione, e una promessa di più recondite dolcezze [66]:

tu sî lla malandrina chi nun senti,
chi nun cridi 'e mie pene oi Tiresù!
Tu chi pruminti sempre mari e munti
e allu stessu mumentu te ripenti,
'a brigantola mia, cara, sî tu

"tu sei la malandrina che non senti, / che non credi alle mie pene, o Teresa! / Tu che prometti sempre mari e monti / e allo stesso momento ti ripenti, / la brigantola mia, cara, sei tu"

Alla fine Michele si ricorda della bella frase di lei e la rivolge a suo vantaggio: anch'egli ha odorato una pianta di menta; ma essa non gli ha snebbiato il cuore staccandosi da lui. Ora è Michele che sente il desiderio di essere dominato da lei, o essere il suo schiavo, di perdersi tra le sue braccia, di essere soffocato dai suoi baci.
"'E rose" sono un vero gioiello. La sua donna deve cogliere tutte le rose che egli ha piantate per ripiantarle sulla sua tomba, quando

egli sarà morto, affinché possa sapere se lei è stata sempre sincera e se ancora gli vuole bene:

> Sienti: le troppe 'e rose
> ch'àju chiantatu all'uortu,
> doppu chi sugnu muortu,
> tuni l'hai de scippare,
> e l'aui de richiantare
> propriu supra la fossa,
> adduve posanu 'st'ossa,
> tu lài de richiantare.
>
> O quante belle cose
> ille m'aû de cuntare [...] [67]

> "Senti: le piante di rose / che io ho piantato nell'orto / dopo che sono morto, / tu le devi strappare, / e le devi ripiantare / proprio sopra la fossa, / dove riposano queste ossa, / tu le devi ripiantare / O quante belle cose mi devono raccontare [...]

Ci troviamo di fronte a una melopea dolcissima; un componimento tenue, fragile, quasi evanescente, tessuto di fili sottilissimi ma fosforescenti. La poesia "'E rose" è un autentico capolavoro. Le rose fioriscono nel suo giardino e sono vivide, fresche, vellutate. Rose aulenti di maggio nei folti cespugli; rose bellissime che mettono tanto sorriso nell'anima. Con questa poesia il poeta scrive la sua ultima volontà. Ecco qual divino miracolo dovrà compiere l'amore: ha piantato tante rose nel suo giardino e vuole che lei, dopo morto, le ripianti — come già detto — sulla sua tomba. Non per vano ornamento di essa, ma perché gli dicano poi la verità: se lei gli sia stata sempre sincera in vita e gli sia fedele in morte!

In maggio poi tornando a fiorire, devono raccontargli se lo pianga ancora. E che bel giardino diventerebbe la sua tomba, se lei di tanto in tanto, andasse ad innaffiarle. Quante cose le direbbero di lui, morto, quante cose! E chi sa se, innaffiandole con le sue lagrime, egli non si sveglierebbe! È così forte il suo amore, che, anche morto, non saprebbe restare insensibile al suo pianto:

E quandu a spampuliare
'ncignanu li buttuni
me dînnu chi fai tuni,
s'ancora me vue bene;
me cuntanu le pene
chi 'nseme amu passate;
le rose spampulate
me cuntanu le pene [68]

"E quando a schiudersi / incominciano i bocciuoli / mi dicono che tu fai, / se ancora mi vuoi bene; / mi raccontano le pene / che abbiamo passate insieme, / le rose dischiuse / mi raccontano le pene"

E infine:

Cchi bella jardinera
fosse d' 'u campusantu
si venissi ogni tantu
su ppe' ll'abbiverare!
Te vorranu cuntare
tante cose le rose;
le rose tante cose,
te vorranu cuntare!

Chi sa! doppu le avissi
tu tantu abbiverate
— ccu lacrime 'mpocate —
o bella jardinera,
sientendu lu tue chiantu
(l'amure è forte tantu)
chi sa s'io 'mbiviscera! [69]

"Che bella giardiniera / sarebbe il cimitero; / se venissi ogni tanto / per dar loro l'acqua. / Ti vorrebbero raccontare / tante cose le rose; / le rose tante cose / ti vorrebbero raccontare! / Chissà! dopo averle innaffiate / — con lagrime infuocate — / o bella giardiniera; / se io poi mi sveglierei / sentendo il tuo pianto / (l'amore è tanto forte) / Chissà? s'io risuscitassi!"

L'amore vive di una parola, di uno sguardo, di un sorriso, e il più dolce e il più forte amore, è quello che è sepolto nel profondo del cuore e si tormenta nel silenzio: che cosa è la sua vita? Egli sembra una barca in mezzo al mare, in una notte nera e cupa, sotto l'infuriare della tempesta. La sua sola speranza è che l'aiuti a navigare la stella lucente che brilla nel suo cammino e nell'oscurità della sua anima:

Amure mio, 'sta vita arrasumigliadi
puru 'a nu guzzariellu supra mare
ccu 'na timpesta, 'ntra 'na notte nira,
chi arrivare alla praja nun po' cchiù,
e l'urtima speranza chi me restadi
edi ca tu m'ajuti a navicare,
e lla timpesta, lu scuru de st'anima
stilla lucente mia, m'allustri tu [70]

"Amore mio, questa vita rassomiglia / pure a una barchetta sopra il mare / con una tempesta, nella notte buia, / che arrivare alla spiaggia non può più; / e l'ultima speranza che mi resta / è che tu m'aiuti a navigare, / e la tempesta, il buio di quest'anima, / stella lucente mia, mi dai tu luce"

Il poeta rievoca quella notte, quella notte in cui fu costretto a chiudere una semivuota valigia e partire per l'America. Quando andò per vedere la luna per l'ultima volta, stettero soli per un istante e ascoltarono insieme i battiti del cuore, perché lui non sapeva parlare e lei neppure. Piangeva, lei, nelle sue braccia, spaurita, tremante come una rondine, col viso bianco. Non aveva voce che per una parola sola e la diceva tra i singhiozzi: Pentiti! Pentiti! e tremava intanto come una rondine e le lagrime le scendevano copiose dagli occhi lucenti:

[...] Io vrusciatu d'amure te vasai;
ssa vucca pittirilla de granatu;
oh lalitu e ll'adduru, d' 'u tue jatu!
le tiegnu 'ncore, cà cci l'orvicai,
e' na' è passatu tiempu, 'ndé passatu!
Io vrusciatu d'amure te vasai [71]

"Io bruciato d'amore ti baciai / questa bocca piccola di melograno; / oh l'alito e l'odore del tuo fiato! / lo tengo in cuore, dove l'ho sepolto / e ne è trascorso di tempo, ne è trascorso! / Io bruciato d'amore ti baciai"

I suoi accenti più certi si pronunciano, però, altrove: nelle canzoni di amore e di sdegno, vale a dire nei canti

> collettivi anonimi della folla campagnola a cui Michele Pane ha prestato il suo nome, il suo cuore, la sua delicata e fedele capacità traduttrice. Non si esce colla produzione del poeta di Decollatura dai parametri classici della lettura folkloristica, che, nei confronti della donna [72]

testimonia "una decisa ambivalenza: attrazione-repulsione-rispetto-disprezzo" [73]:

D'u cielu nun aspiettu nulla manna
e' stu core grandizza mancu spinna;
'na sula gula tiegnu, Anna, Sant'Anna
'nu schicciulune 'e latte d'a tua minna!
Santa t'haju chiamata e nun se'nganna
chine cce cride, ca tu si madonna;
pp'tie 'st'anima mia, cride, se danna
e dde t'avire sua sempre se sonna

"Dal cielo non aspetto alcuna manna / e questo cuore non desidera grandezze; / un solo desiderio ho, Anna , Sant'Anna: / una grossa goccia di latte della tua mammella! / Santa ti ho chiamata e non si inganna / chi ci crede, che tu sei madonna; / per te questa mia anima, credi, si danna / e di averti sua sempre sogna".

La donna dal poeta viene esaltata con "nobile galantomismo", con delicatezza di fantasia, "che spiana le rughe del cuore": è invocata con parole tenere: *è rosa addurusa* (rosa profumata), *statua davoriu* (statua di avorio), *principissa* (principessa). È tutto quello che l'uomo immagina o vuole immaginare che sia: comunque una creatura, che non è per sé, che non si costruisce da sé, che ondeggia tra i desideri del maschio e il possesso. Per questo è naturale che il tono scada dall'esaltazione allo scherno e al disprezzo; all'oggetto non si può perdonare un sentimento che non sia subalterno, comandato, imposto:

> Doppu tant'anni m'hai fattu sapire
> ca cjangi tu ppe' mie lacrime amare:
> c'è llu mare, sinnò vorre venire
> a me trovare, ma 'un lu pue passare.
> Cà me vorre vidire 'n'autra vota
> ppe mi dire: "La'ngrata è ripentuta"!
> 'sta varva ch'era niura, mo' e' juruta!
> Lu pentimientu tue, ccu' lle tue pene,
> pane né giuvamentu cchju me duna;
> collau, cumu lu sule, tantu bene
> e moni, infine, m'alluce 'na luna!

"Dopo tanti anni mi hai fatto sapere / che piangi tu per me lacrime amare: / c'è il mare, se non vorresti venire / a trovarmi, / ma non lo puoi attraversare. / Che mi vorresti vedere un'altra volta / per dirmi: "La ingrata è pentita"! / Come cambia la vita e come ruota, / questa barba ch'era nera, adesso è fiorita! / Il pentimento tuo, con le tue pene, / pane né giovamento più mi dona, / ho inghiottito, come il sole, tanto bene / e adesso, infine, mi illumina la luna!"

In queste canzoni, che si delinano come una pertinente aneddotica della vita della femmina in una società elementare, silvo-pastorale, mascolina, che ha relegato la donna al ruolo di una "cosa", Michele Pane conserva un ottimo equilibrio tra il contenuto e la forma, che ad esso aderisce colla morbida precisione di un guanto. Pure il tono è indovinato: l'arguzia è fine, e l'ammirazione non diventa mai esibizionismo; si profila, se mai come un bisogno del povero che sa di poter chiedere così tanto alla fedeltà inespugnabile della sua donna respiro e sollievo alla durezza del vivere nella più fosca delle oppressioni sociali. In tal modo la lirica del poeta catanzarese si converte anche in lirica sociale, in lamentazione; non già per quello che dice, ma per quello che più utilmente suggerisce. Suggerisce, innanzi tutto, che le lodi della donna non sono al limite del cicisbeismo, imparato nel palazzo del padrone: sono il segno contro una condizione sulla quale incide persino la diffidenza del povero per chi è ancora più povero:

> "Figliuma, nun lu sai, ha 'na dota 'rande
> — nu trimila ducati avestra i fundi —
> Chjovenu "mbasciaturi è tante bande
> cchi le manda, nun su vacabundi"
> Ccussì n'ha dditta Màmmata, e tremenda,
> ha cunchjudutu: "Eccà alluntanatinde!"
> Ppe 'ste crude parole, a mia 'na benda
> de lacrime 'ntra 'st'uocchi 'nchjana e scindi
> Mammata è 'na magara assai tremenda!
> [...]
> E a mammata rispundu no mu aggruttu
> io 'un circu dota e cantu alle giurrande
> "Dduve te cridi c' 'a sajime spande
> a mala pena li cauli te cundi!"

"Mia figlia, adesso lo sai, ha una grande dote / — un tremila ducati oltre i poderi — / piovano ambasciatori da tante parti / e chi la richiede in isposa non è vagabondo" / Così mi ha detto tua madre, e tremenda / ha concluso: "Di qua vattene!" / Per queste crude parole, a me una benda / di lacrime in quest'occhi sale e scende: / tua madre è una megera assai tremenda / [...] / E a tua madre rispondo: "Non mi fai pigliare il broncio / Io non cerco dote e canto alle infiorescenze dei salici; / Dove ti credi che il grasso si spande, / a mala pena, i cavoli ti condisci!"

È questo il migliore Pane così come si è venuto svolgento in *Viole e ortiche* e, con più decisione in *Peccati* [74].

Per rimanere nei componimenti amorosi va osservato che le qualità primarie della donna sono descritte usando quasi sempre metafore che si riferiscono alle piante: "rosa addurusa" che però può perdere il suo profumo e può quindi appassire perché il tempo distrugge e fa invecchiare qualsiasi cosa. E con una serie di allegorie e metafore si consiglia una fanciulla (che adesso è bella e profumata, e quindi è predisposta all'amore) a non stare alla finestra oppure cucire con lesta mano. Il poeta ha ragione di dire:

Io pierdu tiempu a te fare la posta
e te cantu — senz'essere organista —:
oje l'amure e' 'nu 'breu — camurrista! [75]

"Io perdo tempo a farti la posta / e ti canto — senz'essere organista — / oh l'amore è un ebreo-camorrista!"

La ragazza — e il Porta lo ha detto prima — "frisca, mbillutata e pista" ("fresca, vellutata e soda di carni") deve pensare all'amore altrimenti quando *intosta* ("sarà vecchia") diventerà una pinzochera ("scoccia-peternostra").

Altrove le bellezze della donna sono una meraviglia come "arva silana chi abbaglia" (un'alba silana che abbarbaglia) e le sopracciglia nere emanano lampi "de stili e dde mitraglia" [76] (di pugnali e di mitraglia). E naturalmente gli occhi della donna hanno la calamita dei serpenti [77] e per di più sono "malandrini cchiu dde li briganti" [78]. E questi occhi neri e lucenti talvolta fanno *scicille* (faville e scintille) come se fossero una fiaccola ("jacchera"), e ancora quest'occhi — con evidente gusto per la similitudine [79]) — sono "due vrasce de lu mpiernu" [80] (due braci dell'inferno), e allorquando la donna guarda l'uomo egli avverte una specie di "piernu" (perno) nel cuore. Sì, gli occhi della donna sono due "vrasce de lu 'mpiernu" [81], e anche quando la sera la donna, li ha socchiusi, mandano "luce cumu la pullara" ("luce come le pleiadi") [82].

La bocca della donna è anche *addurusa* (odorosa oppure è di "granatu 'nzuccaratu" (di melograno inzuccherato). Alla fin fine la donna è anche una colomba "janca", una "giojuzza" (piccola gioia) [83]. E di nuovo la sua bocca è "pittirilla" (piccola piccola) "de granatu" (di melograno). Altre volte la donna è "'ngrata" [84], che ha nel cuore le spine perché non corrisponde all'amore del poeta che per forza di cose ha dovuto lasciarla. E anche qui la bocca della donna è di melograno inzuccherata [85]. E ancora in "Serenata" [86] la donna ha la faccia "janca comu la vambace" ("bianca come la bambagia"), ed è anche una "stilla lucente". Anzi il poeta canta pure una donna di nome "Stilla" [87], che era più bella di una stella, più bianca di un fiore di "mortilla" (di mirto). "Cumpagnella" del poeta e anche "riginella", fatta più grande,

"Stilla" diventa più bella: un fiore "addurusu 'e mortilla" [88]. Una fanciulla infelice, questa Stella, perché poi muore.

Naturalmente Pane è il cantore della bellezza calabrese. E intitola una sua poesia di *Peccati* "Calavrisella":

E simpatica e bella
è tennera e purpusa!
sucusa ed addurusa
'sta mia calavrisella [89]

"È simpatica e bella / è tenera e polposa / succosa e odorosa / questa mia calabrisella"

Però essa è anche "mburriculusa" (affettata, leziosa) come una piccola fanciulla ("quatrarella") e gioca alla "maffiusa" ("mafiosa") la coda della sua gonnella. È una pulledra di stalla ("pullitra stallina") [90]. I suoi capelli sono "niuri cchiù dde carvuni" (neri più del carbone) e i suoi occhi sono ("bielli, tagliati") a mandorla, sono "lampiuni" (lampioni). Tutto sommato per questa donna ogni uomo farebbe qualsiasi cosa. Essa è alta e la sua voce è un balsamo dolce. E nei canti di intonazione [91] popolare è presente ancora un'altra donna: quella "zingara" che ha ingannato tanti amanti, e per tal motivo il poeta non vuole avere "accunti" (a che fare) con questo tipo di donna, e giura a se stesso di non toccarla neppure coi guanti. In un altro di questi canti ricorda una donna simile a una "rosa russa culurita e bbella" [92] che Michele amò da quando era "furacchiella" (piccolina). Adesso è cresciuta e incomincia a fare la leziosa.

Pane si mostra grande conoscitore dell'animo femminile, descritto con stile molto realistico [93]:

Amai 'na donna e lle sciuozi tant'inni
Cridiendu mi la godere cent'anni!
Io de la casa sua, ndejivi e vinni,
illa caudu me tinne 'ntra li panni,
ma guarda, amaru io, mo' dduve 'mbinni
capitai ccu' lla mastra de li 'nganni,
ca' nun suoffri 'nganni né cori tiranni [94]

"Amai una donna e le sciolsi tanti inni / Credendo di godermela cento anni / Io dalla sua casa andavo e venivo, / lei caldo mi tenne tra i panni, / ma guarda, infelice me, dove son adesso capitato, / Capitai con la maestra degli inganni, / che non soffro inganni né cuori tiranni"

La sua poesia guadagna in intensità quanto più lo sguardo del poeta restringe la sua visuale e dall'ampio paesaggio si raccoglie in un luogo determinato che sia lo scenario delle sue gioie infantili, delle sue monellerie, di una partita di caccia, di un'avventura amorosa. Ecco, per esempio, il già citato gruppo di liriche che palpitano dei ricordi della sua "quatraranza": "'U vullu", "Tùmbari", "'U focularu", "Vijilia", "Natale", che sono, insieme con altre, la parte centrale di tutta la sua produzione. Nella prima — la strofe, particolarmente quella di mezzo, ha una potenza pittorica rara — il poeta va col pensiero alla acque fresche di Gargiglia, dove fanciullo, al ritorno — come già detto — dal collegio di Nicastro per le ferie estive, si dava appuntamento con una brigata di altri ragazzi scapigliati e insieme si ripagavano con cento monellerie della severa disciplina del convitto. Con pietre e rami d'ontano sbarravano le acque del burrone per formare una gora ("'u vullu") e vi si tuffavano per fare il bagno. Fin dall'inizio sentiamo una musica che, a guardare il titolo, è inaspettata. Ne siamo dominati perché il poeta stesso è dominato dall'onda dei ricordi. Egli rivive quei giorni, riascolta come in sogno le romanze d'orchi e di fate che il mulino cantava al suono delle acque di Gargiglia, sente l'amarezza di non esser più, come allora, a capo d'una brigata di monelli, e sente ancora nostalgia per il suono dei tamburi [95]. Va detto a tal riguardo che i contatti con la città, il ritorno di emigrati e la radio hanno portato altri gusti e hanno screditato i tamburi. Ma il poeta, che pur è andato fuori, per il servizio militare, e poi è stato nelle grandi città americane, non ha sentito mai in tutta la sua vita una musica più bella; e all'appressarsi delle feste del suo villaggio, ovunque si trovi, tende l'orecchio per sentirne quel suono.

Non vanno trascurate altre poesie di Michele Pane: "Carmela" [96], "Tora" [97], "'U campusantu" [98], "'A zampugna" [99], "'A zumbettana" [100], "Viernu è vicinu" [101], "Maju" [102], "A mia figlia Libertà" [103], e a "Ninna-Nanna".

"Tora" è il vero capolavoro del genere idillico. Anche in queste strofe riboccanti di tenerezza ed affetto una cara vecchietta di cuore assai ingenuo nonostante la esperienza della tarda età, un'anima candida di gentilezza "cumu nu friscu gigliu d'aprile" ("come un fresco giglio di aprile"). Tora è la cara vecchietta affezionata, che, nelle giornate d'inverno, quando soffiava la tramontana e cadeva la neve, recava quotidianamente in casa Pane, un piccolo fascio di legna e col poeta giovinetto e coi piccini di casa si intratteneva accanto al focolare, a chiacchierare, ed incantava il piccolo attento uditorio col racconto delle sue tanto gradite fiabe o "rumanzelle". Fra i tanti rimpianti del poeta c'è anche questa vecchietta "Tora", che soleva frequentare — come già detto — la casa di Michele Pane, allora fanciullo, al quale ella, stando seduta vicino al fuoco, e filando la sua conocchia, sapeva raccontare tante belle fiabe.

La rievocazione della vecchietta è così viva che sembra di avvertirne la presenza, nella sua spiritualità, nei suoi atteggiamenti, nelle sue sembianze. E sembra anche di udirne la voce:

> Pàrca la sientu mo': — Bentrovati!
> vue cchi faciti?
> vue cumu stati
> 'stu friddiciellu nu' llu sentiti? [104]

"Sembra di sentirla adesso: — Bentrovati! / Voi che fate? / Voi come state?" / questo freddolino non lo sentite?

Par quasi di vederla accostarsi, tutta freddolosa al focolare:

> E me cuntava di tante passate
> de li briganti:
> — A Riventinu cce sû le fate...
> — diciadi sempre — nd'hannu brillanti! [105]

"E mi raccontava tante avventure / di briganti / — a Reventino ci sono le fate... / — diceva sempre — portano brillanti!".

C'è nella cadenza di questi versi il tono grave che la vecchietta dava ai suoi racconti, per renderli più misteriosi e suggestivi. Anche Tora, come la mamma, come tante altre persone care, è scomparsa, ma rivive nell'anima del poeta, che chiude il suo canto con accenti di profonda commozione:

O, Tora, o Tora, requiem materna
mo' chi sî morta!
pperchì nun tuorni cchiù quando 'mberna?
ti l'hai scordata la nostra porta?

Pperchi nun vieni allu focularu
cuomu solie?
Nue, ad ogni 'mposta de lu rusaru
Chi dice Mamma, pensamu a tie

E Mamma, Mamma mia bella, dice
ch'ere 'na santa;
e sempre sempre te benedice
si te ventuma, sempre t'avanta.
Ma tu nun sienti cchiù lla, cara Tora,
nun sienti 'u ventu;
nun torni quandu mina lla vuora
e duormi 'mpace 'ntr'u campusantu [106]

"Perché non vieni al focolare / come facevi un tempo? / Noi, a ogni stazione del rosario / che dice la Mamma / pensiamo a te... / E Mamma, Mamma mia bella, dice / ch'eri una santa, / e sempre sempre ti benedice, / se ti nomina, sempre ti vanta. / Ma tu ora non senti più, Cara Tora, / non senti il vento, / non torni quando tira la bora, / e riposi in pace nel camposanto" [107]

La poesia di Pane ha salde radici nel tessuto sociale della Calabria. Così questa poesia è certo la sua più famosa ma — secondo Pasolini [108] — non è che una nitida traduzione pascoliana in un linguaggio un poco più vecchio vicino all'Ottocento [...] Questa fuga di Pane dalla sua vera Calabria attraverso la nostalgia, in una Calabria i cui sentimenti di nobiltà familiare, e indigena sono quelli di una romantica koiné pluridialettale, è analoga a quella compiuta dal suo compatriota Butera attraverso il favolismo: che però non manca di estro, di asprezza, di concisione, o (per restare nella provincia di Catanzaro) da V. Franco, col suo fondo socialistico, e dal burlesco G. Patàri; o, in provincia di Cosenza, da A. Chiappetta; G. Bendicenti, A. Pernice, M. De Marco, P. Seme e di G. Le Pera, forse il più notevole di tutti, ma morto precocemente come era stato precocemente poeta.

Quella rassegnazione dolente — per passare ad altra poesia — alla ingiustizia e alla miseria che Padula (v. il suo poemetto dialettale *Notte di Natale*) attribuisce alla sua calabrese Madonna, ricompare sostanzialmente per esempio, in una mirabile poesia intitolata "Viernu è vicinu". Michele Pane ignorava, probabilmente, la poesia natalizia di Padula; ma anche lui fa che una mamma calabrese non opponga al dolore che il silenzio, e — come dire? — una speranza, sfiduciata, perché generica" [109]. Quella madre si volge al suo bimbo, lo chiama "squazuniellu", suo piccolo scalzo, lo chiama "culinudiellu", suo piccolo straccione seminudo, ma nudi sono ambedue, madre e figlio: l'inverno è vicino, la neve è già sul monte Reventino e sulla Sila.
La mamma non sa che fare:

Mio squazuniellu, viernu è vicinu;
già le beccacce sû alli pantani,
sû janche 'e trempe de Riventinu
e lli luntani cuozzi silani:
Nue simu nudi, cumu facimu [110]

"Mio piccolo scalzo, l'inverno è vicino. / Già le beccacce sono alle paludi / già sono innevate le balze del Reventino / e le lontane sommità dei monti Silani; / Noi siamo nudi, come facciamo"

Anche il pane è terminato, così pure l'olio per illuminarsi, la legna per scaldarsi, non hanno strutto, sale e vino. E non c'è nessuno che possa aiutarli, neppure un cane:

Allu cannizzu nun c'è cchiù pane
l'utru è senz'u ogghiu mu n'allucimu,
'un'amu ligna me ne scarfamu,
ne sajime, né sale, né vinu
ed a nessunu... mancu 'nu cane! [111]

"Al canniccio non c'è più pane, / l'otre è senza olio per illuminarci, / non abbiamo legna per riscaldarci, / né strutto, né sale, né vino / e a nessuno... neppure un cane".

Perché resistere? Si vada a rubare? Ma no; Gesù perdoni la tentazione. Preferibile buttarsi da una finestra che rubare: che, se si muore in peccato, tutto è finito per l'eternità:

Chi cce guardamu? Jamu arrubamu
— perduni, o Giesù, perduni —
megghiu 'e 'na sciolla nun ne jettamu
e no lli latri ppemmu facimu,
cà si morimu, nue né squitamu [112]

"Perché guardarci? / Andiamo a rubare / — perdono, o Gesù, perdono — / meglio buttarsi da un precipizio, / e non fare i ladri, / perché se moriamo, ci tranquillizziamo!".

Il poeta trova un'immagine potente. Madre e figlio non piangono, non imprecano, si raccolgono in silenzio; si mettono il dito in croce sulla bocca: sulla bocca che ha fame:

'ntantu lu jiditu, in cruce, mintinu
supra la vucca, chi tene fame [113].

"Intanto il dito, in croce, mettiamo / sulla bocca, che ha fame".

Bisogna credere nella Provvidenza. E se essa non darà aiuto? Allora, non c'è che la grande amara soluzione dei calabresi "nudi": partire, lasciare Adami, il paese. Ma dove andare? Tuttavia partire è necessario anche senza una meta; l'inverno è vicino:

la provvidenza, oje e demane
ha dde venire cussì speramu...
sinnò 'e l'Addame n'de partimu!
ma dduve jàamu?
Viernu è vicinu [114]

"La Provvidenza, oggi e domani, / deve venire così speriamo... / se non da Adami partiamo! / Ma dove andiamo? / L'inverno è vicino!".

Il dolore non vince la fierezza della mamma, la speranza di vedere il figlio crescere dritto come un pino. La mamma lo riscalderà nel suo seno, gli darà il sangue delle sue vene, in luogo del pane e del fuoco mancanti:

Culinudiellu, crisceme sanu,
crisce dritto comu 'nu pinu
de li cchiù bielli, ch' 'a Varvaranu!
Viernu è vicinu, lu malandrinu,
ma te guadjia dintra lu sinu,
Mammata, e duna sangue d'e vene
ppe pane e fuoco chi nun tenimi [115].

"Mio piccolo straccione seminudo, cresci sano, cresci dritto come un pino, / dei più belli che ha Varvarano! / L'inverno è vicino, il malandrino; / Ma ti riscalda dentro il seno / tua mamma, e ti dà il sangue delle vene / per il pane e fuoco che non abbiamo!".

Purché cresca pulito, di cuore o di mano, come la neve della montagna. Ora si addormenta tranquillo. Ma la sua mamma pensa sempre all'inverno che minaccia:

'ntantu tu crisceme, duce, mio bene
niettu di core, niettu de manu,
cumu la neve ch'è a Riventinu!
e ninna-nanna Viernu è vicinu [116]

"Intanto tu crescimi dolce, mio bene, / pulito di cuore, pulito di mano, / come la neve del Reventino! / e ninna-nanna. L'inverno è vicino".

In "Maju" (maggio) compendia tutti i trasalimenti d'anima del poeta esiliato [117]. Visto e sognato nel clima fumoso e brumoso di New York, il maggio solare della Calabria gli si presenta alla memoria con i buoni odori della terra perduta, e basta un odore per svegliare i nostri istinti, per farci ricordare il tempo del villaggio, certi sentieri nascosti, le calure immote assordate dalle cicale, il canto delle lavandaie, la voce, delle acque e del vento, e il verde dei campi dell'infanzia:

> Maju addurusu 'e menta e dde papaveri,
> de sulla, de murtilla e nepitella,
> famme tu risbigliare dintra st'anima
> tutti l'adduri d' 'a mia giuventù;
> famme pensare sempre, sempre a mamma mia,
> a chilla, cara, santa vecchiarella
> chi m'aspetta, sospira, chiange, spantica,
> pperchì se spagna ca nun tuornu cchiù.
>
> Maju addurusu mio, famme tu sentere
> n'atra vota la notte i vriscignuoli
> e lla matina 'e rindine e lli passari
> cumu è sentiadi quandu eradi llà;
> fa' mia vidire ancora 'ntra li ticini
> de le piche eddi' 'e turture li vuoli,
> 'u strusciu d' 'e funtane famme sentere,
> né llu forte rumure è 'sta cità [118].

"Maggio odoroso di menta e di papaveri; / di lupinella, di mortella e di nepitella, / fammi tu risvegliare nell'anima / tutti gli odori della mia gioventù; / fammi pensare sempre sempre a mia madre, / a quella cara, santa vecchiarella / che m'aspetta, sospira, piange, si spaventa, / perché teme che non torni più / Maggio odoroso mio, fammi tu sentire / un'altra volta le rondini e i passeri / come li sentivo quando ero là; / fammi vedere ancora tra gli ontani / delle gazze e delle tortore i voli, / il rumore delle fontane fammi sentire, / non il forte rumore di questa città".

Anche Pane in questa poesia rivela un lessico tutto suo, di gusto personale, ciò è indice di padronanza assoluta, e sa, egli, trascegliere e qualche volta, dare il colpo con grazia, tutta sua, per cui appare che la parola esca tutta nuova di conio:

Maju addurusu, tu chi 'mbuoschi [119] l'arvuli
de lu culure biellu d' 'a speranza,
rinvirde 'u core mio chjnu de trivuli, [...] [120]

"Maggio odoroso, tu che imboschi gli alberi / del colore bello della speranza, / rinverdisci il cuore mio pieno di dolori", [...]"

In "Ninna-nanna" la cosa che più uccide è la nostalgia della patria lontana. Quasi tre quarti delle poesie sono state scritte in America, e può dirsi che tolte alcune traduzioni dal Carducci, dal Pascoli, e da altri autori, non c'è componimento, in questi tre quarti, in cui il poeta, di proposito o senza proposito, non rievochi e desideri la terra nativa: ora il suo cielo, ora le sue montagne, ora il suo camposanto, ora il suo piccolo focolare. E che amarezza, e che dolcezza, e spesso che impeto! Anche se fa la ninna nanna alla sua dolce figliuola, che ha voluto chiamare Libertà, il sonno tarda ad arrivare, perché s'è partito dal suo piccolo borgo, oltreoceano: "U suonnu s'è partutu de l'Addame" [121]. E si veda la fine:

Dduve lu suonnu ha tantu dimoratu,
vadi circandu l'isula sperduta
mare mare, luntana... canusciuta
sulu di nume: "La Filicita";
si a trova, 'u priegu — ed illu nun e ngratu —
Già lu suonnu è arrivatu e Navaijorca
chiusi hai l'occhiuzzi e papà tuo te cucca,
te vasu la vuccuzza chi me 'ndurca
de frischizza lu core e dde buntà.
Chi cura la Furtuna, chi è di 'n'orca?
O rigina è 'stu core, Libertà! [122]

"Dove il sonno ha tanto dimorato, / vada cercando l'isola sperduta / mare mare, lontana... conosciuta / solo di nome "La Felicità", / se la trova lo prego — ed egli non è ingrato — / per regalarla a te, mia Libertà / Già il sonno è arrivato a New York, / Chiusi hai i piccoli occhi e tuo padre ti mette a letto; / ti bacio la piccola bocca che mi indolcisce / di freschezza il cuore e di bontà / Chi cura la Fortuna, che è una orca? / O regina di questo cuore, Libertà!"

Non vanno passate sotto silenzio del poeta di Decollatura altre poesie: le poesie sulla emigrazione, "'U calavrise 'ngrisatu" [123], "L'uominu russu" [124] e le traduzioni.

Per il canto dell'emigrante [125] va osservato che in esso è assente ogni connotazione storica e sociologica, è dominante invece la struggente nostalgia e "l'intimizzazione del ricordo" e il paesaggio della terra natale si fa paesaggio dell'anima, in una parola "poetica calda e armoniosa" [126]. Per presentare Pane e la sua situazione di emigrato e di padre "ramingo e sfortunato" sono utili e importanti i versi de "La Staffetta" [127] di Vittorio Butera [128]:

— Va — le disse ru patre — E' nnu salutu
Porta a ra terra dduve sugnu natu;
Dicele quantu bbene l'ha bolutu
'Stu patre tue, ramingu e spurtunatu.
M'è dde granne compuortu a ra spintura
Si va' vidi ppe' mmie Decollatura.

Vasame e bba'! Saluta Rivintinu
De ticini ammantatu e dde castagne;
Saluta i campi siminati a llinu;
I cavuni saluta e re muntagne.
Saluta carriciellu, 'a casa mia
E dde l'Addame 'e petre d'ogni bbia!

"— Va! — le disse il padre — E un saluto porta alla terra dove sono nato; / dille quanto bene le ha voluto / questo padre tuo, ramingo e sfortunato. / M'è di gran conforto nella sventura / se vai a visitare per me Decollatura. / Baciami e vai / Saluta monte Reventino, / di ontani ammantato e di castagni; / saluta i campi coltivati a lino, / i burroni saluta e le montagne. / Saluta 'Carriciellu', dove è casa mia, / e di Adami le pietre d'ogni via!".

Libertà poi racconta al padre il viaggio nella cara terra che l'ha visto bambino. E a Libertà parlano del padre Michele le fontane [129], le quercie e anche un mulino:

— Si de Michele Pane si la figlia
Fermate cca — m'ha dittu nu mulinu
— St'acqua chi curre a ccanulune chinju
E' l'acqui, ccusì ditta, di Gargiglia
L'acqua dduve venia ccu ri cumpagni
Michele nuostru pp'sse fare i vagni [130]

"se di Michele Pane sei la figlia, / Fermati qui — mi ha detto un mulino / Quest'acqua che corre a canalone pieno. / È l'acqua, cosiddetta di Gargiglia / l'acqua dove veniva con i compagni / Michele nostro per farsi il bagno".

Adesso tutto è finito: i cari compagni d'un tempo sono morti e Michele ormai è lontano dai cari luoghi. Resta solo il mulino che macina sempre il grano e porta nel cuore una grande pena pensando al tempo trascorso e non gli resta che piangere pensando appunto a Michele, ai suoi compagni: fiori persi! Povero mulino.

Nella "Staffetta" c'è posto anche per il caminetto con il suo sedile su cui bambino sedeva Michele mentre silenzioso e attento ascoltava le storie dei briganti e delle fate narrate dalla vecchia Tora:

Ma quantu, quantu [131] cchiù m'è parsu biellu
chiru nuostru ricuotu fuocularu!
Cc'è ssempre a 'nn'angulicchiju 'u cippariellu.
Dduve tu t'assittave paru paru,
Quannu Tora cuntava a tutti quanti
Storie di fate e ffatti de briganti [132]

"Ma quanto, quanto più mi è sembrato bello, / Quel nostro raccolto caminetto! / C'è sempre in un angolino / Il piccolo sedile / dove tu ti sedevi comodamente, / Quando Tora raccontava a tutti quanti / Storie di fate e fatti di briganti".

Alla fine del racconto della figlia, Michele si emoziona e si prende la fronte con la mano, e il passato gli ritorna in mente, e chiudendo gli occhi vedeva i cari luoghi, e il mulino, i parenti, gli amici, il Reventino, la sua casa, il caminetto, il piccolo sedile, il camposanto, e le lagrime aumentavano:

— Ah! — disse — Si puterumu turnare
Tutti a l'Addame, cchi piacire fora
Si puterumu sentere scrusciare
Gargiglia 'n chjna n'autra vota ancora [133]
Si puterumu sentere cuntare
storia de fate, cumu prima, o Ttora [134]

"Ah! — disse Se potessimo tornare / tutti ad Adami, che piacere sarebbe / Se potessimo sentire scrosciare / Gargiglia in piena un'altra volta ancora / Se potessimo sentire raccontare / Storia di fate come prima a Tora".

Nella poesia Butera canta — come si vede — la venuta in Italia della figlia del poeta Pane, che vive in America con l'anima sempre protesa nastalgicamente verso il paese nativo e i luoghi cari dell'infanzia e della lontana giovinezza. E libertà che nell'anima ha l'ansia del messaggio paterno, si trova dinnanzi alla casa natia, ed ecco un ispirato indugio pieno di fascino:

'E rote tutte quante digallate,
Cantanu ad ogne giru 'na canzuna
vola ru vientu 'pampine siccate,
more a ppunentu 'u primu quartu 'e luna.
Ognunu 'n core ha ra malincunia
De quantu nne fa nnotte ppe' ra via [135]

"Le ruote, tutte sconnesse / Cantano ad ogni giro una canzone / Vola il vento le secche foglie / Muore a ponente il primo quarto di luna. / Ognuno in cuore ha la malinconia / di quando annotta per la via".

"'A staffetta". "un fine poemetto elegiaco che attinge motivi di profonda universalità. La figlia giovinetta del poeta lontano, dal nome "fatidico" Libertà, nata in terra straniera, è venuta in Calabria come messaggera *d'amure e dde dulure*, ritorna al padre, dopo aver vissuto in Calabria, in una parentesi di sogno, *a rumanza cchiù bbella de 'na fata*. Ritorna e racconta della fontana di Giallo, cantata dal padre, la quale ha parlato al cuore di Libertà ricordando teneramente il suo poeta.

Anche un vecchio castagno ha parlato (tutte le cose hanno qui una propria voce) riponendo sulla testa della dolce pellegrina l'omaggio odoroso del proprio polline:

Quannu de l'umbra sua sugnu passata,
E pampine ppe' nn'attumu ha muvutu
E cchiru signu nuovu de salutu
m'è parzu 'na carizza delicata [136]

"Quando son passata per la sua ombra, / le foglie per un attimo si son mosse / E quel segno nuovo di saluto / mi è parso una delicata carezza".

Il memore castagno mostra poi nella sua corteccia i segni dei nomi intagliati un tempo dal giovane poeta:

'U tue a ru mieghie posta era scavatu
E ancore, Libirtà, nud'ere nata.
Judica tu cchi bbene l'ha bbulutu
Si prima de nascere t'hadi amatu [137]

"Il tuo nome al miglior posto era, / e tu, ancora, o Libertà, non eri nata. / Giudica tu che bene ti ha voluto / se così prima di nascere, ti ha amata".

Libertà ancora racconta: l'acqua dell'amato ruscello di Gargiglia ricorda i bei tempi quando il poeta, insieme con i suoi coetanei, veniva a bagnarsi festosamente; ma che singhiozzo ancora nella parole del ruscello quando accenna alla lontananza del poeta ed ai cari compagni morti! È rimasto — come già detto — solo il vecchio e rumoroso mulino che risente anch'esso il brivido della solitudine:

'U sulu ristu cca! macinu granu
ma puortu 'ncore 'na gran pena scritta
Pienza a ru tiempu di ccussi lluntanu
E mmu nne lacrimija ra saijtta [138]

"Resto io solo qui! / Macino grano / ma porto in cuore scritta una gran pena. / Penso al tempo così lontano / e perfino la mia cataratta ne lagrima".

Ecco finalmente la casa paterna con la facciata rilucente al sole! Ecco ai balconi i garofani rossi che salutano. Uno di questi parla per tutti e si lagna della partenza senza ritorno del poeta che li amava. La casa si apre e si concede all'ospite inconsueto, mentre i cari l'accolgono a braccia aperte. Libertà gira per le stanze e riconosce il nido dei sogni paterni, "dduve ogni ccantu tuu l'ali mintiu" (dove ogni tuo canto impennò le ali); ecco il focolare ov'arde ancora la fiamma di una volta, ecco il posticino di papà fanciullo. Infine Libertà muove verso il camposanto. Come tenero e delicato è qui il pensiero dei morti! Sfilano i nomi sacri al ricordo perenne e una vibrazione profonda passa attraverso le strofe lievemente modulate. La cara giovinetta ha colto una foglia di rosa che conserva ancora una goccia di rugiada rilucente. L'ha portata al padre e spiega:

Luce ppecchì, ccaru papà, e' ru chjantu
De tuta chira terra calavrise,
De chiru muzzilluzza de paise
Chi t'ama e tte vô 'bbene 'n 'sse sa quantu;
Chi tanta pena e ttanta affannu 'ntise
Quannu luntanu ti nne j'isti tandu [139]

"Riluce, perché, caro papà, è il pianto / di tutta la terra calabrese. / Di quel mucchietto di paese / che ti ama e ti vuol tanto bene, / che tanto più soffrì quando tu te n'andasti così lontano".

Nel poemetto si trovano motivi di calda umanità, semplici ed eterni; quei medesimi che costituiscono il tessuto connettivo della poesia di Pane e che il Butera rivive e ricrea con accenti del tutto suoi. Ne risulta una interpretazione squisita e geniale. Così le anime dei due poeti, in questo suggestivo poemetto, appaiono teneramente fuse in un'anima sola che ricerca ciò che la sola poesia sa dare; il significato essenziale, cioè, ed il perenne fascino di alcune situazioni primordiali in cui, dall'errabondo odisseo a noi, si riassumono gran parte delle "luci" dello spirito.

Il poemetto di Butera è un attento commento a tutta la produzione poetica di Pane (alla sua parte centrale) e in particolar modo alla poesia (già ricordata) "A mia figlia Libertà" ove Pane raccomanda alla figlia di salutargli — quando sarà in Adami — le fontane, il Reventino, le varie frazioni di Decollatura, i praticelli che lo hanno visto crescere, i cari parenti. E raccomanda pure alla figlia di baciare per lui

d' 'a vecchia casa é mura
lu "cippariellu" miu d'u foculare,
le ziarelle, zu Luice caru,
sira e matina, cientu vote l'ura.
Circa 'ntra 'e 'carte de la livreria
'ncunu ricuordu d'a mia giuventù,
e sentirai l'adduru e l'armunia
de 'sta mia vita, chi nun vale cchjù [140].

"Della vecchia casa le mura / il "sedile" mio del focolare, / le ziarelle, il zio Luigi caro, / sera e mattina, cento volte l'ora / Cerca nelle carte della mia libreria / qualche ricordo della mia gioventù, / e sentirai l'odore e l'aroma di questa mia vita che non vale più"

Per quanto riguarda "L'uominu russu" ("L'uomo rosso") è da dire che Pane subì un processo a causa di questa sua "rumanza" satirica contro i sedicenti garibaldini. In essa egli attacca senza pietà i pseudoeroi che cercavano di crearsi una leggenda anche intorno alla loro persona. E mentre qui il poeta è estremamente ironico, nella "Trilogia" invece, si sente la voce del suo rimpianto per la sua fanciullezza, per il suo paese lontano, per i suoi amori giovanili.

"L'uominu russu" è una felicissima satira dei millantatori. Eccone qualche tratto:

... doppu chi sugnu morutu,
sapiendu ca me fannu u munimientu,
lassu scritti mi sia fattu de gala:
alla facciata sempr'e lastre e marmu

cce vogliu scrittu a data du u Disarmu
e alli due lati: Asprumunte! Marsala! [141]

"... Dopo che sono morto / sapendo che mi fanno un monumento, / lascio scritto che sia fatto di gala: / alla facciata sempre lastre e marmo / ci voglio scritto la data del Disarmo / e ai due lati: Aspromonte! / e Marsala!"

E non basta! L'eroe pensa, a sugello delle solenni supreme volontà, di suggerire allo scultore il simbolo del suo valore:

... nu liune attentu
che para aspetta lu cumbattimentu
aspetta l'ura mu lu Draga assarta! [142].

"... un leone attento / che pare aspetti il combattimento / aspetta l'ora che il Drago assalta!"

Il poemetto si potrebbe dire il nostro piccolo Don Chisciotte, dato che il sentimento vi è profuso sotto una finissima ironia, però così sapientemente diffusa da non velare l'animazione lirica od annullare la lucentezza del quadro che un vasto panorama comprende Decollatura col Reventino e i suoi *Dragumanti*, e in esso e per esso la Epopea Garibaldina da Marsala al Macerone. È proprio al Macerone che Garibaldi insignisce questo baldo

... figliu di Diu Marte e de na Fata
natu ntri 'u voscha 'e faghij 'e Riventinu" [143]

"figlio del Dio Marte e di una Fata / nato nei boschi dei faggi del Reventino".

L'eroe dei due mondi viene esaltato nella sua "lucca" [144]. Si veda infatti "Mietiturisca": canto della mietitrice in cui trova il modo di esaltare l'epopea garibaldina, per la quale i mietitori vanno al lavoro in comitiva, gareggiando in destrezza e celerità nelle loro opere. E lo fa con tale arte che non solo la costumanza popolare rivive nella sua nuda schiettezza, ma rivive altresì la canzone che i falciatori in tale circostanza sogliono intonare.

Nella magnifica lirica il coro, rievocando il triste governo borbonico, inneggia al Duce liberatore, di cui descrive, con accese pennellate il passaggio attraverso il popolo calabrese, che lo accolse con palme e rami d'ulivo. Citiamo qualche verso:

> Ca' Garibaldi 'nnzo dduve passava
> Ijami all'affruntu cu parme d'aliva:
> Illu e guali volia tutti, evvive!
> La capillera vrunda l'indijava
> se canuscia d'arrassu "Arriva, arriva"
> [...]
> Aviadi nu cavallu chi volava
> e la cammisa du nu russu vivu!
> Lu mantu 'e nive chi scillichijava
> fattu de le pallate comu crivu;
> e l'affilata sua spata struncava
> cchiù dde le nostre fauci... [145].

Garibaldi dove passava / gli andavamo incontro con le palme d'ulivo; / Egli i piccoli accarezzava / Liberi ed uguali voleva tutti, evviva! / La capigliatura bionda lo indicava / si conosceva da lontano: "Arriva, arriva" / [...] / Aveva un cavallo che volava / e la camicia di un rosso acceso / Il manto bianco che tirava innanzi stentatamente; / crivellato di colpi; / e l'affilata sua spada stroncava / più delle nostre falci...".

La poesia "eroica" (garibaldina) di Pane rappresenta il settore meno felice. Mancano in essa gli spiriti epici: cronaca che resta cronaca. Pane non riesce a far suo il mito garibaldino che ha avuto molte e notevoli celebrazioni. Anche se c'è emozione essa però non si fa intuizione e si fissa con gesto enfatico.

In quanto alle sue traduzioni [146], esse restano, il più delle volte, esercitazione forbita ed elegante, ma prevalentemente meccanica, cioè di natura lessicale. Manca il ripensamento, lo sforzo di ricreare l'argomento con immagini di nativa impronta dialettale. Pane vuole imitare i grandi traduttori che nella letteratura calabrese non mancarono. Chi non ricorda le magistrali traduzioni dantesche del "Chitarraru" — Gallo Pier Vincenzo da Rogliano (1811-1865) — alle quali si accostano quelle del Gallucci, del Toscani e dello Scaglione. E non si può dimenticare la traduzione della *Gerusalemme liberata* dovuta a Carlo Cosentino [147].

Michele Pane tradusse in dialetto calabrese anche il "Cuore sepolto" di Betti [148]. Il poeta di Decollatura prima che la morte lo colpisse scrisse da Chicago l'11 marzo 1953 una lettera a Gaetano Gallo nella quale gli accludeva pure il manoscritto di una traduzione in vernacolo d'una poesia di Betti, che Pane aveva fatto, per l'emozione che gli avevano suscitato quei versi. Nella lettera di Pane si legge il seguente prescritto:

> questa rifazione è inedita. Ti prego di pubblicarla in Brutium [...]

soggiungendo poi che era stato il conterraneo Giuseppe Zuppone Strani [149] ad inviargli il volume di Betti, di cui era stata annunciata la pubblicazione sull'ultimo numero de "Il Lupo", prima che questo periodico, fondato e diretto da Pane stesso, sospendesse ogni edizione. La poesia del Betti che più piacque a Pane, intitolata "Il cuore sepolto", venne subito da lui rifatta col titolo "Il cuore uorvicatu", e porta nel manoscritto la dedica a Giuseppe Casalinuovo: "Rifazione 'n calavrise di Michele Pane, in memoria del suo grande fraterno Poeta Giuseppe Casalinuovo" [150].

Abbia scritto in lingua o in dialetto adamese, Michele Pane è stato un poeta di calda ispirazione, dalla vena facile, schietta, dall'intonazione quasi sempre elegiaca, tutta fremiti e palpiti, capace di parlare a tutti i cuori, di dare a tutte le anime le medesime commozioni.

Per questa sua soavità di canto, che ha una sua vibrazione inconfondibile, accorata ma serena, noi amiamo Pane. Egli è lì, nel piccolo borgo di Adami, dove tutto parla di lui, perché a tutte le cose ha dato col proprio canto una voce di poesia. La sua anima si aprì dinanzi alla passione e alla visione della Calabria lontana che cantò con accorata voce. Visione

> che tenne la sua anima sospesa; visione fantastica di luci e di colori;

richiami, ricordi; parole, sorrisi; canti, suoni e ombre; ombre a non finire, nel grigio cielo del nulla.

Ed egli guardava: qua il Reventino, alto nel cielo, e giù Praticello, Case Nuove e Cerrisi; Adami e Liardi; e la strada lunga e bianca per Soveria e Nicastro; e, gorgogliante d'acqua e di schiuma, lungo sinuoso nastro d'argento, l'Amato [151]

Poesia viva [152], fresca, che ha un interno profumo di spontaneità, ed è nel contempo lontana dall'affetazione e più lontana dall'artifizio; poesia dolce, sublime, in cui palpita il più accorato e nostalgico grido d'angoscia al ricordo del tempo che fu. E la sua verseggiatura è semplice, di natura popolare e, quando gli capita, ne fa sfoggio e se ne diverte, quasi come uno "schermidore" che pari e tocchi, ed abbia il colpo segreto e sicuro. Non ingorga mai di pensieri che non escono dalla sua ispirazione il suo periodo lirico, sicché il verso risulta schietto e nello stesso tempo agile nel facile giro, conducendosi, per rima, in "borchiature di stile come in una fattura di molto pregio". E ancora va sottolineato che chi cercasse di avvicinare lo stile e lo spirito di Pane a quelli di altri poeti o verseggiatori regionali, al Padula e al Conìa, non vi troverebbe alcun rapporto o elemento di comunanza, tanto è diversa l'arte del Pane, nel complesso, negli atteggiamenti delle manifestazioni e della forma. Il poeta di Decollatura ha un posto — già lo abbiamo detto — tutto suo nella letteratura in dialetto calabrese. Egli si mostra pure un poeta di squisitissimo sentimento; ma, come poeta calabrese, è anche un poeta di fierezza. La bontà dell'anima sua non è valsa a piegare il suo carattere indomito. Né la durissima vita lo ha piegato. Questo

nostro fratello, che ha anche figura massiccia e nel viso largo ed aperto, ha i segni vivi della nostra razza, è restato in tutto calabrese: il vecchio calabrese, ribelle ai soprusi, nemico delle tirannie, insofferente delle prepotenze, tetragono a tutte le avversità. Ci sono, qua e là, degli impeti di ribellione accesa e delle rampogne sanguinanti [153].

ma data la sua anima squisitamente buona, non sono che degli sprazzi, perché subito, secondo la natura calabrese, l'anima si rassegna, si "acqueta" [154] e filosoficamente si rassegna:

Chista e lla vita! Cumu le pullule
Volano 'e gioie, restano e pene
Venenu 'e feste, passanu, tornanu...
Chi sa chi cc'édi l'annu chi vene!

E ccu lle pene resta cum'eradi
de la zampugna lu *lleru lleru*
e llu ricuordu duce de Mamma mia
dintra 'stu core, ntra 'stu pensieru! [154].

"Questa è la vita! Come i fiocchi di neve / volano le gioie, restano le pene; / vengono le feste, passano, tornano... / Chissà che cosa ci sarà l'anno che verrà; / E con le pene resta come era / della zampogna *lu lleru lleru* / e il ricordo dolce di mia madre / in questo cuore, in questo pensiero!".

La poesia di Michele Pane nasce dalla vita ed è sentimento sincero, affetto, passione creativa spontanea ed originale, vena pura limpida e fresca come «l'acqua delle nostre montagne». In questa poesia vibra, con le note della più tenera dolcezza, l'anima delle persone a noi più care, l'ansia e il sospiro del popolo calabrese idillico ad un tempo ed elegiaco. Si badi ancora che la poesia di Michele Pane è la voce del canto dolorante di questa nostra terra di solitudine, di emigrazione e disperazione: è il lamento, la voce sconsolata della nostra anima proletaria, che rimpiange la patria, il focolare domestico: nos patriam fegimus et dulcia linquimus arva. [155].

La poesia in Pane è felice impressione ed espressione di vita vissuta, ricordo incancellabile dei primi anni. Se questi ricordi egli ritrova, riconquista o sviluppa riesprimendoli con anima nuova nella congenita originaria forma del dialetto, trova subito la sua veramente mirabile naturalezza e semplicità: la sua schietta vena, l'anima del popolo suo;

se scrive invece in Italiano, perde subito l'immediatezza del sentimento, dell'ispirazione, dell'intuizione [156].
Rimane l'autore di appassionate e nostalgiche canzoni. La lontananza e il dolore, lo ha fatto poeta più profondo, ed egli in "Musa silvestre" è poeta universale perché poeta lirico: rispecchia sì, la "psicologia bruzia", ma si fa contemporaneo di tutti i tempi, conterraneo di tutte le terre [157].

Ecco a Michele Pane sorgere accanto, come un miraggio morganico, evocati da lontananze lontane del tempo e dello spazio, la cara patria, i pascoli, i greggi, la mamma, il paese, i ruscelli, che, a dirla con Dante:

> li ruscelletti, che dei verdi colli
> del Casentin discendean giuso in Arno
> facendo i lor canali e freddi e molli,
> sempre si stanno innanzi e non indarno...

Quest'ultimo verso potrebbe essere il motto poetico di Pane, che, con tocchi suggestivi, abolisce le distanze e al ricordo si sente tremare l'anima. La poesia sua è fatta perciò essenzialmente di "rimembranze che strappano le lagrime". E non si dimentica del bosco, della foresta, dell'amore, perché vuole racchiudervi la vita umile e semplice, e soprattutto l'anima del suo popolo; canta la poesia delle umili cose perché vuole esaltare la pace del domestico focolare e la semplice e agreste vita della sua terra; canta la poesia della giovinezza, per dire che la giovinezza è l'irrompente pensiero di questo popolo che ha l'anima forte e pura. Tutto sommato Michele Pane ha dato l'avvio a una poesia calabrese di larghi fondi lirici. Egli ha posto l'arte vernacola calabrese, decisamente a fianco della lirica nazionale, e

> merita di essere considerato come figura di primo piano tra i migliori dialettali delle varie regioni d'Italia [158].

Il poeta di Adami è il solo poeta calabrese dialettale incluso da Pasolini e Dell'Arco nella loro famosa antologia. La sua originalità, e anche il suo pregio migliore, consiste nel fatto che egli è stato uno dei pochi poeti dialettali calabresi che abbia abbandonato il genere faceto e popolaresco, genere che si affaccia subito alla nostra mente appena si parla di poesia in vernacolo, per tradurre in termini poetici un suo sentimento profondo e segreto. Poesia essenzialmente lirica, dunque, e non solamente d'amore [159].

Il suo discorso lirico, inoltre, è formato di frequenti similitudini, paragoni. E difatti nella "Diedica" ne troviamo una molto significativa:

> Amure mio, 'sta vita pare n'arvule
> quandu vene llu tiempu 'e pusterata [160]

Amore mio, questa vita pare un albero / quando viene il tempo autunnale''.

Naturalmente la vita viene assimilata a un albero sui cui rami non ci son più nidi e uccelli che cantano, e l'albero

mancu frunde virdi tene cchiù... [161]

''neppure foglie verdi tiene più''

L'unico conforto è l'amore, la donna che consola l'''arvule sfrundutu''. E nella medesima poesia la vita viene paragonata ''a 'nu guzzariellu supra mare'' [162], e logicamente la barchetta non può arrivare alla spiaggia. In questa situazione si ripete il concetto enunciato prima: l'unica ancora di salvezza è la donna che dà luce.

La vita — e anche qui un'altra similitudine — dapprima era un'arpa ed ad ogni leggero soffio di vento suonava. Adesso la vita ''èdi arridutta mo' cumu nu scheletra / e'na pagura 'rande a tutti fa [...] [163] (''è ridotta adesso come uno scheletro / è una paura grande a tutti fa [...]''. Paragoni e similitudini che rendono certe situazioni psicologiche del poeta:

mo' lu paise 'e scuru
— cumu 'na fossa e' muortu —
senza de tie o Carmela!
E 'stu mio core!
cumu 'na fossa 'e muortu —
è scuru scuru scuru [164]

''Adesso il paese è al buio / — come una fossa di morto — / senza di te, o Carmela! / È questo mio cuore pure / — come una fossa di morto — / è buio buio buio''

E ritornando sulla vita adopera un paragone molto efficace:

Chista élla vita! cumu le pullule

Volanu 'e feste, restanu é pene;
Venenu é feste, passanu, tornanu...
Chissa che cc'édi di l'annu che vene [165]

"Questa è la vita! / Come i fiocchi di neve / volano le feste, restano le pene; / Vengono le feste, passano, tornano... / Chi sa chi ci sarà l'anno che viene!"

I versi di Pane erano conosciuti da molte persone e poeti. Tra quest'ultimi ci piace ricordare il poeta di Platania (Catanzaro) Felice Mastroianni [166]:

Conobbi Michele Pane, non lui in persona, ma i suoi versi; ne appresi il suono, e quell'onda fresca e malinconica di sospiri e d'accenti paesani e casalinghi, con le prime parole, con i primissimi sogni della fanciullezza. Era mio padre che ripeteva spesso, nel dolce e forte dialetto dei nostri monti le poesie di "Tora" "Ricuordi de Natale" ecc. Ebbi da lui appunto una copia di quei versi e l'ebbi cara con i primi libri delle mie solitarie letture, indimenticabili ore di lettura di cui non ho più negli anni ritrovato la perduta meravigliosa gioia [167].

Mastroianni ha avuto una corrispondenza — anche se non è molta — con Michele Pane. Così ricordiamo una cartolina postale: "Chicago ILL., li 26 marzo 1936 — Carissimo, mio fratello Luigi, e prima di lui l'ottimo amico e grande poeta e scrittore di terra nostra: [...] Giovanni Patàri, con affettuosa premura, mi hanno spedito il numero di "Cronaca di Calabria" con la vostra recensione ai miei versi: ne ringrazio sentitamente e mi ha profondamente commosso specialmente per l'accenno al mio ritorno... che chissà se si avvererà [...]" [168]. Dobbiamo ancora ricordare una lettera (23 maggio 1936) con allegata copia dattiloscritta d'una poesia in vernacolo dal Pane scritta per Franco Berardelli [169]: "Ti unisco copia di versi in vernacolo, che ho scritto giorni or sono in memoria del nostro grande giovane poeta Franco Berardelli a richiesta del di lui desolato padre, che fu mio carissimo compagno d'infanzia e di studi — non son degni — in verità — del grande scomparso specialmente per chi sa che di lui si sono occupati tanti illustri scrittori e poeti, e tra questi, per me i più esimi; Peppino Casalinuovo [170], Vittorio Butera''. E dopo il Casalinuovo bisogna anche ricordare Vincenzo Gerace [171] che ha scritto di Pane in una lettera al Casalinuovo: ''Ho letto da capo a fondo, e qua e là riletto, con delizia [...], e talvolta con commozione di affetto, le poesie di Pane. È un magnifico poeta: ha delle cose bellissime e di grande arte: e della vostra (nostra) stessa scuola. Molto mi commuovono i suoi accenti di padre e di figlio: *Ninna-nanna*, *Tarantella nova*. E nelle poesie d'amore ha cose stupende: *'A menta*, *'A manganatrice*, *Brigantisca*, *La parma*, e altre e altre. Come meravigliose mi sembrano *Tùmbari* e *'A zampugna*: più la prima, per l'onomatopea dei ritmi, e la seconda più della prima, per quel suo finale stupendo. E la *Diedica* e *'U focularu* e *'U campusantu*, due sonetti mirabili. E tante e tante altre...'' [172].

Il successo delle pubblicazioni poetiche di Pane fu a suo tempo enorme tanto che in breve disparvero dal mercato librario,

> con rammarico di quanti rimasero esclusi dalla possibilità di acquistarle. E si dovettero contentarsi di leggere, di tanto in tanto, in riviste letterarie, qualcuna delle poesie più significative del delicato cantore [...] [173].

La fama di Michele Pane è legata alle sue opere d'amore e a poesie come (molto note) *'A manganatrice* [174], *'E rose* [175], *'A zampugna* [176], *Tora* [177], *Tùmbari* [178] che sono entrate nella memoria e nell'anima dei suoi conterranei che lo considerano come il loro poeta regionale e che hanno in *Accuordi e suspiri* specialmente ''il breviario delle loro ore sentimentali''.

NOTE

[1] Sulla sua poesia oltre gli studi che citeremo nelle note, si vedano anche i seguenti: GAETANO SARDIELLO, *L'anima e il canto di un poeta calabrese; M. Pane*, in "Nosside", a. IX, n. 5, Polistena, 1930; GIUSEPPE CASALINUOVO, *Le poesie di M. Pane*, Catanzaro, 1930, estr. da "La giovine Calabria", a. XXII, n. 9; ANTONIO GALLIPPI, *Musa bruzia*, in "Arte e natura", Reggio Calabria, agosto-settembre, 1930; ALFIO BRUZIO (Giovanni Patàri), *Del movimento culturale in Calabria*, in "Arte e natura", Reggio C., agosto-settembre, 1930; ID., *Tra carte e ricordi* (opera postuma), Catanzaro, Mauro, s. a., pp. 205-207; VINCENZO GERACE, *Giudizio sulla poesia di M. Pane* (lettera a Giuseppe Casalinuovo), in "Il Lupo", Chicago, marzo-aprile, 1930; "Il Lupo" (numero straordinario in onore di M. Pane, con lettere di G. Algranati, A. Anile, G. Patàri, A. Consolini, R. Corso, G. Casalinuovo, G. Rocca, A. Gallo; e con articoli di G. Gallo, E. Scalfari, R. Gaudio, ecc), Chicago, marzo-aprile, 1930; GABRIELE ROCCA, *Un poeta dialettale calabrese: M. Pane*, in "Il Popolo di Roma", 24 dicembre 1932; GIUSEPPE GALLO, *M. Pane alla "Divisione della Sila"*, in "L'Altoparlante", Cosenza, 14 settembre 1935; GIUSEPPE STUMPO, "Il Messaggero", 17 luglio 1937; GIUSEPPE MORABITO (a cura di), *Poesia calabrese del secondo Novecento*, Reggio Calabria, Parallelo 38, 1975; DOMENICO ASTENGO, *La poesia dialettale*, Torino, Marietti, 1976; GIOVANNI PALANGE, *Il fiore della poesia dialettale calabrese*, Cosenza, Mit, 1978; MARIO CHIESA-GIOVANNI TESIO (a cura di), *Le parole di legno. Poesia in dialetto del '900 in Italia*, 2 voll., Milano, Oscar Mondadori, 1984.

Ecco le edizioni delle poesie dialettali di Pane: *Viole ed ortiche*, New York, R. Calvosa e C., 1907; *Accuordi. Stroffe in calavrese* (*Accordi. Strofe in calabrese*), Napoli, Ed. Casella, 1911; *Sorrisi*, New York, The Emporium press, 1914; *Peccati*, New York, The Emporium press, 1917; *Lu calavrise 'ngrisatu* (*Il calabrese inglesizzato*), Soc. Libri Italiani, 1917; *Musa silvestre*, Vol. I., *Accuordi e suspiri* (*Accordi e sospiri*), Catanzaro, Mauro, 1930 (edizione curata da Gabriele Rocca); *Garibaldina-Rapsodia in dialetto calabrese*, Ed. IL E-B... New York, 1949; *Musa silvestre. Poesie scelte da Gabriele Rocca.* Edizione curata da Felice Costanzo, Roma, Bonacci (Castaldi), 1967. Molte sue poesie figurano in varie scelte antologiche tra le quali ci limitiamo solo a ricordare: AMEDEO TOSTI, *Poeti dialettali dei tempi nostri. Raccolti ed annotati da Amedeo Tosti, Italia Meridionale*, Lanciano, G. Carabba editore, 1925, p. 293 (*'E rose = Le rose*); 295-296 (*'A zampugna = La zampogna*); 296-297 (*Brigantisca*); *Poesia dialettale del Novecento* a cura di MARIO DELL' ARCO e PIER PAOLO PASOLINI, Parma, Guanda, 1952.

[2] "L'usignolo del Reventino", così era chiamato Michele Pane. Nipote del filosofo Francesco Fiorentino volle aggiungere al proprio cognome anche quello dello zio materno (di cui riesumò importanti articoli critici). Il filosofo di Sambiase (Catanzaro, 1834 — Napoli 1884) era — come già detto — fratello della madre di Pane. Sul Fiorentino v. *Fiorentino, Francesco*, in "Dizionario enciclopedico della letteratura italiana (diretto da Giuseppe Petronio), II, Bari, Laterza-Unedi, 1966, pp. 475-476; GIOVANNI DI NAPOLI, *La cultura in Calabria fra Otto e Novecento*, in *Aspetti e problemi di Storia della società calabrese nell'età contemporanea* (Atti del I Convegno di studio Reggio Calabria 1-4 novembre 1975), Reggio Calabria, Editori Meridionali Riuniti, 1977, pp. 33 e ssg.

[3] Il suo mondo, tutto il suo mondo era il piccolo borgo di Adami, con tutto quello che poteva dargli: la mamma, la casa, l'amore; e cieli di cobalto, e prati di smeraldo, e fiori senza fine, e scrosci di fontane, e cinguettii d'uccelli, e accordi di chitarre, e ritmi di campane. Per di più "Adami di Decollatura (Catanzaro) che vorremmo chiamare, se non il Parnaso, certo il focolare più vivo della Calabria, fra la Conflenti di Vittorio Butera e la Pedace di quel Michele De Marco, l''Addame' di quel Michele Pane" che ebbe come primo maestro di poesia Luigi Costanzo, anch'egli di Adami. V. GIUSEPPE ISNARDI, *In Memoriam. Luigi Costanzo*, in "Archivio storico per la Calabria e la Lucania", anno XXVII (1958) fasc. III, p. 260.

[4] La notizia della scomparsa di Michele Pane suscitò in Calabria profonda commozione. Vittorio Butera con animo accorato scriveva: "[...] che potrei dire di Michele, se non credo che egli sia morto? Proprio così. Da due settimane mi domando se la notizia del decesso è vera oppure no. Più me lo domando, e più rimango incredulo. Mi pare che gli uomini come lui non possano morire. Se mi giunge dal vicino quartiere il rullio d'un tamburo, la figura di Michele, mi si presenta davanti come se d'improvviso sorgesse dal suolo. Quando guardo la mia vecchia domestica, accroccata ed arrapata, rivedo subito Tora e con lui Michele in "suppellizza arrigamata". Quando sento una madre cantare la ninna-nanna, al suo nato, rivedo subito Michele con in braccio la sua cara, gentile Libertà. Quando il vento primaverile mi reca i suoni di una "zumbettana" trillante nel bosco, rivedo subito grandeggiare nel bosco colui che mi fu amico, fratello, maestro [...]". V. VITTORIO BUTERA, *Ricordo di Michele Pane*, in "Brutium", marzo-aprile 1953; p. 3. E lo stesso Butera poi aggiungeva: "poco noto in Italia, moltissimo in Calabria, nonostante la sua lontananza dalla terra madre di cui può dirsi uno dei più profondi poetici interpreti, un grande della poesia dialettale nostra". V. ancora VITTORIO BUTERA, *Ricordo di Michele Pane*, cit., p. 3. Il poeta di Conflenti sempre a proposito della morte di Pane si chiedeva: "Possono *muntagne* e *cavuni*, *vulli* e *mulini*, *zampugna* e *catarre* (corsivi dell'A.), presentarsi al nostro sguardo separate da chi queste cose ha cantato con tanta passione? E se tutto ci parla di Lui, come dire che è morto? Come dire che non è più, se lo vediamo in tutte le cose che ci circondano, in tutte le passioni che ci agitano, in tutti gli affetti che ci avvincono? NO, Michele Pane non è morto. È sempre qui, con noi: non possiamo averlo perduto". V. *Ricordo di Michele Pane*, cit., p. 4. E Butera gli dedica anche un sonetto intitolato *A Mmiche Pane*: "Cugnume e nnume, Pane Ddò Mmichele, / Te dìcenu chiu' è 'ssu cristianu: / 'Nu bbuonu, cum'è bbuonu 'u pane 'è granu. / 'Nu giustu, cum'è gistu San Michele! / S'è bberu ca 'nu juornu azau re vele / ppe' ssinne jire 'e nue tantu luntanu, / Cusutu a ffilu duppiu a ru nustranu / Lassau ru core chi 'nu canusce ffede. / I cientu cantu dduve ha mmisu manu / Parenu fatti ccu ru megliu mele / De tutti quanti i juri de Rumanu. / Volanu in cielu, suli, senza vele. / Te trasenu, a ru core chianu chianu. / Ah, ss'avera ra pinna 'e Ddon Michele!" (Cognome e nome, Pane Don Michele, / Ti dicono chi è questo cristiano: / Un buono, come è buono il pane di grano. / Un giusto, come è giusto San Michele. / Se è vero che un giorno alzò le vele / per andarsene da noi tanto lontano, Cucito a filo doppio al nostrano / Lasciò il cuore che non conosce fiele. / I cento canti dove ha messo mano / Paiono fatti con il migliore miele / Di tutti quanti i fiori di Piano Romano [località in agro di Decollatura] / Volano in cielo, soli, senza vele. / Ti entrano in cuore piano piano. Ah, se avessi la penna di Don Michele!".

Sulla vita di Pane si vedano: VITO MIGLIACCIO, *Ricordando Michele Pane*, in

"Calabria Letteraria", an. III, n. 4-5 (fasc. 29-30), marzo-aprile 1955, p. 4; il numero sempre di "Calabria Letteraria", n. 7-8-9 luglio-agosto-settembre 1973, p. 5 e ssg.; LUIGI COSTANZO, *Della poesia di Michele Pane*, Roma, Staderini, 1953, pp. 21-22; GIUSEPPE-ANTONIO BERARDELLI, *Ricordi di Michele Pane*, in "Scrittori calabresi", ottobre 1951; PAOLO SANDICCHI, *Storia di un'amicizia*, ivi.

Felice Costanzo così ricorda la morte di Pane e dell'altro poeta cosentino Michele De Marco: "N'autru pueta nuostru tantu caru, / mo' n'ha lassatu; n'âutru ddo Michele / che puru seppe d' 'a vita, l'amaru / tracangiare ccu viersi, a duce mele ("Un altro poeta tanto caro, / adesso ci ha lasciato: un altro don Michele / che pure seppe della vita, l'amaro / trasfigurare in versi dolci come il miele". La poesia del Costanzo si intitola *Cumu due frati* (*Come due fratelli*), e fa parte di *Juri 'e luntananza* (*Fiori di lontananza*), Roma, Bonacci, 1954.

[5] Dapprima a Nicastro e a Monteleone.

[6] V. LUIGI ALIQUÒ LENZI-FILIPPO ALIQUÒ TAVERRITI, *Gli scrittori calabresi. Dizionario bio-bibliografico*, Seconda edizione, vol. III (N-Z), Reggio Calabria, Tip. Editrice "Corriere di Reggio", 1955, pp. 51-52.

[7] Dopo aver studiato — come già detto — a Nicastro e a Monteleone — emigrò in America, dove visse circa cinquant'anni. Nel 1928, Pane venne in Italia; rivide Adami, di cui spesso parla nelle sue liriche con accorata nostalgia; e visitò pure Catanzaro dove fu festeggiatissimo da amici e da ammiratori.

[8] V. GIOVANNI PATÀRI (ALFIO BRUZIO), *Calabresi in America. Il poeta dialettale Michele Pane*, in "Brutium", anno XXVII-1948, n. 7-8, 1948, p. 7. In questo articolo il Patàri lamenta il fatto che "Benedetto Croce, il grande vegliardo, così appassionato di poesia dialettale, non si sia mai occupato in *Critica*, della nostra musa in vernacolo. E sì che la nostra produzione dialettale, e precisamente quella di Michele Pane, lo meriterebbe". V. *Calabresi in America*, cit., p. 7.

Alfio Bruzio definisce Pane "il poeta dialettale più delicatamente lirico che abbia la nostra Calabria [...]". E poi aggiunge: "La poesia sua è fatta essenzialmente di rimembranze che strappano le lagrime". Questo giudizio (e altri) come quello di Giovanni Stumpo (in "Messaggero", 12 luglio 1937), si leggono in LUIGI ALIQUÒ LENZI-FILIPPO ALIQUÒ-TAVERRITI, *Gli scrittori calabresi*, III, cit., p. 53.

[9] In un breve ritorno dal volontario esilio, per i tipi dell'editore Casella di Napoli, pubblicò i suoi versi. Non ebbe alcun merito, perché il libro passò in mezzo alla indifferenza della critica e finì tra amici e parenti. Dopo *Accuordi* — come già detto — scrisse *Viole ed ortiche* e quindi *Peccati*. E la tipografia Editrice Bruzia, in una elegantissima pubblicazione intitolata *Musa silvestre*, ha raccolto i più bei canti del poeta e, per questa lodevole iniziativa, il nome di Michele Pane ha avuto una più vasta risonanza.

Altra opera di Pane è *Laude al San Sidero*, il magnifico vino di Sambiase, di cui divenne importatore e rivenditore in Brooklin. Bisogna pure ricordare che ha scritto liriche in lingua ma inferiori alle dialettali come pure poco riusciti sono alcuni saggi di traduzione in dialetto calabrese dal Carducci, dal Pascoli, dallo Stecchetti, dal Marradi, dal Betti. Su questo tema ritorneremo in seguito.

[10] Ai tempi di Pane i calabresi (e anche lo stesso poeta) guardavano a Napoli come alla più allucinante avventura". La *réclame* della Cosulich, con una nave sulle onde gialle, era nei paesi degli emigrati come l'insegna del Paradiso. Napoli era il mare che univa la terra della miseria con la speranza della ricchezza, l'America". V. GIUSEPPE

SELVAGGI, *L'emigrazione*, in *Sette corrispondenze calabresi*, Cosenza, Pellegrini Editore, 1962, p. 75. Sulla emigrazione v. ANNUNZIATA NOBILE, *Gli anni del "grande esodo": emigrazione e spopolamento in Calabria (1811-1911)*, in *Aspetti e problemi di storia della società calabrese nella società contemporanea*, cit., pp. 197-220. Comunque tra il "1876 e il 1913 l'emigrazione nell'Italia Meridionale era già aumentata come 1 a 60. Nel 1912 le Calabrie segnavano col 33% il massimo di intensità fra tutte le regioni della penisola (emigrazione per la massima parte transoceanica). V. GINA ALGRANATI, *Basilicata e Calabria*, Torino, Unione Tipografica Torinese, 1929, pp. 237 e ssg.

[11] V. Giovanni Stumpo, ne "Il Messaggero" del 17 luglio 1937.

[12] Su questa rivista v. GAETANO SARDIELLO, *Celebriamo i 75 anni di Michele Pane*, in "Scrittori calabresi", ottobre 1952.

[13] Su questo tema ritorneremo in appresso allorquando analizzeremo Garibaldi nella lirica di Pane.

[14] Pseudonimo — come è noto — di Domenico Piro. Egli nacque ad Aprigliano nel 1664 o 1665 e ivi morì giovanissimo, nel 1696, se si deve prestar fede all'epitaffio dettato dal fratello Isidoro, dell'Ordine dei Minori, per la tomba del poeta posta nella chiesetta di Santo Stefano. Prete anticonformista, di notevole cultura e di sensibile vena poetica, il Piro è il "primo autentico poeta dialettale calabrese, significativo anche nel quadro più ampio della nostra letteratura del Seicento". V. PASQUALE TUSCANO, *Calabria*, cit., p. 100. Opere principali di Piro: *Poesie*, Castrovillari, 1896; *Raccolta di poesie calabre*, con prefazione di Luigi Gallucci, Cosenza, 1968. Su questo poeta "boccaccesco" e licenzioso si vedano i seguenti studi: FRANCESCO SAVERIO SALFI, *Domenico Piro*, in "Il Calabrese", 30 dicembre 1842; GUIDO CIMINO, *Poeti dialettali calabresi*, in "Il Ponte", a VI, n. 9-10, 1950; PIETRO ADDDANTE, *La personalità e l'opera di Domenico Piro*, Bari, Ed. di "Quaderni di ricerche storiche e filosofiche", 1975; OSVALDO LUCENTE, *Domenico Piro, alias "Donnu Pantu"*, Cosenza, Fasano, 1982.

[15] Nato a Galatro, in provincia di Reggio, nel 1752. Abate e poeta popolare per la capacità di raggiungere gli effetti voluti — soprattutto nelle "canzoni facete" —, che non per gli esiti lirici. Scrisse vari sonetti di argomento religioso e occasionale e tradusse in quartine dialettali famosi inni liturgici latini (*Miserere*, *Dies irae*, *Magnificat*, ecc).

Sue opere principali: *Saggio dell'energia, semplicità ed espressione della lingua calabra nelle Poesie di Giovanni Conìa canonico protonataro della Cattedrale di Oppido, con l'aggiunta di alcune poesie italiane dello stesso*, Napoli, 1834 (venne ristampato nel 1878, 1891 e 1929). Sul Conìa si rinvia ai seguenti studi: LUIGI FUCILE, *Un poeta dialettale della Calabria reggina: L'Abate Conìa*, Messina, Ed. "La Sicilia", 1927; PASQUALE CREAZZO, *Introduzione a G. Conìa, Poesie complete*, Reggio Calabria, Soc. ed. Reggina, 1929; ANTONIO PIROMALLI, *Giovanni Conìa*, Reggio Calabria, 1947; RAFFAELE SERGIO, *L'abate Giovanni Conìa poeta dialettale calabrese*, Reggio Calabria, Ed. Parallelo 38, 1980.

[16] NICOLA GIUNTA, *Omaggio a Michele Pane*, in "Scrittori Calabresi", anno III, nn. 8-9-10, Cosenza, ottobre 1951 (la rivista fu diretta da Alfredo Gigliotti).

[17] V. NICOLA GIUNTA, *Omaggio a Michele Pane*, cit.

[18] Napoleone Vitale, nato a Bova il 3 ottobre 1883. Poeta che raggiunge notevoli esiti lirici anche in dialetto. Morì a Reggio Calabria il 21 gennaio 1961. Opere principali: *Sulle rovine della patria*, Reggio Calabria, Tip. Leo, 1947; *Il grande ritorno*, Reggio

Calabria, Casa Editrice Meridionale, 1950; *Poesie*, Milano, Miano, 1958. Su di lui v.: PAOLO TIMPANO, in "La Voce di Calabria", 17 aprile 1949; GUIDO CIMINO, *Poeti dialettali calabresi*, in "Il Ponte", cit., pp. 1103-1104; FRANCO SACCÀ, in "Il Corriere di Reggio", ottobre 1958; GIUSEPPE TIMPANI, *Prefazione a N. Vitale, Poesie*, Milano, Miano, 1958; ALBERTO PEDULLÀ-AUDINO, *Sette grandi calabresi*, Cosenza, Fasano, 1976; ANTONIO VIOLA, *Figure bovesi*, Reggio Calabria, Tip. Lenti, 1982; PASQUALE TUSCANO, *Un poeta calabrese dimenticato: Napoleone Vitale*, in "Il Ragguaglio Librario" (Milano), n. 3, marzo 1984, pp. 84-85.

[19] GUIDO CIMINO, *Poeti dialettali calabresi*, in "Il Ponte", cit., p. 1100.

[20] PIETRO DE SETA, *Panorama storico-critico della poesia dialettale calabrese*, in "Calabria Letteraria", gennaio-febbraio 1967, p. 10.

[21] Di Galatro (1818-1884).

[22] V. PASQUINO CRUPI, *Michele Pane*, in *Letteratura calabrese contemporanea*, Messina, Firenze-D'Anna, 1971, p. 29.

[23] *Ibidem*.

[24] V. ANTONIO PIROMALLI, *La letteratura calabrese*, Napoli, La Spirale Guida Editori, 1977, p. 227. I versi citati si riferiscono alla poesia "I Tùmbari" e la traduzione è la seguente: "Io tengo ancora le orecchie tese / a quel suono bràbita brù". V. "I tumbari", in *Musa silvestre. Poesie scelte da Gabriele Rocca. Edizione curata da Felice Costanzo*, Roma, Vittorio Bonacci Editore, MCMLXVII, p. 61. Citeremo le altre poesie sempre da questa edizione.

[25] *Letteratura dialettale calabrese*, Reggio Calabria, Ambrosiano, 1973, pp. 117-124.

[26] LUIGI COSTANZO, *Della poesia di Michele Pane*, cit., p. 14.

[27] *'U focularu*, in *Musa silvestre*, cit., p. 50.

[28] V. "Scrittori calabresi", anno IV. n. 1, Longobardi (CS), 31 gennaio 1952.

[29] "Scrittori calabresi", anno IV, n. 1, cit. Ecco la traduzione dei versi citati prima: "Vecchia mia casa, me ne ero venuto / — dopo trent'anni che t'avevo lasciato / sperando di passarci tranquillo / questa mia vita di zingaro sperduto. Ma ti trovai quasi assolata / più di un caro invecchiato o morto, / ci son stato una invernata molto dispiaciuto, / come uno sconosciuto, di sfuggita — / adesso — persa la speranza di farvi ritorno — / Cara ti mando l'ultimo saluto: / Mi resta questo tuo ritratto che è muto, / povera, dolce casa mia, rovinata".

[30] *Maju*, in *Musa silvestre*, cit., p. 25.

[31] Ovviamente la città americana ove viveva e lavorava.

[32] *Musa silvestre*, cit., p. 26.

[33] "flauto agreste, fatto della corteccia di verghe di castagno o di salice, quando le piante sono in succhio" (V. *Glossario* di G. Rocca, in *Musa silvestre*, cit., p. 33).

[34] *Appuntamentu* (*Appuntamento*), in *Musa silvestre*, cit., p. 33.

[35] *Ibidem*.

[36] *Musa silvestre*, cit., pp. 34-35.

[37] *Ibidem*, p. 34.

[38] *Musa silvestre*, cit., pp. 61-62.

[39] *Ibidem*, p. 61.

[40] *Ibidem*, p. 62.

[41] *Ibidem*.

[42] Son detti "galantuomini", ma la voce ha "senso dispregiativo" (Rocca).

[43] Pane è anche poeta d'amore che con i suoi versi ha ricordato le donne della sua gioventù, con grande freschezza d'accenti, con musicalità particolarmente intensa e non esteriore: "Fòrra cuntientu si'na sula lacrima / te sberrassi ogni tantu 'ntra lu linu, / pensand'a mie chi sugnu 'ntra la Mérica / — 'na terra chi de màngani nun sa! —. / Forra cuntientu si ssu core tennaru / parpitassi pp'e mie dintra ssu sinu / — cumu 'na vota, — e cumu ssu tue manganu / facissi sempre: Tip-tuppi-tà! / Ca' si sugnu luntanu, 'ntra la Mérica, / sempre vicinu 'a tie st'arma mia sta!" ("Sarei contento se una sola lacrima / ti cadesse all'improvviso nel lino, / Sarei contento se questo cuore tenero / palpitasse per me dentro questo petto / — come una volta — e come questa tua gramola / facesse sempre: Tip-tuppi-tà! / Ché se son lontano, nell'America, / sempre vicina a te questa anima mia sta!". Su Pane poeta d'amore ritorneremo in appresso.

[44] V. *'A manganatrice*, in *Musa silvestra*, cit., p. 21. Il poeta ricorda, come si vede, da lontano le sue non poche giovanili avventure amorose, sulle quali non ci soffermeremo. Ricorda, per esempio, Carmela la *manganatrice*, che vegliava di notte nei campi; maciullava il lino, e col canto faceva avvertito il poeta della sua presenza. Della lettera che l'antico amante si figura di scrivere alla *manganatrice* riproduciamo alcune strofe: "Vorra sapiri, mo' si quando mangani, / tu, 'ntra la notte, t'arricuordi / 'e mie; / si puru canti la canzuna solita / chi cantave ppe' mie tandu, oi Carmé! / Si t'arricuordi lu mie pedituozzulu / chi tu de cientu miglia canuscie, / e guardavi all'affissu ppe' discernere / dintra lu scuru, e pur dicie: / Chin'è? / Io sû, luntano assai, ma sienti crideme: / sempre st'anima mia vicina t'è / [...] / Vorra sapire mo' si quandu scoccanu / due ure doppu menzannotte sienti / 'mbersu l'Addame li cani ch'abbajanu / — cumu quandu passavad'io, Carmé! / — [...] / vorra sapire puru mo' / patritta / te fadi, cumu tandu, 'a spijarella: / si faccitosta, mo' te chiama mammata / — ma 'un criu, cà pagura 'e mie nun c'è... — / Vorra sapire s'ancore, te chiamanu / allu paise nuostru "La Volella"; / si quandu passi tu'ncore suspiranu / chilli chiacchi de'mpisi, oi Carminé! / Io sû luntanu assai; ma sienti crideme: / sempre st'anima mia vicina t'é" ("Vorrei sapere adesso se quando maciulli il lino / tu, nella notte, ti ricordi di me; / se pure canti la canzone solita / che cantavi per me allora, o Carmela! / Se ti ricordi il mio scalpitio / Che tu di cento miglia conoscevi, / e guardavi fissamente per discernere / nella oscurità, e poi dicevi: Chi è? / Io sono lontano, assai; ma senti, credimi: / sempre quest'anima mia vicina ti è / [...] / Vorrei sapere adesso se quando scoccano due ore dopo la mezzanotte senti / verso Adami i cani che abbaiano / — come quando passavo io, Carmela — / [...] / Vorrei sapere pure se adesso tuo padre, / ti fa, come allora la spia; / se svergognata adesso ti chiama tua madre / — ma non credo, che non c'è più paura di me... — / Vorrei sapere ancora se ti chiamano / al paese nostro 'La Farfalla'; / se quando passi ancora sospirano quegli uomini rotti ad ogni vizio, o Carmela / Io sono lontano assai, ma credimi: / sempre quest'anima mia ti è vicina"). I versi citati poco fa si trovano a pp. 20-21 di *Musa silvestre*, cit. Questa poesia appartiene ad *Accuordi e suspiri*: volume che ebbe — come già abbiamo avuto occasione di dire — una seconda edizione ampliata, e vide la luce col titolo *Musa silvestre. Accuordi e suspiri*, Catanzaro, Mauro, 1930. In questa edizione troviamo la seguente nota: "Raccolgo, per incarico dell'Autore che da molti anni è in America, tutte le sue poesie migliori già pubblicate in volumi e in periodici, e aggiuntevi le ultime inedite, non meno pregevoli; ci è parso che questo libro sia degno di oltrepassare i confini regionali, e però lo abbiamo corredato di un glossario nel quale,

per maggiore facilità, abbiamo lasciato voce nelle declinazioni del testo".

Il glossario è stato curato da Gabriele Rocca, al quale Pane dedica una poesia in lingua italiana intitolata *A Gabriele Rocca. Un ricordo di una gita alla Sila* fatta nel 1939 in compagnia degli insegnanti di Cosenza (si tratta di un acrostico). Per il testo v. "Scrittori calabresi", n. 8-9-10, cit.

[45] *Il tonfano*. V. *Musa silvestre*, cit., pp. 43-45. Questa poesia si collega a quelle dedicate alle montagne, alle marine. Ma là dove il quadro calabrese più forte s'incide e più si allarga, è nelle poesie non d'amore che rievocano la sua giovinezza. Ricordiamo particolarmente "Muntagne", "Turre", "Funtane", "Cavuni" (Burroni), "Marine", "'U vullu" appunto, in cui, pur da tanto lontano, il poeta dipinge, con colori vivi, gli aspetti più diversi della Calabria, e che hanno strofe di una potenza pittorica ed emotiva veramente straordinaria. Consideriamo 'U vullu" — la grande opera creata nel letto del fiume per i bagni estivi sulle montagne calabresi, e che spesso il poeta ed i suoi giovani amici trovavano senz'acqua. E allora, di corsa, verso il mulino, per togliere l'acqua dal canale e riavviarla verso l'opera: "O dde Verratta, trempi 'appendinu, — / Chiù dde li crâpi, forte scappandu — / jiamu all'assartu de lu Mulinu, / che 'ntra Carvune scruscia, cantandu / tante canzune, chi ha musicate / l'acqua 'e Gargiglia chi scrisse llà; / sunu rumanze d'Uorchi e de Fate, / chi 'st'acqua frisca surtantu sa"; (V. *Musa silvestre*, cit., p. 45): "E di Veratta, in giù, — / più, delle capre forte scappando —: andiamo all'assalto del Mulino, / che in Carvune scroscia, cantando / tante canzoni che ha musicate / l'acqua di Gargiglia che scorre là; / sono romanze d'Orchi e di Fate, / che quest'acqua fresca soltanto sa".

Nelle poesie citate prima ("Funtane", "Carvuni" (la più bella), "Marine"), si sente come la maturità del poeta voglia esprimersi con agio, la rievocazione lo porta, sì ad accenti di accorata sincerità, non senza però quella sostenutezza che si compiace della stessa cultura, che riecheggia per vezzo intellettualistico, e fa sentire come le liriche più che di fattura spontanea, siano dei pezzi che forse il poeta si sia proposto di scrivere con l'intento di mostrare la sua bravura.

[46] *Musa silvestre*, cit., pp. 61-62. Si tratta di ricordi incancellabili, che la punta nostalgica ravviva, sono nella memoria, nella fantasia del poeta le feste del natio villaggio, le quali egli descrive con rilievi così pittorici, con circostanze, così caratteristicamente vivaci e suggestive, che solo a sentirlo è già festa e letizia vera.

Per la ricorrenza delle due feste del paese, a San Raffaele e al Carmine, arrivano nel villaggio di Adami non già la musica, che costava troppo allora, ma i tamburinai, i *tumbari* che intronavano il paese e mettevano coi monelli tutto il popolo in frenetica allegria.

[47] *Musa silvestre*, cit., pp. 50-52.

[48] *Ibidem*, pp. 41-42. Un motivo antico, quello del Natale, che è presente più d'una volta nella poesia calabrese in vernacolo; ma il *Natale* (25 dicembre 1904) di Michele Pane (come pure *Vijilia* (Vigilia), scritta il 24 dicembre, alcuni anni dopo (1909), è dedicata quasi tutta al ricordo della mamma che nel frattempo era morta) è d'ispirazione nuova, che non ha riscontro in altri poeti. L'elemento religioso, il tradizionale racconto, da cui il Padula trasse un autentico capolavoro d'arte dialettale, qui sono fusi trasfigurati e presenti e sono fissati con mano d'artista in un quadro che rievoca il Natale della sua fanciullezza: "L'organu s'aperia: pépoli-pili... / bella sonata ch'è lla pasturale! / la duce pasturale de Carmelu / facia volare l'arme nostre in cielu! / E pped'ogni paise,

pp'ogni vallu / 'n luntananza vidie, na focarella [...]" ("L'organo incominciava: pépolipili... / bella suonata che è la pastorale! / la dolce pastorale di Carmelo / faceva volare le anime nostre in cielo! / E per ogni paese, per ogni vallo / in lontananza vedevi un piccolo fuoco [...]". Per i versi citati v. *Natale*, in *Musa silvestre*, cit., p. 42.

[49] *I tumbari*, cit., p. 61.

[50] *Donna brigante*. V. *Brigantisca*, in *Musa silvestre*, cit., pp. 71-72. In questa poesia — come nell'altra dal titolo *'U dobotte* (*Lo schioppo*: *Musa silvestre*, cit., pp. 46-49) riaffiora un aspetto spirituale che può destare sorpresa. Si potrebbe forse pensare ad una maniera: c'è infatti una impetuosa nostalgia contro ogni forma d'ingiustizia e di prepotenza personale o sociale. Tale atteggiamento si riconnette senza dubbio, al solco del Romanticismo calabrese, e, di più alla diffusa simpatia verso il brigantaggio, che, al tempo della invasione francese, si colorò di un alone di offeso sentimento patrio e regionale. Così si spiegano alcune espressioni che sarebbero poi in contrasto con i più profondi sentimenti del poeta. Tali echi si tradiscono in certe facilità ritmiche o prosastiche e nei troppo frequenti — e vistosi — arpeggi di assonanze.

[51] *Musa silvestre*, cit., pp. 63-65. Decollatura, nelle belle notti lunari, è il paese delle serenate malinconiche, e sentimentali. Il poeta, che ha l'anima piena di quelle serenate, si compiace sviluppare semplicemente i motivi, modulandoli a modo suo con combinazioni di ritmi, ritornelli e ripetizioni di grande efficacia; il suono, la musica sembra talvolta soverchiare l'immagine e la parola. Valgano come esempio i versi seguenti di "Serenata", e poi l'altra poesia intitolata "Occhiuzzi" (*Piccoli occhi*): "Risbigliate d'u suonnu, o dormigliusa / e affacciate, si nnò mi fa 'n'offesa;... / O cchi l'una d'argientu, o cch'aria duce, / cchi addura de prati 'ntra 'sta pace / facciuzza janca cumu la vambace, / tuni chi si dde l'uocchi mie la luce, / risbigliate, nun sienti la mia vuce?; / o cchi luna d'argientu, o cchi aria duce! / Nun t'arrivanu forsi li lamenti / de 'sta vecchia catarra mia battente? / Risbigliate, cà, cc'èdi 'nu pezzente / chi vo' vidire ss'uocchi strallucienti; / risbigliate, cà sugnu 'ntra i turmienti, / nun t'arrivanu forse li lamienti?" ("Svegliati dal sonno, o dormigliosa, / e affacciati dalla finestra, se non mi fai un'offesa; / O che luna d'argento, o che aria dolce, / o che odore di prati in questa pace! / Facciuzza bianca come la bambagia, / tu che sei degli occhi la mia luce, / svegliati, non senti la mia voce? / o che luna d'argento, o che aria dolce! / Non t'arrivano forse i lamenti / di questa vecchia chitarra mia battente? / Svegliati, che c'è un pezzente / che vuol vedere quest'occhi molto lucenti; / svegliati, che sono tormentato, / non t'arrivano forse i lamenti?".

[52] *Musa silvestre*, cit., p. 63. Dello stesso tipo, ma d'intonazione lieta e scherzosa, è la poesia, senza paragone assai più bella della precedente, intitolata "Occhiuzzi". Coi più arditi e simpatici paragoni, il poeta si compiace di descrivere gli occhi di una bella fanciulla e di cantarne la potenza suggestiva e fascinatrice nelle diverse ore del giorno: "chini de suonnu l'hai tu la matina / e all'arva spalacandu lu barcune, / si guarda di fare asciutta l'acquazzina / e spannizza la neglia d'u vallune; / chini de suonnu l'hai tu la matina" ("Pieni di sonno l'hai tu la mattina / e all'alba spalancando il balcone, / se guardi fuori asciutta la rugiada / e si disperde la nuvola dal vallone; / pieni di sonno l'hai tu la mattina". Per i versi citati v. *Musa silvestre*, cit., p. 27. Simpaticissima la conclusione: "Ma s'un trasu a ssu core ti le scippu, / — s'haju 'a furtuna mu sula te'ncappa — / e dintra 'na buttiglia pue le 'ntippu, / dicu ca sû brillanti e fazzu 'u guappu; / crideme 'ncunnu jurnu, ti le scippu!" ("Ma se non entro in questo cuore io te li

strappo / — se ho la fortuna di sorprenderti da sola — / e in una bottiglia poi li tappo, / dico che son brillanti e faccio il guappo; / credimi, qualche giorno, te li strappo''. V. *Musa silvestre*, cit., p. 28.

[53] *Musa silvestre*, cit., pp. 23-24.

[54] *Ibidem*, cit., p. 58-60.

[55] *Serenata*, cit., p. 64.

[56] *Spartenza*, in *Musa silvestre*, cit., p. 23.

[57] *Musa silvestre*, cit., pp. 91-92. La parola dialettale significa piccolo regalo. Si tratta di una poesia dolce e delicata. Il poeta amava una bella ragazza della sua età che si chiamava Stella; con lei passava le sue giornate, con lei giocava e, crescendo, si infiammava d'amore per lei: ''D'amure la prima scicilla / 'mpizzadi la mia furnagella; / io 'a 'nsinga accatavi pped'illa: / 'na spingula, fatta a volella. / E: — Téccute ccà! stipatilla / — le dissi — 'sta mia 'nsinghicella. / Ricordate ca 'e piccirilla / me fuosti e serai compagnella'' (''D'amore la prima scintilla / appiccò la mia piccola fornace; / io un piccolo regalo comprai per lei (la ragazza): / una spilla fatta a farfalla. / E: eccoti quà! / Conservala / — e dissi — questo mio piccolo regalo. / Ricordati che è piccolo / e mi fosti e sarai compagnella''. Per i versi citati v. *Musa silvestre*, cit., p. 92. Per dare un'idea compiuta dell'arte di Pane citiamo alcuni versi di questa poesia che ha una delicatezza e squisitezza pascoliane: ''E c'era 'na vota 'na bella / guagliuna ch'avia nume Stilla, / ma cchiù dde' 'na stilla era bella, / cchiù janca 'e nu jure 'e mortilla'' (''C'era una volta una bella / ragazza che aveva nome Stella; / ma più di una stella era bella, / più bianca di un fiore di mirto''). Per i versi citati v. *Musa silvestre*, cit., p. 91.

[58] *La menta*, in *Musa silvestre*, cit., pp. 19-20.

[59] *Le rose*, in *Musa silvestre*, cit., pp. 37-38.

[60] *Dedica*, in *Musa silvestre*, cit., pp. 17-18. Già da questa prima poesia si ha un'idea di tutto il volume *Musa silvestre*. Ecco questa strofe: ''Amure mio, sta vita pare n'arvule / quando vene llu tiempu è pusterata; / senza rami / nu ha nidi cchiù che cantanu / e mancu frunde undi tene cchiù: / sulu tu, amure mio, cumu na pampina / d'edera, affezionata sî restata / all'arvule sfrundatu; alla cuntraria / sorta restasti a mie sulilla tu!'' (''Amore mio, questa vita pare un albero / quando viene il tempo del vento autunnale; / sopra i rami non ci son più nidi che cantano / e neppure fronde verdi più tiene: / sola tu, amore mio, come una foglia / di edera, affezionata sei restata / all'albero sfrondato, alla contraria / sorte mi sei rimasta tu sola!''. Per i versi citati v. *Diedica*, cit., p. 17.

[61] *Musa silvestre*, cit., p. 32.

[62] *Ibidem*, pp. 128-133.

[63] V. LUIGI COSTANZO, *Della poesia di Michele Pane*, cit., p. 96.

[64] *Musa silvestre*, cit., p. 19.

[65] *Ibidem*.

[66] GUIDO CIMINO, *'A menta*, in ''Scrittori calabresi'', anno II, n. 8-9-10, ottobre 1951.

[67] *'E rose*, cit., p. 37.

[68] *Ibidem*.

[69] *Ibidem*, p. 39.

[70] *Diedica*, cit., p. 17.

[71] *Spartenza*, cit., p. 23.

[72] V. Pasquino Crupi, *Michele Pane*, cit., p. 30.

[73] V. Luigi M. Lombardi Satriani, *Contenuti ambivalenti del folklore calabrese: ribellione e accettazione nella realtà subalterna*, Messina, D'Anna, 1968, p. 89.

[74] Queste sezioni con *Accuordi e suspiri*, e i *Canti di intonazione popolare* (*Serenata* da G. Carducci), *'U core mio* (da L. Stecchetti), per citarne alcuni, formano il volume *Musa silvestre*, edito — come già detto — in Roma da Vittorio Bonacci (giugno MCMLXVII). Qui il poeta raccolse i canti più belli della sua vasta produzione. Questa raccolta è dedicata a Maria Concetta, creatura idealizzata dal poeta sentimentale. Egli ricorda ancora, con tanta ebrezza, la notte prima di partire per la lontana terra d'America, quando, l'ultima volta che la vide, in quei fugaci momenti d'amore, la sentì tremare fra le sua braccia. Il poeta non può dimenticare mai il suo amore e sogna sempre gli occhi della sua innamorata. E qui ricordiamo il giudizio che diede Giuseppe Casalinuovo dell'edizione delle poesie di Pane, pubblicate — come già detto — nel 1930 dall'editore Guido Mauro di Catanzaro: "Basta mettere di fronte i più lontani e i più prossimi componimenti per vedere e per sentire immutata quest'anima di poeta. Quelli furono scritti quando ancora egli (il poeta) viveva sulle falde nevose del suo Reventino. Questi, invece, sono stati scritti nel nuovo mondo lontano le mille miglia dalla sua patria, in un fervore fantasmagorico di vita tutta diversa, tra le più diversa gente e i più diversi idiomi. E pur, hanno la stessa tonalità, la stessa vena interiore, lo stesso spirito e lo stesso sangue". V. Giuseppe Casalinuovo, *Le poesie di Michele Pane*, G. Mauro, Catanzaro, 1930.

[75] *Rosa addurusa*, cit., p. 122.

[76] *Indiminaglia* (*Indovinello*), in *Musa silvestre*, cit., p. 90.

[77] *Ss'occhiuzzi*, cit., p. 27.

[78] *Ibidem*.

[79] Parleremo in appresso di alcune similitudini nella poesia di Pane.

[80] *Ss'occhiuzzi*, cit., p. 27.

[81] *Ibidem*.

[82] "Costellazione delle Pleiadi, in cui il popolo vede una covata di pulcini" (Rocca).

[83] V. *Segretu*, cit., p. 34.

[84] V. *'A manganatrice*, cit., p. 20.

[85] *Spartenza*, cit., p. 23.

[86] *Ibidem*.

[87] Cit., pp. 63-65.

[88] *Musa silvestre*, cit., p. 92.

[89] *Musa Silvestre*, cit., p. 129.

[90] *Ibidem*.

[91] V. *Musa silvestre*, cit., p. 137. Alcuni suoi canti di intonazione popolareggiante videro la luce su "La cultura regionale" (Rassegna storico letteraria-artistica della Calabria diretta da Raffaele Santagati), anno V. novembre-dicembre 1929 (A. VIII) n. 11-12, e nella stessa rivista è pubblicata la poesia in dialetto *Percia vuoscu* dedicata a Gina Algranati, che l'ha poi riportata nel suo volume *Calabria forte I*, Torino, Utet, 1930, p. 130. In questa rivista del Santagati è stata pure pubblicata la poesia *Carmate, o core* (*Calmati, o cuore*). V. "Cultura regionale", anno III, febbraio 1926, n. 2, p. 9. Questa poesia è accorato e patetico dialogo col cuore, che il poeta esorta a sopportare le amarezze e le ingiustizie della vita nella serena ed estatica contemplazione della

natura, l'unica fonte perenne di gaudio interiore. E se la pace non troveremo sulla terra, nel quotidiano calvario e nel pazzo correre del vivere umano, certamente la troveremo intatta nell'umanità e nella solitudine di un cimitero. Sulla poesia popolare calabrese si ricorda il solo EMILIO BARILLARO, *La poesia popolare calabrese*, estr. da "Calabria letteraria", numero doppio marzo-aprile 1955, La Tipo Meccanica, Catanzaro, 1955.

[92] *Musa silvestre*, cit., p. 140.

[93] *Ibidem*, p. 141.

[94] *Ibidem*, p. 143.

[95] Ora — lamenta il poeta — l'uso si va perdendo perché le migliorate condizioni economiche consentono a ogni villaggio di celebrare la festa popolare almeno con una piccola fanfara. Si tratta sempre, come si vede, di ricordi pieni di soave maestizia, che ispirano una delle liriche più caratteristiche e più belle; ricordi come quelli delle due feste del villaggio — San Raffaele e il Carmine — quando ad Adami arrivavano i *Tùmbari* da Pittarella, mentre le donne si affacciavano alle finestre sentendoli rullare da lontano, e tutti i fanciulli del paese andavano incontro e li accompagnavano trionfalmente davanti alla chiesa.

[96] *Musa silvestre*, cit., p. 36. Breve lirica tutta pianto.

[97] *Musa silvestre*, cit., pp. 66-70. *Tora* è "tra le liriche più note, di più intensa freschezza di lingua e di memoria" (V. PASQUALE TUSCANO, *Calabria*, cit., p. 322). Qui la mano del poeta si fa leggera, pare che egli scriva in aria, anzi pare che Tora sia del tutto come certe figure del Fucini, le quali più che coglierle sulla carta del libro, si colgono nella voce dell'autore. Il modo di ricordarla è così spontaneo, che non si pensa quasi all'impegno del poeta di scrivere questa lirica, foggiata con autentica purezza greca.

[98] *Musa silvestre*, cit., pp. 53-54. Poesia caratterizzata da incisive terzine.

[99] *Ibidem*, pp. 55-56. Nel finale "stupendo" di questa poesia piange e canta il poeta e si condensa tutta quanta la sua poesia: "A mie piàcedi tantu / ssu suonu, cà lu giri / e vuoti 'nt'i suspiri / 'mperodi oje te cantu; / e lliri mpilliri / e lliri lliri, / l'elleru... / la vita è 'nu misteru, / l'amure è 'nu disperu, / la fama è 'nu ditteru, / lu mundu, un'è sinceru, / e lleru lleru lleru / sul' 'u morire è veru!" (*Musa silvestre*, cit., p. 56) ("A me piace tanto questo suono, che lo giri e rigiri nei sospiri, / però oggi ti canto; / e lliri 'mpilliri / e lliri lliri lleru... / la vita è un mistero, / l'amore è una disperazione, / la fama è una diceria, / il mondo non è sincero, / e lleru lleru lleru / solo il morire è vero!".

[100] *Musa silvestre*, cit., p. 57. La poesia è un quadretto idillico incantevole, di una limpidezza cristallina. La "zumbettana" è il flauto villico, il zufolo silvestre, il cui suono argentino rievoca nella mente del poeta il ricordo di un suo idillio di amore, il primo amoroso abbraccio di due innamorati dentro una *icona*, uno di quei tabernacoli, che la devozione dei fedeli fa sorgere in campagna agli angoli delle vie: "e m'arricorda dde chilla matina / che n'abbrazzame, — fodi 'ntra 'na cona, / e ll'uocchi bielli tui parianu lune / sutta chilla figura de Gesù! — " (p. 37) ("E mi ricordo di quella mattina / che ci abbracciammo, — fu in un tabernacolo, / e gli occhi tuoi belli parevano lune / sotto quella figura di Gesù!".

Altro quadretto è la già citata poesia "Spartenza", separazione. Il Pane, che adolescente "militava nel partito socialista, costretto, non so in seguito a quali disappunti e contrarietà, a partire pare di contrabbando, per l'America, andò di notte a licenziarsi dall'innamorata". V. RAFFAELE GAUDIO, *Muse neglette*, cit., p. 7.

[101] *Musa silvestre*, cit., pp. 86-87. Poesia — quadretto che ha sì le cadenze e gli accordi musicali d'una ninna-nanna, ma la lievitazione essenziale del canto è da ricercarsi nel valore etico del sentimento. Una rassegnata sopportazione di squallore accenna il poeta che canta e il bimbo che ascolta. C'è una "coralità verginale" che trascende la pura e semplice intonazione lirica per avvicinarsi prepotentemente ai più sani valori morali della vita.

[102] *Musa silvestre*, cit., pp. 25-26.

[103] *Ibidem*, pp. 76-78. A questa figlia dedica una poesia in lingua italiana intitolata *A mia figlia Penelope Libertà-Fiorentino*. V. "La cultura calabrese", anno V, febbraio-marzo 1929. A. VII, n. 2-3, p. 6. Qui si può leggere anche la poesia in dialetto *Vecchia calabria* dedicata a "S. E. M. Bianchi".

[104] *Musa silvestre*, cit., pp. 74-75.

[105] *Tora*, cit., p. 67.

[106] *Ibidem*, p. 69.

[107] *Ibidem*, pp. 69-70.

[108] V. *Introduzione* di Pasolini a *Poesia dialettale del Novecento*. Con traduzioni a pié di pagina, a cura di Mario Dell'Arco e Pier Paolo Pasolini, Parma, Guanda, 1952, pp. XL-XLI (nell'antologia figura Pane con la poesia *'U dobotte* = Lo schioppo, pp. 93-96). Pasolini giudica Pane "più degli altri poeti contemporanei dotato di maggiori 'doti poetiche' anche se non riesce a dare del suo paese che un'immagine scialba dentro gli schemi di un facile romanticismo (lo 'scenery' romantico di paesaggisti inglesi della prima metà dell'Ottocento, byroniani, che, in natura, è uno dei più perfetti d'Italia) e del pascolismo; e dire che un'autentica nostalgia poteva accrescere almeno quel descrittivismo, se Pane se n'è andato giovane in America a sistemarsi ma a rimpiangere la sua silenziosa Calabria". V. *Introduzione*, cit., p. XL. V. ancora di Pasolini (anche se son proposte le medesime pagine) *La poesia dialettale del Novecento*, in *Passione e ideologia (1948-1958)*, Milano, Garzanti, 1960, pp. 42 e ssg., e su Pane pp. 45 e ssg. Lo stesso Pasolini così giudica il numero (settembre-ottobre 1950) della rivista "Il Ponte" dedicato interamente alla Calabria: "in questo numero della rivista si trova, in sede saggistica, tutto ciò che non si trova nella letteratura calabrese. Nemmeno nei più celebrati Pane e Butera c'è la più piccola ombra di quella vita che Alvaro delinea con eccezionale acume e umanità (meglio certo di quanto, in senso realista, abbia fatto nel suo per altri versi importante *Gente in Aspromonte*) nell'articolo 'L'anima del Calabrese' che alla Calabria del 'Ponte' introduce". V. PIER PAOLO PASOLINI, *Passione e ideologia*, cit., p. 42. Pasolini anche nella poesia popolare italiana (V. sempre *Passione e ideologia*, cit., p. 238) si sofferma su Pane e sull'articolo *L'anima calabrese* di Alvaro). Per il primo osserva: "nei casi regionali Michele Pane per la Calabria, Scandurra per la Sicilia ecc, la poesia dialettale (di traduzione recente e — pur con tutti i vizi della provincia e del municipio — nazionale) è la poesia della classe borghese di origine risorgimentale e burocratica: [...] non c'è necessariamente nulla di popolare, anche là dove atteggiamenti di ritardatario romanticismo avessero da un lato, populistici o reazionari-cattolici dall'altro, suggeriscono dei temi 'popolari': e che non sono che bozzetti e macchiette paesane, il cui tono, umoristico e pietoso che sia è sempre offensivo nei riguardi del suo oggetto".

[109] UMBERTO BOSCO, *Calabria letteraria* (dapprima apparve, nel volume *Calabria*, Milano, Electa, 1962, pp. 210-216) e poi in *Pagine calabresi*, Reggio Calabria, Edizioni del Parallelo 38, 1975, p. 47.

[110] *Musa silvestre*, cit., p. 86.
[111] *Ibidem*.
[112] *Ibidem*.
[113] *Ibidem*.
[114] *Ibidem*.
[115] *Ibidem*, p. 87.
[116] *Ibidem*.
[117] Nella sua vita agitata e tormentata di esule vi fu pure un sorriso di sole: la gioia della paternità. Anzi alla grazia infantile delle sue creature si disperdevano le dense caligini dello spirito, oppresso dalle avversità e dai dolori, tanto che gli era dolce cantare: "Mo vijiu turchinu lu cielu / E 'ntuornu sul'angeli ed ale" ("Adesso vedo turchino il cielo / e intorno sono gli angeli e le ali". E cullando al sonno la sua piccola Libertà, egli cantava: "Lu suonnu chi ripuosu a tutti duna / Porta 'nu saccu de rigali chjini, / la friscura dei faghij 'e Riventinu / — tantu cara allu core de Papà — / Ti porta e llu sbendure de la luna / E juri 'e luntananza, o Libertà" ("Il sonno che riposo a tutti dona / Porta un sacco di regali, / La frescura dei faggi di Reventino / Tanto cara al cuore di Papà — / Ti porta lo splendore della luna / E fiori e lontananza, o Libertà". Per i versi citati v. *Musa silvestre*, cit., p. 74.
[118] *Musa silvestre*, cit., p. 25.
[119] Che sta poi certamente meglio di qualunque altro verbo, italiano o dialettale, che noi potremmo sostituire, per cui — come osserva Nicola Giunta — "nella mossa lirica con cui il canto si apre, si sente come il poeta padrone dello strumento che tratta, ha un suo lessico di gusto personale, che è indice di padronanza assoluta, di vera superiorità [...]. V. *Omaggio a Michele Pane*, in "Scrittori calabresi" (numero dedicato a M. Pane nel 75° anno della sua vita), Cosenza, a. III, n. 8-9-10, ottobre 1951. Si considera pure quest'ultimo termine *scacaru* di *Tora* (*Musa silvestre*, cit., p. 66), e si nota che il termine è l'esclamazione di bonaria invettiva: "le vijade' cecate!" (ovviamente le galline): sono "termini intraducibili nella lingua italiana e rivelano la grande maestria del poeta a piegare la parlata dialettale ad esprimere strani fantasmi poetici che attraversano la sua coscienza". V. PEPPINO SCALZO (si tratta di una conferenza su Pane), in "Calabria letteraria" (numero speciale dedicato a Pane), anno XXI, n. 7-8-9, luglio-agosto-settembre 1973, p. 13).
[120] *Musa silvestre*, cit., pp. 76-78. Di questa poesia parleremo allorquando faremo riferimento a Butera e Pane.
[121] *Musa silvestre*, cit., pp. 74-75. Questa poesia fa parte di *Accuordi e suspiri*.
[122] *Ibidem*, p. 75.
[123] Il calabrese inglesizzato. È una finta lettera che il poeta scrive al padre sulle caratteristiche della nuova lingua che sta imparando, e ne nota le gustosissime coincidenze col proprio dialetto derivate dalla imprecisione della pronuncia. È una caricatura della figura tipica dell'"americano" molto nota nei paesi calabresi: ma dell'"americanu" in America. L'"Americanu" tornato in patria l'ha rappresentato pure Vittorio Butera in una collana di dieci sonetti ricchi di una comicità riuscita. Comunque *'U calavrise 'ngrisatu* di Pane è una felicissima macchietta, composta a New York. Si tratta — lo ripetiamo — di una lettera che l'emigrato manda al padre in Calabria, invitandolo alla terra delle meraviglie e gli spiega, con buffi e impensati contrasti di vocaboli, il significato delle voci da lui apprese: riuscitissima caricatura della lingua americana

rimasta sempre "estranea" allo spirito di Pane V. GABRIELE ROCCA, in "Cronaca di Calabria", n. 12, anno LI.

[124] Pubblicato a New York — come sappiamo — nel 1949. È in martelliani (bellissimo il dialogo di Garibaldi col suo fedele servo calabrese). Talvolta la rapsodia arieggia la poesia celebrativa del Carducci, e ricorda nel titolo le rapsodie garibaldine del Marradi. Su Garibaldi e i calabresi e in particolar modo su Achille Fazzari v. SHARO GAMBINO, *Achille Fazzari ispira a Garibaldi il canto dell'amicizia*, in *Calabria, ieri ed oggi (Reportages storico-letterari)*, Cosenza, Editrice Mit, 1969, pp. 24-27.

[125] Il poeta appartiene alla generazione della grande emigrazione. Sulla vita americana di Pane v. PIETRO GRECO, *Come conobbi e divenni amico del poeta*, in "Scrittori calabresi", ottobre 1951.

[126] V. *Musa silvestre*, cit., pp. 25-26 (è la ricordata poesia dal titolo *Maju*). Le parole poste in virgolette sono di PASQUALE TUSCANO, *Calabria*, cit., p. 325.

[127] "Dedicata al poeta Michele Pane. Libertà è la sua diletta figliuola che, nata in America, venne in Italia dopo la prima guerra europea. Ad essa il padre affidò il saluto appassionato ai luoghi e alle persone del suo cuore. I miei versi rivivono la poesia di quel messaggio e lo ricambiano teneramente" (Nota del Butera). *La staffetta* fa parte della raccolta *Prima cantu e... doppu cuntu* (*Prima canto... e dopo racconto*) con prefazione di Umberto Bosco, Cosenza, Mit, 1964. Il caso volle che Butera incontrasse Michele Pane, poeta dialettale, che gli diede l'ispirazione. "S'incontrarono nella farmacia di don Ottavio Pontano, fratello del famoso clinico, dove il Pane recitava 'Tora' una delle sue migliori poesie. Butera lo ascoltò rapito, incredulo che il dialetto potesse arrivare a tanto, che avesse tutte quelle sfumature liriche e tutto quel sentimento: e da quel giorno capì che anche egli era nato poeta dialettale". V. MARIO LAVECCHIA, *Vittorio Butera, favoleggiatore e lirico*, in *Il dialetto del catanzarese nella poesia popolare e in alcuni poeti d'arte*, Catanzaro, Edizioni Arti Grafiche Abramo, 1958, pp. 71-72. A far che Butera scoprisse quindi la possibilità del dialetto fu decisivo l'incontro con Pane, il quale "scriveva non solo in calabrese ma addirittura nel dialetto dello stesso paese d'origine di Butera, Conflenti. Ma Pane giunge a questa poesia nel linguaggio del suo paese e della sua infanzia come a un mezzo per tornare in quello, per rivivere questa: lui vecchio e stanco emigrato in America: espressione dunque, di nostalgia e mezzo per raddolcirla: "dduve nasce, viatu chine more" è un denso verso dello stesso Butera, riferito a Pane". V. UMBERTO BOSCO, *Vittorio Butera*, in *Pagine calabresi*, cit., p. 224.

La poetica di Michele Pane, dal punto di vista della glossa filologica, è tutta calata nella parlata cosentina. Avverrà ciò anche a Butera, e non solo perché il "Reventino" è una sorta di spartiacque montuoso dove s'incontrano e si fondono la isoglossa catanzarese e quella cosentina, ma perché tanto il Pane che il Butera cercano il linguaggio classico che aveva reso famosi i poeti della conca acrese.

[128] Di Conflenti (CZ) 1877-1955. Egli è con Pane il più conosciuto dei poeti dialettali del Novecento. Solo nel 1949 ha raccolto in *Prima cantu e... ddoppu cuntu* le sue poesie e le sue favole. Il tema centrale della sua poesia, che circolava manoscritta, è il ricordo della giovinezza lontana ma Butera porta anche nella poesia vernacola calabrese il genere della favola "nel quale riesce uno dei migliori della letteratura d'Italia".

Pane e Butera, vissuti tra Otto e Novecento, hanno raccordato due epoche. Si veda ancora di Butera *Tuornu e ccantu, tuornu e ccuntu*. Liriche e favole inedite curate e presentate da Giuseppe Isnardi e Guido Cimino, Roma, Vittorio Bonacci, 1960;

Poesie, con prefazione di U. Bosco, Cosenza, Mit, 1969 (I ed. Roma, 1949); *Inedite*, a cura di LUIGI VOLPICELLI e GUIDO CIMINO, Soveria Mannelli, Ed. Rubettino, 1978.

Su Vittorio Butera v. almeno i seguenti studi: GUIDO CIMINO, *Poeti dialettali calabresi*, in "Il Ponte", fasc. cit., p. 1103; UMBERTO BOSCO, *Pagine calabresi*, cit., pp. 223-245; AA. VV., in "Scrittori calabresi", gennaio-aprile 1956 (numero dedicato a Butera); VITTORIO BUTERA, *Inediti*, Soveria Mannelli, Ed. il Rubettino, 1978; GUIDO CIMINO, *Pluralismo dialettale ne "L'Americanu" di Vittorio Butera*, in "Periferia" (Cosenza), a. I., n. 2, 1978, pp. 41-57. Ma si vedano pure: MARIO LAVECCHIA, *Vittorio Butera, favoleggiatore e lirico*, in *Il dialetto*, cit., pp. 69-87; ALFIO BRUZIO (GIOVANNI PATÀRI), *Il Trilussa di Calabria: Vittorio Butera*, in "Brutium", n. 5-6, settembre-ottobre, 1948, p. 5; PIETRO MONTORO *Poesia Calabra, Prima cantu e ddopu cuntu*, in "Brutium", n. 3-4, marzo-aprile 1950, pp. 9-10; GUIDO CIMINO, "Il calabrese illustre" *nella poesia di Vittorio Butera*, in "Calabria letteraria", in anno XX. n. 7-8-9-10-11-12, luglio-agosto-settembre-ottobre-novembre-dicembre-, 1982, pp. 85-88; LUIGI COSTANZO, *Poesia dialettale, Prima cantu e ddoppu cuntu*, Ed. Bonacci, Roma, 1950, in "Nuova Antologia", settembre 1950, pp. 47-102; ANTONIO PIROMALLI, *Vittorio Butera e la cultura del mondo contadino*, in "Il Corriere Calabrese", n. 1, anno II, Gennaio-Marzo 1992, pp. 51-63.

[129] Anche nella poesia di Butera ci sono le partenze, gli addii, le chitarre, le fontane che ci ricordano atteggiamenti simili a Pane. V. La poesia *L'addiu* (*L'addio*) di V. Butera in *Tuornu e cantu. Liriche e favole inedite* scelte e curate da G. Isnardi e G. Cimino, cit., p. 22.

[130] *'A staffetta*, IV, cit., p. 47.

[131] È sempre Libertà che narra al padre il suo viaggio ad Adami.

[132] *'A staffetta*, cit., p. 51.

[133] *Ibidem*, VIII, cit., p. 53.

[134] V. LUIGI COSTANZO, *Poesia dialettale*, cit., p. 100.

[135] Citiamo da LUIGI COSTANZO, *op. cit.*, p. 100.

[136] *Ibidem*, p. 101.

[137] *Ibidem*.

[138] *Musa silvestre*, cit., p. 77.

[139] *Ibidem*.

[140] *Ibidem*.

[141] V. TOMASO PANE, *Dalla biografia di mio zio. Il processo de "L'uominu Russu"*, in "Scrittori calabresi", ottobre 1951.

[142] *Ivi*.

[143] *Ivi*.

[144] GAETANO GALLO, *Garibaldi nella lirica di Michele Pane Fiorentino*, in "La cultura Regionale", anno IV ottobre-novembre 1928, n. 10-11, pp. 14-15. Del Gallo v. pure l'articolo *Viandante dell'arte: Michele Pane* "Italiano in America", in "Brutium", marzo-aprile 1954, p. 7.

[145] Citiamo dall'*art. cit.* di Gaetano Gallo, p. 14.

[146] V. *Musa silvestre*, cit., pp. 147-158. Esse sono: *Serenata* (da G. Carducci), *'U core* (da L. Stecchetti), *'A tessitrice* (da G. Pascoli), *Lavandare* (da G. Pascoli) *Ritrattu* (da G. Marradi), *'A Rigina de i vuoschi* (da R. Cordiferro).

[147] Contemporaneo di Piro. Anche Cosentino è poeta dialettale apriglianese, autore di una traduzione in versi dialettali della *Gerusalemme Liberata*.

[148] V. GAETANO GALLO DI CARLO, *Michele Pane ed Ugo Betti*, in "Brutium", luglio-agosto, 1953, pp. 10-11.

[149] Su di lui v. A. F., *Un amico di Pascoli e di Tennyson: G. Zuppone Strani*, in "Brutium", luglio-agosto 1956, pp. 4-5.

[150] V. GAETANO GALLO DI CARLO, *Michele Pane ed Ugo Betti*, in "Brutium", cit., p. 10. In questa stessa pagina c'è la traduzione di Pane che così comincia: "'A mezzanotte ppe' llu Mundu — se sente 'nu parpitu perfundu — cumu 'nu core uorvicatu — Ed è llu forgiaru chi martellija — e martellija — 'ntra la sua fucina; le fa lume 'a vampicella — c'abballa supra le vrasce — cumu na volella — turchina... — La notte, 'ntra le niure case, — 'nu core vatte senza pace". Poi in fondo alla traduzione, la data di Chicago Ill. 2-2-1945. Ecco la traduzione in lingua italiana dei versi riportati prima: "A mezzanotte per il mondo — si sente un palpito molto profondo — come un cuore sepolto — che nella notte si è risvegliato — e martella e martella — e martella — nella sua fucina; le fa lume una piccola fiamma — che abballa sopra le braci — come una farfalla — turchina... — La notte, nelle case al buio, — un cuore batte senza pace".

Per quanto riguarda Casalinuovo è da dire che i due erano amici. Peppino Casalinuovo si occupò della poesia di Pane, e quando venne stampato nel 1930, a Catanzaro, come già sappiamo, il volume *Musa silvestre*, scrisse Casalinuovo appunto un articolo dal titolo *I ricordi del poeta*, ripubblicato in "La Provincia di Catanzaro" (numero dedicato interamente a Casalinuovo), n. 1, 1986, pp. 60-63. Giuseppe Casalinuovo sottolinea i motivi calabresi di *Musa silvestre*, e osserva che non c'è componimento che non abbia una ispirazione tutta calabrese, e sottolinea in seguito: "Invano si cerca una sola, sia pure una sola poesia che abbia, per argomento; non dico qualcosa del nuovo mondo, ma una qualunque cosa che non sia di Calabria. E in *Musa silvestre* c'è un'interessante collana di 'Canti d'intonazione popolare', in cui par di sentire davvero, e non altro, che, uno dei nostri tanti 'rispetti' che il popolo si tramanda di generazione in generazione". Citiamo il seguente: "Chiantai 'nu pumu ccu' genu ed amure, / se ficed'autu chi jiadi alli cieli, / fici 'na varca ccu' tante premure / e janche e russe cce misi le vele, / ma, cumu l'ape ceverna llu jure / pure va la vespa e se mangia, llu mele; / curmai 'na donna d'amuruse cure / e n'autru 'nd'ha llu core ed io lu fele!" (*Musa silvestre*, cit., pp. 140-141) ("Piantai un melo con genio ed amore / si fece alto che toccava il cielo; / feci una barca con tante premure / e bianche e rosse ci ho messo le vele, / ma, come l'ape governa il fiore / poi va la vespa e si mangia il miele, / riempii una donna d'amorose cure / e un altro ne ha il cuore ed io il fiele!").

Casalinuovo giustamente coglie la nota predominante del volume *Musa silvestre* nel rimpianto per tutto quello che non c'è più: l'infanzia trapassata, i primi amori finiti, le dolci figure scomparse, la dolcissima patria lontana. È tutto un succedersi di ricordi, di desideri, di nostalgie. E c'è su tutto ed in tutto un velo di tristezza accorata, e tutto rivive come velato dalle lacrime, se pure riappare in tutto il prodigio del ricordo".

[151] V. GIOVANNI GRECO, *Poeti dialettali calabresi (contemporanei)*, Guido Mauro Editore, Catanzaro, 1931, pp. 167-168.

[152] Le sue poesie sono molto popolari in Calabria: *'U vullu*, *I tùmbari*, *Tora*, quest'ultima forse la più popolare di tutte. Il Patàri (V. *Calabresi in America*, cit., p. 7) lamenta giustamente il fatto che "Benedetto Croce, il grande vegliardo, così appassionato di poesia dialettale, non si sia mai occupato in *Critica*, della nostra musa in vernacolo. E sì che la nostra produzione, e precisamente quella di Michele Pane, lo meriterebbe".

Amedeo Tosti ha considerato il Pane come uno dei migliori poeti dialettali calabresi del Novecento: "È uno dei migliori poeti dialettali che siano oggi in Calabria. Un suo volume 'Accuordi', pubblicato dal Casella di Napoli sembrerà una vera rivelazione. Predonima in esso la nota amorosa, un pò velata di tristezza e di nostalgia". V. AMEDEO TOSTI, *Poeti dialettali de' tempi nostri. Raccolti ed annotati da Amedeo Tosti, Italia Meridionale*, Lanciano, G. Carabba, 1925, pp. 60 e 293. Nell'antologia del Tosti troviamo le seguenti poesie: *'E rose* (pp. 293-294), *'A zampugna* (pp. 295-296), *Brigantisca* (pp. 296-297).

[153] GIUSEPPE CASALINUOVO, *Michele Pane: i ricordi del poeta*, cit., p. 62.

[154] *Vjilia*, cit., p. 40.

[155] V. RAFFAELE GAUDIO, *Muse neglette*, cit., p. 43. I versi latini si riferiscono a Virgilio, *Bucoliche*, *Egl. I.*

[156] *Ibidem*, p. 21.

[157] Il Gallippi accosta Michele Pane a un altro poeta: il cosentino Agostino Pernice, autore di "Juri de vientu". V. ALBERTO GALLIPPI, *Musa Bruzia — Conìa, Ammirà, Pane, Pernice*, in *Atti d'amore e di fede*, I, Vibo Valentia, Edizioni Michele Bonelli, 1934, pp. 46 e ssg.

[158] RINA DE BELLA, *Michele Pane e la lirica contemporanea*, in *La poesia dialettale in Calabria*, Firenze, Editrice Universitaria, 1959, p. 135.

[159] Egli è essenzialmente il poeta della nostalgia, della umanità.

[160] *Diedica*, cit., p. 17.

[161] *Diedica*, cit., p. 17.

[162] "Una barchetta sul mare". V. *Diedica*, cit., p. 17.

[163] *Diedica*, cit., p. 17.

[164] *Carmela*, cit., p. 36.

[165] V. *Vijila* (Vigilia), cit., p. 40.

[166] Platania 14 agosto 1914 — Lamezia Terme il 21 aprile 1982. Poeta colloquiale, disteso. Sue opere di poesia: *L'arcano sul sereno*, La Procellaria, Reggio Calabria, 1963; *Favoloso è il vento*, prefazione di M. Stefanile, Siena, Maia, 1964; *Lucciole sul granturco*, Padova, Rebellato, 1965; *Il vento dopo mezzo dì*, prefazione di M. Luzi, Roma, Ed. di "Persona", 1968; *Il riso delle naiadi*, Padova, Rebellato, 1971; *Luna santa luna*, ivi, 1974; *Quest'ombra sul terreno, presentazione critica*, di A. De Grazia, Lamezia Terme, Edizioni Ligeia, 1983 (raccoglie il testo integrale delle sillogi apparse vivente il poeta). Il Mastroianni è autore pure di poesie in lingua neogreca: *Quaderni di un'estate*, Atene, Karaia, 1975; *Primavera*, Atene, Difros, 1977; *La favola di Eutichio*, Atene, Quaderni Delfici, 1982. Per la critica su di lui si vedano i seguenti studi: MARIO STEFANILE, in "Il Mattino", 14 aprile 1964; ALBERTO FRATTINI, *Poesia e poetica di Mastroianni*, in "Il Fuoco" (Roma), n. 5, 1970; FRANCO SACCÀ, in "Italia intellettuale" (R. C.), luglio 1971; FEBO DELFI, in "Koinonike" (Atene), febbraio 1975; PASQUALE TUSCANO, in "Il Ragguaglio Librario" (Milano), n. 6 giugno 1976; ANTONIO PIROMALLI, *Poeti calabresi antichi e moderni*, Soveria Mannelli, Il Rubettino, 1979; ALFREDO DE GRAZIA, *L'uomo del ritorno*, Lamezia Terme, Edizioni Sirena Ligeia, 1982; MARIO RAPPAZZO, *Felice Mastroianni, viandante di sogni*, Messina, Prometeo, 1983.

[167] V. FELICE MASTROIANNI, *Ricordi di Michele Pane*, in "La voce Bruzia" (Cosenza), anno XI, n. 2, 28-2-1971. Mastroianni ventenne scrisse e pubblicò in "Cronaca di Calabria" (19 aprile 1936) un articolo dal titolo "Amore di terra lontana nel canto di Michele Pane", che fu molto apprezzato da Pane stesso.

[168] *Ricordi di Michele Pane*, cit., p. 2.

[169] Nato a Roma da famiglia calabrese di Martirano. Morì a Roma, il 10 marzo 1932 all'età di 24 anni per tisi. "La poesia più personale del Berardelli è quella in cui la morte è sognata come una liberazione [...] e il sentimento interiore [...] si colora di ombre e di crepuscolo" (ANTONIO PIROMALLI, *Dal Quattrocento al Novecento*, Firenze, Olschki, 1965, pp. 143-144. Tra le sue sillogi poetiche segnaliamo: *Fiamma*, Roma, 1929; *Sonetti*, Roma, Tip. Mantellate, 1932.

Sul Berardelli v. almeno i seguenti studi: EMILIO RIVALTA, in "Il Giornale d'Italia", 23 maggio 1934; ANTONIO PIROMALLI, *Franco Berardelli poeta tardo crepuscolare*, in *Dal Quattrocento al Novecento*, cit., pp. 141-148. V. ancora: RAFFAELE SANTAGATI, *Franco Berardelli*, in "La cultura regionale", anno VIII, Reggio Calabria, febbraio-marzo 1932, X, num. 2-3, pp. 27-28; PIETRO MONTORO, *L'opera poetica di Franco Berardelli*, in "La cultura regionale", anno IX, Reggio Calabria, gennaio, A. XI n. 1, 1934; *Il pensiero di tre scrittori calabresi per Franco Berardelli*, ivi, aprile-maggio 1933 (XI) — anno IX, pp. 14-15 (i tre scrittori sono: Rocco Salomone, Vincentiis Brancia, Pasquale Creazzo). ALFREDO BACCELLI, *La poesia di Franco Berardelli*, in "Cultura regionale", anno X, gennaio 1934, pp. 2-4.

[170] *Ricordi di Michele Pane*, cit. Per Giuseppe Casalinuovo (San Vito Jonio 16 agosto 1885, Catanzaro 25 ottobre 1942) basta dire che fu penalista prestigioso e fecondo creatore. Egli fu uno studioso e poeta amante del Pascoli. Tra le sue opere poetiche ricordiamo: *Prima luce*, Catanzaro, 1900; *Tra due fosse*, ivi, 1903; *Giornata breve* (comprende: *Dall'ombra*; *La lampada del poeta*; e la raccolta inedita, ma ordinata del poeta, *Ore di Vespero*), Bari, Laterza, 1981. Su di lui v: GATEANO SARDIELLO, *Giuseppe Casalinuovo poeta*, in "Nosside", a. VIII, n. 10, 1928; VITO GIUSEPPE GALATI, *La lampada del poeta*, in "Il pensiero", a. VI, n. 7, 1931; UMBERTO BOSCO, *Pagine calabresi*, cit.; DOMENICO SCAFOGLIO, *Casalinuovo, Giuseppe*, in "Dizionario biografico degli italiani, 21, Roma, Istituto della Enciclopedia Italiana, 1978, pp. 125-127 (con bibliografia).

[171] Cittanova 29 giugno 1876 — Roma primo maggio 1930. Artista impaziente e strano. Tra le sue raccolte poetiche ricordiamo: *La fontana nella foresta*, Milano, Mondadori, 1927. Tra le sue opere ci limitiamo a segnalare: *La grazia* (romanzo), Napoli, Ricciardi, 1911; *La tradizione e la moda barbara*, Foligno, Campitelli, 1927; *Variazioni musicali* (postumo), Milano, Mondadori, 1934. Tutto sommato "col Gerace si ripete nella Calabria la posizione del Carducci di fronte ai romantici, allorché il Carducci si ergeva in nome della santità spirituale contro il male dello spirito" (ANTONIO PIROMALLI, *La letteratura calabrese*, cit., p. 195). Sul Gerace si rinvia ai seguenti studi: GUIDO PIOVENE, *Un poeta laureato*, in "La parola e il libro", n. 3, 1928; ANTONIO PIROMALLI, *Vincenzo Gerace e la tradizione*, in "Quadrivio", 12 febbraio 1939; VITO GIUSEPPE GALATI, *La poesia di Vincenzo Gerace e la polemica "tradizione"*, Cosenza, Pellegrini, 1967; e la rivista "Le fonti", anno VIII — Roma, ottobre-dicembre 1926, fasc. XXII.

[172] V. GIUSEPPE CASALINUOVO, *Michele Pane. I ricordi del poeta*, cit., p. 62.

[173] V. *Introduzione*, di Vito Migliaccio a *Musa silvestre*, cit., p. 6.

[174] Fa parte di "Accuordi e suspiri". V. *Musa silvestre*, cit., p. 20.

[175] Anche questa poesia fa parte di *Accuordi e suspiri*, in *Musa silvestre*, cit., p. 37.

[176] *Musa silvestre*, cit., pp. 55-56.

[177] La vecchietta del paese. V. *Musa silvestre*, cit., pp. 66-70.

[178] *Ibidem*, pp. 61-62.

IV.

L'«umile lavoratore» *poeta Francesco Saverio Riccio*

> Lo ricordo al suo deschetto da calzolaio, nel bugigattolo, a piano di strada, della sua casetta natale, dove si dava appuntamento una brigata di giovinotti, senz'arte e senza parte, e pur sempre allegri e briosi. Nell'immaginazione della buona gente di allora, quella brigata di giovincelli imberbi ed azzimati passava come uno stuolo di ribelli al beato pacifismo tradizionale. E chi li definiva anarchici, chi socialisti, chi massoni; donando a tutti questi appellativi l'unico significato di quel rancido conservatorismo dei vecchi costumi [1].

Le pareti del "covo" erano tappezzate dai fogli della "Tribuna Illustrata", e si sceglievano, per esporle, le vignette più bizzarre e le riproduzioni di donne, generalmente le dive del cinema, e del teatro, che facevano larga mostra della loro nudità procace.

Francesco Saverio Riccio passò la giovinezza tra ristrettezze familiari rese quasi piacevoli dalla compagnia con quelle allegre brigate che talvolta turbavano qualche festa e passavano per nemiche della chiesa e della religione; ma si trattava di persone innocue.

Nato a Girifalco [2] nel 1890 da Giuseppe e Teresa Siniscalco, il Riccio partecipò alla prima grande guerra e nella seconda perdette il figlio Giuseppe sul campo di battaglia. Fu un uomo virtuoso e cercò sempre di alleviare il dolore altrui con tutte le sue forze [3].

Visse a Girifalco gli anni più belli della vita: l'infanzia e la giovinezza, intessuti di gioie intime, e di aspirazioni luminose con nell'animo il sogno inattuato di un'ascesi spirituale verso

> i sommi vertici della perfezione: la vita contemplativa del Certosino. Ma i sogni e le aspirazioni vennero annientati dalla dura realtà, troppo oggettiva della vita che con le sue esigenze troppo impellenti lo curvava alla durezza di quel lavoro, fatto di sofferenze e di sudore che valse a meglio nobilitare la sua anima grande e sensibile, nelle stesse proporzioni con cui acuì il suo ingegno sveglio e profondo [4].

Egli partì come tanti altri, ignoto e solo verso terre lontane in cerca di un avvenire più prosperoso che gli garantisse una vita più umana e più dignitosa. E nell'America non si lasciò coinvolgere dal turbinio di quelle cose che distruggono l'uomo.

Emigrò [5] giovanissimo in America a far l'artigiano e a tentar la fortuna. E portò con sé un senso religioso del lavoro, che, unito alla sua vivace intelligenza, a quella fine arguzia che si mostrano nelle sue poesie dialettali a un amore grande per il sapere, a un affetto per la famiglia, doveva certo creargli intorno, specie nella comunità italiana di Riverside, N. J., quell'alone di simpatia e di stima che trovava poi più larga e generosa nella terra natia.

Autodidatta, fondò nel 1928 con Quadrio De Santis e Nicola De Paola, un settimanale "Il Colono", che assolse a un'alta missione educatrice d'italianità per diversi anni. Missione d'italianità che si fa sempre più prepotente nell'animo suo e gli fa fondare, nel 1933, una scuola per l'insegnamento gratuito della lingua italiana ai figli degli emigrati. Per questa sua opera ebbe

> [...] l'alto elogio del Consolato d'Italia. E questo amore per la terra lontana, per il suo paese di cui ha sempre innanzi gli occhi, persone e cose, egli aveva già cantato in gustosissime poesie dialettali, che fin dal 1926 aveva raccolto in volume, Riccardo Cordiferro, allora direttore della "Follia" di N. Y. Ne ebbe anche molti elogi dal nostro non abbastanza compianto Giovanni Patàri [6].

Operò in una industriosa cittadina dello Stato di New Jersey, e precisamente a Riverside. Uomo laborioso, intelligente, arguto, sincero, amante del sapere, il Riccio fu sempre attaccato da tenace affetto alla sua terra lontana e alla sua adorata famiglia.

Egli è stato il quarto genito di Giuseppe e Teresa Siniscalco.

Le famiglie Riccio e Siniscalco

> mantennero sempre vive le tradizioni — che rimontano a secoli — di vita laboriosa ed onesta. Durante la prima guerra mondiale ebbi Saverio compagno soldato nell'esercito americano e con quel caratteristico brio egli soleva sollevare il nostro spirito durante le ore di riposo [7].

Nel 1928, come già detto, il De Santis, il Riccio e Nicola De Paola cominciarono la pubblicazione di un giornale settimanale "Il Colono", che compì una missione educativa e informativa per diversi anni.

La morte del figlio Giuseppe fu un colpo inaspettato e grave per il Riccio, ma la crisi dell'animo non impedì al poeta di seguitare le sue attività educative ed umanitarie. Durante la crisi economica, che ebbe origine nel 1929, Saverio Riccio si adoperò molto per esser di aiuto ai suoi connazionali. E nel periodo del dopoguerra per alleviare le sofferenze dei bisognosi inviò in Italia grandi quantità di viveri e di indumenti.

Virtù e lavoro sono le caratteristiche principali a cui si è uniformata la vita del Riccio, ed ebbe una specie di culto per il bene della famiglia e del prossimo.

Dopo le lunghe giornate di lavoro trovava svago nello studio e nelle attività costruttive.

Nel 1926 con i tipi del giornale "La Follia" di New York pubblicò il primo libro di poesie dialettali. Questo libro fu molto elogiato e gli procurò molte soddisfazioni morali.

Gran parte dei suoi lavori consistono in bozzetti, poesie, che trovano posto in autorevoli giornali italiani degli Stati Uniti.

Vari momenti biografici sono presenti nei componimenti in dialetto e in lingua italiana. Così ci appare un uomo amante dello studio e desideroso d'imparare. Ma i suoi tempi erano segnati dalla miseria e logicamente bisognava lavorare per vivere:

> Ma la miseria venne
> A dare il crollo alle speranze care.
> Purtroppo mi dovetti... Rassegnare
> A non scrivere più! [8].

E poi per tentare la fortuna decise di varcare il "grande mare" per stabilirsi in America [9]:

> [...] nel mondo della luna",
> A lavorare venni! A lavorare!

Ma qual disillusione!
Ché, giunto qui, trovai poco da fare
E quindi mi dovetti... Rassegnare
A far quel che si può! [10].

Emigrò per volontà di una mano che venne dal cielo. E all'estero

> [...] il lavor nobilita
> nel guadagnarsi il pane,
> Dove non si conoscono
> Tante miserie umane,
> Che mi rammentano
> Il tempo che passò
>
> Qui dove l'uomo vigile
> Farà fortuna, e come
> Può tramandare ai posteri
> La dignità d'un nome...
> Quel nome che per gli uomini
> Dev'essere l'onor [11].

L'artigiano Riccio non si dimentica mai dei suoi colleghi e scrive una poesia intitolata *Li mastri calabresi* [12] appunto. Il componimento è preceduto dalle seguenti e significative parole:

> Questa poesia non deve suonare offesa all'artigiano Calabrese.
> Anch'io sono artigiano.
> In Calabria l'onesto lavoro, all'uso medioevale del popolo Normanno, suona offesa, offesa grave.
> Mentre in fondo, l'intelligente popolo calabro avrebbe potuto elevarsi di più se le condizioni del suo Stato Psico-Sociale non gli tenessero legate le mani [13].

Difatti il Riccio sottolinea il fatto che in Calabria i calzolai e i sarti non sono rispettati, per cui altri che vorrebbero seguire quei mestieri li abbandonano per paura di essere criticati. Questa è la realtà e il Riccio onesto com'è non la nasconde anche se riconosce che ci sono "mastri buani, mastri perfettissimi" [14], maestri che hanno imparato il mestiere in città,

Però li para scuornu mu fatiganu
Mancu si vannu pe la carità [15].

Però pare loro uno scorno lavorare / nemmeno se vanno per carità.

E ancora:

[...] ndava tanti e tanti mu studianu
Li manca libra e calamari e carta,
E chi de lu mestieri si virgognanu
E restanu senz'arta e senza parta... [16].

[...] Ci son tanti e tanti che studiano / Manca loro il libro e il calamaio e la carta, / E chi del mestiere si vergogna / E restano senz'arte e senza parte... /

E quindi quando crescono si trovano perduti nella vita, e sbattono la testa e diventano debosciati e rotti ad ogni birbanteria. E con efficacia il poeta prosegue a dire:

No' li para virgogna mu s'adattanu
Mu fannu ncuna cosa cu' li mani,
Mu sugnu ben voluti de' lu prossimu,
Mu tiranu la vita de'... Cristiani... [17]

Non pare loro vergogna adattarsi / A fare qualcosa con le mani; / Per essere benvoluti dal prossimo, / A tirare la vita di... Cristiani... /

E prima aveva detto:

No' li para virgogna mu passijanu
Muarti de fama e pieju de la sita,
No' li para virgogna pemmu cercanu
Ncuna cosa mu scampanu la vita! [18].

Non hanno vergogna di stare a spasso / Morti di fame e peggio di sete, / Non hanno vergogna di cercare / Qualcosa per tirare la vita! /

Riccio onesto lavoratore com'è se la prende, sia pur pacatamente, contro quelle persone che non amano lavorare e campano sperando di ricevere qualche eredità anche se il tempo vola e gli anni passano ed essi non lo sanno. Son persone che hanno vergogna di lavorare ma non ne hanno per giocare a carte ("a briscula scuverta ed a' trissetta") [19], e a bere vino e ad ubbriacarsi bevendo come spugne. Arrivato a questo punto il poeta osserva che ormai nell'America ognuno fa ciò che vuole,

'mbecia a la Calabria nc'e' na regula
Chi puru ca vorrisi... No' si po'... [20].

Invece in Calabria c'è una regola / Che pure che vorresti... Non si può...

Per tal motivo molti abbandonano la ragione e "passanu l'Oceanu", anzi lasciano la Calabria in silenzio e ciò vuol dire che il cuore fu più debole

Quandu si cumbattia cu lu pituttu [21]

Quando si combatté con la fame

Tutto sommato — e qui il poeta fa rilevare un pregiudizio di fondo ben radicato nella ragione — la Calabria

[...] cu' l'idea fantastica
De Duchi de Marchesi e de Baruni,
Ntra la menta malata de lu populu
Ancora su, ficcati di... Scaluni! [22].

[...] con l'idea fantastica / Di Duchi di Marchesi e di Baroni, / Nella mente malata del popolo / Ancora sono, ficcati i... Gradini...

E ancora con l'unica "scusa a' la borbonica", la gente soffre e fa una brutta fine, e se non trova dei mezzi per liberarsi muore di fame e crepa di sete!

Gli anni passano anche per il poeta e in una poesia dal titolo *Lu vitti* [23] ormai si vede inoltrato negli anni e per di più lontano dal suo paese, e ricorda quando era di cinque anni "cu lu libru de scola" [24], senza pensieri e senza affanni: è luogo comune questo della poesia dialettale allorquando tratta questa tematica.

A nove anni il bambino parlava ed era ardito, aveva una mente chiara, era bello, pulito, e aveva tanta voglia di imparare. Un bambino vispo e irrequieto che saltava i fossi, saliva i muri

Ed'arrivava supa li muntagni
Mu guarda la natura [25]

Ed arrivava sopra le montagne / Per osservare la natura

Il poeta fissa quei momenti ricorrendo a similitudini e immagini molto espressive ed efficaci:

E lu vitti sagghira com'agghiru
viscigghi ed'olivari [26]

E l'ho visto salire come fosse un ghiro / Alberi giovani e alberi d'olivo

Oppure:

[...] lu vitti satara vigni vigni

[...] l'ho visto saltare vigne vigne

Ma quel ragazzo fattosi grande ("a lu passaggiu de la gioventù") voleva cercarsi una via in quanto era senza soldi in tasca. E da questo momento cambia la vita per lui, e il poeta usa immagini ben diverse:

Lu vitti carricatu de suduri,
Però no pipitava,

Si cangiava de tutti li culuri
Ma no si lamentava [27].

L'ho visto caricato di sudori. / Però non parlava, / Si cambiava di tutti i colori / Ma non si lamentava.

E stette così per quarant'anni. E poi cominciarono i dolori, le malattie:

E pua lu vitti cu la gamba stanca
[...]
La testa li si ficia tutta janca [28]

E poi l'ho visto con la gamba stanca / [...] / La testa gli si cominciava ad imbiancarsi.

Travagliata, laboriosa la vita del Riccio che può essere di

massima alle persone che si avanzano nella vita con le sole risorse del lavoro e dell'onestà [29].

A lui, indefesso lavoratore, ben si addicono i versi dialettali di un poeta posteriore: il crotonese (ma era nato a Crucoli, in provincia di Catanzaro) Emanuele Di Bartolo:

Fatìgu sempi, e nu' minni lamentu
si, a sira, stancatizzu, tornu'ncasa!
Mi cuntentu d'u pocu, mi cuntentu
Puru è nu stozzu 'e pane chi mi trasa [30]

Lavoro sempre e non mi lamento / Se, la sera, stanco, torno a casa! / Mi accontento pure di un pezzo di pane che mi guadagno!

Come componeva le sue poesie? Il Riccio stesso ce lo dice. Difatti prima di scrivere una poesia e un sonetto si deve trovare il soggetto e poi si passa a scrivere. Ed egli scrive con amore e rispetto

Secundu duva va la fantasia... [31]

Secondo dove va la fantasia...

La sua poesia può essere letta da tutti ma non certo da quelli che hanno la "coscienza amara" perché essi sanno quale piaga il poeta fece loro nelle sue poesie anche se per il poeta di Girifalco la poesia non deve essere una "staffilata" ma una parola che illumina e dice soprattutto la verità:

E pe la genta chi non'è chiara
nc'è ncuna cosa pemmu si mpara [32]

E per la gente che non è chiara / C'è qualcosa per imparare

Se poi c'è qualcuno che vuole la gramigna per spassarsi la fantasia,

Si no li pigghia freva maligna,
Non ha mu leija la Poesia [33]

Se non lo piglia febbre maligna, / Non ha che da leggere la Poesia

La poesia per il Riccio è immortale:

Trema la terra... li palazza cadanu,
Vena la guerra la pesta e li guai,
Cangia governi e tanta gente moranu...
Sulu la poesia no' mora mai! [34].

Trema la terra... i palazzi crollano, / Viene la guerra la peste e i guai, / Cambiano i governi e tanta gente muore... / Solo la poesia non muore mai!

Egli fermamente crede che la scrittura, la poesia può migliorare l'uomo — anche se deve notarlo amaramente e con rassegnazione — nonostante molti abbiamo scritto opere dopo la morte di Gesù, l'umanità non è molto cambiata. Difatti

Si scrissa miliardi di pinnati
Prima e doppu la morta di *Gesù*! [35]
E cu tanti pinnati e tanti scritti
Ancora quasi quasi simu fritti... [36]

Si scrissero miliardi di scritture, / Prima e dopo la morte di Gesù!... / E con tante scritture e tanti scritti / Ancora quasi quasi siamo fritti...

Più si scrive e più l'umanità si fa "nociva".

L'adesione del poeta va alla lingua e alla letteratura latina e greca che hanno partorito vari capolavori. Ma la società non tien conto di queste opere, intesa com'è a guadagnare soldi e a far le guerre.

Il Riccio scrive per combattere vizi e birbanti:

Intantu scrissi chiù di corant'anni
Mu cumbattu li vizzi e li birbanti,
Mu li tagghiu la corda e li tiranni,
Guerra spietata a tutti li briganti,
Mu dugnu na lezione a certa genta
Chi dinnu ca su randi... e no su nenta... [37]

Intanto scrissi per più di quarant'anni / Per combattere i vizi e i birbanti, / Per tagliare la corda ai tiranni, / Guerra spietata a tutti i briganti, / Per dare una lezione a certa gente / Che dicono di essere grandi... e non son niente...

Egli crede nella poesia anche se sa che essa è una "cosa chi no' frutta e chi no'mangi..." [38] e sa pure — lui artigiano e letterato — che anche qualche poeta fu chiamato e stimato pazzo. E ancora è consapevole del fatto che ci furono poeti "gruassi e grossi" [39], autori di poemi colossali, che morirono poveri negli ospedali. Nonostante ciò il poeta scrive poesie e ingaggia le sue battaglie in quanto è anche convinto — come dice nella poesia *A la Musa* [40] — che

A la gloria no' si va senza doluri [41]

Alla gloria non si arriva senza sofferenze.

Egli scrive le poesie sperando che esse

> saranno di guida e d'insegnamento alle future generazioni in questa breve vita terrena [42].

I libri, la poesia sono utili in quanto fanno riflettere, pongono problemi anche se ci sono molte persone

> [...] ntra lu mundu
> Chi li libbra li pigghianu pe nenta,
> E no' li passa mancu pe' la menta
> Ca su buani [43]

> [...] nel mondo / Che i libri li considerano un nulla, / E non passa loro per la mente / Che sono buoni.

D'altra parte chi ha scritto libri e chi li scrive

> Sàpparu e sannu ncuna verità
> A cuminciare ca' l'umanità
> nescia cretina [44]

> Seppero e sanno qualche verità. / A cominciare che l'umanità / nasce cretina.

E per di più — continua ad osservare il poeta — non bisogna dire, per darsi arie di saputi, che i libri non insegnano nulla. Da parte sua il Riccio dice:

> Io sacciu c'ogni libru ti pò dara
> Nu consigghiu [45].

> Io so che ogni libro ti può dare / Un consiglio.

E quindi

[...] No', si sa' si ntra lu libru mio,
Chi no' ti para nu libru de' scola,
E' capacia chi truavi na... parola
Mu... t'aiuta! [46]

[...] Non si sa se nel mio libro, / Che non ti pare un libro di scuola, / È possibile che trovi una parola... / Che possa aiutarti

Intuendo che la poesia, se può essere sentita anche da un illetterato, non può essere espressa per gli altri se non in una forma, o meglio in quella forma che è costituita dall'unione di sillabe ritmate più o meno liberamente in versi, raccolti essi, poi, in una sequenza che è fatta di uno o più strofe, il Riccio si convinse presto che occorreva avvicinarsi a quell'altra forma assunta dallo spirito umano che va sotto il nome di "cultura". Così, certamente, deve spiegarsi il fatto che egli cominciò a trattare con cittadini più colti di lui, e ad associarsi ad essi nella pubblicazione di giornali (come si evince dai brevi cenni biografici posti ad introduzione al secondo volume di poesie) e all'istituzione di una scuola per l'insegnamento gratuito della lingua italiana ai figli degli emigrati, per evitare che essi, come suole avvenire per un fenomeno spiegabilissimo, dimenticassero la lingua materna nella consuetudine di parlarne un'altra coi loro coetanei, compagni nelle scuole americane.

Ma il Riccio , che la sua gioventù aveva trascorso nel suo paese, intuì anche, e pure ciò è merito suo, che non la lingua ufficiale della patria, sebbene quella appresa dalla bocca materna doveva essere per lui forma "più schietta ed efficace" per esprimere ciò che "sentiva dentro".

Di tale intuizione egli stesso ha avuto coscienza quando in una breve introduzione scrive:

Si può dire in generale, che un dialetto è sempre più bello di una lingua come la parlata snella ed arguta di un popolano intelligente è più gustosa e più attraente della piatta allocuzione letteraria in cui le parole ed i modi di dire e le immagini paiono come monete consunte dall'attrito ignobile di troppe mani frettolose [47].

Con qualche riserva doverosa, l'affermazione contiene una parte di vero. Naturalmente egli non ha ignorato i suoi predecessori, verosimilmente, i volumi dei nostri migliori poeti in vernacolo sono stati i suoi libri preferiti. Egli stesso cita in questo suo scritto sul dialetto, oltre ai grandi poeti come Belli, i calabresi: l'abate Conìa [48] e Michele Pane. Comunque qualsiasi opera, piccola o grande, deve passare al giudizio del pubblico, di quel pubblico che forma la reputazione e la fama degli autori. Ma il Riccio sa benissimo che nel pubblico ci sono *certi personaggi* [49], detti critici che vanno trovando il pelo nell'uovo per crearsi una fama su quella altrui. Questi critici ebbero occasione di criticare il dialetto. Difatti il già nominato Abate Conìa in una sua poesia difese egregiamente gli scritti dialettali:

> Io parru a vucca aperta e
> sugnu ntusu [50]

Ecco cosa risponde il Riccio:

> Io parlo a bocca aperta e sono capito.

Quindi che cosa è il dialetto?

Il dialetto è la fonte ristoratrice delle lingue, è la materia calda e viva da cui Dante formò il primo italiano,

> da cui ogni scrittore può trarre, senza contaminarsi di fastidiosi idiotismi quel "qualche cosa" di più schietto e di più efficace che da allo spirito del lettore stanco di vocabolari scialbi e monotoni la stessa sensazione di cui si conforta, all'odore della terra, lo spirito affogato dalle bolge cittadine [51]

Per il poeta di Girifalco, in generale il dialetto è sempre "più bello" di una lingua come la "parlata snella ed arguta" di un popolano intelligente è più gustosa e più attraente della "piatta allocuzione letteraria"

> in cui le parole ed i modi di dire e le immagini paiono come monete consunte dall'attrito ignobile di troppe mani frettolose [52].

Tutto sommato il dialetto è un'opera di vita e di bellezza cui collabora tutta una popolazione, e con maggior frutto — secondo il Riccio — i più umili. E a tal riguardo il poeta calabrese nomina non solo l'abate Conìa ma Trilussa, l'altro calabrese Michele Pane, Salvatore Di Giacomo. E per di più osserva che i poeti dialettali

> cantano con fresca sponteneità le passioni di quella parte dell'anima umana che non si profonde nella tragica vicenda dei suoi eterni dilemmi, e vivono le passioni più superficiali della nostra vita, sorridendo al tempo stesso di giocondità e di malinconia [53]

Ed è appunto la natura di questo *pathos* che impone l'uso del dialetto, che è più aderente alla vita familiare, e presenta le passioni meno complesse dell'umanità nel loro aspetto più ingenuo. E del dialetto calabrese il Riccio apprezza l'aroma e la struttura e le variazioni specialmente nelle fiere e nei mercati. Quest'ultimi poi nei paesi calabresi

> [...] sono la manifestazione di gioia di tutto il popolo — Specialmente le ultime fiere dell'anno dove in maggioranza le donne di casa comprano le masserie invernali. Ricordiamo le più note: nel mio paese, Girifalco, la più nota è la fiera d'ottobre che si unisce alla festa del SS Rosario.
> A Nicastro il 13 giugno, a Squillace la fiera di mezz'Agosto, ed a Borgia la fiera di S. Leonardo, il 6 novembre [54].

Orbene, in questa immensa concorrenza di popolo di tutti i paesi limitrofi, ognuno parlava il proprio dialetto a voce alta per farsi sentire. Questa confusione di dialetti formava una specie di musica, quasi piacevole. Alle voci del popolano s'univano quelle dei venditori ambulanti che ad alta voce reclamavano la loro merce, e dalle loro voci ci si accorgeva esattamente da quale paese provenivano; usualmente questi venditori ambulanti, in tutte le fiere, avevano il loro posto dove esibivano le loro merci. Molti di questi venditori ambulanti erano conosciuti come:

> Serra San Bruno — per ferramenta (Li forgiari); Squillace — per la

terracotta (Li pignatari); Serrastretta — per le sedie (Li segiari); [...]; Pizzo — per le sarde salate (Li sardari); [...]; Girifalco — per il cuoiame (Li consaturi) [...] [55].

In mezzo a questa gente dominava il dialetto calabrese, che formava una piacevole musica paesana.

Il dialetto calabrese — come ben si sa — è molto differente da provincia a provincia ed anche da paese a paese. E scrivendo lo si può modificare in qualche modo (e a scriverlo ci sono difficoltà) ma parlandolo non lo si può alterare: il dialetto di Cosenza, che è considerato il dialetto ufficiale della regione, è più facile a scriverlo; anche il reggino è facile mentre il catanzarese è il più difficile.

Esempi: il Cosentino scrive: *Gallu* (gallo), *gallina*, *bellu* (bello) etc. Invece il Reggino scrive: *gaddu* (gallo), *beddu* e nel Catanzarese queste stesse parole si possono scrivere con la doppia D — come: *Gaddu gaddina beddu*, avvicinandosi al dialetto siciliano, e resta molto difficile a leggerlo ed a comprenderlo in tutti i paesi delle tre province della Calabria. Partendo da ciò, il Riccio da quando cominciò a scrivere poesia dialettale pensò a queste difficoltà, ma pensò anche al rimedio: ha eliminato da tutte le sue poesie quelle parole nelle quali si richiedeva la doppia *D*. Logicamente il suo vocabolario è stato diminuito ed è stato per lui anche un gran lavoro, ma ci è riuscito. Tutto sommato le sue poesie si possono leggere con gran facilità e con gusto in tutti i paesi delle tre province calabresi ed anche dai siciliani. Ancora va osservato che nella trascrizione fonetica del linguaggio locale di Girifalco, come in quello di Nicastro [56] v'è la tendenza di segnare una "a" per un suono caratteristico, comune nei due paesi, che alcune volte sarebbe più opportuno trascrivere con una "o" ed altre con una "e", a seconda della parola. Per esempio il Riccio scrive "nuamu" per nome, "cuasi" per cose, laddove il suono della lingua parlata dà una "o" ultra aperta che va un poco verso la "a", simile al "not" inglese che ha quale segno fonetico una "o" aperta. Sarebbe preferibile — come osserva il Lavecchia [57] —

pertanto, anche per avere una pronuncia più aderente al vero da parte di chi ignora quel dialetto trascrivere detto suono con una "o" e dire "nuomu", "cuosi", accentando opportunamente la "u".

E così, sia a Girifalco sia a Nicastro,e in altri paesi della provincia di Catanzaro, si scrive comunemente: *biallu, cuntiantu, sagghiandu*, per bello, contento, salendo,

> dove il suono orale dà una "e" ultra aperta, somigliante un pò al belato della pecora e al "bad" inglese, trascritto foneticamente per la lingua d'Albione con "ae". Anche qui sarebbe preferibile modificare la trascrizione con una "e" e dire: "biellu, cuntientu, sagghiendu", accentando la"i" [58].

La scelta del dialetto conferma come il poeta non volle restare estraneo alle sofferenze del contadino calabresee, quindi, per restargli in continuo contatto si orientò alla lingua del vernacolo, così che la classe povera comprese meglio.

Egli si schiera sempre dalla parte dei poveri, e staffila gli sfruttatori che sono stati veramente numerosi nella regione. In fin dei conti il Riccio si è comportato come un Giuseppe Giusti: ha impugnato la spada in difesa dei santi diritti e della giustizia che i ricchi hanno spesso negato.

Il Riccio non ha scritto rime decantando l'amore come hanno fatto tanti poeti ma ha difeso il povero abbracciando la nobile causa regionale. La sua poesia dialettale è ricca, è robusta e in essa c'è la più alta idealità dei nobili principi di giustizia sociale. C'è il suo cuore, c'è il suo popolo calabrese. Nelle sue poesie — lo vedremo — ci sono tanti bozzetti che sono stati tratti dalla vita vissuta dal poeta, che riflette, in gran parte, il suo carattere, e come tali si possono considerare le sue memorie.

Le memorie della sua vita, di quella vita travagliata e laboriosa che può essere di modello alle persone che si avanzano nella vita con le sole risorse del lavoro e dell'onestà.

Il poeta usa il dialetto per farsi capire dalla classe povera e dai contadini. Il Riccio è sceso in campo per difenderli e anche per far valere "i giusti diritti negati dagli sfruttatori" [59].

E lo Spataro prosegue osservando:

Per dare una nuova coscienza nazionale nei tempi che l'Italia era divisa, venne fuori Giuseppe Giusti.
La classe operaia della nostra Regione aveva bisogno di un Giusti e tu ne hai impugnato la spada, come moderno Paladino, in difesa dei santi diritti della giustizia che i ricchi continuano a negare [60].

Egli "umile lavoratore" [61], fin dalla prima infanzia ha nutrito un grande amore per i contadini. Li ha sempre considerati la sola classe che lavora alacremente per procurare da vivere a tutto il popolo.

Col passare degli anni quest'affetto si è ingrandito, e quindi

de lu vrazzala non mi scuardu mai...

del bracciante non mi scordo mai...

Ai giornalieri, ai braccianti ha dedicato un componimento dialettale dal titolo *Girifalco d'altri tempi. Contadini più noti* [62], in cui ricorda appunto i braccianti più noti del suo paese:

Quand'era quasi quasi de vint'anni
A lu paisa mio nc'era vrazzali
Chi pe bontà non nc'eranu li guali
A tutti li paisi
Lu capu era Ruaccu de lu Previta
Era cchiù riccu, bravu ed éducatu,
Ed'era calculatu e rispettatu
De tuttu lu paisa [63].

Quand'ero quasi quasi di vent'anni / Al paese mio c'erano tanti contadini / Che per bontà non esistevano gli eguali / A tutti i paesi. / Il capo era Rocco del Prete, / Era il più ricco, bravo ed educato, / Ed era considerato e rispettato / Da tutto il paese.

Vengono poi ricordati altri braccianti: Pataracchi, Gangali, Vallorendi e Vigilanti: persone lavoratrici, oneste e gentili. Così ancora è ricordata la famiglia Zipari, famiglia religiosa,

Amati de lu popolu cristianu,
[...]
E non mi scuardu mai tramenta campa
De la famigghia de li Zarafini,
Eranu tant'amici; e de Vicini
Mi stimavanu assai [64].

Amati dal popolo cristiano, / [...] / E non mi dimentico mai finché campo / Della famiglia dei Zarafini, / Erano tanti amici, e dei Vicini / Ci stimavano molto.

Nella lunga e affettuosa rassegna c'è anche posto per Giovanni di Ṭadora,

Lu fattura de Donna Giudittina,
Chi si levava priestu ogni mattina
Mu cumanda,
Mi ricuardu a Dominicu Ferrieri
Lu guardianu de tutti rispettatu,
Era tutti li jiuarni affacendatu
A li campagni [65]

Il fattore di Donna Giudittina, / Che si alzava presto ogni mattina / Per impartire ordini; / Mi ricordo di Domenico Ferrieri / Il guardiano da tutti rispettato, / Era tutti i giorni / Nelle campagne.

Persone che vivono adesso solo nella memoria del poeta ormai lontano dal suo paese. Ma dopo tanti anni che vi fece ritorno gli uomini "saggi" nominati prima non c'erano più,

E· pe mia chi l'amava randa fu
Lu dispiacira... [66]

E per me che li amavo grande fu / Il dispiacere...

Il Riccio è sempre dalla parte dei poveri e di quelle persone oneste che imprecano contro gli ingordi, gli avidi, i disonesti. A tal riguardo è veramente esemplare *Jestimi de Giusti* [67] in cui viene raffigurata una scena che ritrae un "cecatu" e un barone. L'uomo cieco chiede al barone qualche soldo ma questi fa finta di non sentire e vederlo, e quindi

Lu vurdu non lu crida
Lu dejunu [68]

Il sazio non crede / al digiuno.

Naturalmente "lu cecatu" impreca contro il barone:

Li sordi li teniti,
Però no mi nda dati
Mala ntra li costati
Mi vi vena!

Quand'era di vint'anni
Cu vui passai l'annati
E mo mi cacijati
[...]
Ma mo no mi guardati,
Ma mo jati de prescia,
La zappa mu vi nescia
Ntra lu cora! [69].

I soldi li avete, / Però non me ne date / Male nel costato / Vi possa venire! / Quand'ero di vent'anni / Con voi passai le annate / E adesso mi cacciate / [...] / Ma adesso non mi guardate / Adesso andate di fretta, / La zappa dovrebbe nascervi / Nel cuore.

Riccio conosce i poveri e ne ha visti tanti con nove o dieci figli,

Chi mancu li conigghi
Tantu fruttanu! [70].

Che neppure i conigli / Tanto fruttano!

E così nella sua poesia troviamo, anzi racconta storie di poveri contadini, di lavandaie [71], di ragazze povere e sventurate [72]. La sua adesione — lo ripetiamo — va alla gente povera e sventurata [73]. Che non ha una casa oppure è costretta a vivere con una famiglia numerosa in una sola "cammara" in affitto. Egli difende il povero in quanto esso è "perseguitato crudelmente dal mondo". A tal proposito si veda *Vastasu va ngalera e ragiun'ava* [74]. E qui racconta la storia di un umile lavoratore di nome Pasquale che

Si procurava appena pe li spisi,
E si levava priestu la matina
Cuamu s'usava a tutti li paisi.
Facia cumandi a ncunu signurini,
Ma però lu pagavanu cu vinu [75].

Si procurava appena le spese, / E si levava presto il mattino / Come s'usava in tutti i paesi / Disbrigava commissioni per qualche signorino, / Ma però lo pagavano col vino.

Pasquale menava una vita disperata, era pezzente, e aveva la faccia secca come la cattiva annata e per di più non aveva denti,

Però Pasquale puru de pezzenta
Si passava la vita allegramenta [76].

Però Pasquale pure da pezzente / Passava la vita in allegria.

Ma un giorno, in preda al vino, sparlava dei deputati e, passando per caso il maresciallo, venne arrestato e

Cu tutti dui li mani ncatinati
Dicia a la genta chi lu dimandava:
Pasquale va ngalera e raggiun'ava [77]

E camminandu ancora replicava:
Vastasu va ngalera e Raggiun'ava... [78]

Con tutte e due le mani incatenate, / Diceva alla genta che gli chiedeva: / Pasquale va in galera e ragione ha... / E camminando ancora replicava: / Lavoratore va in galera... e Ragione ha.

Si veda la poesia intitolata *La vucata* [79] in cui si parla di una donna povera che si suda il pane e solo a guardarla si prova pietà. Questa donna ha molti figli che cura a puntino e sbriga nel contempo molte faccende anche se malata: si fa il pane, fa la cucina, si tesse la tela, si rompe le braccia per filare il lino, ma il lavoro più doloroso è quello del bucato:

... E parta la fimmana, e parta luntana
Mu lava pannu ntra l'acqua gelata,
Ntra l'acqua ricota de ncuna funtana,
Oppuru ntra l'acqua de niva squagghiata! [80]

... E parte la donna, e parte / lontano / Per lavare i panni nell'acqua gelata, / Nell'acqua raccolta da qualche fontana, / Oppure nell'acqua di neve sciolta!

E naturalmente i suoi piedi e mani sono gelati, il vento la investe, il petto la fa male, le trema tutta la vita, e sempre si lamenta per i dolori continui alle gambe e alla gola. E non è finita:

Pua... torna de capu mpascia e mu civa,
Mu lava pannizzi mu fa la vucata...
E va camminandu cchiù morta ca viva,
E prima ca nvecchia è quasi squagghiata!

La fimmina povara paisi paisi
E' puru na MAMMA si jamu pensandu!
Ed è condannata mu ava li spisi...
Mu criscia li figghi... mu mora lavandu! [81]

Poi torna di nuovo a infasciare i figli e a cibarli, / A lavare i panni, a fare il bucato... / E va camminando più morta che viva, / E prima che invecchia è quasi squagliata! / La donna povera paesi paesi / È pure una MAMMA se andiamo a pensare! / Ed è condannata per avere le spese... / Per crescere i figli... a morire lavando!

Nell'ottobre del 1926 fu pubblicato, coi tipi della "Follia" di New York, il primo libro di poesie in vernacolo calabrese di Franscesco Saverio Riccio. Il poeta Riccardo Cordiferro corresse gentilmente e cortesemente le bozze di stampa e, nell'elogiare l'autore, lo consigliò di fare del volume una edizione di mille copie, ormai da tempo esaurite. Comunque il volumetto non era conosciuto in Calabria: e non solo perché venne pubblicato (senza indicazione dell'anno, ma nel 1926, come già detto) a New York, dove l'autore, emigrò quand'era molto giovane,

> bensì anche perché le voci poetiche che vi trovano qua e là non hanno la forza per inserirsi nel coro dei migliori poeti del secolo [82].

Tuttavia vibra spesso un sentimento sincero per cui dobbiamo convenire con l'autore quando afferma (nella prefazione) che il suo lavoro costante e indefesso se gli ha incallito le mani, gli ha anche roso il cuore "sempre più sensibile all'ideale della famiglia e all'amore del prossimo" [83].

Il grazioso volumetto di centoventi pagine è presentato dal poeta in maniera semplice:

> Mi presento da umile lavoratore qual sono, aggiungendo che non ho avuto la fortuna di scaldare molti banchi di scuola, ma che le dure sofferenze del lavoro m'insegnarono a pensare e meditare la vita nella sua realtà. All'età di dodici anni mi buttai a capo fitto nel lavoro, e poi emigrato continuai a lavorare senza stancarmi e senza chiedere alla vita quelle gioie cui la mia giovinezza aveva diritto [...] Quindi nelle mie poesie non troverete le alate false ideologie degli scrittori di professione, né il mite sentimentalismo degli adolescenti che si affacciano alla vita pieni di sogni ed esposti poi alle disillusioni più amare.
>
> Le mie poesie sono quadri vissuti nella prima giovinezza e maturati di pacata riflessione durante anni di lavoro costante e indefesso che, se ha alquanto incallito le mani, ha roso il cuore sempre più sensibile all'ideale della famiglia e all'amore del prossimo [84].

Come si evince dalle parole riportate prima, c'è tutto quanto occorre per definire Francesco Saverio Riccio un animo semplice di lavoratore che ama la casa, la famiglia, il lavoro e che crede che abbia il diritto, per tutti questi motivi, di fare della poesia a fondo morale:

Lu vizzu de lu vinu
Ammazza l'uamu sanu,
Li stempera lu craniu
Cchiù stupidu lu fa'!

Pecchissu a la famigghia
Chi domina lu vinu,
Certu c'a lu pendinu
Nu juarnu si nda va'! [85].

Il vizio del vino / Ammazza l'uomo sano, / Gli stempera il cranio / Più stupido lo rende! / Perciò nella famiglia / In cui domina il vino, / Sicuramente in discesa, / Un giorno se ne andrà!

Ma prima aveva detto con molta efficacia e molta espressività:

Altri cuamu li puarci
De vinu abivarati
Ruppanu a marugiati
Perdanu la pietà

Nda vitti camminandu
Cadira a nu puntuna,
Lu vinu l'ammasuna
Li torcia li scumpà.

Li macina, l'annenta,
Li vruscia li matura,
E ntra na cella scura
Li manda a riposà [86].

Altri come porci / Di vino abbeverati / Rompono a bastonate / Perdono la pietà / Ne ho visti (ebbri) camminando, / Cadere in un angolo, / Il vino li fa dormire; / Li torce li sconvolge / Li macina li annienta, / Li brucia li matura, / E in una cella oscura / Li manda a riposare.

Oppure si considerino questi altri versi de *La Scola*:

Cu sa mu leia e scriva,
Ognunu già lu sa
Ca duva ca va va
Si nda stragratta.

Imbecia cu non sa
E' sempa nu minchiuna,
E lu santu picuna
Lu sutterra;

Non suli, ma de tutti
Lu vidi maltrattatu,
Sputatu e cumandatu
Cuamu scupa

Perciò pasani mia
A li guagliuni amati
Diciti a gridati:
Scola, scola!

E si pe casu mai
Vi mancanu dinari
Mpignativi macari
La cozetta! [87].

Chi sa leggere e scrivere, / Ognuno già lo sa / Che dove va va / Se ne strafotte. / Invece chi non sa / È sempre un minchione, / E il santo piccone / Lo sotterra; / Non solo, ma da tutti / Lo vedi maltrattato, / Sputato e comandato come una scopa. / Perciò paesani miei / Ai ragazzi amati / Dite e gridate loro: / Scuola, scuola! / E se per caso / Vi mancano i soldi / impegnatevi magari / Le calze!

Il volumetto poetico del 1926 è dedicato dal poeta al figlio Giuseppe, e in esso illustra brevemente alcune scene di vita dei luoghi dove il Riccio visse con lieta vena. È sufficiente un solo esempio:

A lu paisa mio
Quandu arrivava sardi
Avvi mu ti guardi
Duva marci.

La genta sudatizza
currìa d'ogni puntuna,
Chi mi parìa dejuna
De cent'anni.

Ognunu mu l'acchiappa
Lu primu pretendia
Na guerra mi parìa
D'Aba-Carima.

Currianu li vajazzi
Pe sardi de lu "Pizzu"
Faciamu nu judizzu
Neversala;

Mu portanu li pisci
Frischi pe li patruni,
Ah! poviri garzuni
Sbenturati!!

E stanchi s'azziccavanu
Cuamu affamati gatti;
Atri ruppianu piatti
Tiesti tiesti.

Ma primu pemmu l'hanno
Eranu l'assessuri
Li nobili e signuri
Cavalieri.

Lu tiampu mo m'impara
C'avimu mu pensamu
Giammai iemmu restama
Senza sardi! [88].

Al mio paese / Quando arrivavano le sarde / Dovevi guardarti / Dove mettevi i piedi / La gente; tutta sudata / Correva da ogni angolo, / Che mi sembrava digiuna / Da cent'anni / Ognuno per prenderle (le sarde) / Il primo pretendeva / Una guerra mi sembrava / D'Aba-Carima. / Correvano i servitori / Per le sarde del "Pizzo" / Facevano un giudizio / Universale. / Per portare i pesci / Freschi ai padroni / Ah! Poveri garzoni / Sventurati! / E stanchi s'introducevano / Come gatti affamati; / Altri rompevano piatti / Tegami di creta. / Ma i primi ad averle le sarde / Erano l'assessore / I nobili e signori / Cavalieri. / Il tempo adesso mi insegna / Che dobbiamo pensare / A non restare / Senza sarde.

Ancora ecco quest'ultimo delizioso e armonioso quadretto intitolato *Quandu* [89]:

Quandu mammata t'azava
Sempa mbrazza, ti tenia,
Ogni tantu ti mpasciava
Ti civava lu café

T'annacava, t'assistia
Li cammisi ti lavava
Ti portava ncumpagnia
Ti levava duva ché.

Mo chi sini volantinu
E palij li dinari,
Ti facisti signurinu,
Ti mparasti li città.

Vai cercandu li cotrari
Spiendi sordi de quintinu,
Ma de li perzuni cari
No' t'avivi de scordà!

Quando tua mamma ti alzava / Sempre in braccio ti teneva, / Ogni tanto ti metteva in fasce / Ti dava il caffé / Ti cullava, ti assisteva, / Le camicie ti lavava, / Ti portava in compagnia / Ti portava ovunque / Adesso che sei fatto grande / E rivolgi con la pala i denari, / Ti sei fatto signorino / Hai conosciuto le città / Vai cercando le ragazze / Spendi soldi in continuazione / Ma delle persone care / Non ti dovevi dimenticare.

L'altra sua pregevole pubblicazione è *Poesie in vernacolo calabrese*, (vol. II), per la stessa casa editrice americana, edita nel 1939 [90]. Il poeta entrato in piena maturità, ha modo di ricredersi che l'arte, quando è vera arte è di tutti i tempi e può essere espressa in qualunque forma. Si nota qui un'indizio di consapevolezza nella coordinazione delle pagine ed è importante anche per la geniale raccolta dei principali proverbi calabresi compilati in ordine alfabetico. Sfogliando il libro si scorge in prima pagina una nuova manifestazione di simpatia per la penna di Alfio Bruzio, di cui già abbiamo riportato il giudizio su Riccio.

Troviamo in questa raccolta, il moralista, il dommatico, l'esemplare, il virtuoso, l'uomo che ha raggiunto un grado di cultura, una esperienza letteraria, una formazione individuale, una singolare spiritualità.

Ecco un sonetto con quale l'A. vuole fare intendere che la malvagità dell'uomo, quando è nata con l'uomo, non c'è speranza che possa cambiare, anche se egli cerca di raffinarsi con lo studio:

La jena struita

Quandu la jena ficia la pensata
Mu studia, e mu diventa professura,
La genta tutta quanta ndinocchiata
Gridava: Sia lodatu lu Signura!

Cridiandu ca la bestia mbalenata
Cu l'istruziona cangiava natura,
Cridiandu ca la jena-letterata
La testa si cangiava e lu culura.
Ma la natura ne' si cangia mai...
Ne' cangia de la vipera lu denta
E si no' t'alluntani passi guai!

Rospu no' nescia d'ova de serpenta...
E si la jena studia a mu lu sai
Ca cchiù maligna ecchiù cruda diventa [91].

Quando la iena fece la pensata / Di studiare, e diventare Professore, / La gente tutta quanta inginocchiata / Gridava: Sia lodato il Signore! / Credendo che la bestia avvelenata / Con l'istruzione cambiava natura, / Credendo che la iena-letterata / La testa si cambiava e il colore. / Ma la natura non si cambia mai. / Non cambia della vipera il dente / E se non t'allontani passi guai! / Rospo non nasce da uovo di serpente... / E se la iena studia non lo sai / Che più maligna e più feroce diventa.

Così il poeta presenta questo suo secondo libro di poesie:

> Questo mio secondo volumetto di poesie dialettali non ha maggiori mire del primo. Durante la mia lunga esperienza di italiano all'estero, mi son sempre più convinto che il lavoro e le attività giuste ed oneste sono di gran godimento morale e materiale per l'uomo laborioso.
>
> Di più voglio provare chiaramente che il lavoro non è una umiliazione, ma una forza che spinge l'uomo alle più alte conquiste, ed è la fonte di tutte le soddisfazioni.
>
> Il lavoro è uno dei più essenziali fattori che formano il carattere, poiché controlla l'istinto e genera la disciplina e l'obbedienza.
>
> Il lavoro infine è legge che governa ogni principio di vita, ed è la base più solida del progresso d'ogni popolo.
>
> Beato l'uomo che del sudato pane che si mangia deve soltanto ringraziare la divina provvidenza [92].

Dopo quarant'anni di permanenza in America, il Riccio pubblicò il terzo volume di poesie dialettali calabresi: *I caratteri dell'uomo. Libro terzo di poesie in vernacolo calabrese* [93].

Quarant'anni di vita all'estero

> è un lungo periodo di tempo, specialmente quando bisogna viverla soltanto con le risorse del lavoro, però coi disagi e le sofferenze si acquista molta esperienza.
>
> All'estero, noi emigrati viviamo due vite: una con la speranza di ritornare in Patria, e l'altra adattarsi a vivere in luoghi stranieri dove si parla e si vive una vita ben diversa della nostra, ed anche perché in maggioranza gli emigrati si creano una famiglia da dove nascono difficoltà e tormenti [94].

Il titolo *I caratteri dell'uomo*, corrisponde in massima parte ai bozzetti che racchiude. A proposito del carattere ecco cosa scrive il poeta:

La manifestazione più importante dell'uomo è il carattere, che si forma attraverso le fasi della sua stessa vita.

Il primo principia nei luoghi dove nasce, si cresce e si educa, e dove s'impara la prima lingua o dialetto che mai dimentica — Nei primi anni della fanciullezza il primo carattere dell'uomo è quello che riceve dai genitori, un carattere soave ed allegro, formato di affettuose tenerezze da renderlo contento e felice [95].

In sostanza l'uomo di qualsiasi classe sociale, passati i vent'anni — secondo il poeta — deve pensare a guadagnarsi la vita da se stesso. Ed ecco che a volte l'uomo "a malincuore" trova la via della salvezza e dell'onore: l'emigrazione: ed è veramente doloroso lasciare il paese natìo, ma è necessità. A tal proposito è da dire che nei piccoli paesi della Calabria l'emigrazione è stata la migliore risorsa per tutte le classi sociali che lasciarono il paese per recarsi chi nei paesi vicini, chi nelle diverse regioni dell'Italia, ma la maggioranza varcarono l'Oceano. Una "valanga" di popolo emigrato e ci sono stati professionisti dotti, artigiani intelligenti, e un grandissimo numero di contadini.

Di che cosa tratta questo terzo libro poetico? Ce lo dice il poeta stesso nella poesia di apertura che s'intitola significativamente *Stu Libru...* :

Stu libru ne' ti parra de l'amuri
De li fimmani schietti o maritati;
De pampini non parra e non de fiuri
si su russi celesti o profumati.

De musica non parra e de pitturi
Chi furu pe lu Mundu rinomati,
Chi cu canti canzuni e cu culuri
Furu na gioia pe l'annammurati...

Ma ti parra de l'uomu sbenturatu
Chi mu s'abusca na scagghia de pana
A mu s'abbutta cuamu nu dannatu,

Vena trattatu pieiu de nu cana...
E quandu li succeda m'e' malatu
Ogni speranza perda mu si sana... [96]

Questo libro non ti parla dell'amore / Delle donne non sposate o sposate; / Di foglie non parla e non di fiori / se sono rossi o celesti o profumati / Di musica non parla e di pittori / Che furono per il mondo rinomati, / Che con canti canzoni e con colori / Furono una gioia per gli uomini. / Ma ti parla dell'uomo sventurato / Che per guadagnarsi una scaglia di pane / Deve lavorare come un dannato, / Viene trattato peggio di un cane... / E quando gli succede di ammalarsi / Ogni speranza perde di guarire.

Ci troviamo di fronte a una raccolta in cui — come dice il poeta nel *Prologo* — non ci "truavi risi, mancu chianti". È una raccolta scritta

[...] n'calabrisa... e lu pecchi'
Quasi quasi nemmenu lu dirria...
Mi vinna ntra la menta deccusi'
Ca l'atri lingui non li canuscia,
Ca sta tonàta ognunu la capisca
Ch'ognunu cerca pemmu scumpariscia... [97].

[...] in calabrese... e il perché / Quasi quasi nemmeno lo direi... / Mi venne in mente di scriverla così / Che l'altre lingue non le conosco, / Che questa parlata ognuno la comprende. / Perché ognuno cerca di non far brutte figure.

Nel 1958 poi la Tipo Meccanica di Catanzaro pubblicò *Vita e realtà. Poesie dialettali calabresi in Appendice poesia in lingua, con Prefazione dell'A.* e note che riguardano il dialetto calabrese scritto e parlato, il costume calabrese, le fiere e i mercati [98].

Come i buoni poeti il Riccio ha guardato la vita sotto i più diversi punti di vista; scettico, sentimentale, umorista. Lo troviamo scettico ne "L'Amuri è nu misteru", "Passa la gioventù", e nelle illusioni della ricchezza e felicità della vita americana condensate nel "Maritu americanu" e "Guadagnu d'America":

Quandu guadagna e' obbligu
Mu porta li dinari a la mugghiera,

Si no, Signura scansalu,
Ha mu s'appronta pemmu va ngalera,
E mu si vida puru maltrattatu
De la mugghiera e du lu magistratu [99].

Quando guadagna è d'obbligo / Portare i denari alla moglie, / Se no, Signore proteggilo / Deve prepararsi ad andare in galera / E vedersi pure maltrattato dalla moglie e dal magistrato.

In "Guadagni d'America" fa capire che la fantasia lavora più della realtà ma ecco che lo scetticismo si attutisce con sentimento che si profonde nella lirica alla sua Girifalco:

La verità è... ca la genta povara
O campa duva ṇescia o s'alluntana,
E nui che di luntana ti pensamu
Cuamu alla mamma che ni dezza latte.
A nui che mai cercamma e maị cercamu
Pe tia lu cora nuastru sempa sbatte [100]

La verità è... che la gente povera / O campa dove nasce o s'allontana, / E noi che di lontano ti pensiamo / Come alla mamma che ci ha dato il latte. / A noi che mai cercammo e mai cerchiamo / Per te il cuore nostro sempre sbatte.

La vena poetica si addolcisce; scetticismo e sentimentalismo hanno ceduto il posto all'osservazione del comico che la vita nasconde e quindi appaiono figure strane come l'avaro "Giocchinu" che

Quand'era riccu no s'importava
De cu campava de cu moria

ed ora che è povero "mo' si ricorda mo' se repenta" o il *Fantasma*: satira dell'agente delle tasse che quando gira per il paese

Tuttu lu populu jietta nu'gridu:
Passa ndo Guidu! Passa ndo Guidu [101].

Tutto il popolo getta un grido: / Passa don Guido! / Passa don Guido

Bisogna anche ricordare la "Terza ragiuna di Patola": la ragazza che voleva trovar marito, ma "no trovau" e "L'Asinu de ndo Cicciu Totaru", un componimento inteso a dimostrare che chi nasce quadro non muore tondo — e chi nasce asino muore "asinu". Dalle poesie citate si nota come il Riccio ama la semplicità, la delicata emotività e il suo umorismo. E le sue strofe limpide e schiette sono permeate di una sottile umoristica caustica ironia trilussiana che fanno pensosamente sorridere. Così nelle chiusa di "Passa la gioventù — Tuttu era quietu, tuttu era scuru Anima viva non c'era cchiù nu cuccu supa nu muru — Quando mi vitta, dissa: Cucù! [102]" o nell'*Asinu di don Cicciu Totaru*, l'asino che don Ciccio voleva educare e istruire, mandandolo in collegio, comprandogli molti libri "ccu la spiranza ca s'imparava — misa ppi misa Cicciu pagava — Ma la natura cangia mai — manca mu cala l'onnipotenza! — Ndo Cicciu Totaru passau li suoi guai — Spendia dinari senza mu penza — E versu l'urtima si nd'addunau — Ca ppi nu ciucciu si ruvinau" [103] (con la speranza che imparasse / mese per mese Ciccio pagava / Ma la natura non cambia mai / Anche se calasse in terra Gesù Cristo / Don Ciccio Totaro passò i suoi guai / Spendendo denari senza pensare / E verso l'ultimo se ne accorse / Che per un ciuccio si rovinò).

O nel "Candeliere" di creta [104] che inganna tutti coll'apparenza dell'oro massiccio, ma cade e si rompe e "senza chianti terminau la vita / Cu li cumpagni sua fatti de'... crita..." (senza pianti terminò di vivere / Con i suoi compagni fatti di... creta...)

E non parliamo delle altre, tutte ispirate al ricordo sempre nostalgico della terra natia. Ovviamente dedica alla sua Girifalco [105] varie poesie come ad esempio quelle in cui viene descritta la festa di San Rocco, protettore del paese [106], in occasione della quale il Riccio indossava l'abito della festa appunto e per di più allora si mangiava e si beveva bene e molto.

Ecco la festa:

La banda ne' posava de sonara,
Non ncera largu mu mini du' passi,

A menzannotta ncignanu 'a sparara
Li furguli, li ruati e li carcassi
M'appena l'artifici terminaru
La genta si nda jru e si curcaru [107]

La banda non smetteva di suonare, / Non c'era largo per camminare / A Mezzanotte incominciano i fuochi pirotecnici, / Ma appena essi terminarono / La gente se ne andò e si coricò.

E di questa festa il poeta sente nostalgia e quasi quasi vorrebbe far ritorno a Girifalco [108].

Non mancano i ricordi [109]. Si tratta di ricordi giovanili che non sono molto lieti. Ecco il tempo della carestia per cui si mangiano le erbe e altri frutti che crescono spontaneamente in natura. In tempo di carestia si mangia tutto per riempire la pancia

Jiamu scavandu puru la gramignia,
E ni restava sulu na speranza
Nommu ni cogghia na freva maligna...
E si campamma vi lu dicu io,
Fu nu veru meraculu de Dio... [110]

Andavamo scavando pure la gramigna, / E ci restava solo una speranza / Di non prenderci una febbre maligna... / E se siamo sopravvissuti ve lo dico io, / Fu un vero miracolo di Dio...

E si ricorda pure di alcuni montarozzoli di Caraffa (comune in provincia di Catanzaro) dove la liquirizia [111] nasceva e cresceva. Essa veniva raccolta tutti gli anni, e il poeta ricorda un certo

[...] Mastru Giuvanni
Chi la portava a lu paisa mio,
Tiempi de caristia de malannati
Venia mu si la cangia cu patati

A prima vista mi paria nu lignu,
Ma lu momentu chi la mazzicavi,
Era de lu culura de vitigni,

Tutta la vucca ti la nzuccaravi.
La rigorizza puru cittu cittu
Facia pemmu ni passa lu pitittu... [112].

[...]Mastro Giovanni / Che la portava al mio paese, / Tempi di carestia / Veniva a barattarla con patate / A prima vista ci sembrava un legno, / Ma quando la masticavi, / Era del colore del vitigno, / Tutta la bocca te la inzuccherava, / La liquirizia pure piano piano / Faceva in modo da farci passare la fame.

Dai ricordi alla emigrazione: nelle poesie dell'emigrato Riccio non può mancare questa tematica che si configura come *Storia dell'emigrato. Frammenti* [113] in cui ribadisce che l'uomo deve essere sopra ogni altra cosa onesto. Anzi per il poeta l'unica cosa che vale a questo mondo è l'onestà, e

Non c'è dinari, mu si pagaria,
Ed'è na guida pe' l'umanità!...
L'uamu onestu e' l'uamu cchiù stimatu
E duva ca si trova e' rispettatu... [114]

Non ci son denari, per comprarla, / Ed è una guida per l'umanità... / L'uomo onesto è l'uomo più stimato / E dove si trova è rispettato.... /

Verso il 1909 la gente partiva per l'America e giorno e notte queste partenze si facevano sempre di più consistenti [115] e quindi in ogni dove si sentiva parlare continuamente

De Nova-Jorca, de la batteria,
De carti, passapuarti e bastimenti;
e quandu l'arrivava la partenza
Diciamu c'arrivau: "La Provvidenza" [116].

Di New York, della batteria, / Di carte, passaporti e bastimenti; / E quando ci arrivava l'ordine di partire / Dicevamo che arrivava: "La Provvidenza"

Tutti si illudevano — e il Riccio ciò lo sottolinea assai bene — che una volta varcato l'Oceano e arrivati in America

Li sordi li cogghia cu li panara [117]

I soldi li raccoglie col paniere.

E vivendo in questa atmosfera anche il poeta avvia le pratiche per imbarcarsi e farsi americano [118]. E dopo un mese parte e

Versu li setta na matina
Ni ricozzamu tutti ntra la chiazza,
Eramu quasi quasi na vintina,
Ndavia cu li guagliuni ntra li vrazza
E genta d'ogni tagghia chi ciangia
Chi spaccava li pietri de la via;

E doppu fumma tutti carricati,
A lu trainu c'avia mu ni porta,
Allora cuminciaru li gridati
Paria c'ha mu si parta pe la morta,
Ccussì de li parienti ni spartimma
Ni ficiamu la crucia e ni nda jmma!! [119]

Verso le sette una bella mattina / Ci raccogliemmo tutti nella piazza, / Eravamo quasi quasi una ventina, / C'erano tanti che avevano i figli in braccio / E gente di ogni taglia che piangeva / Da spaccare le pietre della via; / E dopo fummo tutti caricati, / Su un traino che doveva portarci, / Allora cominciarono le gridate / Pareva che si partiva per morire, / Così dai parenti ci separammo / Ci facemmo la croce e ce ne andammo!!.

Arrivati a Napoli la gente li chiamava "Americani", e di poi — ancora continua la storia dell'emigrato — vennero condotti in una grande camera e furono visitati e poi imbarcati.

Veramente efficaci sono i versi che rendono lo stato d'animo di questi uomini che s'avviano verso l'America:

Cu leja, cu jestima e cu camina
Atri ciangendu [...]
Guardavanu ritratti de guagliuni

Cu tena ntra lu cora la speranza,
E cu scuntientu sempa jestimava,
E cu dejunu, e cu s'inchia la panza
E cu tuttu lu juornu vommicava
Ed io pensava cà la razza umana
Ha mu si marturizza pe lu pana! [120].

Chi legge, chi bestemmia e chi cammina, / Altri piangendo [...] / Guardavano ritratti di ragazzi, / E chi scontento sempre bestemmiava, / E chi digiuno, e chi si riempiva la pancia / E chi tutto il giorno vomitava. / Ed io pensavo che la razza umana / Deve martirizzarsi per il pane!!

America: non certo terra in cui facilmente si guadagnano i dollari. Per guadagnarseli bisogna lavorare e anche sodo:

[...] nui zappandu eramu sudati,
Russa ncignava mu si fa la pala,
Avia li mani tutti ndolorati
ed io pensava ca la razza umana
De sangu e mu' s'abivara lu pana!!

La faccia ruvinata, ed arrustuti
A la baracca votamma la sira,
De terra quasi tutti cuveruti
E li doluri no si puannu dira!
No mi ricuardu mancu si mangiai
Mi fici de coraggiu e mi curcai [121].

[...] noi zappando eravamo sudati, / Rossa cominciava a farsi la pala, / Avevo le mani tutte indolenzite. / Ed io pensavo che la razza umana / Di sangue deve bagnarsi il pane!! / La faccia rovinata, ed arrostiti / Alla baracca facemmo ritorno la sera, / Di terra quasi tutti coperti / E di dolori che non si possono dire! / Non mi ricordo neppure se mangiai / Mi feci coraggio e mi coricai.

E all'America dedica naturalmente varie poesie: a quell'America che agli italiani è sembrata un eldorado, un paradiso ma il poeta poi non è molto d'accordo e lo dice chiaramente:

Quandu al'Italia parranu d'America,
No' parranu cu giustu e cu raggiuna:
Dinnu [122] ca si guadagnamu li dollari
Quasi pe' senza nenta o pe fortuna [123].

Quando all'Italia parlano dell'America, / Non parlano con giustezza e con ragione: / Dicono che si guadagnano i dollari / Quasi facilmente o per fortuna.

Ma il poeta lo sa personalmente che in America ogni centesimo lo si guadagna lavorando ("cu li mani") e ancora la "massa" non ha casa, e nemmeno poderi ("stabili") di ulivi. La massa ha solo le braccia e per di più

[...] e' nu meraculu
Pe cu' fatiga tutta la simana;
Migghiara di persuni si cuntentanu
Macari mu guadagnanu pe' pana... [124].

[...] è un miracolo / Per chi lavora tutta la settimana, / Migliaia di persone si accontentano / Magari di guadagnare solo il pane.

Ed ecco ancora un altro luogo comune che viene puntualmente smentito dal Riccio:

L'America, si dicia, è sempre America
Dinnu ch'e' ricca, ma e' na fantasia
Io viju imbecia tanta gente povara
Chi tanta no' nda vitti 'nvita mia...

L'abundanza ogni tantu fa na visita
E resta ncunu quattru o cincu misi,
Ma prima ca si paganu li diebiti,
Torna la scarzità... Torna la... crisi... [125].

L'America, si dice, è sempre America... / Dicono che è ricca, ma è una fantasia / Io vedo invece tanta gente povera / Che tanta non ne ho vista in vita mia... / L'abbondanza ogni tanto fa una visita / E resta qualche quattro o cinque mesi / Ma prima che si pagano i debiti, / Torna la scarsità... Torna la... crisi

E infine

La verità e'... ca la genta povara
O campa duva nescia o s'alluntana,
Ha mu fatiga e mu l'arranca l'anima
Appena appena mu guadagna... pana... [126].

La verità è... che la gente povera / O campa dove è nata o s'allontana, / Deve lavorare fino a scappargli l'anima / Appena appena per guadagnarsi... pane...

L'emigrato è un pellegrino [127] che non trova nulla nella terra dove va: né fratelli né vicini. La sua condizione è come quella dei pulcini. È questa — dice il poeta — la condizione esistenziale dei primi emigrati in America. Ma le cose cambiano e chi viene ora in America — osserva adesso il poeta —

[...] non'ava mu si lagna,
Trova la casa, lu mantu e lu mbrella:
L'America li para na cuccagna [128].

[...] non ha da lagnarsi, / trova la casa, il manto e l'ombrello: / L'America gli pare una cuccagna.

E

[...] cchiù la guarda e cchiù li para bella;
Trova viscotta e trova lo sciampagna,
Trova la vrocca e trova la padella [129].

[...] più la guarda e più le sembra bella; / Trova biscotti e trova lo champagne, / Trova la forchetta e trova la padella... /

Nella rosa dei nostri poeti emigrati (è il caso di ricordare specialmente Michele Pane, e su di lui ritorneremo dopo) [130] quali Francesco Greco, Pietro Greco, Riccardo Cordiferro, Giuseppe Battista, Francesco Sposato, Sassone, Giuseppe Sposato, Francesco Saverio Riccio da Girifalco è rimasto attaccato alla sua terra come il corallo allo scoglio, perché quasi tutta la sua poesia rispecchia motivi e sentimenti della Calabria. Varcato l'Oceano, giovanissimo, per esigenze di lavoro, portava il Riccio con sé il tesoro della sua vita spirituale; un corredo di sogni, di nostalgie, di passioni, di ricordi, di eventi. Tutto questo tesoro di sentimenti è espresso in fluidissimi versi nella sua prima raccolta che porta come prefazione quella stilata da Siniscalco, il quale così scriveva:

> È con grande piacere che scrivo poche parole di prefazione alle poesie che seguono perché tra esse ci sono dei bozzetti tipici del mio paese, scritti nel nostro puro dialetto girifalchese. Noi non abbiano ricordi di feste abbaglianti [...] ma ricordi di piccole cose tanto care e amate che al confronto le massime ci sembrano minime.

In America conobbe il Riccio il già ricordato poeta Michele Pane, che apprezzò molto le poesie del poeta di Girifalco e le trovò belle:

> [...] ma fra esse ve ne sono addirittura bellissime, le cui quartine, ed i suoi versi mi entusiasmano talmente che son costretto a declamarmele in casa o per le vie passando il rischio di essere preso per matto. Armonia, verità... filosofia...

E ancora Pane scrivendo al poeta Pietro Greco così si esprime sul Riccio:

> ti dico che queste nuove poesie del simpatico poeta Saverio Riccio mi sono assai piaciute: una più bella dell'altra... Era da un pezzo che non leggevo più poesia vera nel nostro vernacolo come questa vivida ed agile del nostro buon fratello Riccio, il quale per quanto modesto è meritevole di ogni lode.

Il Riccio dedica a Pane, anzi per la morte di questo poeta scrive una poesia intitolata *In morte di Michele Pane* "Massimo Poeta Dialettale Calabrese, deceduto in Chicago, Aprile 1953" [131]:

La Calabria lu ficia e l'educau
Cuamu na Mamma, la cchiù affezzionata
E crisciendu crisciendu li mparau
La lingua paesana e delicata,
E fu la lingua Calabrisa e queta
Chi lu ficia grandissimu Poeta [132]

La Calabria lo fece... / e l'educava / Come una madre la più affezionata: / E crescendo crescendo gl'imparava la lingua paesana e delicata, / E fu la lingua calabrese e tranquilla / Che lo fece grandissimo Poeta [133].

Una poesia, quella di Michele Pane, appassionata e dalla quale

"[...] s'impara parola pe' parola" [134]

[...] s'impara parola per parola

Anche il poeta di Decollatura come il Riccio lasciò la Calabria con dolore e allorquando

Vitta lu jiuarnu chi s'alluntanau
La vista cuminciava mu li scura,
Volia mu vota, ma no' si votau,
Si misa mu camina chianu chianu
E partiu pe nu Mundu assai luntanu... [135].

E vide il giorno che s'allontanava, / Forse quel giorno gli batteva il cuore. / Voleva tornare a casa /... e sospirava... / Ma si mise in cammino piano piano / Verso quel Nuovo Mondo assai lontano... [136].

Il distacco dal paese natio anche per Pane fu doloroso anche se

L'America, pero', li vozza bena,
Tuttu lu bena chi si meritava,

Ma pero' lu Poeta avia na pena,
Era na pena chi lu torturava...
Nu dolura e lu cora... e na ferita
Chi lu marturizzau tutta la vita... [137].

L'America, però, gli volle bene. / Tutto quel bene che si meritava, / Però il poeta aveva una pena. / Era una pena che lo torturava... / Un dolore al cuore... e una ferita / Che lo tormentarono per tutta la vita [138].

Difatti

Pensava la Calabria e li campagni
Chi li dezzaru vita ed'allegria,
E l'acqua chi scindia de li muntagni...
E lu paisa duva si criscia...
E la terra pensau de duva vinna
e pensandu... li scrissa cu la pinna [139].

Pensava la Calabria e le campagne / Che gli diedero vita ed allegria, / E l'acqua che scendeva dalle montagne, / Pensava il suo Paese ed ogni via... / E la terra pensò da dove venne / Pensando... le scrisse con la penna.

E anche in questa poesia ribadisce un concetto che ritorna spesso anche in altre: l'immortalità — lo vedremo in seguito — della poesia: muore il poeta ma resta in eterno la sua poesia [140]. Difatti anche se la poesia non dà soldi è molto utile per quelli che vivono. Non il poeta ma l'anima di lui resta:

[...] E resta benaditta,
Ca' sempra dassa ncuna cosa scritta
Pe cu campa! [141].

[...] E resta benedetta, / Che sempre lascia qualcosa di scritto / Per chi vive!.

Ma la poesia deve sempre dire la verità: poesia è innanzitutto verità:

La poesia, carissimu cuginu,
Va sempa predicandu verità
Cantandu pana pana e vinu vinu!
Camina supa l'umanità,
E duva senta puzza de porcinu
Si facia de coraggiu e si nda và [142].

La poesia, carissimo cugino, / Va sempre predicando verità / Cantando pane pane e vino vino! / Cammina sopra l'umanità, / E dove sente puzza di maiale / Si fa coraggio e se ne va.

Francesco Saverio Riccio non ama la poesia moderna. Secondo lui [143] la poesia — scrive ciò nel 1951 — oggi è caduta in basso, e

Si scrive senza metro e senza rima,
E fa tanto rumore e tanto chiasso,
Ma non è poesia come fu prima...
Non è la poesia vera e perfetta
E si pretende pure che sia letta... [144].

E poi mette a fuoco una realtà o una condizione tipica dei poeti che vogliono affermarsi a tutti i costi:

Ogni poeta, quasi esasperato
Cerca l'aiuto alle tipografie.
Dove il suo libro sarà pubblicato,
Vuol commentate le sue poesie.
Resta contento, ma però non vede
Che viene messo in giro in buona fede.

Ed è proprio con questi "saponi e saponate" che il mondo letterario "tira avanti";

Le poesie saranno commentate
Per lavare la faccia a tanti e tanti
Nutriti d'illusione e vanagloria
Con la speranza che faranno storia [145].

I caratteri e le situazioni presenti nella sua poesia dialettale sono ben delineati. Si pensi all'uomo d'affari [146] o al ricco del paese [147]. Quest'ultimo sembra un barone e cammina dritto e non parla a nessuno e per di più

[...] marcia derittu, e guarda d'avanti
Pe nommu si guarda la cuda de pagghia;
Si porta lu mbrella si porta li guanti
Pe nommu si vagna, pe nommu si squagghia,
Si guarda li passi pe ncuna caduta
Pecchì quandu cada non nc'è cu l'aiuta.

[...] marcia dritto, e guarda avanti / Per guardarsi la coda di paglia; / Si porta l'ombrello si porta i guanti / Per non bagnarsi, / Per non squagliarsi, / Si guarda i passi per qualche caduta / Perché quando cade non c'è nessuno che l'aiuta.

È un uomo solo — questo ricco del paese — e per di più fa una vita abitudinaria:

Si lava, s'asciuca e doppo si cangia
Si metta l'occhiali e curra mu mangia [148].

Si lava, si asciuga e dopo si cambia i vestiti. / Si mette gli occhiali e corre poi a mangiare.

E ancora:

[...] mangia... E mangiandu diventa purcinu,
No' sapa mu lejia no' sapa mu scriva,
E fa la pensata chi fa lu cretinu
Chi spenda la vita mu mangia e mu viva.
Ma quandu l'arriva lu grassu a lu cora
Si jetta mu dorma... si jietta mu mora... [149].

[...] mangia... E mangiando diventa come un porco, / Non sa leggere non sa scrivere. / E fa la pensata che fa il cretino / Che spende la vita a mangiare e a bere... / Ma quando l'arriva il grasso al cuore / Si getta e dormire... si getta a morire.

Ai caratteri s'accompagnamo iterati e continui toni e sentenze — su questo punto ritorneremo — morali che hanno la loro radice o nella poesia oppure nella Bibbia e nei Vangeli [150]. E qui il poeta cade nell'ovvio e non fa altro che ripetere concetti e situazioni tradizionali:

Io guardandu pensai... Era na Testa
Na Testa chi campava e chi pensava...
[...]
Na cosa sula resta cchiù sicura;
Ca cchiù la guardi e cchiù ti fa paura...

Cu sa nom'era de nu Generala,
O pura menta de nu deputatu,
O la testa de nc'unu Cardinala
O de nc'unu Poeta rinomatu
... Era na Testa!!... ianca, gialla o scura... [151].

Io guardando pensai... Era una testa / Una testa che campava e che pensava / [...] / Una cosa sola resta più sicura: / Che più la guardi più ti fa paura... / Chi sa non era di un generale, / Oppure di un deputato, / O la testa di un Cardinale / O di qualche poeta rinomato... / Era una Testa!! / ... bianca, gialla o scura.

E infine rivolgendosi all'uomo, dopo aver meditato su questa testa, dice:

Duva mu scappi e duva mu camini
Ogni matina e menzjiuarnu e sira...
Fina chi ti squagghia puru a tia
Cuamu ni squagghia a tutti...
E ccussi' sia... [152]

Dove scappi e dove cammini / Ogni mattina e mezzogiorno e sera... / Fin quando ti si squaglia anche a te / Come ci squaglia a tutti... / E così sia...

Il moralismo entra in molte poesie ma si tratta di un moralismo che proviene da una persona onesta e che crede nei valori veri dell'umanità e per esprimere la sua concezione del mondo e della vita ha usato l'unica parlata che conosce: il dialetto:

Vizzi de' chiazza... su na ruvina,
Pe li paisi pe li città,
Ed' a la genta ti la ncatina
Mi la subbissa senza pietà![153].

I vizi di piazza... sono una rovina, / Per i paesi per le città, / Ed alla gente te la incatena / E la subissa senza pietà.

E, talvolta, per fissare meglio il carattere di alcuni uomini ricorre a riferimenti e a similitudini col mondo animale. Si veda *La vacca e l'avari*[154]:

La coràma vaccina e' la cchiù forta,
E la carna e' la megghiu pe' sapura,
Ma... la vacca si scorcia doppu morta
Nommu senta dolura...

L'istessima cosa e' pe' l'avari...
Persuni rispettosi e rispettati,
Ma quandu li nda parri de... Dinari...
Si sentanu... scorciati.

Vuccieri, sciampagnuni e consaturi,
Chi su direttamente interessati
Quandu li para ca su cchiù... Sicuri
Si trovanu... mbrogghiati...[155].

Il cuoio vaccino è il più resistente, / E la carne è la migliore per sapore, / Ma... la vacca si scortica dopo che è morta / Per non sentire dolore... / L'istessima cosa è per l'avaro... / Persone rispettose e rispettate, / Ma quando parli loro di Denari... / Si sentono... scorticati... / Macellai, dilapidatori e cuoiai che sono direttamente interessati / Quando sembra che son più... Sicuri / Si trovano imbrogliati...

Ecco ancora un altro paragone e similitudine tra l'uomo e l'animale. A tal proposito si veda il componimento *Filosofia spicciola*[156] in cui viene istituito il paragone appunto tra la "maruzza" (la lumaca senza guscio) che sta sotto le siepi e l'uomo sventurato che non ha denari per comprarsi da mangiare, e come la "maruzza" è condannato

Mu gira ripi ripi... [157]

A girare rive rive...

E per restare nell'ambito animale questa volta è di scena *L'agrancu* (Il gambero) [158] che sta sempre nell'acqua e quando il rivo incomincia a seccarsi il povero gambero si sente perduto, e

L'istessa è la genta chi doppu s'arrica
Si fa la cappella, si fa lu tambutu... [159].

La stessa è la gente che dopo che si arricchisce / Si fa la cappella, si fa la bara...

E ancora:

... Si mora l'agrancu vicinu l'acquaru
Li fannu la festa li gatti e li cani,
Invecia si mora lu riccu o l'avaru
Nc' 'e na Cappella, curuni, e campani... [160]

... Se muore il gambero vicino al rivo / Gli fanno la festa i gatti e cani, / Invece se muore il ricco o l'avaro / C'è una Cappella, corone, e campane.

Dalla natura degli animali risale alle condizioni di certi uomini. E qui sono vari i paralleli istituiti dal poeta. Così ogni animale [161] si mette in giro nella speranza di trovare qualcosa o un rifugio. L'uomo è lo stesso. E ancora:

Cada lu debula sutta lu forta:
Ed' 'e mangiatu senza pietà.

Cade il debole sotto il forte / Ed è mangiato senza pietà.

Invece l'uomo non è un animale

Ossia... nimali cu' la crianza;
Non'hannu corna, non'hannu l'ali
Ma pe' disgrazzia hannu la... panza! [162].

Ossia... animali con la creanza; / Non hanno corna, non hanno le ali / Ma per disgrazia hanno la... pancia.

E per la pancia che hanno devono girare la testa per trovare qualcosa nei paesi e nelle campagne. E proseguendo l'allegoria vien detto che se l'uomo non riesce a trovare nulla non c'è più Cristo, non c'è più ragione, per non morire di fame

Vannu girandu cu li... cannuni [163]

Vanno girando con i... cannoni.

E qui un altro concetto o, meglio dato di fatto:

Mo' nc' e' la scola... cn'e' scienziati...
Nc'e' Cardinali... Principi e Re...
Ma li Nazioni su tutti armati
E... la Natura resta come'e'...

Difficilmente lu munnu cangia...
Cu l'animali supa la terra;
Fina chi dura lu "Mangia Mangia"
Dura la fama... Dura la guerra! [164].

Adesso c'è la scuola... ci sono gli scienziati... / Ci sono i Cardinali... Principi e Re... / Ma le Nazioni son tutte armate / E... La Natura resta com'è... / Difficilmente il mondo cambia... / Con gli animali sopra la terra; / Fin che dura il "Mangia Mangia" / Dura la fame... Dura la guerra.

Efficaci sono altri paragoni o allegorie che esplicitano meglio le situazioni:

Lu linu non passa pe lu cardu
Non è buanu pe nenta,
Ed è cuamu la genta
Chi non leja [165].

Il lino se non passa per il cardo / Non è buono per niente, / Ed è come la gente / che non legge.

Le allegorie ricciane mostrano verità e insegnamenti morali vari. A questo ambito vanno ascritti componimenti come *La cerza* [166] che allorquando non dà più frutti

Lu rispettu cumincia mu li manca...
Allora friddi friddi li patruni
La tagghianu pe' lígna e pe' carvuni! [167].

Il rispetto comincia a mancarle... / Allora freddi freddi i padroni / La tagliano per far legna e carboni!

Poesia quindi come osservazione della natura e della varia realtà umana che si accompagna a vari discorsi allegorici e a molteplici similitudini che dicono pienamente quella che è la concezione che il poeta ha della vita e del destino dell'uomo e del mondo, mondo assimilato a una ruota e sopra di esso ci son altre piccole ruote, e allorquando la ruota principale si ferma la

[...] festa è finita,
Si ferma lu Mundu... si ferma la vita [168].

[...] festa è finita, / Si ferma il Mondo... si ferma la vita.

Altrove osserva che il mondo è una commedia e un mercato [169]. E si sente spesso gridare e litigare. Ci si spara. Ci si ammazza anche tra fratelli

E pua sentimu diciara
Ca sugnu li peccati;
E tutti chisti trivuli,
Ca vui ni li mandati

E doppu si cumpessanu
Si cridanu sarvati,
Sicuri, sicurissimi
Ca vui li perdunati [170].

E poi sentiamo dire / Che sono i peccati; / E tutti questi guai / Voi ce li mandate / E dopo si confessano / Si credono salvati, / Sicuri, sicurissimi / Che voi li perdonate [171].

Veramente incisivo e felice riesce nel descrivere la psicologia dell'uomo: dalla nascita alla morte. A tal riguardo notevole è il componimento, già citato, *Lu vitti* [172] in cui descrive un ragazzino tutto allegro e senz'affanni, ardito, pulito, che saliva sui muri, andava a raccogliere funghi, castagne, e poi diventato più grande incomincia a guardare le ragazze e a cantare come una ghiandaia e

Tutti siri lu ntisi cantara
Cuamu na carcarazza;
E de notta lu vitti camminari
Sturdutu pe la chiazza
Doppu de tandu non lu vitti cchiù
Cu la stessa allegria:
A lu passaggiu de la gioventù
L'uomu cerca na via... [173].

E tante sere l'ho sentito cantare / Come una ghiandaia; / E di notte l'ho visto camminare / Stordito per la piazza / Dopo di allora non l'ho visto più / Con la stessa allegria: / Al passaggio della gioventù / l'uomo cerca una via.

S'inizia la vera vita. Bisogna andare alla ricerca del pane per cui si è costretti a lavorare fuori del paese natio. La fame toglie l'uomo dalla sua "tana" e lo spinge ad imbarcarsi per l'America appunto. Sostanzialmente — come abbiamo ribadito — la poesia è autobiografica. E il poeta rievoca la sua vita allegra d'un tempo, poi la giovinezza, e poi ancora la partenza dal paese natio verso l'America per guadagnarsi onestamente da vivere. E si invecchia lì dopo quarant'anni di lavoro [174].

Il Riccio si fa storico e poeta dell'uomo che prima dei vent'anni conosce soltanto la chiesa, la scuola, le campagne, e non conosce i soldi, la guerra. Ma egli a mano a mano crese e quindi diventa uomo: lo studio impegnato, il servizio militare e quindi

> Li sbatta lu cora... Cumincia mu parta
> Mu porta la crucia... mu e' cumandatu.

> Gli sbatte il cuore... comincia a partire / A portare la croce... ad essere comandato.

E quando ritorna si vuole sposare,

> E doppu nzuratu s'agiusta la tana [175]
> Mu criscia guagliuni, mu fa na famigghia;
> Ma quandu li manca la scagghia de pana
> Lu vidi chi pensa... chi pisci à mu pigghia [176].

> E dopo sposato s'aggiusta il nido / Per crescere i figli, per farsi una famiglia; / Ma quando gli manca una fetta di pane / Lo vedi che pensa... che pesci deve prendere.

Incominciano quindi i dolori di testa e di pancia. Così si esprime il popolo che combatte la vita, pigliando "veleni" e "purganti".

Addio per sempre i vent'anni! Tutto è detto con estrema semplicità e convinzione.

Il poeta si mostra perfetto conoscitore della psicologia di alcuni personaggi:

> E quando ti tocca na mala fortuna
> O quando ti cogghia nu bruttu destinu
> Mu pierdi dinari; mu vasci piruna

L'amicu de chiazza l'hai sempa vicinu
Mu vida si ciangi... mu vida chi fai.
E prova na gioia chi tu no lo sai... [177].

E quando ti tocca una cattiva fortuna / O quando ti coglie un brutto destino / Perdita di denaro; o cadi in basso / L'amico di piazza l'hai sempre vicino / Per vedere se piangi... per vedere che fai. / E Prova gioia che tu non lo sai...

L'amico di piazza è un ipocrita che ride delle sventure altrui anche se simula il pianto; e così la povera gente crede ai suoi falsi atteggiamenti e per di più lo considera un santo

Ma cu lu capiscia li stringa la manu
E senza mu pipita si tena luntanu [178].

Ma chi lo sa capire gli stringe la mano / E senza parlare si tiene lontano.

Si capita pe casu ntra li mani [179]
De riccu chi si crida ch' e' na cosa,
Allora dicia: Scritti Mericani...
E supa nu divanu mi lu posa
Ma certi vuoti para nu destinu
Ca l'uamu quandu e' riccu e' cchiù cretinu [180].

Se capita per caso nelle mani / Del ricco che si crede che è una cosa, / Allora dice: Scritti Americani... / E sopra un divano lo posa, / Ma certe volte sembra un destino / Che l'uomo quando è ricco è più cretino.

Oppure:

Si vua mu cumandi ntra ncunu paisa
ricogghia li voti chi custanu nenta,
Parrandu parrandu, macari nu misa,

Mu vidi chi dicia la povara genta...
Pero' si no pigghi lu grassu mu spandi
Pua stara sicuru ca tu no cumandi...[181].

Se vuoi comandare in qualche paese / Raccogli voti che costano nulla, / Parlando parlando, magari per un mese, / Per vedere che dice la povera gente... / Però se non pigli il grasso per ingrassare la ruota / Puoi stare sicuro che tu non comandi.

Psicologo sagace, dalla vena estrosa, sottile indagatore di anime, presentatore geniale di tipi e di caratteri in versi limpidi, armoniosi e concettosi, degni di apparire nelle migliori antologie scolastiche:

Si passi la chiazza e stai mu li guardi
Su tutti vestuti, ma paranu nudi;
Su cuamu li sierpi, su cuamu li sardi,
Cu liscia na testa, cu azzanna li cudi,
Cu parra, cu guarda, cu stenda li vrazza,
E cu si dichiara: "L'Amicu de chiazza".

L'amicu de chiazza ti sagghia e ti scinda,
Ti volta e ti gira secundu la luna,
De sutta de sutta t'accatta e ti vinda...
E quandu l'oraculu ti porta fortuna
Ti parra cu l'uzzu, cu l'inu e cu l'ettu
Mu dicia: Micuzzu, Peppinu, Carlettu.

Ti presta na manu, ti presta dinari,
Ti fa cirimoni chi para nu frata,
Perà cittu cittu si jetta li cunti
Si guarda l'affari, si guarda chi fà...
E supa na carta si scriva l'appunti,
Mesura li passi chi vena e chi và...
Li gira la testa mu trova na via
Mu para cchiù riccu... mu supera a tia...[182].

Se passi per la piazza e sta a guardarli / Son tutti vestiti, ma sembrano nudi; / Sono come le serpi, sono come le sarde; / Chi liscia una testa, chi azzanna le code, / Chi parla, chi guarda, chi stende le braccia, / E chi si dichiara: "L'Amico di Piazza" / L'amico di piazza ti sale e ti scende, / Ti volta e ti gira, secondo la luna, / Di sotto di sopra, ti compra e ti vende... / E quando l'oracolo ti porta fortuna / Ti parla con l'uzzo, con l'ino e con l'etto / Per dire: Micuzzo, Peppino, Carletto... / Ti dà una mano, ti presta denari, / Ti fa cerimonie che sembra un fratello; / Però zitto zitto si fa i conti / Si guarda gli affari, si guarda che fa... / E sopra una carta si scrive gli appunti, / Misura i passi di chi viene e di chi và... / Gli gira la testa per trovare una via / Per sembrare più ricco... per superare a te...

La vivacità e l'espressività delle espressioni dialettali rendono alla perfezione la psicologia e il comportamento dei vari tipi e personaggi. A tal riguado notevole è la poesia di *Poesie in vernacolo calabrese* [183] intitolata *La Lingua*. Vi si dice di una donna che ha superato i cinquant'anni ed è diventata curiosa, stravagante, e la lingua "li diventa serpentina", i suoi occhi che un tempo erano belli come quelli di una faṭa adesso sono simili a quelli di una "lucerta mbalenata"; la sua bocca che un tempo emanava odore di spiganardo adesso è diventata "vucca de vaccinu / chi manda puzza pesta tarantina", e via dicendo.

Il poeta usa un dialetto chiaro, e si sa esprimere con ampiezza, e nel contempo fa una descrizione perfetta dei costumi e tradizioni, dei tipi, delle scene di vita calabresi. Per quest'ultima si veda ad esempio la cerimonia dello sposalizio [184]. Ci son tanti ragazzi che aspettano l'uscita degli sposi. Sono davanti al portone che dopo un pò si apre, e i ragazzi esultano di gioia:

Frischiandu tutti, cu li vrazzi azati
Parianu l'api de lu cupagghiuna [185].

Fischiando tutti, con le braccia alzate / Parevano le api nell'arnia.

La sposa è bella, tutta in ordine, guarda in terra, sembra una santa. Accanto agli sposi ci sono un medico condotto e un avvocato. Lo sposo è tutto sudato, vestito come un principe, e poi seguono i suoi amici e cugini che buttano soldi e confetti per i ragazzi. Lo svolgimento della cerimonia nuziale è ben delineato e vive tutt'oggi in alcuni paesi della regione:

Arrivati a la porta de la sposa
La mamma de lu zitu l'abrazau
Senza mu parra ncignau mu lu vasa
E pe munzura no lanbarau
Ma pua mu vida ca no' esta muta
Sgargiau la vucca e dissa: Cu saluta! [186]

Arrivati alla porta della sposa / La mamma della sposa l'abbracciò / Senza parlare incominciò a baciarlo / E per mezz'ora non lo liberò / Ma poi quando vide che non era muto / Aperse la bocca e disse: Con tanta salute!

Il poeta che adesso è lontano dalla sua Girifalco porta impresse nella sua mente le figure care di un tempo. Tra di esse spicca quella de *Lu Metara* (Il mietitore) che ci viene presentato con la falce in mano nell'atto di mietere il grano.

Il mietitore si leva presto il mattino e senza mangiare,

Si fa na scotulata a la porcina,
Si ncrocca la cammisa cuamu' che
E' da tastuni appiccia la lumera... [187].

Si dà una pulita ai sandali rozzi fatti di cuoio (di porco o di bue) / Si mette la camicia come è, / E a tastoni accende la lanterna.

Vita dura è quella del mietitore che lavora tanto e guadagna poco: il grano va al padrone e non al povero lavoratore. E il poeta è affezionato al mietitore che mangia pane rosso, e gli vuole bene come se fosse un suo fratello.

Altra figura significativa e tipica è quella del mandriano che scendendo ancora assonnato ("nsonnicchiutu") [188] al paese un guardiano lo circuisce e gli dice con voce rozza:

Sientami tamarrazzu,
Cammina a lu palazzu
Cu' dumia [189].

Ascoltami gran villano, / Vieni al palazzo / Con me.

E nel palazzo subito il signorino gli dà un bicchierino di Marsala, biscotti e dolci, e dopo gli mette una bandiera nelle mani, e lo stordisce con tante parole e complimenti. Il povero mandriano dapprima si sente consolato in quanto constata che si vede trattato come un cristiano. E poi quasi ebbro lo portano nella "sala" per votare. Ma dopo che il "tamarrazzu" ha votato addio feste, addio biscotti,

Scioggbianu la catina
E fannu mu camina
Duva vo';

Anzi pe ricumpenza
Ca pemmu vota sappa
Lu mandanu mu zappa
A li siccagni!! [190]

Sciolgono la catena / E lo fanno andare / Dove vuole; / Anzi per ricompensa / Che seppe votare / Lo mandano a zappare / terreni aridi!!.

Ecco ancora un'altra figura calabrese: quella di don Guido D'Arpizio: agente imposte consumo in Girifalco. L'anno è il 1934. Questo agente disimpegna il suo dovere al punto di creare nel "popolo un pauroso orgasmo". Al solo vederlo la gente si lagna, piange, sembrano di dare l'anima a Dio! e

Tuttu lu popolu jetta nu' gridu...
Passa ndo Guidu! Passa ndo Guidu! [191]

Tutto il popolo getta un grido... / Passa don Guido! Passa don Guido!

Quando si ode un rumore anzi un rumore qualsiasi si ha subito spavento e

Unu e' lu schiantu, unu e' lu gridu:
... Vena ndo Guidu, vena ndo Guidu! [192].

Uno è lo schianto, uno è il grido: / ... viene don Guido, viene don Guido!.

Passano per l'aria quattro aeroplani, o di notte trema la terra oppure suonano le campane, nel paese si respira un'aria di guerra e dal cuore di ognuno naturalmente esce un grido:... "Passa ndo Guidu! Passa ndo Guidu!" [193]. Per cui la notte ogni famiglia per riposare, per stare tranquilla chiude la porta con la maniglia e si corica prima di sera,

Ma puru nsuannu jetta nu gridu:
Vena ndo Guidu! Vena ndo Guidu! [194].

Ma pure nel sonno getta un grido: / Viene don Guido! viene don Guido!.

Personaggio veramente terribile e temuto:

Duva ca giri, duva ca vai:
Ntra lu paisa, ntra li campagni
Sempa d'appriessu para ca l'hai
Sempa d'appriessu ntra li carcagni
Puru pe' la'ria sienti nu gridu:
... Vena ndo Guidu! vena ndo Guidu!!... [195].

Dove che giri, dove che vai / Nel paese, nelle campagne. / Sempre d'appresso pare che l'hai. / Sempre d'appresso alle calcagne. / Pure per l'aria senti un grido: / ... Viene don Guido! Viene don Guido!!.

Don Guido è il Fantasma [196]. Egli è il simbolo di un'era sanguinaria. Agente imposte a Girifalco nel 1934 (come già detto), applicando le leggi di quei tempi creava nel popolo il segno del terrore, e che "oggi si affaccia altrettanto minaccioso nell'orizzonte politico italiano" [197].

Dopo che don Guido fu cacciato da Girifalco tutto il popolo sentendosi liberato andava gridanto "Lodatu Dio".

Ma passa ancora altro tempo e il popolo grida:

Torna ndo Guidu... Torna ndo Guidu

Torna don Guido... Torna don Guido.

Nella poesia ci sono tante allusioni e allegorie che vogliono presentare la fisionomia del regime politico assoluto e dittatoriale che viene assimilato — e ciò è tipico della saggezza e concezione della realtà del popolo — alla "simenta de la gramigna" [198] che dopo tanti anni spunta di nuovo fuori. E quì il popolo nuovamente grida:

Torna ndo Guidu... Torna ndo Guidu [199]

Torna don Guido... Torna don Guido.

ma il suo ritorno, dato che i tempi sono mutati, non è più quello di una volta: adesso don Guido deve stare più attento in quanto

Ojia lu popolu non' e' cretinu
Cuamu a li tiempi de "Satanassu"
E quandu senta lu popolinu
Liberamente li grida abbassu;
E pe la chiazza sienti nu gridu:
Morta a ndo Guidu... Morta a ndo Guidu [200].

Oggi il popolo non è cretino / Come ai tempi di "Satanasso" / E quando sente il popolino / Liberamente gli grida abbasso; / E per la piazza senti un grido / Morte a don Guido... Morte a don Guido...

Ormai don Guido non può più ritornare e se ritornasse il suo ritorno sarebbe come quello di Napoleone. Difatti don Guido potrà comandare per qualche mese e poi lo sbatteranno in qualche angolo, e

[...] finalmente senti lu gridu:
moria ndo Guidu... Moria ndo Guidu [201].

Finalmente senti un grido: / Morì don Guido.

Altra figura descritta magistralmente nella sua psicologia è quella del guardiano. Un tempo le persone dovevano pur campare e sceglievano di fare il guardiano appunto.

Il guardiano era armato di pugnale, di fucile, e con un cane da caccia saltava fossi e montarozzi; ed era sempre vigile e attento nel guardare la terra e gli orti.

Il guardiano di Riccio [202] non è un uomo maligno e puntiglioso. Difatti quando trovava legne tagliate

Pensava e cercava cu ficia lu dannu,
Facia nu jiudizzu, ma pua cittu cittu
Pensandu pensandu... passava derittu [203].

Pensava e cercava chi avesse fatto il danno, / Faceva un giudizio, ma poi zitto zitto / Pensando pensando... passava dritto.

Un guardiano che

Guardava lu mela... guardava lu latta...
E cuamu succeda guardandu guardandu,
Non'era nu cana non'era na gatta,
Pero' lu guardianu leccava... e leccandu
Jettau la scupetta... jettau li pugnali
Jettau li cartucci... jettau li stivali [204].

Guardava il miele... guardava il latte... / E come succede guardando guardando, / Non era un cane non era una gatta, / Però il guardiano leccava... e leccando / Gettò il fucile / ...gettò i pugnali / gettò le cartucce... Gettò gli stivali.

E ci sono ancora altri personaggi che sono macchiette vive come *Lu cretinu de chiazza* [205]: malinconico, con la testa sempre tra le nuvole ma se

'ncasu li marcianu li cavuli
Lu cretinu si dola e si dispera [206].

In caso gli vanno male i cavoli / Il cretino si duole e si dispera.

Poesia come racconto di avventure, di fatti, di tipi e personaggi particolari. A tal riguardo si veda *L'asinu de ndo Cicciu Totaru* [207]. Don Ciccio non si curava delle critiche che gli muovevano per il fatto che s'era affezionato a un asino anzi a un "povaru ciucciu" che allorquando ragliava tutta la gente rideva,

Ma pe ndo Cicciu chi lu curava
Paria cchiù randa de na jumenta.
A Cicciu Totaru, lu povaracciu,
Nu Ciucciu ficia mu nescia pacciu [208].

Ma per don Ciccio che lo curava / Sembrava più grande di una giumenta. / Don Ciccio Totaro, il poveraccio, / Un ciuccio fece in modo di farlo diventare pazzo.

Di poi il poeta fa risaltare una idea, un concetto che più volte lo troviamo espresso nelle sue poesie:

Ma la natura [209] non cangia
Mancu mu cala l'onnipotenza.
Ndo Cicciu Totaru passau li guai,
Spendia dinari senza mu penza
E verzu l'urtimu si n'addunau
Ca pe nu ciucciu si ruvinau... [210].

Ma la natura non si cambia / Neppure se calasse in terra Cristo. / Don Ciccio Totaro passò i guai, / Spendeva denari senza pensarci. / E verso l'ultimo se ne rese conto / Che per un asino si rovinò.

Alcune descrizioni di tipi sono più volte ripetute. Si veda *La sapienza de' chiazza* [211] in cui sono enumerate tutte le caratteristiche dell'uomo di piazza:

Uamu de' chiazza, uamu nutritu
Ch'ava la testa quantu nu vua,
Non'appa scola, non' e' struitu,
Ma puru sapa la parta sua [212].

Uomo di piazza, uomo ben nutrito / Che ha la testa quanto un bue, / Non ha scuola, non è istruito, / Ma pure sa la sua parte!.

Segue poi un catalogo delle sue arti e azioni:

Sapa mu jioca scupa e trissetta,
Pizzica, fuma, nda sa' du vinu,
Sapa mu spara cu la scupetta
Quandu li capita nu puarcu-spinu [213].

Sa giocare a scopa e tressette, / Pizzica, fuma, ne sa di vino, / Sa sparare con il fucile / Quando gli capita un porco-spino.

E ancora:

Sapa la musica, sapa mu canta,
Ed ogni tantu spuga la vucia,
E speciarmente Simana Santa
Si fa sentira ntra la via-Crucia.

Nda sapa puru de medicina
De Sublimatu, de taffita',
D'uagghiu de ricinu, de santonina
Sa' la murganta [214] la rizota' [215]

Sapa la storia de li briganti
Sapa la storia de lu Guerinu,
Sapa la storia de Fioravanti
Sapa la storia de Bettardinu [216].

Sa di musica, sa cantare, / Ed ogni tanto sfoga la voce; / E specialmente la Settimana Santa / Si fa sentire nella Via-Crucis / Sa pure di medicina / Di Sublimato, di taffità. / D'Olio di ricino, di santonina. / Conosce la morganta, la rizota / Sa la storia dei briganti, / Sa la storia di Guerrini, / Sa la storia di Fioravanti, / Sa la storia di Bertoldino.

È un uomo che conosce molte cose, tra le quali

Sapa la storia de la Tamila [217]

Sa la storia della Tamila.

E quindi

L'uamu de chiazza nda sapa assai.

Ma una volta tolto dalla piazza non sa più nulla. Sa solo criticare i santi, ed è forse l'unica cosa che sa e conosce di più — osserva il poeta — e conclude scherzosamente:

Ma cu lu senta camina avanti
E cittu cittu dicia: Cucù [218]

Ma chi lo sente cammina avanti / E zitto zitto dice: Cucù.

Non mancano ritratti e bozzetti realistici. Per i primi va ricordata *La storia de na lavandara* [219]:

No' n'arrivava ancora la vintina
Ed era ricca de bellizzi assai;
Avia na vucca russa granatina
Chi tanta russa non nda vitti mai
La natura la ficia tanta esatta
Chi non'ncera nessunu mu l'appatta.

Non ncera chiazza o strata chi passava
Chi non'era de tutti venerata,
Ognunu suspirandu la guardava,
Ognunu li furgava ncun'occhiata;
Ma la cotrara non li dava cura
Cu'uacchi vasci pensava l'unura [220].

Non aveva ancora vent'anni / Ed era assai ricca di bellezze, / Aveva una bocca rossa granatina / Che così rossa non ne ho visto mai / La natura la fece così perfetta / che non c'era nessuno che potesse eguagliarla / Non c'era piazza o strada che percorresse / Che non fosse da tutti venerata, / Ognuno sospirando la guardava, / Ognuno le lanciava un'occhiata, / Ma la ragazza non dava alcuna confidenza / Con gli occhi bassi pensava all'onore!.

Per i bozzetti va osservato che essi si trovano in tutti i componimenti ricciani, e essi sono stati tratti dalla vita vissuta del poeta, vita che riflette, in gran parte, il suo carattere di uomo, e come tali li possiamo giustamente ritenere "memorie".

Si tratta di bozzetti di precisione perfetta e leggendoli si vedono dinnanzi agli occhi quelle scene che sono tipiche del paese in cui il Riccio nacque. Ed egli, pur avendo passati tre lustri all'estero, si sente legato ai più umili della sua terra, e d'altra parte svela le miserie morali di tutti quelli "che la fanno da papaveri e non sono che fango". E in questi bozzetti ritrae la sua e la nostra Calabria, con le consuetudini, i costumi, le aspirazioni verso orizzonti più larghi.

Bozzetti tipici del paese natio, e scritti nel puro dialetto girifalchese, al quale il Riccio è rimasto sempre attaccato. E il Siniscalco, scrivendo la *Prefazione* alle *Poesie in vernacolo calabrese* [221], afferma:

Noi tutti abbiamo per il nostro paese, non un vago ricordo, ma una religione viva, fremente, tenace. È stato così grande, così puro, così ideale il bene dei nostri che noi al di qua e al di là dell'Oceano viviamo per loro, sogniamo di loro, quasi parliamo con loro nel loro dialetto quasi per non alterare neppure nella forma quei rapporti di grande affezione che sono stati la loro vita e che saranno tutta la nostra vita.

Tra questi bozzetti si veda *Li gatti de la Jordana* [222] in cui viene descritta la via "de la Jordana": la via dei gatti per eccellenza:

Lu postu cchiù sicuru de li gatti,
Currianu mu si liccanu li... Piatti
De li ricchi... [223].

Il posto più sicuro dei gatti, / Correvano per leccarsi i... Piatti / Dei ricchi.

Gatti d'ogni "risma" e di ogni razza, che

Affamati currianu mura mura
E casi casi...[224].

Affamati correvano muri muri. E case case...

In quella via arrivano

[...] gatti russi
De li paisi vicini e luntani,
Ma veramente, furu li pasani
Li cchiù assai...[225].

[...] gatti rossi / Di paesi vicini e lontani, / Ma veramente, furono i paesani / I più numerosi.

Ma — osserva il poeta — ora che i piatti si sono rotti

Li gatti squagghiaru cuamu cira
E la Jordana, de juarnu e de sira...
mo sta questa...[226].

I gatti squagliarono come la cera... / E la Jordana, di giorno e di sera... / Adesso sta tranquilla.

Nella poesia del Riccio si notano tematiche e immagini nuove e tradizionali, e vi troviamo anche registrato fedelmente il cambiamento della società, degli uomini e dei suoi sentimenti. Notevole è a tal riguardo una poesia di *Vita e realtà* che s'intitola *Tiempi de Milioni* in cui tra le altre cose, si nota che

Mu si marita na gjoia de figghia,
Chi na vota bastava na coddara
Pe nommu si ruvina na famigghia,
Na dota chi potivi ragiunara...
Ojia si parra a tutti li puntuni

Duva su li dinari a miliuni...

E si dimanda cu la faccia tosta
De miliuni chi li guannu dara;
Aspettanu nu misa la risposta
Mu vidanu si puannu cumbinara;
E si no li cumbena dinnu no
Ca pe tri miliuni non la vo... [227].

Per maritarsi una gioia di figlia, / Che una volta bastava una caldaia / Per non rovinarsi una famiglia, / Una dote che potevi ragionare... / Oggi si parla a tutti gli angoli / Dove sono i denari a milioni... / E si domanda con faccia tosta / Di milioni che si possono dare; / Aspettano un mese la risposta / Per vedere se possono combinare; / E se non combinano dicono di no / Che per tre milioni non la vuole.

L'amore non esiste: i soldi sì: perché molti vanno in giro per tutti i paesi — come fanno i mercanti — per trovare famiglie ricche che possono quindi dare alle loro famiglie doti milionarie. E qui interviene il solito moralismo, l'onestà del Riccio: l'uomo che va in cerca di una "compagna" deve essere molto onesto e anche non deve vestirsi come Arlecchino e non deve comportarsi da cretino.

Come altri poeti dialettali anche Francesco Saverio Riccio osserva amaramente che il mondo è tutto cambiato:

Para nu mundu mal'educatu,
E specialmente la gioventù
No la cuntenta mancu Gesù;
E si la parri quasi pe nenta
Scappa volandu nommu ti senta [228].

Sembra un mondo male educato; / E soprattutto la gioventù / Non la contenta neppure Gesù, / E se le rivolgi la parola quasi per niente / scappa volando per non ascoltarti.

E con rammarico:

Mo li studenti, mo li guagliuni

Vannu civati cuamu picciuni;
Si no li civi pe nu minutu
Fatti lu cuntu ca si perdutu,
E si li parri duva nc'è genta
Votanu faccia nommu ti senta.

Si ncunu patra parra e nu figghiu
Pemmu li duna ncunu cunsigghiu
Ava mu senta lu ritornellu
Chi non e' bruttu che non e' bellu:

"Vau mu mi chiedu ntra nu cummientu
Nommu ti vjiu e nommu ti sientu" [229].

Adesso gli studenti, adesso i ragazzi / Vanno accuditi come i piccioni, / Se non dai loro da mangiare per un solo istante / Fatti il conto che sei perduto; / E se loro parli dove c'è gente. / Ti voltano la faccia per non sentire. / Se qualche padre parla a un figlio / Per dargli qualche consiglio, / Sente il ritornello. / Che non è brutto che non è bello: / Vado a rinchiudermi in un convento. / Per non vederti e per non sentirti.

Questo lamento per i tempi cambiati è una tematica ricorrente nella poesia dialettale calabrese dell'Ottocento e del Novecento. Quasi tutti i poeti che hanno scritto in dialetto rimpiangono i tempi allegri e migliori di un tempo e si distaccano dal presente. E anche il Riccio osserva che i ragazzi di un tempo erano più obbedienti e sbrigavano ogni tipo di faccenda che veniva loro richiesta. Adesso

[...] si mandi nu guagliuna
Pe na livra de crastatu
Ti rispunda scustumatu
E ti dicia ca non và [230]

[...] se mandi un ragazzo / Per una libbra di capretto castrato / Ti risponde in modo scostumato / E ti dice che non va.

Presente è anche l'amore a propostito del quale il poeta scrive:

Per quanto si possa scrivere sull'Amore resta un mistero per l'uomo. Nessuno può esattamente determinare come, quando e dove nasce, e come, dove e quando cresce. Ed è perciò un mistero come tutti gli altri misteri che governano la vita umana [231].

L'amore

No' si sa' pecchi nesciu...
Cu lu ficia mu nescia e cuamu e quandu...
E pecchi' pe' nu nenta pua moriu
Dopu chi mu crisca stissa tantu!
E' nu misteru, chi tutta la genta
Quandu nda sapa assai... ne' sapa nenta... [232].

Non si sa perché sia nato... / Chi lo fece nascere e come e quando... / E perché per un nulla poi muore / Dopo che è cresciuto si estingue! / È un mistero, che tutta la gente / Quando ne sa assai... non sa nulla...

L'amore per il poeta è una

[...] passiona la cchiù dedicata
Chi dira si porria: La cchiù malata!...

[...] passione la più delicata / Che dire si potrebbe: La più malata!...

E osserva che

Ogni testa de scienza nd'ha parratu...
Cu dicia ca l'amuri e' nu destinu,
Ma pe' quanta nda sa' lu scienziatu
Tantu nda po' sapira lu cretinu...
A lu vuati cu gira no' lu trova,
E tormenta la genta chi no' mova!... [233].

Ogni testa di scienza ne ha parlato... / Chi dice che l'amore è un destino, / Ma però quanto ne sa lo scienziato... / Tanto ne può sapere il cretino... / Alle volte chi gira non lo trova, / E tormenta la gente che non muove!...

Le immagini della donna si rifanno alla tradizione dialettale. Ora è di scena la donna mentre fa il bucato. La sua faccia è come un papavero e ha gli occhi lucenti come una regina. E naturalmente

N'angiala mi parivi! E ti guardai
E fu lu jiuarnu chi m'annammurai...[234].

Un angelo mi sembravi! E ti guardai. / E fu il giorno che mi innamorai

Ma poi passano gli anni, e quindi anche la gioventù: incominciano a manifestarsi gli affanni e l'innamorato non vede più l'amata: nel suo cuore c'è una piaga che lo tortura per tutta la vita, quando egli pensa al suo angelo:

Pensandu cu stu cora la jiornata
Chi ti stai lavandu la vucata...

E mo cu tanti affanni
Ti pienzu ancora!... E tu
Ti cridi ca cu l'anni
Io non ti pienzu cchiù!...[235].

Pensando con questo cuore la giornata / Che ti stavi facendo il bucato... / E adesso con tanti affanni / Ti penso ancora!... E tu / Ti credi che con gli anni / Io non ti penso più!...

Altre sue poesie sono allegre e piene "di vita e realtà" che possono interessare tutti; ossia tutti quelli che "vogliono trarre benefici dalla lettura dei libri". Il Riccio ha scritto qui le impressioni degli avvenimenti che correvano ai suoi tempi e condanna il vizio, l'ozio, la guerra, la disubbidienza, il mercimonio, gli espedienti disonesti, la camorra, l'accattone e molti altri difetti che rendono l'uomo malvagio e disonesto e di contro viene esaltato il lavoro, l'educazione e l'onestà come le supreme fonti di vivere la breve vita terrena.

In altri suoi componimenti se la prende contro quelli che parlano male della gente e non abbandona mai quel tono pedagogico-morale su cui vi ritorneremo in seguito.

Toni e immagini sono molte volte iterate, e ciò costituisce senza alcun dubbio la parte più debole e monotona della produzione dialettale del Riccio:

Dati a' la genta chi mora di fama
Ncuna scagghia de pana e de' formaggiu!
E s'incasu vi manca lu curaggiu
Pensati ca si MORA.

E quandu vi nda jiti a l'atru mundu
Atru non nc' 'e' pe' vui ca na curuna,
E cu lu sa'! si ncunu sciampagnuna
Sciala e rida?

E si pensati ca duna dunandu
Vi stimanu li pietri de' la via,
E cu no' crida la parola mia
Mu fa la prova.

Ma ncunu jiuarnu, quand' 'e' troppu tardu,
Si no' sentiti stu cunsigghiu mio
Aviti mu renditi cuntu a DIO
De li peccati! [236].

Date alla gente che muore di fame / Qualche tozzo di pane e di formaggio / E se per caso vi manca il coraggio, / Pensate che si MUORE! / E quando ve ne andate all'altro mondo / Altro non c'è per voi che una corona, / E chi lo sà? Se qualche buontempone / Si sciala e ride? / E se pensate che dona donando / Vi stimano le pietre della via, / E chi non crede alla mia parola, / Fa mala prova. / Ma qualche giorno, quando è troppo tardi, / Se non sentite questo mio consiglio / Avete da render conto a DIO / Dei peccati.

Non abbandona questi toni e anzi li ripiglia in un altro componimento che già dal titolo [237] rivela chiaramente la sua struttura e contenuto:

Mastru Nicola forse no' sa'
Ca lu Signura quandu girava,
A tutta quanta l'umanità
Pemmu li sazia pana li dava! [238].

Mastro Nicola forse non sa / Che il Signore quando girava, / A tutta quanta l'umanità / Per saziarla dava del pane!.

E poi il poeta lamenta che oggi

[...] lu pana ni para nenta,
Para na cosa senza sapura,
Ed'io lu ntisi de' certa genta
Chi no' s'importa de' lu Signura [239].

[...] il pane ci sembra nulla, / Sembra una cosa senza sapore, / Ed io lo intesi dire da certa gente / Che non s'importa del Signore.

E solo in caso di carestia si fa sempre più forte il ricordo del pane, del formaggio e del vino e

Ni ricordamu de lu formaggiu,
Chi quasi quasi no' ni piacìa,
Quandu Nicola appa coraggiu,
Mu dicia ch'era na porcherìa... [240].

Ci ricordiamo del formaggio, / che quasi quasi non ci piaceva, / Quando Nicola ebbe il coraggio. / Per dire ch'era una porcheria...

Cambiano circostanze e fatti: l'umanità invece non cambia mai anche se talvolta, specie durante la Pasqua ad esempio

Ognunu si ndinocchia
Prega e si fa la crucia
Cantanu a bella vucia
Lu Rusariu.

Ma priastu pua si scordanu
E doppu compessati
Si fannu de lignati
Na cacina [241].

Ognuno si inghinocchia / Prega e si fa la croce / Cantano con bella voce / Il Rosario. / Ma presto poi si dimenticano / E dopo confessati / Si fanno di legnate una calcina.

Concetti ancora ripetuti si riferiscono alla vita dell'uomo che a mano a mano che cresce cambia carattere e muore, e così diventa invidioso e impara tanti vizi. Quindi si avvia — come dice con espressione molto colorita ed efficace — "verzu l'acitu = verso l'aceto" [242]. Difatti prima aveva usato l'immagine del frutto che quando è maturo ristora chi lo mangia, ma non appena l'uomo ha avuto la pensata di metterlo nell'aceto ha guastato il frutto che prima portava tanta allegria in cuore:

E de quandu si menta ntra l'acitu
Perda lu pregiu, perda lu sapura,
Non e' cchiù bellu, non e' cchiù pulitu,
Perda lu sensu e perda lu culura,
E de' nu fruttu tantu ricercatu
Diventa quasi quasi mbalenatu [243].

E da quando si mette nell'aceto / Perde il pregio, perde il sapore, / Non è più bello, non è più pulito, / Perde il senso e perde il colore, / E da un frutto tanto ricercato, / Diventa quasi quasi avvelenato.

L'allegoria è evidente: essa riguarda la condizione dell'uomo e il frutto messo nell'aceto ne è il simbolo. E difatti l'uomo con le sue mani rovina tutto ciò che Dio creò bene nel mondo.

Ecco ancora altri concetti ripetuti. Si veda a tal riguardo la poesia che fa parte de *I caratteri dell'uomo* [244]

Ma tutti è fumu... Tuttu è fantasia...
La natura ni ficia mu ni squagghia.
La SCIENZA stessa avitta mu dirria:

Ca simu cchiù meschini de la pagghia,
Ca simu quasi quasi poercherìa,
Ca simu na manata de curvagghia.

Ma tutto è fumo... Tutto è fantasia... / La natura ci fece in modo da morire... / la SCIENZA stessa dovrebbe dire: / Che siamo più meschini della paglia, / Che siamo quasi una porcheria, / Che siamo una manata di letame.

E anche quest'altra considerazione viene presa e ripresa varie volte:

L'uomu no nescia nobila
Puita e littiratu,
Spezziala, magistratu
O Cavaliari;

Anzi de quandu nescia
Nescia senza parola
Perciò nce vo la scola
Mu lu mpara [245].

L'uomo non nasce nobile. / Poeta e letterato, / Speziale, magistrato / O Cavaliere; / Anzi da quando nacque / Nacque senza parola / Perciò ci vuole la scuola / Per insegnargli [246].

Altre tematiche ci è dato enucleare e sottolineare nelle poesie ricciane. Così egli mette alla berlina la classe abietta. A tal riguardo ricordiamo alcuni versi dedicati *Al poeta Francesco Saverio Riccio con ammirazione e stima di Germoglino Saggio*:

Quando col verso metti alla berlina
La classe abietta e la poltroneria,
Schiudi a l'umanità la dritta via
E una speme le dai che non declina.
Leggendo i versi tuoi, nell'alma senta
Un fascino che attira il mio pensiero
E incitare mi fa la fantasia
Provo un indefinibil godimento

Per il tuo stile limpido e sincero
E la semplicità dell'armonia [247].

Il poeta — come già abbiamo detto — amante del lavoro [248] è logicamente nemico del vizio. A tal proposito si veda la poesia intitolata in maniera significativa *Il riposo del poeta* in cui si dice chiaramente:

La natura, lu jiuarnu chi nescimma
Tanta vita ni dezza... e tanta via

E mo Giocchinu [249] si mi vai trovandu,
Si ti vena la vogghia mu mi vidi,
Gira per li campagni... e girjandu
Mi truavi duva menu ti lu cridi.

E non serva mu vai ntra na taverna
Duva la genta va mu si ruvina,
E no ti serva mancu la lanterna
O mu ti lievi priestu la matina... [250].

La natura, il giorno che siamo nati / Tanta vita ci ha dato... e tanta via. / E adesso Giocchino se mi vai trovando, / Se ti viene voglia di vedermi: / Gira per le campagne... e girando / Mi trovi dove meno te lo credi. / E non serve andare nella taverna / Dove la gente va per rovinarsi, / E non ti serve neppure la lanterna / Per alzarti presto la mattina...

Contro i vizi è anche l'altra poesia intitolata *Vizzi de' chiazza* [251]. E i vizi di piazza sono la taverna ("duva si canta duva si grida") e il vizio per eccellenza per cui chi vi capita cade in una "tinagghia" [252] e perde la testa e si vende tutto. Naturale, quindi, e logica la conclusione:

Vizzi de' chiazza... su na ruvina,
Pe li paisi pe li città,
Ed'a la genta ti la ncatina
Mu la subissa senza pietà.

Vizi di piazza... sono una rovina, / Per i paesi per le città, / E a la gente te la incatena / E la subbissa senza pietà.

Altre volte polemizza ma non violentemente contro i meschini, i farabutti, i nemici della società, gli avari, bollati efficacemente come "peducchiusi" [253] che

> Dormanu cuamu cani ntra li grutti
> E non sannu la via de la città,
> Hannu dinari quasi quasi tutti
> Ma no nda dannu mai pe carità [254].

Dormono come cani nelle grotte / E non sanno la via della città, / Hanno denari quasi quasi tutti / Ma non ne danno mai per carità.

Indubbiamente sono esseri malati e come dice efficacemente il poeta sono "peducchiusi nati" [255].

Va ancora osservato che nelle tematiche varie della poesia ricciana rientra anche l'educazione che le madri — a seconda se sono ricche o povere — impartiscono ai loro figli: così la mamma ricca non vuole che il figlio sia comandato a disbrigare alcune faccende in quanto è delicato e può cadere malato e intanto — non sono esenti i soliti toni morali —

> [...] lu guagliuna
> Criscia malumparatu
> Cretinu, scustumatu [256].

[...] il ragazzo / Cresce maleimparato / Cretino, scostumato.

Invece la mamma povera vuole che il figlio venga comandato e mandato in tutte le parti anche nei paesi per buscarsi "la spisa" [257] e quindi così si impratichisce nella vita. E logicamente questo "guagliuna" cresce bene.

Il poeta ama dar consigli. Egli è convinto che la poesia, i libri devono dire e comunicare la verità, e perciò nelle sue poesie troviamo versi come i seguenti:

Ma fatigandu duva nc'è guadagnu
E sparagnandu l'urtimu tornisa [258],
Tu ti n'adduni ca misa pe misa
Ti risani.

Dassa de banda li divertimenti
Apara l'uacchi e cercati na via!
L'uamu chi scrisse chista poesia,
Nda sa de mundu!.

Dissa l'anticu: Amaru cu n'on'ava
E trista e sbenturatu cu no' po',
E lu mundu de prima e puru mo',
Sempa lu stessu [259].

Ma lavorando dove c'è guadagno / E risparmiando l'ultimo tornese, / Tu te ne accorgi che mese per mese / Ti risani. Lascia da parte i divertimenti / Apri gli occhi e cercati una via! / L'uomo che scrisse questa poesia / Ne sa di mondo / Disse l'antico: Amaro chi non ha / Triste e sventurato chi non può, / E il mondo di prima e pure adesso, / È sempre lo stesso.

Quì è affermata una verità elementare con un dialetto facilissimo da capire.

Consigli, moniti, toni pedagogici e morali, sentenze, proverbi sono veramente abbondanti:

Perda lu tempu, perda terrenu
Cu chianta vigna duva no' fa,
Ed e' lu stessu, ne' cchiù ne' menu
Duva si criscia l'umanità [260].

Perde il tempo, perde il terreno / Chi pianta vigna dove non alligna, / Ed è lo stesso, ne più ne meno / Dove si cresce l'umanità.

Oppure:

Ma cu lu tiempu — Gira la rota —
... mo va cercandu la carità [261].

> Ma col tempo — Gira la ruota — / ... adesso va cercando la carità.

Si tratta di Gioacchino un tempo il più ricco della città. Egli difatti da ricco non ha mai dato ed

> Era n'avaru strittu de manu,
> Mo povaracciu passa li guai;
> Senza nu sorda, senza nu granu [262].

> Era un varo stretto di mano, / Adesso poveraccio passa i guai; / Senza un soldo, senza un grano.

Ormai Gioacchino non è più ricco e

> [...] Mo si lagna... Mo si lamenta
> De la simenta chi siminau
> Mo si ricorda... Mo si ripenta!
> Però Gioacchinu... Tardi cantau [263].

> [...] ora si lagna... Ora si lamenta / Dalla semente che seminò / Ora si ricorda ora si ripente! / Però Gioacchino... Tardi cantò.

Si veda ancora la poesia intitolata *Speranza de' Terra* [264]. Non bisogna — vien detto — solamente nutrire speranza della terra in quanto essa tante volte

> [...] resta ricca,
> Ed'ogni tantu vena na tempesta,
> Chi si leva lu mundu, e chi no'resta
> Mancu crita!... [265].

> [...] resta secca, / Ed ogni tanto viene una tempesta / Che si porta via il mondo, e che non resta / Neppure la creta!.

E chi ancora "sta speranza sulu de terra", e soprattutto chi non ne possiede molta, col passare degli anni passa guai cu' la pala". E qui ripete l'antico concetto che la storia è maestra della vita e

Famigghi cu' terreni d'olivari
Si la passaru scarzi de' dinari [266].

Famiglie con terreni d'oliveti / Se la passarono scarsi di denari.

Per di più molte di queste famiglie si trovarono talmente indebitate che furono loro ipotecati tutti i terreni. E il poeta a tal punto afferma:

E cu' no' crida a mia mu va girandu,
E mu vida puntuna pe' puntuna
Tutta la terra chi cangiau patruna
A cinquant'anni!.
Perciò cu' sta speranza de la terra
E no' s'aiuta mu si da' de manu,
Lu vidi chi si squagghia chianu chianu,
Cuamu cira... [267].

E chi non crede a me vada in giro, / A vedere angolo per angolo / Tutta la terra che cambiò padrone / A cinquant'anni! Perciò chi ha speranza della terra / E non s'aiuta a darsi una mano, / Lo vedi che si squaglia piano piano; / Come cera...

Il poeta ha l'aria da saccente che disturba non poco. Si veda a tal proposito il sonetto *Prima penza e pua fa* [268]:

Prima c'ha mu si jietta na dumanda;
L'uamu ha mu penza, nommu si compunda!
Non'ha mu si da l'aria ca cumanda...
Ha mu scandagghia si la rota è tunda... [269]

Prima che si faccia una domanda / L'uomo deve pensare, per non confodersi! / Non deve mai avere l'aria di comandare... / Deve scandagliare se la ruota è tonda!.

E con lo stesso tono:

E si cerca mu da' ncuna pedata
Ha mu sapa la strata chi cammina
Pe nommu lu succeda na frittata.

Cu sta speranza d'atru e no' cucina...
Si la ricorda bona sta tonata
E cchiù priestu si leva la matina! [270].

E se cerca di fare un passo / Deve sapere la strada da percorrere / Perché non gli succeda qualche frittata / Chi spera dagli altri e non cucina... / Se la ricordi bene questa lezione / E più presto si alza la mattina!

E su questo detto o proverbio è giocato l'altro componimento (già analizzato) intitolato *Lu candileri de crita*, proceduto dal detto "A la squagghiata de la niva parenu li pietri" [271].

Di toni pedagogici è permeata la poesia di Riccio. E non può essere altrimenti per un uomo che crede all'utilità e al bene che la poesia appunto può dare agli altri uomini. Poesia come verità o, meglio come parola di verità, come parola utile alla vita dell'uomo [272].

Abbondante, come si vede, il carattere moraleggiante, umoristico, gnomico della sua poesia nella quale manca il vero sarcasmo, perché il poeta di Girifalco è portato ad una forma di scherzo bonario, per insegnare più che colpire:

Si vua nu permessu, si vua na scrittura,
Nu certificata o ncuna potenta;
Na carta qualcuna de ncuna Pretura
Chi tu cridarissi ca vena pe 'nenta
Li scrivi l'appunti, lu cuamu e lu quandu
Nu puacu de grassu e vena volandu [273].

Se vuoi un permesso, se vuoi una scrittura, / Un certificato o qualche patente, / Una carta qualunque di qualche Pretura / Che tu crederesti che viene per nulla / Li scrivi gli appunti, il come e il quando / Un poco di grasso e viene volando.

E prima aveva detto:

Si vua mu ti passa nu figghiu a la scola,
O si lu maestru li nega lu passu,
No jra gridandu, no dira parola:
Mancanza de sivu, mancanza de grassu...
Nu pocu de lardu o fungi de muru
E fatti lu cuntu ca passa sicuru [274].

Se vuoi che tuo figlio sia promosso, / O se il maestro gli nega il passo, / Non andare gridanto, non dire parole: / Mancanza di sevo, mancanza di grasso... / Un poco di lardo o funghi di muro / E fatti il conto che passa sicuro.

È proprio della tradizione della poesia dialettale calabrese questa alternata forma di umorismo, ed essa è dovuta al fatto che il popolo al quale in genere i poeti appartengono ed al quale principalmente intendono rivolgersi, più facilmente si compiace di una lettura o di una recitazione divertente anziché di una che lo porti a pensare e ad aggravare le già numerose preoccupazioni del suo vivere quotidiano.

Un'altra caratteristica della poesia del Riccio è rappresentata dai proverbi [275] che sono usati per abbellire i versi contenuti in *Poesie in vernacolo calabrese*. Sono questi proverbi calabresi [276] che danno maggiore efficacia ai suoi versi appunto, e al poeta piace confessarlo affinché non sia tacciato di essersi servito delle "vesti" altrui per abbellire le sue.

Difatti il Riccio osserva che non c'è cosa più "soave" e interessante per un lettore che l'inserire nei versi motti e proverbi che educano il popolo o lo stesso poeta fin dalla sua fanciullezza.

Questi proverbi sono disposti alfabeticamente, ed alcuni si contraddicono fra di loro, forse perché dettati in tempi differenti. Altri racchiudono una certa dose di malvagità, forse perché dettati da qualche malvagio per suo uso e consumo.

Ma il poeta per essere imparziale li ha raccolti ugualmente.

Egli attribuisce ai proverbi una funzione anzi, li stima "messaggeri de pacia e verità" ed essi danno pure la "luce" [277] a molti sventurati che fanno parte dell'umanità che

[...] si la lucia no' li mancaria
Camminarianu pe' la bona via...[278].

[...] se la luce non mancherebbe loro / Camminerebbero per la buona via...

E proverbi se ne trovano molti nelle sue poesie:

E si crisciendu[279] senza a d'uacchi chiusi
Ndava tanti chi restanu mbrogghiati:
Mbiatu a lu paisa de cecati
cu 'ava n'uacchiu[280].

E se crescendo sempre a occhi chiusi / Ce ne sono tanti che restano imbrogliati: / Beato al paese dei ciechi / Chi ha un occhio.

Oppure:

No fatigara si no' si chiamatu
Mu ti procuri ncuna restatina,
"Cu sta speranza d'atru e no cucina
Si ripenta"[281].

Non lavorare se non sei chiamato / Per procurarti qualche avanzo, / "Che chi spera su gli altri e non cucina / Si ripente".

Anche in un sonetto[282] troviamo un proverbio in cui si dice che dove si nasce si deve vivere: "duva si nescia si pascia..." Difatti il porco si rivolta nel letame e così la vacca sulla "voina" (sterco di bue) e il gatto gira nella cenere. Così l'uomo

[...] gira ntra lu... casalinu,
Nommu li schianta na parte de' cora,
E si riposa supa lu cuscinu.

[...] gira nella... sua casa di campagna / Perché non gli si schianta una parte del cuore; / E si riposa sul cuscino.

Ma se poi quell'uomo esce dal suo ambiente naturale,

Cu' lu curaggiu de nu puricinu
O campa penjatu, o schiatta o mora! [283].

Con il coraggio di un pulcino, / O campa sventurato, o schiatta o muore!.

In questo libro poetico il poeta ha voluto inserire anche una *Raccolta* di proverbi calabresi con lo scopo di trovarvi dei versi sgorgati da un animo semplice e schiettamente popolare, nel senso che il poeta li ha raccolti per i suoi compagni di lavoro, per le persone del suo ceto, così come avevano fatto prima di lui i poeti più vicini al suo genere (Pietro Milone da Palmi, Alfonso Pelaggi [284], e in piccola parte anche gli stessi Conìa, Ammirà [285], Patàri).

Francesco Saverio Riccio si serve pure di pensieri e versi altrui per introdurre ed esplicitare meglio i suoi concetti, le sue idee. Quei versi sono posti dal Riccio come epigrafi. È il caso della poesia *La jena struita* [286] preceduta dai seguenti versi danteschi di *Inf.*, (Cant. XXXI):

Che dove l'argomento della mente
S'aggiunge al mal volere ed alla possa
Nessun riparo vi può far la gente.

E difatti quando una iena fece la pensata di studiare, di diventare un professore, tutta la gente inginocchiata gridava:

[...] Sia lodatu lu Signura! [287].

[...] Sia lodato il Signore!.

Ma la bestia anche con l'istruzione non ha cambiato natura, e la situazione allegorica mette a fuoco il concetto che

[...] la natura no' si cangia mai...

No' cangia de la vipera lu denta
E si no' t'alluntani passi guai!
Rospu no' nescia d'ova serpenta...[288].

La natura non si cambia mai... / Non cambia della vipera il dente / E se non t'allontani passi guai! / Rospo non nasce d'uova di serpente...

La iena, tutto sommato, anche se è istruita è sempre "maligna" e crudele. Ancora si serve di Dante in *Lu pitusu de' chiazza*[289]:

Intesi che a così fatto tormento
Eran dannati, peccator carnali
Che la ragion sommettono al talento.

E di nuovo Dante è posto ad epigrafe ne *Il Prologo*[290] oppure citato è anche Clasio[291]:

Se nella verde etate ognun trascura / Di lodato sapere ornar la mente / Quand'è giunta per lui l'età matura / D'aver perduto un sì gran bene si pente, / Cercalo allor, ma trovasi a man vuota / Potea non volle, or che vorria non puote!

Citati sono ancora alcuni passi del Genesi[292], poi Olindo Guerrini[293], Giuseppe Giusti[294].

Altre ancora sono le caratteristiche sia positive sia negative (di quest'ultime parleremo subito) delle poesie dialettali del Riccio. E qui va messo in evidenza che quell'arte da saccente, da moralista non rende efficace il poeta di Girifalco:

Scappa de quantu pua duva n'é puzza
No dimandara cu si piritau,
Amaru l'uamu chi no si guardau
Li mienzi affari sua!!
Adattati mu mu fai de quantu pua,
De la fatiga non ti virgognara,
E si ncunu passija no guardara,
Guarda li piedi tua!![295].

Scappa quanto più puoi da dove c'è puzza, / Non domandare chi ha fatto scorregge, / Triste l'uomo che non si guardò / I mezzi affari suoi!! / Adattati a fare quanto puoi, / Della fatica non vergognarti, / E se qualcuno passeggia, non guardare, / Guarda i tuoi piedi!!.

E ancora:

Li sordi su giranduli
Mi paranu na rota,
Ca doppu ni li donarunu
Li vuannu natra vota! [296].

I soldi girano sempre / Mi sembrano una ruota / Che dopo ce li danno / Poi li vogliono un'altra volta! [297].

Appare pedante quando ripete motivi vecchi quanto il mondo, sfruttati ad oltranza in tutte le lingue e più o meno conditi di toni sentenziosi, di consigli, di rimpianti:

Figghiu! Pe carità non ti nzurara
si forti non ti senti l'ossatura
pe nommu ti succeda 'na sbentura
chi mancu li Signura la ripara.
Quandu menu ti lu cridi
Ti 'nzurasti e ti la vidi,
Ti la vidi sulu tu!... [298].

Figlio! Per carità non sposarti / se forte non ti senti l'ossatura, / per non succederti una sventura / Che neppure il Signore può riparare / Quando meno te lo credi / Ti sei sposato e te la vedi, / Te la vedi solo tu!...

È efficace invece, quando predica ''scola, scola'' affinché i ragazzi non crescano analfabeti o quasi; e ciò glielo suggerisce l'esperienza, constatando come fuori del proprio paese ognuno viene trattato per quanto sa:

Nui simu 'ntra l'America
de tutti disprezzati,
quasi quasi trattati
cuamu cani;
Pecchi' l'assai de nui
ebbi la sorta amara
a no sapire dara
'na pinnata.
Perciò pasani mia,
a li guagliuni amati
diciti a gridati
Scola, scola!...

Noi siamo nell'America, / da tutti disprezzati, / quasi quasi trattati / come cani, / Perché la maggior parte di noi / ebbe la sorte amara / a non saper dare / una pinnata. / Perciò paesani miei; / ai ragazzi amati / dite e gridate loro: / Scuola, scuola!...

Ci colpisce ancora nella sua poesia un'aria di serenità che si unisce ad una grazia che si riscontra nella descrizione di alcune scene semplici della vita domestica e di quella dei campi:

Si passi pe li strati a juarnu chiaru
Versu li Cruci o versu Misconi
Sienti la melodia de lu tilaru
Chi fa lu ta-ta-lu ta-ta tti!
E doppo tant'anni chi passaru
Ancura mi ricuardu bellu-vi!
La nota chi nescia di lu tilaru
La nota chiara de lu-ta-ta tti!...

Tessia tutti li jiuarni Margarita,
E si tessia la tila de lu linu
Cu la speranza ca si ssi marita

Mu si trava na faccia de coscinu...
Ma doppu chi tessiu tutta la vita
Pe' nommu si marita fu destinu [299].

Se passi per le strade a giorno chiaro / Verso i Croci o verso Misconi / Senti la melodia del telaio / Che fa lu ta-ta bu' ta-ta tti / E dopo tant'anni che passarono / Ancora mi ricordo bello-vi / La nota che usciva dal telaio / La nota chiara del ta-ta-tti... / Tessava tutti i giorni Margherita / E si tesseva la tela del lino / Con la speranza di maritarsi. / Ora si trova una faccia di cuscino... / Ma dopo che ha tessuto / Per non maritarsi fu destino...!

Alcuni versi del Riccio sono da ammirarsi solo come poesia giocosa e burlesca:

Quandu l'uomo è nu cretinu
Lu cumanda la mugghiera.
Lu revigghia a matutinu
Ppemmu appiccia la lumera.
Si li dicia: non movira
De la segia, statti ccà,
Non 'nda parra de nescira,
E lu fissa a mu si sta'.
Si li dicia: fa lu pana
Lu maritu a' mu lu fa
Pua li menta la suttana
E lu cunza a... Fra Balà.
L'autri cuasi non li dicu
E li dassu de cuntara,
Ca non vuogghiu m'amminimicu,
E pe cchissu... lassu stara.

Quando l'uomo è un cretino / Lo comanda la moglie. / Lo sveglia al mattino presto per accendere il lume. / Se gli dici: non muoverti / dalla sedia, stai qui, / non parla più di uscire, / e lui fesso rimane. / Se gli dice: fai il pane, / Il marito obbedisce: / Poi gli mette la sottana / e lo aggiusta come... Fra Balà / L'altre cose non le dico / e le tralascio di dire, / che non voglio inimicarmi, / e per questo lascio stare.

Il poeta, invero, lascia stare per quel senso d'ingenuo timore d'offendere: egli è diverso da *Patra Giuanni* che non perdona a nessuno, attaccando tutti personalmente "all'acido prussico".

Sentimento ed umanità sono nella poesia del Riccio. A tal riguardo si veda la poesia ''La Coccjatura'', cha fa parte della seconda raccolta, ove si coglie come il poeta è veramente un artista del vero, umano e sentimentale al tempo stesso, ispirato dall'amore cristiano per tutte le creature:

Nu juarnu na guagliuna pe lu chianu,
Morta de friddu volia mu coccija
L'abbista Giuseppu lu guardianu
E ridendu ncignau mu la rotija,
Ma la cotrara appena l'abistau

De marmaru si ficia e ne' parrau
Allora lu guardianu mbicinau
Vidiendu la guagliuna scuncertata
E dissa: ''Nu panaru ti nda dugnu,
Abbasta chi mi duni na vasata'',
Ma la cotrara chi forta ciangia
Si ficia di coraggiu e li dicia:

Pierzi la mama, patramma è malatu
Aerisira si pigghiau la medicina,
No tenimmu nemmenu nu' patatu,
Patramma vo' du' coccia de pastina
Ed io pecchissu vinni mu coccija

Lu medicu mi dissa ntra la scala
chi quandu pienzu mi trema lu cora,
Attenti a lu malatu ca sta mala
Ca si non l'assisti si nda mora.
Atru no dissa, no passau cchiù avanti.
Si jetta ntra la terra e ruppa a chianti.

Nce su' certi momenti ntra la vita
Chi l'uamu non po dira na parola
Para acchiappatu de na calamita
La lingua non li nescia de la gola,
Vorria mu parra, ma non po' parrari
Li para ca si trova ammenzu mara.
A sti paroli puru a lu guardianu
La lagrima ntra l'uacchiu li girava

Li catta la scupetta de la manu
E la guagliuna ciangendu guardava,
Nu quattru o cincu lire li porgia,
Si pigghia la scupetta e si nda jiu.
La cotrara cangiata de culura
La cera diventau tuttu cuntientu,
Ringraziau cu lu cora lu Signura,
Ed a la casa va cuamu lu vientu,
A lu patra li duna na vasata
E lu ristora cu la: coccijata [300].

Un giorno una ragazza per il piano, / morta di freddo voleva raccogliere qualche oliva. / La vede Giuseppe il guardiano / E ridendo incomincia a circuirla; / Ma la ragazza appena lo vede / Di marmo si fece e non parlò / Allora il guardiano si avvicina / Vedendo la ragazza sconcertata / E disse: "Te ne dò un paniere di olive / A patto che tu mi dia un bacio, / Ma la ragazza che piangeva fortemente / Si fece coraggio e gli dice: / "Ho perduto la mamma, papà è malato / Ieri sera si pigliò la medicina. / Non possediamo nemmeno una patata. / Mio padre vuole due chicchi di pastina / Ed io perciò son venuta per prendere qualche oliva. / Il medico mi ha detto nella scala, che quando vi penso mi trema il cuore, / Attenti al malato che sta male, / Che se non è assistito muore. / Altro non disse, non passò più avanti. / Si getta in terra e rompe a piangere. / Ci son certi momenti nella vita / Che l'uomo non può dire alcuna parola / Pare posseduto da una calamita / La lingua non gli esce dalla gola, / Vorrebbe parlare, ma non può parlare / Gli sembra che si trova in mezzo al mare. / A queste parole pure al guardiano / La lacrima nell'occhio gli girava / Gli cadde il fucile dalla mano / E la ragazza piangendo guardava, / Un quattro o cinque lire le porse, / Si piglia il fucile e se ne va. / La ragazza cambiata di colore / Il cuore diventò tutto contento, / Ringrazia con il cuore il Signore / Ed a casa va come il vento, / Al padre gli dà un bacio / E lo ristora con la: raccolta!

Molte immagini e riflessioni del Riccio sono da ascrivere alla tradizione della poesia dialettale calabrese dell'Ottocento e del Novecento [301], e al centro della sua poesia c'è sempre l'uomo Riccio: persona di buon senso. Egli non attacca nessuno, e se per caso descrive qualche sopruso o qualche vizio degli uomini, generalizza così come si conviene a persona di buon senso appunto:

Si scriva 'ncunu versu
lu scrivu 'ngenerala,
non è ca parru mala
de quarcunu [302].

Se scrivo qualche verso, lo scrivo in generale, / non è che parlo male / di qualcuno.

E descrive puramente e semplicemente alcuni episodi della vita comune del paese [303], senza immagini e senza allegorie, con una punta di disapprovazione soltanto. Egli esalta la virtù, il lavoro, ironizza il prepotente, l'avaro, e induce l'uomo mediocre verso mete più alte. Questa la figura; questa la poesia che rimane e non muore.

Francesco Saverio Riccio ha scritto poesie che rappresentano la *via crucis* dell'individuo che nel paese vede, sente, ama i giusti, freme contro i malvagi, i cattivi, abbraccia alla fine la dolorosa necessità dell'esilio, ma continua col cuore e con la mente a vivere là tra i suoi cari lontani e, scrivendo libero dagli antichi vincoli, forte del suo lavoro, forte della vittoria raggiunta chiama il pane pane e il vino vino, quasi per liberarsi di una velata complicità morale con i malvagi, i retrogradi e quasi da lontano per porgere la mano in segno di solidarietà a tutti coloro coi quali si sente legato nelle vicissitudini dolorose del giorno, aumentate soprattutto nell'agitato dopo-guerra.

Egli stigmatizza le deviazioni morbose, nelle quali l'uomo mediocre e passionale si tuffa in cerca di denaro o di potenza. E perciò la sua poesia coincide con la sua personalità, fatta di rettitudine e di franchezza, d'azione e d'iniziativa.

I suoi versi sono la vibrazione della sua anima, che ha amato ed ha sofferto tormenti e debolezze, ricordi e speranze. E allora la sua poesia dialettale è realista, e in essa c'è la più alta idealità dei nobili principi di giustizia sociale. C'è il suo cuore, c'è il suo popolo. E tutto sommato difende chi

feconda la terra e chi muove le ruote delle fabbriche. Non fecero questo il Parini ed il Rapisardi? [304].

Il suo verso affilato e rovente sferza i cattivi e gli ipocriti; la sua poesia è chiara, incisiva, penetrante. Cerca i diversi motivi del fondo dell'anima umana, che, da buon psicologo, conosce profondamente.

Batte sempre sulla necessità della scuola, perché fonte di luce e di progresso. Scioglie inni al lavoro [305], perché affranca l'uomo e lo rende libero e indipendente, utile a sé e alla società.

Certo il Riccio non è un poeta della elevatura di un Pane o di un Butera ma comunque la sua poesia è testimonianza soprattutto di un uomo [306] che ha conosciuto varie sofferenze e anche gioie ed ha vissuto con nel cuore la nostalgia e la speranza di poter con i suoi versi e le sue verità, consigli [307] aiutare i poveri, gli emarginati, gli infelici. Non importa l'esito [308] artistico della sua poesia in vernacolo e anche in lingua italiana (di questa parleremo in seguito) ma preme più la sua vita onesta e tranquilla [309], il suo affidarsi completamente alla parola per far vedere la varie ingiustizie sociali, i dolori che derivano da particolari situazioni (esemplari a tal riguardo — come si è già visto — le poesie sulla emigrazione), da vari comportamenti umani (dal povero al barone); in una parola il Riccio con la sua poesia contesta la società che dimentica spesso e facilmente la fratellanza e il rispetto umano, e ama la guerra e le malversazioni.

Le sue poesie sono specchio di un uomo amante della pace e della giustizia, e quindi tranquillamente scrive:

Nceranu anticamenta li briganti
Chi pigliava la genta a scupettati;
Ma oja nce na massa de birbanti
Chi venanu de tutti rispettati
E su li signurini senza cora
Chi pe' nenta la genta dissonora [310].

C'erano anticamente i briganti / Che pigliavano la gente a fucilate; / Ma oggi esiste una massa di briganti / Che son da tutti rispettati / E sono i signorini senza cuore / Che per nulla la gente disonora.

Poesia e letteratura (si vedano le varie citazioni che si riferiscono a versi e poesie altrui: Dante, Petrarca, Leopardi ecc) per il poeta di

Girifalco hanno svolto e svolgono una precisa funzione — e una tal funzione vuol anche avere la sua poesia — che è quella di rendere più buona e più educata l'umanità perché possa vivere onestamente e in pace.

L'uomo deve ascoltare il poeta per migliorarsi in quanto il poeta scrive sempre qualche parola utile, qualche parola che solleva e migliora appunto l'uomo, e non per nulla il Riccio si ricorda spesso di Dante, di San Francesco, di quel Santo festeggiato [311] dalla gente che spesso però dimentica l'insegnamento dei suoi "mistici" scritti come

[...] Risulta dall'odierna cronaca
Di truffe e di delitti...
Mira l'incerto sguardo dell'ipocrita,
che sogna eredità,
Fantasticanto la sua vita comoda
Di quando arricchirà
E come vedi, abbiamo anche l'America
Sorgente di ricchezze,
Che con la calamità del suo *Dollaro* [312]
accresce l'amarezze;
Racchiudendo silente nelle viscere
Il rude minatore,
Che "Fratellino Sole" non illumina
Con luce e con calore;
Quivi sepolti nella terra fragile,
Ignari di una sorte,
Ritorneranno alla capanna fradicia
Con la "Sorella Morte" [313].

Il poeta si è creato un suo mondo in cui perfettamente coincide poesia e vita, pensiero e azione. E il tutto viene espresso con un dialetto sempre incisivo e spontaneo che ci restituisce intatto l'aroma, la bontà, il sentimento popolare, quel sentimento di cui il poeta non si dimenticherà anche se poi vivrà la maggior parte della sua vita lontano dalla cara terra natia, dalle care vigne e frutti che hanno accompagnato la sua fanciullezza e prima giovinezza.

La sua poesia — e ciò è un altro pregio — è libera da influssi di scuole, di correnti, di mode. Infatti la prima impressione che prova il lettore un pò avveduto o per lo meno informato è quella di trovarsi dinnanzi ad una poesia personalissima, nuova, ma nello stesso tempo antichissima, scavata pazientemente, veramente partorita con dolore dopo una intima e matura gestazione. Perciò la troviamo semplice, scabra, priva di lenocini formali.

Lo ripetiamo: Francesco Saverio Riccio è immune da influenze scolastiche, e si vanta, infatti, del suo umile passato di artigiano, e nei suoi canti [314] e nelle sue poesie, non importa se lo strumento usato sia il vernacolo più che la lingua letteraria, vi sono gli eterni drammi del cuore e l'immortale vitalità della poesia.

Comunque egli è tanto buono che, non convinto di non aver offeso nessuno con i suoi versi, sente il bisogno di chiudere il libro [315] con una preghiera impetrante perdono a Dio per le sue maldicenze:

> Signura! Perdunatimi
> Si'ncasu ammarrunai,
> E de la genta pessima.
> Nu puacu 'nda parrai... [316].

Signore / Perdonatemi / Se in caso sbagliai, / E della gente pessima. / Un poco parlai...

Giustamente fu ammesso a far parte della vecchia e gloriosa Accademia Cosentina: merito questo dovuto alle sue alte qualità morali; alla sua vena ispirata e fresca; alla chiarezza delle immagini; al calore del sentimento. Ma soprattutto

> all'attaccamento, devoto e profondo, alla sua terra natia e alle sue usanze tradizionali, cose che formano il fondo necessario della sua arte poetica, calda e palpitante [317].

La sua poesia in lingua italiana ha toni narrativi che mettono a nudo verità e situazioni umane varie e nel contempo il Riccio è fermamente convinto che la sua poesia anche se non è grande non è una porcheria. E a ciò s'accompagna la diffidenza verso i letterati e i critici. Difatti

Cane non mangia cane dice un detto
Ma *letterato* morde *letterato* [318].

Riccio scrive non per lucro ma per se stesso,

Lungi da qualche scopo mercenario;
Non van cercando tanto di permesso
Anzi, per carità, tutto al contrario,
Scritti senza pretese e senza scopo
Invece i suoi... ne parleremo dopo [319].

Altro carattere della sua poesia in lingua è quello discorsivo che focalizza e sviscera situazioni umane rapportate a precisi riferimenti esterni. Si prenda la poesia *Natura del gatto* [320] che si vede saltellare specie quando si prepara il "desinare". Ma se per qualche sventura il focolare della casa è spento,

Il gatto punto o poco se ne cura,
E senza analizzar l'avvenimento,
Senza rimpianti e senza nostalgia
Rapidamente se ne scappa via [321].

Situazione che vien presentata per esprimere un'altra di carattere umano:

Come l'americana intelligente
Che si fa mantenere da signora
Nella bella cuccagna del far niente
In barba di colui che lavora!...
Però dicon le leggi di natura:
"Cosa bella e mortal passa e non dura" [322].

Toni morali son anche presenti nella poesia in lingua [323]; toni che si stemperano talvolta in una sfilza di momenti inerenti a una casistica troppo rimarcata e insistita.

In questa poesia si studiano e si considerano altri aspetti e sentimenti: la noia che molto facilmente agisce sulla "bonarietà" degli ignoranti,

che pria d'amare sono già seccanti
Noiosi tediosi e forse più! [324].

Per concludere che

[...] il tarlo della noia solamente
Ogni amore, ogni affetto spezzerà! [325].

Son studi, son riflessioni sulla vita e sulla natura, sulla ignoranza, sulla miseria [326], sul trionfo della macchina [327]. E anche qui non mancano consigli e toni morali:

Veda: il riso rinnova il corpo umano,
Agisce come mezzo salutare.
Nel breve passo che si de' passare,
E questo forse Lei lo sa!

Perciò Lei farà bene ad esser calmo,
E passare la vita allegramente
Placida, geniale, sorridente,
Abeverarsi di felicità! [328].

Son parole dette a un vecchio amico. E sono considerazioni — come quelle sulla ignoranza e sulla miseria che purtroppo — lamenta il poeta — sono tanto diffuse in tutte le nazioni. E altre volte ricorre alle parole del Genesi (III-19) [329] per invitare tutti a lavorare onestamente, a coltivare la terra, ad attenersi ai comandamenti di Mosé, per non cadere nel peccato, nella fame e nelle guerre, nei furti e nei delitti. Bisogna attenersi all'Evangelo — dice sempre il poeta — ma nonostante ciò l'umanità è schiava, depressa, piena di malanni

Finché venne la macchina a vapore
A dare a quell'oppressa umanità
Più pane, più sollievo e libertà

Il macchinario come per incanto
Spezzò lo stame della tirannia,
Lo schiavo rasciugò l'eterno pianto,

La donna non fu più di chicchessia;
L'odierna civiltà si fece onore
Soltanto per la macchina a vapore [330].

Molte tematiche affrontate e discusse nelle poesie dialettali ritornano anche nella poesia in lingua. A tal proposito é da citare *Caccia al* "Dollaro" [331] in cui si dice chiaramente che la caccia preferita da ogni classe nel Nord America è quella perpetua al "Santo" dollaro. Una caccia praticata dalle masse;

Una specie di caccia originale
Divenuta di fama universale [332].

Tutti sanno i modi di questa caccia. E qui il poeta con linguaggio chiaro e con andamenti discorsivi efficaci ci fa vedere lo svolgimento, i gradi di questa caccia particolare. Difatti

Chi cerca di cacciarlo [333] con ludibrio
Sulle carcasse delle sventurate,
Altri lo trova dispensando bibite
Lo solite bevande avvelenate,
Gente dalla coscienza turpe e nera
Rottame di vergogna e di galera!

I commercianti poi... Dio ce ne liberi!
con tanto di permesso e di licenza
Dalle tasche del povero lo tolgono
Senza rimorso alcuno di coscienza.
Apparisce una lotta organizzata
Dove la gloria è morta e sotterrata! [334]

La conclusione è amara: l'umanità per il dollaro è caduta nel pozzo d'una fogna, e aggiunge:

Umanità del secolo ventesimo
Senza cuore e pietà, senza vergogna,
Umanità di ladri e parassiti
Di bruti, galeotti e di banditi [335].

Poesia più chiara e onesta di questa non può mancare in un poeta fortemente amante dell'onestà e della dignità umana.

Altra tematica della poesia in lingua è quella del povero. E dedica una poesia al povero intitolata *Nascita del povero* [336]. Anche qui con toni chiari e severi presenta amare verità. E viene proposto un paragone efficace tra il povero e il poeta:

Se il poverello tiene molti figli
Inesorabilmente è umiliato,
Deriso, maltrattato e vilipeso.
Nessuno gli dà pane! Ne consigli!
E viene dappertutto abbandonato
Come un poeta che non è compreso [337].

In altre poesie, usando sempre una polemica urbana e incisiva, mette a nudo altre situazioni. È esemplare a tal riguardo la poesia intitolata *Il mezzo cretino* [338]. Vi si dice che l'uomo ignorante quando apprende un tantito l'alfabeto, che forse non sa, diventa cretino a metà. E questo mezzo cretino

Lo vediamo nel corpo sociale
Che propone, asseconda e protesta;
Lo vediamo che legge il giornale,
La mattina dei giorni di festa! [339].

E se poi l'ironia del destino
Un po' ricco lo fa diventare:
I discorsi del mezzo-cretino
Dalle risa ci fanno crepare [340].

Però

[...] campana più forte e più saggia
Non si cura dell'uomo piccino,
E sopporta sia pure l'oltraggio
Scaturito dal mezzo-cretino [341].

Vari sono i richiami con le poesie dialettali. Anche nella poesia in lingua, dunque, vengono riprese le stesse tematiche. Facciamo qualche esempio:

> Il fato m'afferrò
> Inesorabilmente per la mano
> E mi portò lontano
> Fino qui.

E ancora ritorna un altro concetto, espresso molte volte nelle poesie dialettali:

> nella lotta tremenda m'impegnai
> E nel lavoro un giorno la [342] trovai [343].

La stessa cosa vale per questi altri versi del *Breve carme*:

> Il dolce istinto della poesia,
> Ed io notai che m'era d'alimento
> E per trovare pace la scriveva,
> Ma non sedotto dall'avaro intento [...] [344].

Poesia semplice, naturale, spontanea, che effettivamente dice le cose come stanno. Così ancora *L'eterna canzone* [345] affaccia concetti già espressi e sottolineati con piena consapevolezza nei componimenti dialettali: l'esaltazione del lavoro ad esempio e la convinzione che il segreto del successo della gloria del progresso sia racchiuso nel lavoro appunto [346]. Così pure viene ribadito che il lavoro onora l'uomo, gli procura dignità. E di nuovo viene evidenziato che

> Per moneta si lavora
> Non si chiede, né si dà
> [...]
> Diede a tutti la natura
> Ampia e piena facoltà,
> La moneta si procura
> Non si chiede, né si dà.

Tutto sommato il Riccio anche nelle poesie italiane ribadisce le sue convinzioni umane e sociali, che sono espresse con linguaggio chiaro e personale.

Le tematiche sono anche sentite e personali:

Il rimorso d'un passato
Di sollazzi e varie gioie,
Ti daranno delle noie,
Ti daranno dei martir,
Specialmente se t'accosti
Alla sfinge del parente
Con sarcasmo ei ti dice:
La risposta consueta
Che di solito si dà:
La moneta! La moneta!
Non si chiede! Né di dà! [347]

Va ancora detto che il poeta nella poesia in lingua non interrompe di apparire moralista, sapiente, esperto della vita e non smette quindi di dare consigli:

Sappia l'uomo di campagna,
Di villaggio e di città
La moneta si guadagna,
Non si chiede, né si dà.
Il prodotto che t'avanza
Del lavoro triste e duro,
Nell'ignoto del futuro
T'è di grande utilità [348].

Il poeta appare distante dalle "palme" delle ricchezze e degli allori e stigmatizza i truffatori e coloro che son dediti a pratiche disoneste, egli vuole però che il disgraziato, il povero venga sollevato dal "Fratellino sole" in quanto veramente versa in pessime condizioni e non ne può più [349]. E infine prega il Santo perché faccia

[...] scomparire la miseria orribile
Da tutte le città... [350].

Così molte altre ancora sono le tematiche riprese nella poesia in lingua: la figura del lavoratore, l'uomo d'affari, l'esaltazione del poeta o dei poeti cantori del vero "che il tempo non doma" e quindi

L'allor sulla chioma
Eterno lor stà [351].

Una tematica molto sentita dal poeta è quella dell'amore per il figlio Giuseppe, nato a Riverside il 4 settembre 1924, e per la mamma [352]. Di lei si ricorda allorquando è a bordo del "Giulio Cesare" che lo porterà in America.

Il poeta vive del ricordo della mamma, cara e indimenticabile:

Ogni giorno che passa
M'intenerisce il core;
Penso con sommo amore
Di rivedere a te.
Di rivederti o Madre,
Darmi nelle tue braccia
La dove la mia faccia
Ebbe carezze un dì [353].

Al poeta non interessano i soldi o gli affari ma l'affetto per la madre, per quella

[...] cara madre che mi disse il vero,
E che per lei nel cor brucia una fiamma.
Perciò non tolgo mai dal mio pensiero
Quel che da tempo sta nel mio programma:
Girar verso levante il mio veliero! [354]

Non mancano altri ricordi legati a precisi momenti della sua vita. Così appare Napoli con i suoi quartieri e rioni; e son citati Posillipo, Sorrento, Mergellina e anche

[...] quella Pizzeria
La più famosa per i disperati [355].

La pizzeria degli ''affamati'' che era sita nel ''Largo della carità''

Ci sono pure i morti [356]. E in genere queste poesie sono molto sentite ed espresse con linguaggio semplice:

Eravamo bambini e dentro i banchi
Passavamo della vita e i giorni belli
[...]
Senza essere mai stanchi...

parlando sempre di farfalle, di rose e di fiori [357].

Le liriche in lingua — anche se sono molto spontanee e sentimentali — non hanno un grande valore poetico-letterario. Sarebbe stato meglio se questi sentimenti Francesco Saverio Riccio li avesse espressi nella forma dialettale [358].

NOTE

[1] FRANCESCO PALAIA, *Mio cugino*, in *I Caratteri dell'uomo. Libro terzo di Poesie in dialetto calabrese. Memorie e commenti raccolti da Teresa Riccio Sanders*, La Tipo Meccanica, Catanzaro, 1954, pp. 122-123.

[2] Paese in provincia di Catanzaro. A proposito dell'origine di questo paese così scrive il Siniscalco: "Pare che un tempo non remoto, a un gruppo di gente sperduta, dopo un terremoto, forse, o dopo una delle tante invasioni dei Saraceni, fu suggerito di andare a vivere dove GIRA IL FALCO. Questa l'origine del nome". V. SALVATORE SINISCALCO, *Girifalco. Paese natio di Francesco Saverio Riccio*, in *Caratteri dell'uomo*, cit., p. 108.

Su questo paese e sui suoi pittori e poeti v. EMILIO BARILLARO, *Dizionario bibliografico e toponomastico della Calabria*, I, *Provincia di Catanzaro*, Pellegrini, Cosenza, 1976, pp. 76-77 con bibliografia. Tra i vari studi dedicati a Girifalco si vedano: GIOVAN BATTISTA PACICHELLI, *Il regno di Napoli in prospettiva, diviso in dodici provincie*, Perrino, Napoli, 1707, II, p. 126; DOMENICO MARTIRE COSENTINO, *La Calabria sacra e profana*, Migliaccio, Cosenza, 1876-78, I, p. 375; FRANCESCO SACCO, *Dizionario geografico-istorico-fisico del Regno di Napoli*, Flauto, Napoli, 1795-1797, II, p. 94; NICOLA LEONI, *Della magna Grecia e delle tre Calabrie*, Tip. Prigiobbo, Napoli, 1844-46 (ristampa anastatica Forni, Bologna, 1968, III, p. 189); GERHARD ROHLFS, *Vocabolario supplementare dei dialetti delle tre Calabrie*, München Bayerische Akademie der Wissenchaft, 1966, 67, I, p. 77, e II, p. 445.

[3] MARIO SPANÒ *Letteratura dialettale calabrese*, Sgroi, Reggio Calabria, 1973, pp. 164-165.

[4] PEPPINO CIAMPÀ, *Un degno figlio della Calabria*, in *I Caratteri dell'uomo*, cit., p. 20.

[5] "La Calabria ha dato nei decenni passati un grande contributo all'emigrazione oltremare, contributo che fra il 1876 ed il 1915 è stato di ben 880 mila emigranti (solo nel 1913 lasciarono la regione 55910 persone)". V. *Collana di Bibliografie geografiche delle Regioni d'Italia, Calabria*, IV, a cura di LUIGI CARDI, Tipografia "La Buona Stampa", Napoli, 1970, p. 105. Per la bibliografia sull'argomento v. dello stesso libro le pp. 106-108. Comunque sulla emigrazione calabrese e su quella americana v. GIOVAN BATTISTA MAURO, *Calabria*, Editrice R.A.D.A.R., Padova, 1971, p. 35; GAETANO CINGARI, *Gli "Americani"*, in *Storia della Calabria. Dall'unità a oggi*, Laterza, Bari, 1982, pp. 171-178; GIUSEPPE SCALISE, *L'emigrazione della Calabria*, Pierro, Napoli, 1905; LEONELLO DE NOBILI, *Calabria. Emigrazione e colonizzazione interna*, Tipografia della Camera dei Deputati, Roma, 1909; PASQUINO CRUPI, *Letteratura calabrese contemporanea*, D'Anna, Messina-Firenze, 1972, p. 7 (*Introduzione*).

[6] ENRICO BORELLO, *F. S. Riccio patriota e poeta*, in *I Caratteri dell'uomo*, cit., p. 106. Le poesie del Riccio hanno incontrato la simpatia di ogni calabrese, intellettuale e no. Sono bozzetti — come vedremo — strofe sgorgate spontaneamente dall'anima del poeta.

[7] QUADRIO DE SANTIS, *Cenni biografici dell'Autore*, in *Poesie in vernacolo calabrese*, II, La Tipo Meccanica, Catanzaro, 1948, p. 5.

[8] V. *Rassegnazione*, in *Vita e realtà. Poesie in dialetto calabrese in Appendice poesia in lingua*, La Tipo Meccanica, Catanzaro, 1958, p. 71.

[9] Guardò al nuovo mondo, non come alla terra di cuccagna e dell'oro, ma, ammaestrato più da una dura esperienza vissuta, vi si avventurò col fermo proposito di costruirsi una nuova esistenza.

[10] *Rassegnazione*, cit., p. 71.

[11] V. *L'orto. Parodia sul 5 maggio di Alessandro Manzoni*, in *Vita e realtà*, cit., p. 103.

Durante la traversata Napoli-New York sulla nave "Andrea Doria", nel settembre 1954, il poeta ebbe occasione di conversare con Anna Magnani, alla quale dedica una poesia in lingua italiana intitolata *Anna Magnani* appunto: "La donna che sa piangere ed amare / Che per ora si riposa i suoi pensieri / Navigando con noi sull'Andrea Doria". La poesia venne composta il 27 settembre 1954. V. per il testo *Vita e realtà*, cit., p. 108.

[12] *I lavoratori calabresi* appunto. V. *Poesie in vernacolo calabrese*, II, cit., pp. 71-73.

[13] *Ibidem*, p. 71.

[14] *Ibidem*, p. 72.

[15] *Ibidem*.

[16] *Ibidem*, p. 73

[17] *Ibidem*.

[18] *Ibidem*.

[19] "A briscola scopetta e a tressette".

[20] *L'ho visto*. La poesia fa parte della raccolta *I Caratteri dell'uomo*, cit., p. 35.

[21] *Ibidem*.

[22] *Ibidem*.

[23] *Ibidem*.

[24] *Ibidem*, p. 36.

[25] *Ibidem*.

[26] *Ibidem*.

[26] *Ibidem*.

[27] *Ibidem*.

[28] *Ibidem*.

[29] V. Note dell'A., in FRANCESCO SAVERIO RICCIO, *Vita e realtà*, ed. cit., p. 71. Il Riccio per questo suo quinto libro non ha voluto scrivere una *Prefazione* perché non sarebbe stata diversa dalle altre.

[30] V. *Chini sugnu* (*Chi sono*), in EMANUELE DI BARTOLO, *Filàti sciusi*, Stab. Tip. A. e L. Pirozzi, Crotone, 1956, p. 19. Il Di Bartolo per prima leggeva le sue poesie in una farmacia crotonese. In questa poesie l'A. si diverte a prendere in giro, con molto garbo e con tatto, personaggi e avvenimenti del luogo. Dalla farmacia i messaggi avevano diffusione tra il pubblico di cui incontravano la simpatia.

Essendo le poesie anonime, nessun riusciva ad identificare la fonte ma alla fin fine il gioco fu scoperto e l'A. fu gentilmente sollecitato a raccogliere le poesie in volume. V. la nota 9 dell'A. In *Filàti sciusi*, cit., p. 2.

[31] V. *Giocchinu*, in *Vita e realtà*, cit., p. 66.

[32] *La Poesia. Trent'anni dopo*, in *Vita e realtà*, cit., p. 41.

[33] *Ibidem*.

[34] V. *Pampina de lauru* (*Foglia di alloro*). *Per la corona d'alloro al Siculo poeta Salvatore Di Leo* (Settembre 1931) in *Poesie in vernacolo calabrese*, II, ed. cit., p. 85.

[35] Corsivo dell'A.

[36] V. *Scriva...*, in *I Caratteri dell'uomo*, cit., p. 43. La poesia è preceduta dai seguenti versi danteschi: "che giova nelle fata andar di cozzo" (Inf., IV.).

[37] V. *A la Musa*, *I Caratteri dell'uomo*, cit., p. 28.

[38] V. *A la Musa*, cit., p. 28: "Una cosa che non dà frutti e che non mangi".

[39] "Grossi e grassi". V. *A la Musa*, cit., p. 28.

[40] *Ibidem*.

[41] *Ibidem*.

[42] V. *Prefazione* dell'A., in *I Caratterio dell'uomo*, cit., p. 17.

[43] *Poesia in dialetto calabrese*, cit., p. 19.

[44] *Ibidem*.

[45] *Ibidem*.

[46] *Ibidem*.

[47] *Che cosa è il dialetto?*, in *Poesie in vernacolo calabrese*, II, cit., pp. 6-7.

[48] Giovanni Conìa, Galtro 1752 — Oppido Mamertina 1839. Autore de *Il saggio dell'energia, semplicità ed espressione della lingua calabra nelle poesie*, De Bonis, Napoli, 1834 (ristampato nel 1878, nel 1891, nel 1929). Sul Conìa v. ANTONIO PIROMALLI, *La letteratura calabrese*, Guida Editore, Napoli, 1977, pp. 118, 168-169-171, 176; Ib., *Letteratura dialettale e letteratura nazionale*, in *Letteratura e cultura popolare*, Olschki, Firenze, 1973, pp. 135 e ssg.; MARIO SPANÒ, *L'Abate Giovanni Conìa*, in *Letteratura dialettale*, cit., pp. 55-56.

[49] Corsivo dell'A.

[50] V. *Che cos'è il dialetto?*, in *Poesie in vernacolo calabrese*, II, cit., p. 6. Ecco la traduzione delle parole in dialetto: Io parlo a bocca aperta e sono capito".

[51] *Ibidem*.

[52] *Ibidem*.

[53] *Ibidem*.

[54] V. *Fiere e mercati calabresi*, in *Vita e realtà*, cit., p. 9.

[55] Così ancora: "Gasperina — per i panieri (Li panara); Soriano — per le corde (Li Cordari); Sant'Andrea — per le maioliche (L'argagnari); Maida — per le coperte (Li cuvertari); Polia — per il legname tornito (Li tornari); Montepaone — per le ceste (Li crivari)".

I merciaioli non hanno un'esatta derivazione e siccome parlano un pò napoletano li chiamano *Li marfitani*. A "questi s'aggiungono (Li Zingari) i Saltimbanchi (Li Cummedianti) ed altri giocolieri". V. *Fiere e mercati*, cit., p. 10.

[56] Paese in provincia di Catanzaro.

[57] MARIO LAVECCHIA, *Francesco Saverio Riccio, il burbero buono*, in *Il dialetto del catanzarese nelle poesia popolare e in alcuni poeti d'arte*, Editrice arti grafiche, Catanzaro, 1956, p. 143.

[58] *Ibidem*, p. 144.

[59] V. *Prefazione* di PASQUALE SPATARO a *Francesco Saverio Riccio* "Accademico Cosentino". *Vita e realtà. Poesie dialettali calabresi, in appendice poesia in lingua*, cit., p. 5.

[60] *Ibidem*, p. 5.

[61] V. *Prefazione* dell'A., in FRANCESCO SAVERIO RICCIO, *Poesie in vernacolo calabrese ed in italiano. Con prefazione del dott. Salvatore Siniscalco*, Tipografia "La Follia di New York", New York City, 1926, p. 7.

[62] *Vita e realtà*, cit., pp. 24-26.
[63] *Ibidem*, p. 24.
[64] *Ibidem*, p. 25.
[65] *Ibidem*, pp. 25-26.
[66] *Ibidem*, p. 26.
[67] *Bestemmie di Giusti*, in *Poesie in vernacolo calabrese*, cit., pp. 72-73.
[68] Proverbio calabrese. Cfr. *Poesie in vernacolo calabrese*, cit., p. 72.
[69] *Ibidem*, p. 72.
[70] *Non vitti mai* (*Non ho visto mai*), in *Poesie in vernacolo calabrese*, cit., p. 71.
[71] V. *La storia de na lavandara*, in *Poesie in vernacolo calabrese*, cit., pp. 39-41.
[72] V. *La coccijatura*, in *Poesie in vernacolo calabrese*, cit., pp. 43-44.
[73] V. *Settembre. Scene dal vero*, in *Poesie in vernacolo calabrese*, cit., pp. 30-31.
[74] *Vita e realtà*, cit., p. 21. "Lavoratore va in galera e ragione ha".
[75] *Vita e realtà*, cit., p. 21.
[76] *Ibidem*.
[77] *Ibidem*.
[78] *Ibidem*.
[79] *Il bucato*, in *Poesie e raccolta di proverbi*, cit., p. 60.
[80] *Ibidem*.
[81] *Ibidem*.
[82] V. RINA DE BELLA, *La poesia dialettale in Calabria*, Edizioni Giuntine, Firenze, 1959, p. 178.
[83] Il volumetto porta una *Prefazione* di Salvatore Siniscalco, compaesano del poeta, residente anche il Siniscalco in America dove esercitava la professione di medico.
[84] V. *Prefazione* dell'A., in *Poesie in vernacolo calabrese ed in italiano*, cit., p. 7. In ultimo la data della *Prefazione*: "Francesco Saverio Riccio di Giuseppe nato in Girifalco (Catanzaro), Riverside N. J. U.S.A. ottobre 1926".
[85] *Lu vinu* (*Il vino*), in *Poesie in vernacolo calabrese ed in italiano*, cit., p. 46.
[86] *Ibidem*.
[87] *La Scola*, in *Poesie in vernacolo*, cit., p. 17.
[88] *Vinna sardi* (*Scherzo umoristico in dialetto di Girifalco*), in *Poesie in vernacolo calabrese ed in italiano*, cit., p. 32.
[89] *Quando*. V. il testo in *Poesie in vernacolo calabrese ed in italiano*, cit., p. 56.
[90] Così le giudica Alfio Bruzio (Giovanni Patàri): "Scorrendo queste nuove poesie del Riccio ne ho provato lo stesso godimento avuto leggendone il primo volume. Le nuove strofi sono sgorgate dall'animo dell'autore, forse, meglio delle prime, limpide e schiette, come acqua di polla; avvivata sempre da forte senso nostalgico per questa nostra Calabria, terra misconosciuta e negletta, profilata in tutti i secoli dalle sventure e dal genuino fatidico mare. Un dolce spontaneo senso di fine umorismo affiora qua e là, talvolta, in qualche lirica e ne rende così piacevole la letteratura". V. *Poesie in vernacolo calabrese e raccolta di proverbi*, II, cit.
[91] *La iena istruita*, in *Poesie*, II, cit., p. 86.
[92] V. *Prefazione* dell'A., in *I Caratteri dell'uomo*, cit., p. 13.
[93] *Ibidem*, p. 14. Il volumetto è dedicato "alla cara memoria di mio figlio Giuseppe (Stella di Bronzo) caduto eroicamente in combattimento nelle Seconda guerra mondiale".

[94] *Ibidem.*
[95] *Ibidem.*
[96] *Stu libru* (*Questo libro*), in *I Caratteri dell'uomo*, cit., p. 22.
[97] *Ibidem*, p. 23.
[98] Da segnalare ancora del Riccio la raccolta *Poesie scelte*, ed. F.A.T.A., Catanzaro, 1949.
[99] *Maritu Americanu*, in *Poesie in vernacolo calabrese*, II, cit., p. 31.
[100] *Ibidem*, p. 48.
[101] *Il Fantasma*, in *Poesie e raccolta di proverbi*, cit., p. 74.
[102] "Passa la gioventù — Tutto era tranquillo, tutto era buio — Anima viva non c'era più un cuculo sopra un muro — Quando mi ha visto, disse: Cucù".
[103] *Poesie in vernacolo calabrese*, II, cit., p. 88.
[104] *Lu Candileri de crita*, in *Poesie in vernacolo calabrese*, cit., p. 55.
[105] Paese colpito e distrutto più volte dai terremoti, spesso danneggiato da tremende alluvioni, torturato più volte da dominazioni straniere.

Il paese ha dato i natali a uomini illustri che si son distinti in opere di benessere pubblico e sociale: Carlo Pacini che nel diciassettesimo secolo costruì la monumentale Fontana della Piazza, per ricordarne uno.

Dedica il poeta naturalmente alla sua Girifalco una poesia intitolata *Alla mia Girifalco* (*La Mecca dei forestieri*), in *Poesie in vernacolo calabrese*, II, cit., pp. 76-77.
[106] V. *La festa di Santu Ruaccu*, in *Poesie in vernacolo calabrese*, cit., pp. 26-28.
[107] *Ibidem*, p. 27.
[108] Si nota qui che molti momenti della vita e dell'infanzia sono magistralmente descritti dal poeta. V. *Li Bagni*, in *Poesie in vernacolo calabrese*, cit., pp. 29-31.
[109] V. la poesia *Patati mangia-crudi*, in *Vita e realtà*, cit., p. 44.
[110] *Ibidem.*
[111] *La rigorizza* (*Dai miei ricordi*), in *Vita e realtà*, cit., p. 45.
[112] *Ibidem*, p. 45.
[113] V. *Poesie in vernacolo calabrese*, II, cit., p. 90.
[114] *Ibidem.*
[115] *La partenza de l'Americanu*, in *Poesie in vernacolo calabrese ed in italiano. Con prefazione del dottor Salvatore Siniscalco*, cit., p. 60.
[116] *Ibidem.*
[117] *Ibidem.*
[118] Sull'emigrazione v. PASQUINO GRUPI, *Letteratura ed emigrazione*, Casa del Libro Editrice, Reggio Calabria, 1979, pp. 11-24.
[119] V. *La partenza de l'Americanu*, in *Poesie in vernacolo calabrese*, cit., pp. 60-61.
[120] *Ibidem.*
[121] *Ibidem*, p. 63.
[122] Specialmente quelli che son rimasti in Italia.
[123] *Guadagni d'America*, in *Poesie e raccolta di proverbi in vernacolo calabrese*, II, cit., p. 48.
[124] *Ibidem*, p. 48. La poesia è stata scritta nel febbraio 1935.
[125] *Ibidem.*
[126] *Ibidem*. In America si mena una vita dura. V. ancora le poesie presenti in questa raccolta a pp. 31-32: *Maritu americanu*.

[127] *Li pellegrini*, in *Vita e realtà*, cit., p. 62.

[128] *Ibidem*.

[129] *Ibidem*. In terra straniera, Francesco Saverio Riccio e Pane hanno mantenuto viva la tradizione poetica intrapresa da cantori vernacoli quali Cesare Quintano, Gennario Stefanizzi, Fabrizio Mercadante, P. Rosario Borgia e Nicola Vitari, per ricordarne alcuni.

[130] Michele Pane di Decollatura (1876-1953) ha vissuto circa cinquant'anni in America, dove ha pubblicato *Viole e ortiche* (1907), *Accuordi e suspiri* (1911), *Lu calavrise ngisatu* (1917), *Rapsodia Garibaldina* (1949), solo per ricordare alcuni suoi libri poetici. Su Michele Pane v. ANTONIO PIROMALLI, *La letteratura calabrese*, Guida Editore, Napoli, 1977, pp. 226-227; UMBERTO BOSCO, *Calabria letteraria*, in *Calabria* a cura di U. Bosco-Alfonso De Franciscis-Giuseppe Isnardi, Electa Editrice, Milano, 1962, pp. 210 e ssg.

[131] V. *I Caratteri*, cit., p. 60.

[132] *Ibidem*. Questa poesia è stata tradotta dallo stesso Riccio in lingua italiana. V. *I Caratteri*, cit., p. 62.

[133] *In morte di Michele Pane Fiorentino*, cit., p. 60.

[134] Traduzione del Riccio. V. *I Caratteri*, cit., p. 62.

[135] *Ibidem*, p. 60.

[136] Traduzione del Riccio. V. *I Caratteri*, cit., p. 62.

[137] *Ibidem*, p. 61.

[138] Traduzione del Riccio, cit., p. 63. A Pane il Riccio dedica un'altra poesia per il suo 75° compleanno. In essa il poeta di Decollatura viene stimato un poeta famoso come lo furono "Dante, Trilussa, [...] Conìa / Di Giacomo e tanti tanti cchiù". V. *A Michele Pane* (*Per il suo 75° compleanno*), in *I Caratteri dell'uomo*, cit., p. 69.

[139] *Introduzione*, in *Poesie in vernacolo calabrese*, cit., p. 16.

[140] *Sonetto*, in *Poesie in vernacolo calabrese ed in italiano*, cit., p. 74.

[141] V. *Sapone e saponate*, in *Vita e realtà*, cit., p. 112. La poesia è dedicata a "tutti quelle miglia di poeti che trovano asilo nelle Riviste e nei giornali con la pallida speranza di guadagnarsi l'immortalità".

[142] *Ibidem*.

[143] *Ibidem*.

[144] *Ibidem*.

[145] Espone altre sue idee sulla poesia in *Chi seppe scrivere? Al poeta G. B. Tarzia*. V. *Vita e realtà*, cit., pp. 97-98. Qui il Riccio è per l'idea e non per il saper scrivere. Difatti: "Non so le virgole / interessanti, / I traparentesi, / Due consonanti, / Né quella solita Prosopopea, / Mio caro Tarzia: / Ci vuol l'idea!". E conclude: "Ciò per tua regola / Se non lo sai: / Chi seppe scrivere / Non scrisse mai! / Abbiamo nel novero / Cento scrittori, / Che mai non ebbero / Dei professori / Parecchi scrivere / Non sepper mai, / E per... Miracolo / Scrissero assai! / Scrissero cechi, / Filosofi, / Tragedie lettere / Teologia. / Ma tu sei semplice / Perciò non sai: / Chi seppe scrivere / Non scrisse mai! / Così mio Tarzia / Pria di parlare / Devi riflettere, / Devi pensare!

[146] *L'uamu d'affari*, in *I Caratteri*, cit., p. 48.

[147] *Lu riccu de' pansa*, in *I Caratteri*, cit., p. 49. Questa poesia è introdotta dal verso dantesco: "E cadde come corpo morto cade".

[148] *Ibidem*.

[149] *Ibidem*.

[150] V. a tal proposito *La testa de morta* ("Memento homo"), in *I Caratteri*, cit., pp. 56-57.

[151] *Ibidem*, p. 56.

[152] *Ibidem*, p. 57

[153] *Ibidem*, p. 58. *Vizzi de' chiazza*, in *I Caratteri dell'uomo*, cit.

[154] *Ibidem*, p. 67. Poesia composta nel gennaio 1951.

[155] *Ibidem*.

[156] *Vita e realtà*, cit., p. 42.

[157] *Ibidem*.

[158] *Ibidem*, p. 46.

[159] *Ibidem*.

[160] *Ibidem*.

[161] Perfette sono le descrizioni di alcuni animali: ad esempio la lumaca: "E nescia de la terra nsonnicchiata / Appena cada l'acqua mu la vagna. / E doppu chi si senta già vagnata / Cumincia mu girja la campagna". E quindi "va caminandu duva non nc'è genta, / È bellu quandu sta supu nu muru, / E de nu puacu d'erva su cuntenta... / Ma pua camina puru ntra lu scuru, / E cu li corna, quandu l'attirenta, / Li para ca camina cchiù sicuru". V. *Lu vovalucu*, in *Vita e realtà*, cit., p. 40. Ecco la traduzione: "Ed esce dalla terra insonnolita / Appena cade l'acqua e la bagna, / E dopo che si sente già bagnata, / Comincia a girare per la campagna. / Va camminando dove non c'è gente, / È bello quando sta sopra un muro, / E di un poco d'erba si accontenta / Ma poi cammina pure nel buio, / E con le corna, quando le stende, / Le pare che cammina più sicura.

[162] V. *Natura de' l'animali* (*Titanica lotta del SOPRAVVIVERE*), in *Poesie in vernacolo calabrese*, II, cit., p. 61.

[163] *Ibidem*, p. 62.

[164] *Ibidem*. Non ama la guerra perché affama la povera gente che "Afflitta e ciangiendu ci torna a la terra" ("Che afflitta e piangendo ci torna alla terra"). V. la poesia intitolata *Si' torna*, in *Poesie in vernacolo calabrese*, cit., p. 68. Si ritorna, insomma, alla terra per trovare un pane, si zappa la vigna per avere il vino, si carda la lana, si fila il lino.

In tempo di guerra la "povara panza" comincia ad indebolirsi, e gli rimane una sola speranza: di gettarsi in campagna per trovare qualcosa. Ma anche dopo la guerra — continua ad osservare il poeta — torna la fame, e torna per tutti e "volaru li sordi... volaru li grani" (volarono i soldi... volarono i grani). V. *Si' torna*, cit., p. 69.

Tutto sommato il Riccio è un pacifista e inveisce contro la guerra. Difatti alla fine di una poesia di *Vita e realtà* intitolata *A l'api* (Alle api) il poeta allega un pensiero del Prof. Silvio Venturi (direttore allora dell'ospedale psichiatrico di Girifalco): "La guerra è la delinquenza de' reggitori, la pazzia dei popoli... L'impronta moralizzatrice della propaganda per la pace universale; e molti altri fatti provano che ormai per tutti v'è un rapporto antitetico tra la guerra e la moralità sociale". V. *A l'api*, cit., p. 30.

[165] *Lu cardu* (*Il cardo*), in *Poesie in vernacolo calabrese ed in italiano*, cit., p. 15.

[166] *La quercia*. V. *Poesie in vernacolo calabrese*, II, cit., pp. 22-23.

[167] *Ibidem*, p. 23.

[168] *La rota*, in *I Caratteri*, cit., p. 25.

[169] Lo dice chiaramente nella poesia *Preghiera* che fa parte di *Poesie in vernacolo calabrese ed in italiano*, cit., pp. 78-80.

[170] *Ibidem*, p. 79.

[171] E si serve per l'ennesima volta della natura degli animali — nel caso che stiamo per citare — delle api per sottolineare verità dolorose, ad esempio: "Puru l'umanità s'ammazza / Dassa guagliuni mu resta la razza... /" ("Pure l'umanità s'ammazza / Lascia ragazzi per restare la razza"). V. *A l'api*, cit., p. 30. Però prima, e così potremo meglio comprendere l'affermazione, aveva detto — parlando sempre delle api — "Però moriendu no moriti ntuttu, / Pecchì moriendu ni dassati l'ova / Mu camina lu mundu o bellu o bruttu, / E la carneficina si rinnova..." ("Però morendo non morite in tutto, / Perché morendo ci lasciate le uova / Perché cammini il mondo o bello o brutto, / E la carneficina si rinnova..."). V. *A l'api*, cit., p. 29.

[172] *L'ho visto*, in *I Caratteri dell'uomo*, cit., pp. 35-36. La poesia è preceduta da queste parole carducciane: "Ed è un lavoro faticoso e pazzo da pentirsene un giorno...".

[173] *Lu vitti*, cit., p. 35.

[174] *Ibidem*, p. 36.

[175] Il nido.

[176] *Li primi vint'anni*, in *I Caratteri*, cit., p. 52.

[177] *L'amicu de' chiazza*, in *I Caratteri*, cit., p. 34. La poesia, scritta a Riverside, N. J., nel luglio del 1952, è significativamente preceduta dal proverbio *Dio ti guarda de malu vicinu* ("Dio ti guarda dal cattivo vicino").

[178] *Ibidem*, p. 34.

[179] Si parla del suo terzo libro di poesie: *I Caratteri dell'uomo*. La poesia s'intitola *Prologo*, cit., pp. 23-24.

[180] *Ibidem*, p. 23.

[181] *La rota*, in *I Caratteri*, cit., p. 26.

[182] *L'amicu de' chiazza* (*Dio ti guarda de malu vicinu*), in *I Caratteri*, cit., p. 33.

[183] Ed. cit., pp. 57-58.

[184] V. *La zita* (*La sposa*), in *Poesie in vernacolo calabrese*, cit., pp. 47-48.

[185] *Ibidem*, p. 47.

[186] *Ibidem*, p. 48.

[187] *Lu metara* (*Scene di vita calabrese*), in *Poesie in vernacolo calabrese ed in italiano*, cit., p. 24. *Lumeri* (*Lucerne*) "sono di ferro e servono per illuminare le case dei contadini. L'uso è comune. Il prezzo varia da cent. 42 e cent. 85, per le più grandi, che servono per l'illuminazione dei Trappeti (Frantoi)". V. LUIGI M. SATRIANI-ANNA BELLA ROSSI, *Calabria 1908-10. La ricerca etnografica di Raffaele Corsi*, De Luca, Roma, 1973, p. 139 (XXV = *Lumeri*).

[188] "La parola nsonnicchiatu significa tra veglia e sonno, però in altro senso vuol dire che il contadino è assolutamente ignaro delle cose che succedono nella politica e nel mondo, ossia nel buio fitto di uomini e di cose. E questo è la colpa dei governi che dopo tanti secoli non vogliono fare ammaestramento della su accennata frase dantesca". V. nota dell'A. in *Li voti*, in *Poesie in vernacolo calabrese*, cit., pp. 37-38. La frase dantesca è: "Date luce e la gente troverà la sua via".

[189] *Li voti*, cit., p. 37.

[190] *Ibidem*, p. 38.

191 V. *Il Fantasma*, in *Poesie e raccolta di proverbi in vernacolo calabrese*, cit., p. 74.

192 *Ibidem*.

193 *Ibidem*, p. 73.

194 *Ibidem*, p. 74.

195 *ibidem*, p. 75.

196 *Il Fantasma* s'intitola appunto la poesia su questo agente di imposte. V. *Poesie e raccolta di proverbi in vernacolo calabrese*, cit., pp. 74-75.

197 La poesia è stata composta nel giugno del 1952. V. *Il Fantasma*, cit., p. 14. Nota dell'A.

198 Alla "semente della gramigna". La gramignia è l'erbaccia cattiva.

199 *Il Fantasma*, cit., p. 44.

200 *Il Fantasma* (*Parte seconda*), in *I Caratteri*, cit., p. 45.

201 *Ibidem*.

202 *Li guardiani*, in *I Caratteri*, cit., p. 51.

203 *Ibidem*.

204 *Ibidem*.

205 *Il cretino di piazza*, in *Vita e realtà*, cit., p. 35.

206 *Ibidem*.

207 *Poesie in vernacolo calabrese*, II, cit., p. 87.

208 *Ibidem*.

209 Evidentemente quella dell'asino.

210 *Poesie in vernacolo calabrese*, II, cit., p. 88.

211 *La sapienza di piazza*, in *Poesie in vernacolo calabrese*, II, cit., p. 43.

212 *Ibidem*.

213 *Ibidem*.

214 "Murganta" — Erba medica applicata dal popolino sulle ferite lacero-contuse". Nota del Riccio. V. *La Sapienza de' chiazza*, cit., p. 45.

215 "Rizota — Erba medica usata dai contadini ad uso veterinario". Nota del Riccio. V. *La Sapienza de' chiazza*, cit., p. 45.

216 *La Sapienza de' chiazza*, cit., p. 45.

217 "Tamila — Erba comune usata dal popolino superstizioso per allontanare gli spiriti dalle case". Nota del Riccio.

218 *La Sapienza de' chiazza*, cit., p. 46.

219 *Poesie in vernacolo calabrese ed in italiano*, cit., pp. 39-41.

220 *Ibidem*, p. 39.

221 Ed. cit.

222 *I gatti della Iordana*, in *I Caratteri dell'uomo*, cit., p. 65.

223 *Ibidem*.

224 *Ibidem*.

225 *Ibidem*.

226 *Ibidem*.

227 *Tiempi de miliuni* (*Come natura va cambiando stile!*), in *Vita e realtà*, cit., p. 17.

228 V. *Vicende moderne*, in *Vita e realtà*, cit., p. 15. La poesia porta come epigrafe le seguenti parole: "Come natura va cambiando stile!. *Memorie di viaggio*".

229 *Ibidem*.

230 *Tiempi cangiati* (*Tempi cambiati*) in *Poesie in vernacolo calabrese*, cit., p. 49.

[231] *L'amuri è nu misteru*, in *Poesie e raccolta di proverbi in vernacolo calabrese*, II, cit., pp. 51-53.

[232] *Ibidem*, p. 52.

[233] *Ibidem*.

[234] *Cuore calabrese*, in *Vita e realtà*, cit., p. 50.

[235] *Ibidem*.

[236] V. *Onore al merito*, in *Poesie in vernacolo calabrese*, II, cit., p. 33. La poesia è introdotta dalle seguenti parole: "Diventerai POLVERE / Quando non sarai più fango!".

[237] V. *Cu' si cuntenta gode*, in *Poesie in vernacolo calabrese*, II, cit., p. 38.

[238] *Ibidem*.

[239] *Ibidem*.

[240] *Ibidem*.

[241] *Pasqua*, in *Poesie in vernacolo calabrese ed in italiano*, cit., p. 21.

[242] *Versu l'acitu*, in *Poesie in vernacolo calabrese ed in italiano*, cit., p. 12.

[243] *Ibidem*.

[244] Ed. cit., p. 68.

[245] *La scola*, in *Poesie in vernacolo calabrese ed in italiano*, cit., p. 16.

[246] Così ancora sono concetti ripetuti e ripresi quelli contenuti in una poesia del secondo volume di *Poesie e raccolta di proverbi in vernacolo calabrese*, ed. cit., p. 49, in cui afferma che l'umanità un tempo era selvaggia e poi pian piano si addomesticò, e prima di arrivare alla raffinatezza vi son volute tante staffilate. La poesia s'intitola *La civiltà del XX secolo*. Si veda pure, nella medesima raccolta, quell'altra poesia intitolata *Tandu pe' tandu... e mo pe' mo* (*Allora per allora... / e adesso per adesso*). La poesia è stata scritta nel 1934. Anche in essa vi sono tante immagini e concetti iterati. V. p. 50 della raccolta cit.

[247] V. *I Caratteri dell'uomo*, cit., p. 104. La poesia venne scritta nel marzo del 1951 a New Heave, Conn.

[248] *Vita e realtà*, cit., p. 13.

[249] "Giocchinu è quella porzione di rispettabile pubblico che con affetto mi ha seguito per più di 40 anni. Il poeta sono io; che a 65 anni, per ragione di salute, sono stato forzato a ritirarmi dalle mie consuete attività. La natura ci diede tanta vita da vivere, e tanta via da percorrere. E lontano dai vizi e dalle tenebre, mi piace vivere quel che mi resta della mia laboriosa vita, sotto la Divina luce del Sole e vicino a quei lavoratori della terra che mi furono sempre cari". Nota dell'A. V. *Vita e realtà*, cit., p. 14.

[250] *Vita e realtà*, cit., p. 13.

[251] *Vizi di piazza*, in *I Caratteri dell'uomo*, cit., p. 58.

[252] Tenaglia.

[253] Pidocchiosi. V. *Li piducchiusi*, in *Vita e realtà*, cit., p. 65.

[254] *Ibidem*.

[255] *Pidocchiosi nati*, V. *Li piducchiusi*, cit., p. 65.

[256] V. *Maneri de' mammi*, in *Poesie*, II, cit., p. 58.

[257] La spesa.

[258] Moneta dell'ex regno di Napoli. V. MARZANO, *op. cit.*, p 437.

[259] V. *Introduzione*, cit., p. 20.

260 V. *Li pipi*, in *Poesie in vernacolo calabrese*, II, cit., p. 37.
261 *Tardu cantavi*, in *Poesie in vernacolo calabrese*, II, cit., p. 42.
262 *Ibidem*.
263 *Ibidem*.
264 *Speranza di terra*, in *Poesie*, II, cit., pp. 64-65.
265 *Ibidem*, p. 64.
266 *Ibidem*.
267 *Ibidem*, p. 65.
268 *Prima pensa e poi fai*, in *Poesie e raccolta di proverbi in vernacolo calabrese*, cit., p. 54.
269 *Ibidem*.
270 Questi ultimi versi riferiscono un proverbio popolare. Su ciò ritorneremo. Per i versi citati v. *Prima pensa e pua fai*, cit., p. 54.
271 "Quando la neve si scioglie si vedono le pietre". V. *Poesie e raccolta di proverbi*, cit., p. 20. Si veda ancora *Sonetto*, in *Poesie in vernacolo calabrese*, cit., p. 74, e *Carcarazza* (*Ghiandaia*), in *Poesie in vernacolo calabrese ed in italiano*, cit., p. 77. Questa poesia è introdotta dai seguenti versi danteschi: "E lascia pur grattar dov'è la rogna".
273 *La rota*, in *I Caratteri dell'uomo*, cit., p. 26.
274 *Ibidem*, p. 25.
275 Sui proverbi calabresi v. almeno FRANCESCO SPEZZANO, *Proverbi calabresi*, Aldo Martello, Milano, 1970; Ib. *Guida ai detti calabresi*, Sugar, Milano, 1972; FERDINANDO VIRDIA, *Sapienza dei proverbi*, in "Almanacco Calabrese", 1952, pp. 57-62; v. ancora i seguenti studi generali sui proverbi: GIUSEPPE BELLOSI-MARCELLO SAURI, *L'altra lingua. Letteratura dialettale e folklore orale in Italia. Con profilo di storia linguistica*, Longo Editore, Bologna, 1980, pp. 156-159. V. anche ALBERTO MARIO CIRESE, *I proverbi: note sulla definizione*, nel volume *La letteratura nella Valle Padana*, Olsckhi, Firenze, 1972, pp. 75-95; LUIGI M. SATRIANI, *Antologia culturale e quadro della cultura subalterna*, Guaraldi, Roma, 1974.

I proverbi presentati dal Riccio sono 444 che per gli appasionati di folklore hanno una grande importanza giacché in ogni proverbio c'è un lembo d'anima paesana e nell'insieme ci danno una esatta idea della vita di un popolo.

276 Eccone alcuni: *La cuda è forti a scorciari* = *La coda è forte a scorticare* ("Scorciuliari" è un frequentativo di *scorciari* = sgranellare [Marzano]); *Li guai de la pignata li sapa la cucchiara chi li vota* (v. p. 193 delle *Poesie in vernacolo calabrese*, cit.) = *I guai della pignatta li conosce il cucchiaio che li volta*; *La roba di impimpirimpiu si ndi va mpimpirimpau*, che corrisponde al noto proverbio toscano: *ciò che viene di ruffi e raffi se ne va di buffi e baffi* (v. MARZANO, *op. cit.*, p. 259 — *Mpimpirimpiu e mpimpirimpau*: "voci dialettali con le quali si suole significare che quello che si acquista con male arti o per furto, se ne va facilmente anche per furto"); *Si la mbidia fussa mazzaja, ognun la portaria* = Se la invidia fosse un'ernia, ognuno la porterebbe (*Poesie*, cit., p. 119); *mazzaia* = in senso traslato vale *ernia*, anche si dice: *nci calau la mazzaia, havi la mazzaia, gli scese l'ernia, ha l'ernia* (MARZANO); *Uamu de vinu quattru a carrinu* (*Poesie*, cit., p. 121) oppure *Uamuni de vinu centu nu carrinu* = *Uomini di vino cento un carlino* (*Carrinu* = Carlino, "nome di una moneta di argento, napoletana, ragguagliata a centesimi quarantadue. Tale moneta, secondo alcuni, prese il nome di Carlo III di Borbone;

secondo altri, da Carlo primo di Angiò'' (MARZANO); *Va cu megghiu tia e paga li spisi* (*Poesie*, cit., p. 122) = Va con i migliori di te e fa loro le spese; *Carciaru malatia scumbogghia lu cora de l'amici* (Questo proverbio ha anche questa variante: *Carciari, malattie e necessitati scumbogghianu lu cori de l'amici*: Carcere, malattie e bisogni scoprono il cuore degli amici. V. GIOVANNI BATTISTA MARZANO, *Dizionario etimologico del dialetto calabrese, Ristampa anastatica dell'edizione di Laureana di Borello*, 1928, Forni, Bologna, 1980, p. 386). E ancora: *Cu' mbrogghia resta mbrogghiatu = Chi imbroglia resta imbrogliato*; *Cu' ti vo' bena ncasa ti vena* (V. *Proverbi calabresi*, in *Poesie in vernacolo*, cit., p. 98); *Cu campa mangia pana, e cu mora mangia terra = Chi campa mangia pane, e chi muore mangia terra*; *Cuamu ti vidano ti trattanu = Come ti vedono ti trattano*; *Cu' monaci prieviti e sbirri no' fara amicizia ca la sgarri = Con monaci, preti e sbirri, non fare amicizia che la sbagli*; *La gatta prescialora fa li figghi uarvi = La gatta frettolosa fa i figli ciechi*; *Lu Signuru manda viscotta a cu no' ava denti = Il Signore manda biscotti a chi non ha i denti*; *Lu cana ch'abbajia assai muzica puacu = Il cane che assai abbaia morde poco*; *Mantu mbrella mugghiera no' la prestara ca no torna com'era = Manto ombrello e moglie non prestarla perché non torna com'era*; *Si rispetta lu cana pe' lu patruna = Si rispetta il cane per il padrone*; *Si pecura ti fai, lu lupu ti mangia = Se pecora ti fai, il lupo ti mangia* (per tutti questi proverbi citati v. *Proverbi calabresi*, cit., p. 103-122).

277 Non per nulla Riccio cita Dante — sulle citazioni si soffermeremo in seguito — quando dice: ''Date luce, e la gente trova la sua via''.

278 V. *Poesie in vernacolo calabrese*, cit., p. 94.

279 Si riferisce a un fanciullo.

280 V. *Introduzione*, in *Poesie e raccolta di proverbi in vernacolo calabrese*, II, cit., p. 19.

281 *Introduzione*, cit., p. 20.

282 V. *Poesie*, II, cit., p. 59.

283 *Ibidem*, p. 54.

284 Su questo poeta, famoso con lo pseudonimo di *Mastru Brunu*, v. MARIO LAVECCHIA, *Mastru Brunu, il poeta analfabeta di Serra*, in *Il dialetto del Catanzarese nella poesia popolare e in alcuni poeti d'arte*, cit., pp. 123-125; UMBERTO BOSCO, *Mastru Brunu*, in *Pagine calabresi*, Parallelo 38, Reggio Calabria, 1975, pp. 90-96.

285 V. ANTONIO PIROMALLI, *Vincenzo Ammirà*, in *Letteratura e cultura popolare*, Olsckhi, Firenze, 1983, pp. 117-134.

286 *La Jena istruita*, in *Poesie*, II, cit., p. 86.

287 *Ibidem*.

288 *Ibidem*.

289 ''La puzzola di piazza'', in *I Caratteri dell'uomo*, cit., p. 54.

290 V. *Poesie in vernacolo calabrese ed in italiano*, cit., p. 13.

291 *La scola*, in *Poesie in vernacolo calabrese*, cit., pp. 16-17.

292 *Lu pana* (*Il pane*), in *Vita e realtà*, cit., p. 36.

293 V. *L'agrancu* (*Il gambero*), in *Vita e realtà*, cit., p. 146.

294 *Lasciatemi morire* — Nel 67° compleanno — ''Lasciate il mondo morire in pace'' (Giusti). Così troviamo molto spesso citato Leopardi.

295 *La carcarazza* (*La Ghiandaia*), preceduta dal verso dantesco ''E lascia pur grattar dov'è la rogna'', in *Poesie in vernacolo calabrese*, cit., p. 77.

296 *Preghiera*, in *Poesie in vernacolo calabrese*, cit., p. 78.

[297] V. ancora *Eterne massime* (*A mio figlio Giuseppe*), in *Poesie in vernacolo calabrese*, cit., p. 68. La poesia porta come epigrafe i seguenti versi di Dante (Cant. XVIII): "Tu proverai si come sa di sale / Lo pane altrui, e com'è duro calle / Lo scendere e salire per l'altrui scale".

Si veda ancora l'altra poesia intitolata *Logica del matrimonio. Al poeta Francesco Greco*, in *Poesie in vernacolo calabrese*, II, cit, p. 82.

[298] V. *Prefazione*, in *Poesie in vernacolo calabrese*, cit., p. 12.

[299] V. *Lu tilaru* (*Dialetto calabrese*), in *I Caratteri dell'uomo*, cit., p. 73.

[300] *Ibidem*, pp. 90-91.

[301] V. ancora la poesia intitolata *Lu metara* (*Il mietitore*). V. *Poesie in vernacolo calabrese ed in italiano*, cit., pp. 24-25.

[302] Si veda la poesia intitolata *Ricordi*, in *Poesie in vernacolo calabrese*, cit., p. 47.

[303] *A l'uomo de chiazza*, in *I Caratteri*, cit., pp. 46-47.

[304] V. *Prefazione* di Pasquale Spataro, in *Vita e realtà*, cit., p. 6.

[305] V. a tal proposito la poesia in lingua italiana *Conoscenza gradita* in cui esalta il lavoro appunto. La poesia è significativamente introdotta dai seguenti versi danteschi: "A gloria non si va putrendo in coltre". V. *Poesie in vernacolo calabrese ed in italiano*, cit., p. 113.

[306] Amante — come già detto — della verità. Ad essa tiene molto e quindi parla senza peli sulla lingua ma non vuol parlare male di nessuno; difatti: "Nessun dissa mai / La cosa cuamu va, / Pecchì la verità / Non si po' dira". V. *Prologo*, in *Poesie in vernacolo calabrese ed in italiano*, cit., p. 14. Ma da parte sua il poeta vuol dire la verità e ce la dice intera, e ciò significa che è una persona onesta che ha un profondo senso di dignità e di fierezza morale e che egli a tutti i costi vuol far notare perché consono alla sua vita operosa e onesta. V. a tal proposito la poesia dialettale *Attività e lavoro*, in *Poesie in vernacolo calabrese*, cit., p. 55.

[307] Che poi talvolta sono proverbi ben conosciuti dal popolo calabrese: "Ama a cu t'ama, rispunda a cu ti chiama / E speciarmenta a cu' ti vo cchiù bena, / E quandu ca no' ti cumbena / Passa avanti". V. *Introduzine*, cit., p. 19. Ecco la traduzione dei versi: "Ama a chi ti ama, rispondi a chi ti chiama / E specialmente a chi ti vuole più bene, / E quando vedi che non ti conviene / Passa avanti.

[308] La sua poesia dialettale non ha pretese artistiche.

[309] Il Riccio appare anche un uomo rassegnato al pianto e al dolore.

[310] *La storia de na lavandara*, in *Poesie in vernacolo calabrese ed italiano*, cit., p. 40.

[311] Per San Francesco e la Calabria v. P. FRANCESCO RUSSO m.s.c., *San Francesco d'Assisi e la Calabria* (Conferenza tenuta a Castrovillari l'8 ottobre 1976 per il 75° anniversario del transito di S. Francesco, sotto gli auspici de PP Conventuali della stessa città), Roma, 1976.

[312] Corsivo dell'A.

[313] V. *A San Francesco d'Assisi* (*pel suo VII Centenario*), in *Poesie in vernacolo calabrese ed in italiano*, cit., pp. 90-91.

[314] Non hanno preziosità letteraria; sfoggio di erudizione; linguaggio forzatamente fiorito. Esse sono schiettamente popolari, tanto popolari che hanno trovato immediata comprensione nel popolo dei paesi attorno a Girifalco che recita e "dice" i versi del Riccio allo stesso modo "che un erudito ripete i canti dei maggiori poeti nazionali. Segno evidente della validità dei versi del Riccio, la cui produzione poetica meritereb-

be, non un fugace giudizio critico, come necessariamente è questo, ma un'indagine più approfondita e attenta''. V. *Alcuni giudizi sulla poesia di F. S. Riccio*, in *I Caratteri dell'uomo*, cit., p. 120. Il giudizio or ora trascritto è di Paolo Apostoliti. Eccone ancora altri: quelli di Guido Cimino e Mario Lavecchia. Il primo scrive: ''Dei nuovi cultori di poesia dialettale, nati nella provincia di Catanzaro è da menzionarsi Francesco Saverio Riccio, da Girifalco, [...] residente in America, del quale ci è riuscito di leggere solo poche poesie di veste dimessa; alcune peraltro, con accenti notevoli di sincero sentimento''. V. GUIDO CIMINO, *Poeti dialettali calabresi*, in ''Il Ponte'', settembre-ottobre 1950, p. 1103.

Il Lavecchia: ''modesto poeta [...] comunque non è da scartare come artista, anzi; pur non riuscendo quasi a scuotere il nostro sentimento, ci dà tuttavia momenti di sana e semplice allegria, aliena da ogni reminescenza retorica''. Giudizio che in parte si può sottoscrivere. V. MARIO LAVECCHIA, *op. cit.*, p. 145.

Ricordiamo infine l'omaggio in versi al Riccio di Eleonora David: ''Argute rime e Poesie dilette... / versi vergati col più gran valore... / Ed il dialetto che li fà di sprone / Risalta come polla di sorgente / In ogni scritto pieno di passione''. V. *Al poeta F. Saverio Riccio nella lontana America*, in *Vita e realtà*, cit., p. 116.

315 La raccolta *Poesie in vernacolo calabrese ed in italiano*, cit., pp. 78-80.

316 *Ibidem*, p. 78.

317 V. PIETRO GRECO, *Si onori in Francesco Saverio Riccio il poeta, il lavoratore, l'amico*, in *I Caratteri dell'uomo*, cit., p. 97. Ecco come la ''Follia'' di New Yorck (diretta da Riccardo Cordiferro) dava la notizia della nomina del Riccio Accademico Cosentino: ''Il nostro vecchio amico e collaboratore Francesco Saverio Riccio, di Riverside, N. J., è stato nominato socio dell'Accademia Cosentina, in Cosenza. La nomina ed il motivo sono stati comunicati dal Presidente dell'Accademia nella lettera che segue: Chiaro Signore e consocio, son lieto di parteciparLe che, su mia proposta, Ella è stato nominato nell'adunanza accademica di ieri 15 aprile 1952, Socio Corrispondente dell'Accademia. Nel rallegrarmi con Lei della meritata nomina, votata alla unanimità, le invio solidali saluti ed auguri, compiacendomi della sua semplicità piena di buon senso e di vena della sua produzione poetica dialettale ed italiana. Avv. Filippo Amantea M. Presidente. V. ''La Follia'' di New York — *Un nuovo socio nell'Accademia cosentina*, in *Caratteri dell'uomo*, cit., p. 101.

318 Corsivi dell'A. V. *Titta Pro domo mea* (*Parodia*), *Vita e realtà*, cit., p. 76.

319 *Ibidem*, p. 76.

320 V. *Vita e realtà*, cit., p. 84.

321 *Ibidem*.

322 *Ibidem*.

323 V. a tal riguardo *Ergo sum* (*il propio 'io'*), in *Vita e realtà*, cit., p. 86.

324 *Ibidem*, p. 87.

325 V. *Vita e natura*, in *Vita e realtà*, cit., p. 88.

326 *Ignoranza e miseria*, in *Vita e realtà*, cit., p. 89.

327 *Il trionfo della macchina*, in *Vita e realtà*, cit., pp. 90-91.

328 *Vita e natura* (*Ad un vecchio amico*), in *Vita e realtà*, cit., p. 88.

329 ''Il pane bagnerai col tuo sudore''.

330 *Il trionfo della macchina a vapore*, cit., p. 91.

331 *Vita e realtà*, cit., p. 79-80.

[332] *Ibidem*, p. 79.
[333] Il dollaro appunto.
[334] *Vita e realtà*, cit., p. 80.
[335] *Ibidem*, p. 80.
[336] *Ibidem*, pp. 81-82.
[337] *Ibidem*, p. 82.
[338] *Il mezzo cretino* (*Ad invito di Remo Campana*), in *Vita e realtà*, cit., pp. 83-84.
[339] *Ibidem*, p. 83.
[340] *Ibidem*.
[341] In America. Cfr. *Breve carme. A mio zio Rev. Giacomo Riccio*, in *Poesie in vernacolo calabrese ed in italiano*, cit., p. 86.
[342] La gioia.
[343] *Breve carme*, cit., p. 86.
[344] *Ibidem*, p. 86.
[345] V. *Poesie in vernacolo calabrese ed in italiano*, cit., pp. 87-88. Poesia scritta dal Riccio "a richiesta d'una folla afflitta, travagliata da lungo e penoso lavorare; ed annoiata delle repentine richieste che direttamente, indirettamente o metaforicamente erano vittime delle solite collette, di cui il povero emigrato è molestato di continuo". Nota dell'A., in *op. cit.*, p. 87.
[346] *L'eterna canzone*, in *Poesie in vernacolo calabrese ed in italiano*, cit., p. 87.
[347] *Ibidem*, p. 88.
[348] *Ibidem*, p. 88.
[349] V. *A San Francesco d'Assisi*, cit., p. 91.
[350] *Ibidem*, p. 92.
[351] *Il tempo*, in *Poesie in vernacolo calabrese ed in italiano*, cit., p. 92. La poesia è dedicata al poeta R. Cordiferro.
[352] V. *Mamma*, in *Poesie in vernacolo calabrese ed in italiano*, cit., p. 84. La poesia fu composta il 10 luglio 1925.
[353] *Ibidem*, p. 84.
[354] V. *Poesie in vernacolo calabrese ed in italiano*, cit., p. 113. La poesia è significativamente introdotta dai seguenti versi danteschi: "A gloria non si va putrendo in coltre".
[355] V. *Napoli nei miei ricordi*, in *Poesie in vernacolo calabrese ed in italiano*, cit., p. 109.
[356] V. *Vita e realtà*, cit., p. 69.
[357] *Ibidem*.
[358] Giusta l'osservazione di SAVERIO SCUTELLÀ; *Sentimento ed umanità nelle poesie di Francesco Saverio Riccio*, in *I Caratteri dell'uomo*, cit., p. 88.

INDICE DEI NOMI

Il presente indice non registra i nomi citati nelle note e quelli dei quattro poeti analizzati

Finito di stampare nel mese di novembre 1992
dalla «Grafica 2000»
Coordinamento lavoro «Centro Stampa»
Città di Castello (PG)